CW00922108

Colección Medicinas Blandas

Miraguano Ediciones

JOSÉ LUIS PADILLA CORRAL

LA ACUPUNTURA EN LA SENDA DE LA SALUD

4.140 CASOS CLÍNICOS

2.ª edición: noviembre 2001

Portada: *Fragmento de túnica bordada en seda.* Período Chia-ch'ing (1796-1820), dinastía Ts'ing

Hermosilla, 104. 28009 Madrid. España
Telf.: 91 401 46 45 - Fax: 91 402 18 43
E-mail: miraguano@infornet.es
Internet: http://www.miraguano-sa.es
ISBN: 84-7813-164-7
Depósito legal: M. 47.372-2001
Imprime: Closas-Orcoyen, S. L.

— Y en el permanente encanto del silencio enamorado existió el constante impulso de... LUCI

He estado pensando a quien dedicar este libro. Algunas personas podrían ser las idóneas, sin duda, pero... a ninguna las siento con certeza. Así... diré, que se lo dedico al «SILENCIO DE LOS HOMBRES...» y en otro plano, con certeza, a lo celeste, que permanentemente nos asiste. Y de verdad que no existe ninguna arrogancia ni ningún sentimiento de privilegio. Gracias por estar en este planeta y poder ser en el camino.

«En el tiempo del dragón»... cuando el tiempo del viento es aún dulce y la pureza de la gota de sudor es aún transparente.

GRACIAS:

— A Mari Carmen por su entrega fiel.
— A Jesús por su empeño.
— A Omar por su perseverancia.
— A Amalia por su silencio.
— A Juan José por su asombro.
— A Angela por su confianza.
— A Javier por su constancia.
— A Leopoldo por su inquisitoria timidez.
— A Amparo por su «cambio».
— A Gloria por su permanente espectativa.
— A Moises por su centella de entusiasmo.
— A Mercedes por su inseguridad perpleja.
— A Noa por su transparencia.
— A Juan Manuel por su ambicioso silencio lejano.
— A Manuel por su fugaz entusiasmo.
— A Karla por su permanencia.
— A Angeles por su AMOR.

LA ACUPUNTURA EN LA SENDA DE LA SALUD

4.140 CASOS CLÍNICOS

PROLOGO

Casi todos los libros, por no decir todos, suelen ser PROLOGADOS, por otras personas que se arrogan el decir la última palabra. En este caso, no será así. Dejaremos las alabanzas para otras ocasiones y que cada lector, después de la lectura de este caótico memorandum, decida cual debería de ser, para EL, el auténtico PROLOGO. GRACIAS anticipadas a todos los PROLOGOS anónimos, porque se, que saldrán del corazón.

EL CAMINO DEL HOMBRE

El camino del hombre está marcado por sus relaciones con las estrellas el suelo que lo alimenta y que le sustenta, con lo que hereda a través de sus progenitores y con las relaciones que establece a través de sus semejantes y al hablar de semejantes no nos referimos solamente a otros hombres sino a todos los seres vivos que integran el ecosistema donde se desarrolla. Quizás sea apropiado decir que en la medida en que el hombre realiza su destino cumple el ritmo, el ritmo cósmico que determina su evolución. En estos presupuestos las preguntas sobre de dónde, cómo, porqué y para qué, desarrolla el hombre su actividad empiezan a perder sentido, quizás sería más propia decir que vive porque no tiene otra alternativa. En el momento en que es consciente de su realidad, de su estar en el mundo, su único compromiso es VIVIR. Y este compromiso es una realidad interminable, en el sentido en que no puede renunciar a ella. Vive sumergido en un principio en el seno de su familia y sobre todo con personas que de alguna manera les han tocado estar con él. Desde ese instante es manipulado psíquica y físicamente. Psíquicamente por las inclinaciones, las tendencias, opiniones, puntos de vista, las costumbres, la moral, las reglas, las leyes de los que les toca el papel de padres y físicamente a través de los alimentos y del lugar que le permite respirar, por tanto es una situación realmente CONDICIONANTE. Después el colegio y el entorno social se encargan de elaborar un sujeto cargado de contradicciones, lleno de deseos frustrados, con fuerza y energía para superar cualquier situación si bien es cierto, pero también de una forma no ritmada, explosiva sí, pero el ritmo que debería de marcar su actividad biológica relacionada con el sueño vigilia, hambre, sed, pasión belleza, danza, etc., no lo puede cumplir, puesto que su entorno y sus propios principios que ha ido elaborando a través del tiempo no se lo permiten.

En estas circunstancias, la resultante es un hombre poco viable, viable me refiero al entorno sobre todo que no es capaz en el plan biológico para el cual está preparado, tan sólo es una caricatura de lo que debería de ser el *hombre cósmico.*

Pasa a ser un instrumento de placer subterráneo, subterráneo porque en el fondo no realiza el placer que quiere realizar sino aquello que le permiten, o aquello que es socialmente permisible, o aquello que es realmente rentable, pero no aquello que instintualmente desea, siente, vive, padece por no poder realizar.

Habría que pensar que en virtud de esas contradicciones, el hombre empieza a enfermar, empieza GRAVEMENTE A ENFERMAR.

Todas las enfermedades degenerativas, cardiacas, cardiovasculares, tumorales, enfermedades desconocidas, etc., todas estas afecciones podrían tener su origen en este fallo de desarrollo biológico cósmico del hombre. Y en ese sentido debemos de recuperar nuestro origen y nuestra expresividad, por ello tenemos que recurrir a técnicas que deben de ser creadas para poder recrearnos en la experiencia gozosa que es la vida, porque la vida en si misma constituye una experiencia de placer y no debe de oscilar entre el placer y el displacer, como tampoco debe de existir la idea de MUERTE, sólo existe en la medida en que es comunicada verbalmente y es transmitida insistentemente por el entorno ni siquiera la realidad «con comillas» del hombre o del ser muerto es capaz de impactar al ser vivo para pensar que el puede pasar por esa experiencia suficientemente.

Luego habrá que pensar que vivencialmente es el placer el móvil, el objeto, el principio, el desarrollo y el fin de la existencia.

La odisea del hombre comienza cuando este intuye la posibilidad de utilizar al otro hombre como instrumento para su propio servicio y es lo que podríamos llamar una odisea triste porque las odiseas podrían ser epopeyas y entonces serían ecos grandiosos, pero este no tiene nada de grandioso, y es curioso cómo en el resto de la escala biológica no ocurre este fenómeno. Existe la depredación pero no la esclavización. La esclavitud del hombre en cuanto al hombre por el hombre es consecuencia de la inadaptación de su entorno biológico. Se sustituye el liderazgo natural del jefe del clan o de la tribu, por el poder de una minoría que controla, dirige y manda a una mayoría, sin que esta tenga opción para elegir su propio camino. La diferencia entre el clan y el jefe del clan es que este era aceptado por todos y aceptado en cuanto a su autoridad o la autoridad que emanaba de él, y al poder y a lo acertado de sus decisiones y éste cesaba en cuanto aparecía otro sujeto con mejores posibilidades. Igual ocurría con los cuidadores de la salud: LOS CHAMANES. En las tribus más primitivas la figura del chamán es la figura del ser protector, intermediario entre los Dioses y el hombre encargado de realizar la función de llevar a su pueblo por los caminos del bienestar, y es el chamán el que se encarga de establecer, entre otras cosas el lugar geográfico de la tribu, los confines en los que se puede o no se puede mover, las costumbres, los alimentos y las plantas. Debe de ir estableciendo la tribu y para ellos debe de conocer perfectamente a su pueblo y gracias a ese perfecto conocimiento es que establece los ritmos que no son ni más ni menos que *costumbres asimiladas por el hombre en virtud de los beneficios que le aportan.* De esta forma el chamán es un ser mágico, y es mágico porque sintetiza en él la experiencia de su pueblo y la experiencia de miles de años de antigüedad de su pueblo, esta situación que no es conscienciada por los elementos del pueblo, pero sí es vivenciada por ellos. De esta forma el pueblo obedece al chaman. Pero yo diría que más que obediencia lo que hace el pueblo es vivenciar con el chamán la vida en cuanto a devenir natural, escucha sus opiniones, sus consejos y los acata sin protestar. Es el chamán además el que determina las actitudes terapéuticas, los actos, los conjuros, las plantas medicinales, todo ello está encuadrado dentro de las simbiosis que establece con el cielo.

Sin duda alguna en las tribus chamánicas es donde aún perdura la coexistencia entre el hombre y el cielo. El hombre se siente protagonista de su tierra pero se siente a la vez unido al cielo y es el chamán el que le pone en contacto a través de sus prácticas rituales, sus actos: sus danzas sus máscaras sus colores sus retiros, sus pócimas. Todo ello configura una atmósfera que hace que la tribu y el propio chamán se transfiguren, se transformen y puedan contactar con las realidades íntimas del cosmos y sobre todo y lo más importante, es que trascienden a su nivel cotidiano de conciencia. Hay un cambio substancial en la conciencia de la tribu y el chamán, lo cual le permite ver otras realidades y a su vez esas otras realidades les sirven como control de análisis de trabajo de deducción de aplicación de la realidad cotidiana que les envuelve y les domina o domina prácticamente todo su tiempo. Luego el salto cualitativo y cuantitativo que se experimenta en los niveles de consciencia no es solamente una experiencia aislada sino que es una experiencia que sirve para la experiencia cotidiana. Es en ese camino en el que pienso que el hombre puede alcanzar o puede mejor dicho recuperar el camino perdido por la cultura. La cultura que lo único que ha tratado de hacer es racionalizar las vivencias, las vivencias son irracionales. La razón es un obstáculo para esàs vivencias. La razón es el culmen del super-yo.

EN EL UMBRAL DE LO POSIBLE

Cuando el terapéuta se plantea las posibilidades terapéuticas de su paciente, suele, generalmente necesitar de la imperiosa necesidad de un rígido diagnóstico. Dependiendo de las condiciones de éste y de la literatura que se posea, sobre todo occidental, así serán las *intencionalidades del terapeuta.* Si la respuesta es positiva, las intenciones son buenas y *hasta creativas*, pero si las informaciones son poco animosas, las intenciones decrecen, la creatividad desaparece y, por tanto, las posibilidades de realizar algo positivo se esfuman.

Sin duda, no podemos ignorar las experiencias anteriores, que nos cuentan tal o cual posibilidades pero... Si queremos alcanzar *una independencia de criterio, una creatividad y ofrecer alguna alternativa valiosa,* debemos de *quitar el lastre que supone las experiencias negativas anteriores o positivas.* El acto terapéutico debe de suponer una *constante novedad,* que ofrece *continuas y novedosas posibilidades.* Tanto si lanzamos jubilosos la toalla en señal de triunfo antes de la batalla, como si la tiramos antes de empezar, ya estamos quitando *originalidad al tratamiento que realizamos. Igual ocurre* con las estadísticas. De qué le vale a un paciente el decirle que de su enfermedad hemos curado el 90 por 100, pero que él pertenece al 10 por 100 que no se cura. Sin duda, si el paciente no es idiota, no le será de ningún consuelo, *cada paciente es el 100 por 100.* En cada persona están contenidas todas las posibilidades. Por tanto, las estadísticas aplicadas a personas enfermas son engañosas.

El terapéuta que trabaja con los Niveles de Energía, como ocurre con la M.T.C., debe de exijirse una respuesta unitaria y contundente a la hora de tratar a un enfermo. Insisto en que no se trata de ignorar las experiencias anteriores, pero que éstas *no condicionen la novedad y la creatividad del paciente actual.*

El terapéuta energético debe ser consciente de sus *ilimitadas posibilidades.* Pero entendamos bien, esto no significa que esté en condiciones de tratar cualquier afección. Este es otro cantar. Las posibilidades del método no existen en limitaciones, pero el terapeuta debe de ser *consciente de sus limitaciones.* Este es un capítulo muy importante, el cual posibilita las continuas tentativas de preparación en profundidad. En este contexto, resulta sorprendente las alegrías que se permiten los cursillos, fines de semana, etc., sobre la preparación teórica de la M.T.C. Incluso médicos formados en China aseguran que en sólo seis meses es tiempo suficiente para conocer los sustentos teóricos de la M.T.C. Sin duda no se habla de la M.T.C., se habla de otros asuntos que nada tienen que ver con las medicinas tradicionales. Y los chinos actuales son los primeros en afirmar que la acupuntura se reduce a su ya conocido libro «Fundamentos». Sin duda es una caricatura. Pero, con todos los respetos, existen personas que se conforman con esta parte de la realidad. Si son conscientes de ello no existe ningún problema. Que desempeñen bien su parcela y punto... Lo malo que no es así, amparados en la mediocridad, reducen la M.T.C. a un simple juego, ni siquiera energético, entre el simpático y parasimpático, por ejemplo, y tódo al final se reduce al empleo de fórmulas establecidas, con más o menos rigor. Sin duda se trata de un simulacro de arte. Que resulta, evidentemente, muy aburrido.

El terapeuta que aspire a ser «un gran obrero», no por tener más, sino por ser más, debe de situarse en hacer bueno el lema «En el umbral de lo posible». «Todo es posible». Cuando nos situamos ante las estructuras perturbadas, nuestro espíritu debe de situar el problema en la esfera de lo factible. Cuando se da el fenómeno del contacto, los acontecimientos se producirán de la manera en que el terapeuta sea capaz de llevarlos hacia buen fin.

¿Hasta dónde debe de llegar el compromiso del terapeuta? El compromiso, una vez aceptado el inicio del tratamiento, debe de ser hasta que el paciente lo decida. El compromiso del terapeuta debe de ser *permanente* ya que posee, o debe de poseer, los suficientes mecanismos terapéuticos capaces de acotar la enfermedad.

La pregunta del *tiempo es una interrogante constante.* ¿Por cuanto espacio de tiempo debemos de prolongar el tratamiento?. La respuesta exacta nos la dará el *estudio pronóstico* que deberemos de realizar según la teoría de los Cinco Movimientos.

Es poco frecuente que se realice este estudio de una manera cotidiana y sistemática. Debería de realizarse. De esta manera podríamos situarnos ante un trabajo programado que nos permitiría establecer las diferentes posibilidades, descansos, etc.

Conociendo las posibilidades de tratamiento y el tiempo probable de evolución de la enfermedad, nos esforzaremos a establecer un *control de calidad de nuestra terapia.* Esta medida nos parece extremadamente importante. Este control de calidad es doble. Por una parte, nos sitúa en el nivel de la valoración de resultados de las diferentes enfermedades, y por otra, nos valora nuestra actuación terapéutica. Es una doble crítica que *posibilita una constante actividad creativa.*

Finalmente, sin que por ello acotar el tema, un breve comentario sobre las alternativas dentro de la M.T.C., el terapeuta debe de conocer las diferentes posibilidades que le brinda la medicina tradicional y emplear la que sea más conveniente. Por ejemplo, la práctica de la acupuntura, la moxa, el masaje, la sangría, el empleo de plantas medicinales, gimnasia, etc. Cada momento tiene su terapia más apropiada.

No se debe de aferrarse a un solo sistema terapéutico. Dependiendo de la entidad energética dañada, así se procederá con las manipulaciones más apropiadas. Ya en el Neijin nos recomiendan determinadas terapias dependiendo si el paciente habita en el Norte, Sur, Este...

Finalmente, y ahora sí que terminamos... La exploración de las *entidades efectivas,* es decir, la exploración del estado de los instintos constituye un apartado importante dentro de nuestra cultura. La forma de relacionarse, la vida familiar, la forma y manera de comer, los hábitos diarios, la economía sexual... Todos son temas de interés para el médico tradicional que *quiere una individualización del tratamiento.* Volveremos sobre estos temas, de manera que el arsenal explorador y terapéutico sea cada vez más amplio.

PRESENTACION

El trabajo que presentamos trata de ser fiel exponente de más de quince años de dedicación a la medicina tradicional China. La experiencia acumulada con los más diversos pacientes vistos en nuestro país, en los paises orientales, americanos y europeos constituye suficiente caudal para hacer un alto en el camino y tratar de comunicar parte de las experiencias válidas que han ido resultando a lo largo de este arduo recorrido.

Se ha sintetizado en 4.140 casos, la experiencia global de las más diversas patologías. No es nuestra intención el hacer un panejírico de las bondades de la acupuntura. La M.T.C. se basta por sí sola desde hace milenios para demostrar su eficacia. Pero nuestro mundo «civilizado» precisa de un mayor acercamiento de las posibilidades reales de la acupuntura. Resulta perezoso un acercamiento a las fuentes, y muchas veces, estas, se nos presentan excesivamente oscuras, ya sea por que el que las expone no las conoce suficientemente o porque es muy celoso de ellas, y conociéndolas, no las ofrece al primero que pasa. Prefiere quedar como ignorante, que como erudito publicitario.

La primera ocasión que tuvo Occidente de conocer la eficacia de la acupuntura en las diversas afecciones, fue a través de un trabajo ruso, en base a 10.720 casos realizado por el Dr. Woglarik. Los autores, en su día, manifestaron sus insuficientes conocimientos sobre medicina china, ya que sus logros fueron el producto de las enseñanzas de un corto período, por parte de una delegación de médicos chinos llegada a Rusia... No obstante, la estadística *fue muy concluyente en cuanto a resultados...* Pero *fue muy pobre, sobre la forma de conseguirlos.* Por otra parte, las afecciones tratadas correspondían muchas de ellas a las llamadas afecciones psicosomáticas, con lo cual se creaba una especie de San Benito sobre la parcialización de la acupuntura en esas afecciones, es una manera semejante a como se conoce la acupuntura actualmente, como calmante de dolores.

Nuestro trabajo, además de presentar una casuística importante en cada una de las afecciones descritas, aporta la **fisiopatología y fisiología energética.** El *diagnóstico y la evolución de las afecciones. La descripción de los puntos empleados. La utilización que se realizó sobre esos puntos. Las diferentes combinaciones empleadas. La descripción de casos en minuciosidad, como base de tratamiento de las afecciones descritas. Las distintas referencias de los textos tradicionales a propósito del caso descrito. Las diferentes aplicaciones clínicas que se derivan del significado de los puntos... La explicación y estudio de temas teóricos.* Todas estas matizaciones suponen *un nuevo nivel* en el planteamiento de la acupuntura a nivel universal. En la actualidad no existe en la literatura mundial sobre medicina tradicional China una obra como la que ahora presentamos. Nos produce una especial satisfacción que se produzca en nuestro idioma, así, costará, cada vez más, el ignorarnos.

No creemos que se trate de un trabajo concluido. La labor de investigación es interminable y siempre en las confluencias de lo imposible. Sin duda existen muchas lagunas. Unas confesadas y otras veladas. Así es la labor cotidiana. No pretendemos ser dogmáticos en los tratamientos, tan solo pretendemos constatar unos hechos.

Pedimos que se nos lea con respeto y que podamos ser un buen molde para la ayuda del hombre enfermo.

Somos también conscientes que existirán almas caritativas que pensarán en cierto... amañamiento de resultados... estan equivocados. No nos habríamos tomado, a estas alturas, todas las molestias que suponen la realización del libro, para trucar unos resultados. Insisto, que no se pretende convencer a nadie. Tan solo tratamos demostrar una experiencia que pueda ser útil a otros profesionales.

Sin duda, también el libro se puede prestar a las críticas, en la forma de plantear los casos, en lo más o menos exacto de los porcentajes, en la fiabilidad sobre la forma de seguimiento de los casos, etc, etc... Sin duda son críticas aceptables... Pero el amable lector, comprenderá que no se puede agotar todos los pormenores y detalles de forma absoluta. Sería una labor interminable, además de aburrida y tediosa.

Quizás, también, puedan faltar ciertos planteamientos, que el lector considere que debían de ser expuestos. Es posible. Nosotros tratamos de exponer la forma en que trabajamos con los enfermos. No excluimos otras opciones, y pedimos disculpas de antemano si hemos olvidado mencionar cuestiones importantes. Siempre tendremos otra ocasión.

De igual manera queremos decir que todos los procederes terapéuticos que hemos realizado se ciñen a la tradición. Por tanto quedan excluidos en esta experiencia, las manipulaciones electrónicas, los tratamientos con homeopatía, la electroacupuntura, el empleo de plantas tradicionales (de momento), el lasser... Todos estos procederes de reciente adquisición, menos las plantas, no son objeto de nuestro trabajo. No tenemos experiencias al respecto. No ignoramos su existencia, pero no podemos establecer ningún tipo de comparación.

Hemos tratado en esta presentación de hacer una pequeña autocrítica, y un acercamiento a los temores y suspicacias que puedan tener ciertos lectores. Estos planteamientos iniciales pueden aclarar el camino antes de adentrarse en materia.

Terminamos, expresando nuestro agradecimiento a todos los pacientes que a lo largo de estos años han confiado su salud en nosotros. Gracias también a todos los alumnos y discípulos de la escuela NEIJING. Sus inquietudes han sido un buen acicate en mis investigaciones. *También mil gracias a todas las personas que colaboran diariamente a mi alrededor. Realizan su trabajo con admirable interés y dedicación.*

Madrid, 25-VII-86.

En el inicio del estio, en una inestable mañana. Durante el año del tigre.

I. INTRODUCCION

La presente introducción, tan solo pretende situarse a nivel de recordatorio en torno a las complejas y difíciles artes del diagnóstico de la M.T.C. Creo que constituye un buen útil en la manera de abordar al enfermo como una TOTALIDAD. La profusa ilustración, tanto práctica, como simbolica, nos situará con mayor precisión en la perfección del diagnóstico que se elabora a través de los sensores de nuestro organismo ante el entorno.

A propósito, hemos suprimido los comentarios al pie de página de las imágenes de la lengua, de este modo puede servir de guía en la elaboración del propio diagnóstico, que por otra parte nos parece sencillo, en base a la información que se presenta y a la que pueda tener el lector.

En el capítulo de los pulsos, hemos querido conservar al máximo las descripciones clásicas aunque somos conscientes de la dificultad de aprendizaje en este sentido.

Las diferentes correlaciones que se establecen entre el diagnóstico de la lengua, en cuanto a la forma y manifestación así como la saburra de las diferentes patologías nos parece una *nueva contribución.* Igualmente ocurre en el caso de las más frecuentes significaciones de los 28 pulsos.

Otra de las ventajas que nos ofrece este capítulo son las constantes referencias que podrá hacer el lector cuando se enfrente a las diferentes enfermedades. En la mayoría de las ocasiones no se explicitan en el texto. Estas omisiones son provocadas con el fin de que el lector pueda establecer sus propias conclusiones.

II. INVESTIGACIONES Y DEDUCCIONES EN TORNO AL DIAGNOSTICO TRADICIONAL

El diagnóstico tradicional es el *SUMUN DE LOS CRITERIOS DE OBSERVACION*. El terapeuta se sitúa con los sensores de todo su organismo ante la realidad del enfermo. De la totalidad de lo que pueda apreciar, se elabora el diagnóstico, con el cual se establecerá un tratamiento. No dispones de ninguna ayuda auxiliar que no sea su propio equilibrio y armonía.

La síntesis del diagnóstico tradicional se centra en los *llamados CUATRO METODOS DIAGNOSTICOS.*

1. Observación ocular.
2. Auscultación.
3. Olfatación.
4. Interrogación. Palpación.

Al aplicar los cuatro métodos diagnósticos se debe de analizar la naturaleza del *Inn Yang* de la enfermedad, lo cual constituye un principio básico para la diferenciación y el tratamiento.

OBSERVACION OCULAR

Podemos apreciar la *Expresión Facial (Shen), la apariencia, la lengua, heces y orina.* En los niños se observa, además, *las venas superficiales de los dedos.*

La **Expresión facial** es una manifestación general de las actividades vitales, incluye también el brillo de los ojos y el color de la cara. Este, es la *manifestación externa de las condiciones de la Energía y sangre de los órganos internos, y también, reflejo del estado de ánimo.*

La observación **de la apariencia** abarca las condiciones de los músculos, huesos y piel, la postura y capacidad de movimiento. Por medio de la observación de la apariencia conocemos las condiciones de salud, del desarrollo y nutrición, lo cual contribuye al conocimiento de las condiciones de la sangre y la energía, las relaciones entre los factores patógenos y factores defensivos y la localización de la afección.

La observación de la **expresión de los ojos**. Colabora al conocimiento de las condiciones de la energía y la sangre. Si existe suficiente energía, los ojos son *brillantes,* la *humedad del ojo* es suficiente y la visión es buena. Si la energía esta *en deficiencia*, los *ojos son opacos, sin brillo* y la visión es mala.

OBSERVACION DE LAS APERTURAS

Según la Medicina Tradicional China: *"La apertura del corazón es... la lengua;*
La apertura del pulmón es la nariz;
La apertura del higado, los ojos;
La apertura del bazo, los labios;
La apertura del riñón, el oido.

La observación de los cambios anormales de estas aperturas colabora en el conocimiento del estado patológico de los órganos internos.

Ejemplos: Cuando el fuego del corazón se encuentra acumulado la *lengua se nos presenta roja oscura.*

Cuando la energía del pulmón se extingue se manifiesta en los *movimientos del ala de la nariz.*

Cuando la *humedad calor* ataca al hígado, la esclerótica se nos presenta de color *anaranjado.*

Las erupciones en los labios son las manifestaciones el *calor humedad* en el bazo estómago.

Cuando aparacen tinitus, indica la deficiencia de los riñones.

La observación de las **manifestaciones del espíritu** son de vital importancia en la valoración de los factores defensivos, las condiciones de la enfermedad y el pronóstico. Se dice en los textos tradicionales que un paciente rebosante de energía, ojos brillantes y vivos, habla clara, cara lustrosa, respiración normal se puede decir que esta *lleno de espíritu*. Aunque se encuentre enfermo, será fácil de tratar y el pronóstico será favorable.

Cuando se presentan graves desordenes ocurre el agotamiento de la esencia vital de los órganos internos, el paciente presenta oscuridad ocular, emaciación, palidez, diarrea incontrolada, respiración superficial y rápida, o desmayo repentino, con los ojos cerrados y la boca abierta. Los dedos de la mano extendidos e incontinencia urinaria. Ante estas situaciones se dice que el paciente ha perdido vitalidad.

Siguiendo con la observación, tenemos la descripción de los parpados. El llamado *gusano durmiendo debajo del ojo*. Se trata del edema palpebral, sobre todo del parpado inferior, es un síntoma que se presenta frecuentemente en los pacientes con nefritis o enfermedades renales.

En las enfermedades crónicas consumidoras, los pacientes presentan los músculos grandes hundidos, los huesos marchitos, sobre todo del tronco y miembros.

Las cojeras del pie, pueden ser indicio de los ataques del viento-frio-humedad.

Cuando el pelo se presenta sin vitalidad y se cae, suele ser síntomas de una enfermedad prolongada y es una consecuencia del agotamiento de la esencia, que no puede nutrir el pelo debidamente.

En la observación del color de la cara debemos de diferenciar los colores superficiales y profundos.

El *color claro y fresco* indica *afecciones superficiales.*

El color profundo y opaco indica enfermedades del interior.

Cuando el *color es claro y dispersado* es signo de que el factor externo es reciente y la afección no es muy importante.

El color acentuado se presenta en pacientes con enfermedades prolongadas o con excesiva influencia de los factores causales.

Una cara brillante y humeda indica la *existencia de la energía del estómago.*

Una cara marchita y seca indica *un agotamiento de la energía del estómago.*

Cualquier color de enfermedad, *si es claro,* indica que la enfermedad no es muy grave. Si es *marchito y seco* indica *gravedad de la enfermedad*. El pronóstico no es bueno.

El color verde de la tez indica síndromes causados por el *viento frío*, que cursan con *dolor y espasmos.*

La tez roja indica sindromes de *calor* (ya sea por deficiencia o por exceso).

El color amarillo indica síndromes causados por los ataques de la *humedad calor, frío humedad o deficiencia de la sangre.*

El color blanco indica deficiencias, sobre todo causadas por el frío.

El color negro indica síndromes de frio, dolores o lesiones por el excesivo cansancio o estancamiento de sangre.

El color *normal* se nos presenta *claro y humedo*. Esta situación indica la existencia *de la energía del estómago* y la *suficiencia de la esencia.* Si es marchito y acentuado indica la pérdida de la energía del estómago y la insuficiencia de la esencia. Estos dos extremos de color acentuados se denominan *colores verdaderos,* los cuales, indican la gravedad de las afecciones. Por ejemplo:

El color *amarillo marchito y seco* es el color *verdadero del bazo*, lo cual indica el agotamiento de la esencia del *bazo estómago*. Se suele presentar en enfermedades con trastornos metabólicos, tales como cirrosis hepáticas, cáncer de hígado, de cabeza, de pancreas...

El color de hierba seca es el color verdadero del hígado, se presenta en los casos de viento patógeno y agotamiento de la energía del estómago, como en los espasmos infantiles o convulsiones persistentes.

El color blanco como hueso seco es el color *verdadero del pulmón,* que se presenta en pacientes con debilidad de energía y sangre, agotamiento de la energía del estómago, enfermedades prolongadas.

El color amarillo como los frutos, es el color *verdadero del bazo,* se presenta en el agotamiento de la energía del bazo y del estómago, por la causa de enfermedades graves crónicas.

El color rojo, como el de sangre necrósica, es el color verdadero del *corazón*, es el color purpureo negro que se presenta en síndromes de sangre del corazón, agotamiento de la energía del estómago. Son las afecciones tales como esclerosis coronaria, insuficiencia cardiaca congestiva...

El color ceniza negra, es el color *verdadero del riñón*, se presenta en pacientes con agotamiento de la energía del riñón y del estómago. Es en los casos de tumores malignos o en los casos hormonales de hipocorticalismo...

Cuando el color de la cara se nos presenta muy colorada, se trata de enfermedades febriles por acumulación del calor patógeno.

Cuando el paciente presenta un *color gris, como cubierto de polvo*, es sinónimo de dos eventualidades. *En síndromes de exceso.* Son los casos de lesión de la sequedad o por la humedad latente en el interior. Se suele acompañar de sabor amargo en la boca o sequedad en la garganta. La otra circunstancia se da en las deficiencias del INN de los riñones y del *hígado*. Son causadas por enfermedades prolongadas. Se suele acompañar de tinitus, calor en el pecho y en las palmas de las manos y plantas de los pies, lumbago, emisión seminal involuntaria, impotencia...

La observación de los vasos superficiales arroja importantes elementos para el diagnóstico de la enfermedad.

Cuando los vasos superficiales son de *color verde*, el enfermo suele presentar *síndromes de dolor*, por causa del estancamiento de la energía y la sangre.

Si el color de los vasos superficiales es *negro* se suele acompañar de síndromes BI (reumatismo), en general son crónicos y causados por el *frío.*

Si los vasos son de color amarillo-rojo y la piel se encuentra caliente, se suele corresponder en forúnculos causados por la humedad calor.

Si los vasos son de color pálido *con la piel fría,* se deben a cuadros de insuficiencia de sangre y energía.

La observación de vasos superficiales en la zona del YUJI en la palma de la mano se emplea para valorar las *condiciones de la energía del estómago.*

En el LINGSHU podemos encontrar:

"Si los vasos son de color verde *indican frío-dolor.*

"Si son de color Rojo indican *calor*".

"La región del YUJI se pone verde cuando se trata *de frío en el estómago*".

"La región del YUJI se pone *rojo* cuando el agente es el calor".

"La región del YUJI se ponen negros se trata *de dolor persistente*".

"Si son de color rojo verde negro... Se trata de alteraciones de fiebre frío".

"Si son de color verde pero de corto trayecto, se debe a la deficiencia de energía".

Las mismas consideraciones patológicas se deben a deducir en las interpretaciones en las observaciones de los vasos de los dedos de los niños y en la parte posterior de la oreja.

En **el caso de los niños**. La observación de las venas superficiales de los dedos se aprecian en el dedo índice. La observación consiste en investigar *el color y las condiciones de llenura.* Normalmente las venas *venas deben ser semivisibles* y de *color amarillo tinto* y no *alcanzan a llegar hasta la primera falange.* Cuando se instaura la patología, las venas se nos presentan prominentes. Si son superficiales bien visibles indica *una enfermedad superficial.* Si se presentan *profundos...* Indican una enfermedad profunda. *El color claro indica frío-deficiencia.*

El color rojo oscuro indica *calor.*

El color purpureo indica espasmo infantil, viento frío, dolor o lesión por excesiva comida o viento flema.

El color *negro* indica *estancamiento de sangre*.

La extensión en la longitud de los vasos del índice a lo largo de la falange hasta llegar a la punta, nos indican la gravedad de la enfermedad.

El primer segmento inferior se denomina *puerto o paso del viento*.

El segundo segmento se denomina *puerta o paso de la energía*.

El tercer segmento se denomina *puerta o paso de la vida*.

Si las venas ascienden hasta el *paso del viento* se indica que la enfermedad es superficial.

Si llegan hasta el *paso de la energía* indica que la enfermedad es relativamente grave.

Si finalmente, las venas alcanzan al último segmento la enfermedad es muy grave.

Todas estas consideraciones en torno a las características de los vasos del índice son de *caracter orientativo*. No constituyen un diagnóstico exacto. No obstante en *todos los casos de niños que hemos podido observar, se han cumplido las precciones*. Por tanto, pensamos que debe de ser un importante elemento diagnóstico en la exploración de los niños de *hasta tres* años de edad.

LA OBSERVACION DE LA LENGUA.

Su utilizacion básica se centra en la *DIFERENCIACION DE LOS CAMBIOS PATOLOGICOS*. Se dice en los textos tradicionales: «*LA OBSERVACION DEL CUERPO DE LA LENGUA NOS PROPORCIONA EL DIAGNOSTICO DEL EXCESO O LA DEFICIENCIA DE LOS ORGANOS. DE LA OBSERVACION DE LA SABURRA SE CONOCE LA SITUACION DE LOS FACTORES PATOGENOS*».

En la observación del cuerpo de la lengua debemos de distinguir las localizaciones de los órganos. La punta corresponde al corazón y pulmón, los bordes al hígado-VB, la raiz corresponde a los riñones.

LOS COLORES DE LA LENGUA.

Lengua roja. Se produce en los *síndromes de calor.* Una lengua de color rojo oscuro con saburra amarilla nos indica *CALOR EXCESIVO*.

Rojo tierno y fresco indica *CALOR DE DEFICIENCIA*.

Roja y tierna sin saburra *indica excesivo fuego por deficiencia del INN.*

Rojo fresco con saburra espinosa indica *CALOR EN EL SISTEMA NUTRIENTE*.

Roja y seca indica *PERDIDA DEL LIQUIDO DEL ESTOMAGO.*

La lengua con la punta roja se presenta cuando *EXISTE EXCESIVO FUEGO EN EL CORAZON.*

Si los bordes se encuentran también rojos... *INDICA CALOR EN EL HIGADO Y LA VB.*

La lengua del color rojo oscuro se presenta cuando el calor patógeno invade el sistema nutriente.

Si la saburra es de color rojo oscuro con mezcla de saburra amarilla y blanca indica que el factor patógeno *llega al sistema QI* (sistema de segunda defensa).

Lengua de color rojo oscuro fresco indica *QUE EL PERICARDIO ESTA LESIONADO.*

Lengua roja oscura con el centro seco indica *QUE EL FUEGO EN EL ESTOMAGO CONSUME EL LIQUIDO CORPORAL.*

Lengua con color rojo oscuro brillante significa *LESION DEL INN DEL ESTOMAGO.*

Lengua roja oscura con puntos de color rojo fresco, indica *INVASION DEL CALOR PATOGENO AL CORAZON.*

Lengua con la punta roja oscura indica *EXCESIVO FUEGO EN EL CORAZON.*

Lengua roja oscura y seca indica *agotamiento del INN DEL RIÑON.*

Lengua de color rojo oscuro que se aprecia seca indica..., pero a la exploración con el algodón se aprecia humedad... *INDICA PERDIDA DEL LIQUIDO CORPORAL Y ASCENSO DE LA HUMEDAD CALOR O HUMEDAD-FLEMA.*

Lengua roja oscura con saburra blanca y pegajosa se debe al *ESTANCAMIENTO DE LA HUMEDAD Y EL CALOR LATENTE.*

Lengua roja oscura, pequeña, con grietas... propia de enfermedades graves (tumores, infecciones graves). En estos casos también puede presentarse la lengua, sin saburra con los bordes y puntas con formas espinosas y rojas. En los últimos estadios de estas enfermedades graves se nos presenta la lengua *PELADA COMO ESPEJO.*

Lengua hinchada. Aparte de los problemas mecánicos, su significado se centra en

ESTANCAMIENTO DE SANGRE DEBIDO AL EXCESIVO FUEGO DEL CORAZON.

Lengua desplazada hacia un lado... EN SITUACIONES DE MOVIMIENTO DEL VIENTO INTERNO DEL HIGADO, sucede en la apoplejía.

Lengua rígida... ATAQUE DEL VIENTO PATOGENO.

Lengua rígida de color que se acompañe de rigidez en el cuello, en la nuca, con pérdida de conciencia o delirio se *REFIERE A LA FIEBRE EPIDEMICA O AL CALOR QUE INVADE AL PERICARDIO Y A LA ACUMULACION DEL CALOR EXCESIVO.*

Lengua corta o encigida, es una lengua que no se extiende, la causa puede ser *EL FRIO, CALOR O FLEMA HUMEDAD.*

Lengua pálida con saburra blanca y húmeda se debe al estancamiento del frío en los canales.

Lengua roja oscura y seca sin saburra o con saburra negra, se encuentra causada por la *PERDIDA DE LIQUIDOS CORPORALES DEBIDO A UNA ENFERMEDAD DEL CALOR.*

Lengua obesa y pegajosa, corta es causada por la *OBSTRUCCION DE LA FLEMA-HUMEDAD.*

Lengua corta y rígida que se acompaña de pérdida del estado de vigilia indica *CRISIS DE LA ENFERMEDAD.*

Lengua inactiva que se mueve con dificultad SE DEBE AL INN CONSUMIDO POR EL CALOR *O LA OBSTRUCCION DE LA FLEMA EN EL CORAZON.* Puede ocurrir en la apoplejia, encefalitis, etc, etc.

Lengua doblada con retracción testicular son síntomas que se presentan en EL AGOTAMIENTO DE LA ENERGIA DEL CANAL DEL HIGADO. Las condiciones del hígado determinan las condiciones de los tendones. El canal del hígado recorre los genitales externos, asciende a la garganta. Cuando el fuego quema el canal del hígado, y la enfermedad se vuelve muy grave, se convulsionan los tendones creando una lengua doblada y retracción testicular, síntomas que se presentan en el período de agotamiento de las enfermedades agudas del calor o en graves enfermedades de los vasos cerebrales.

Lengua dura como de madera, hinchada que ocupa toda la boca, que no se puede mover.

Es causada por *EL ASCENSO DEL FUEGO, DEBIDO A UN EXCESO DEL CALOR DEL CORAZON O ACUMULACION DEL CALOR EN EL CORAZON Y EL BAZO.*

Paciente que necesita extender la lengua continuamente para humedecer los labios *son síntomas DE SEQUEDAD INTERNA EN EL BAZO Y EL ESTOMAGO.* También, insuficiencia de líquidos corporales.

Si se extiende la lengua por la sensación de calor o de hinchazón es por la presencia de flema calor en el canal del MC o en el corazón.

Cuando el paciente se nos presenta jugando con la lengua, lengua relajada que a menudo sale de la boca. Son síntomas que se presentan en *EL EXCESO DE CALOR EN EL CORAZON y en el bazo.*

Si la lengua es de color purpúreo es porque *el calor INVADE AL MC.*

Cuando la lengua se encuentra temblando es causada generalmente por un *VIENTO INTERNO.*

Lengua de color rojo purpúreo temblorosa se presenta en los síndromes de viento debido a las deficiencias de sangre y las exuberancias excesivas del calor.

Cuando la lengua es obesa y de color pálido con marcas de dientes en los bordes, significa *DEFICIENCIA DEL BAZO.*

Lengua obesa de color rojo oscuro se presenta en los SINDROMES DE CALOR EN LOS *CANALES DEL CORAZON-BAZO.*

Lengua obesa con color purpúreo opaco, se presenta en *las intoxicaciones.*

Cuando la lengua presenta marcas de dientes en los bordes es por una HIPOFUNCION DEL BAZO. Si la lengua esta *pálida y húmeda a la vez*, es causada por la acumulación *de FRIO HUMEDAD* por un deficiente funcionalismo del bazo.

Lengua *agrietada* síntoma que se presenta en el deterioro de la esencia YIN.

Lengua de color rojo oscuro, pelada y seca, con grietas. Es síntoma DEL DETERIORO DEL *YIN DEBIDO AL EXCESIVO CALOR.*

Lengua pálida, blanda y con grietas se presenta en el deterioro del INN-YANG con deficiencia de la energía y la sangre, por una enfermedad crónica prolongada.

SABURRA.

La observación de la saburra se utiliza en el diagnóstico para conocer la profundidad del factor patógeno y las condiciones del líquido corporal.

Una saburra delgada y blanca es normal, y es una consecuencia de la energía del *ESTOMAGO...* Las saburras patológicas nos indican la invasión de factores patológicos, o por el estancamiento interno de flema o alimentos. La observación de la saburra consiste en apreciar los cambios de color-grosor-forma-distribución y humedad de la saburra.

La saburra blanca patológica indica VIENTO-FRIO-HUMEDAD PATOGENOS; TAMBIEN INDICA SINDROMES SUPERFICIALES.

La saburra blanca delgada, resbaladiza es causada generalmente por el frío-humedad, que existe en el interior del cuerpo o por el ataque del viento frío-exógeno.

Saburra blanca delgada seca se presenta por la insuficiencia del líquido corporal.

Una saburra blanca espesa y resbaladiza es *causada por el exceso de HUMEDAD.*

Una saburra blanca gruesa y seca se debe a la acumulación de humedad-turbia que se origina como consecuencia del consumo de los líquidos corporales por parte del calor.

La saburra blanca resbaladiza y pegajosa se aprecia en la ACUMULACION INTERNA DE FLEMA O DE HUMEDAD TURBIA.

La saburra amarilla *indica CALOR EN EL INTERIOR.*

Saburra amarilla delgada, resbaladiza indica HUMEDAD CALOR.

Saburra amarilla delgada y seca indica el deterioro de los líquidos corporales, por parte del calor patógeno.

Saburra gruesa amarilla y resbaladiza es causada *POR EL ESTANCAMIENTO DE LA HUMEDAD EN EL ESTOMAGO.*

Saburra gruesa, amarilla y seca es causada por la acumulación del calor que consumen los líquidos corporales.

La saburra amarilla pegajosa indica *HUMEDAD CALOR EN EL BAZO-ESTOMAGO.*

Lengua pálida con saburra poco amarilla y húmeda *indica HUMEDAD EN EL BAZO.*

Saburra amarilla mezclada con blanca *indica humedad calor* o PENETRACION DEL CALOR *CONVERTIDO POR EL VIENTO FRIO EXOGENO.*

Saburra amarilla vieja, oscura y áspera se presenta amenudo en el deterioro de los líquidos corporales por el calor acumulado en el estómago y los intestinos.

Saburra gris, se presenta en LOS ACUMULOS INTERNOS DE LA HUMEDAD.

Cuando la saburra es negra indica síndromes internos y situación severa del paciente.

Lengua pálida con saburra negra, resbaladiza y húmeda, indica... DEFICIENCIA DE YANG Y FRIO INTERNO O FRIO-HUMEDAD LATENTE.

Lengua roja oscura con saburra negra y seca indica DETERIORO DEL INN (ESENCIA), POR LA EXUBERANCIA EXCESIVA DEL CALOR.

Saburra gruesa y esponjosa, con residuos que se amontonan en la superficie.

Se presentan EN ESTANCAMIENTOS DE ORIGEN DIGESTIVO, SIN QUE SE ENCUENTRE LESIONADA LA ENERGIA DEL ESTOMAGO.

Saburra húmeda, gruesa y pegajosa indica SINDROMES DE HUMEDAD.

Saburra húmeda y resbaladiza si es blanca y delgada INDICA FRIO HUMEDAD EN EL INTERIOR, gruesa blanca y resbaladiza indica EXCESO DE HUMEDAD INTERNA.

Blanca, resbaladiza y pegajosa indica LA EXISTENCIA DE FLEMA-HUMEDAD.

La saburra delgada, amarilla y resbaladiza es causada POR LA HUMEDAD-CALOR.

SIN QUE SE ENCUENTREN LESIONADOS LOS LIQUIDOS CORPORALES.

La saburra gruesa, amarilla y resbaladiza INDICA MUCHA HUMEDAD-CALOR O EXCESO DE FLEMA-CALOR.

Saburra turbia que no se quita con facilidad indica acumulación de humedad, ESTANCAMIENTO DE ALIMENTOS O DE FLEMA EN EL INTERIOR.

Saburra blanca con manchas como arroz indica *EXCESIVA EXUBERANCIA DEL CALOR DEL ESTOMAGO*. Suele aparecer en la raiz de la lengua y luego distribuirse por toda ella. Suele INDICAR UNA SEVERA ENFERMEDAD.

Saburra pelada, como un mapa, PUEDE INDICAR PARASITOS.

La desaparición repetina de la saburra INDICA EL AGOTAMIENTO DEL INN Y DE LA ENERGIA DEL ESTOMAGO. Si se encuentra pelada en la parte posterior de la lengua indica que el factor patógeno no ha penetrado en el interior del cuerpo, pero que la energía del estómago esta lesionada. Si se encuentra pelada la mitad delantera indica que el factor patógeno se encuentra debilitado, pero que todavía existe estancamiento o acumulación de flema. Si el centro de la lengua esta pelada indica la DEFICIENCIA DEL INN, DE SANGRE Y LA LESION DE LA ENERGIA DEL ESTOMAGO.

Lengua con espinas, indica exuberancia del calor, la saburra es de calor amarillo oscuro o negro. Mientras más excesivo sea el calor, más espinas se presentan. La parte en donde aparecen las espinas indica la localización de la afección.

EXPLORACION DE LOS LABIOS.

Labios quemados, secos, son síntomas causados por el exceso de CALOR EN EL

BAZO-ESTOMAGO. Se PRESENTAN EN SINDROMES CAUSADOS POR LA SEQUEDAD DE OTOÑO O SEQUEDAD INTERNA DEBIDO AL CONSUMO DE LIQUIDOS CORPORALES POR PARTE DEL CALOR.

Labios hinchados. Se presentan en los síndromes de ACUMULACION DE CALOR EN EL BAZO-ESTOMAGO O EN LAS INTOXICACIONES ALIMENTARIAS.

Labios agrietados. SINTOMAS CAUSADOS POR LA SEQUEDAD O CONSUMO DE LOS LIQUIDOS CORPORALES.

Labios purpúreos de color rojo oscuro EN SINDROMES DE CALOR EXCESIVO EN EL SISTEMA SANGUINEO O SINDROMES DE ESTANCAMIENTO.

Labios purpúreos negros indican FRIO. SON SINTOMAS QUE SE PRESENTAN EN EL EXCESO DEL FRIO O EN EL EXTASIS DE SANGRE DEL CORAZON.

OBSERVACION DE LOS DIENTES.

EL riñón determina los huesos... Los dientes constituyen la energía restante de los huesos... Pero debemos de tener también en cuenta que el canal del estómago comunica con las encías. Por tanto, la diagnosis de los dientes debe de estar ligada a la exploración de las encías, por tanto determinaremos los estados del *riñón y del estómago.*

La encía roja hinchada, que se puede acompañar de hemorragia, con mal sabor de boca es causado POR EL ATAQUE DEL CALOR EN EL ESTOMAGO.

Los dientes secos, sobre todos los dientes frontales indican el EXCESO DE FUEGO EN EL PULMON-ESTOMAGO Y GRAVE LESION DE LOS LIQUIDOS CORPORALES SI LA ENFERMEDAD ES INICIAL. SUELE ESTAR ACOMPAÑADA DE MAL OLOR. SI LA ENFERMEDAD ES PROLONGADA INDICA UNA GRAN PERDIDA DE INN DEL RIÑON. ES UN CASO DE EMERGENCIA.

AUSCULTACION Y OLFACION.

Se trata de conocer a través de la auscultación, el habla, la respiración, la tos del paciente, diferenciar el olor que despide el cuerpo.

Si el olor es *no fétido* pero similar al pescado, se suele presentar en la inspección del esputo o de casos de leucorrea. Suele indicar ESTANCAMIENTO DE LA HUMEDAD-FLEMA. La respiración SUPERFICIAL Y DEBIL INDICA LA DEBILIDAD DE LA ENERGIA DEBIDO A LA DEFICIENCIA DEL YANG O AL AGOTAMIENTO DE LA ENERGIA DEL PULMON.

La respiración estertorea, se trata de un síndrome de exceso causado por la acumulación del viento, calor, flema o humedad en el pulmón. Se presenta en las infecciones agudas de tráquea y pulmón.

INTERROGACION.

Diez preguntas son las consideradas básicas según los textos tradicionales para conseguir una correcta delimitación del cuadro básico que se consulta.

1. FRIO-FIEBRE.
2. TRASPIRACION.
3. DOLOR DE CABEZA O DEL CUERPO EN GENERAL.

4. SITUACION DE LA ORINA Y HECES.
5. APETITO.
6. PREGUNTAR POR SENSACIONES EN EL CUERPO Y ABDOMEN.
7. ESTADO DE LA AUDICION.
8. SED.
9. TOMA DEL PULSO Y OBSERVACION.
10. AUSCULTACION Y OLFACION.

En realidad se trata de ocho preguntas que se complementan con la exploración por parte del terapeuta. Estas preguntas básicas nunca pueden faltar en toda exploración.

Se puede y deben de añadir otras dos cuestiones:

11. ENFERMEDADES QUE HA PADECIDO.
12. POSIBLES FACTORES CAUSANTES.

En las mujeres se deberá de añadir las preguntas sobre la MENSTRUACION.

TOMA DEL PULSO Y PALPACION.

La palpación consiste en tocar la piel, el pecho y el abdomen, la parte del dolor del paciente. También debemos de percibirnos del estado de temperatura.

La exploración del pulso constituye una de las maniobras más enriquecedoras en la exploración del paciente. No solo nos proporciona datos recientes, sino que también nos proporciona datos pasados y una prognosis del futuro. También es verdad que es una de las maniobras exploratorias más difíciles de aprender. Las clásicas descripciones de los pulsos consideran que son *BASICAS LAS VEINTIOCHO MANIFESTACIONES DEL PULSO*. ES DIFICIL EL TRANSMITIR POR LA ESCRITURA LA EXPERIENCIA DE LA TOMA del pulso, no obstante, nos proponemos describir estas «básicas» condiciones de las 28 posibilidades más frecuentes del pulso. Debemos de notar, que a no ser que se exprese lo contrario, las cualidades que se describen, con CUALIDADES GENERALES DE UN PULSO GLOBAL. SIN DELIMITACIONES DE NIVELES, POSICIONES, PROFUNDIDAD, ETC, ETC. Tendremos ocasión en otra publicación de exponer en mayor profundidad las experiencias del pulso.

1. Pulso superficial. Se percibe con una ligera presión de los dedos, pero que se debilita al ejercer una mayor presión. Indica SINDROMES SUPERFICIALES. Si el pulso es *superficial y fuerte* indicará *exceso en superficie*. Suelen presentarse los pulsos superficiales en ENFRIAMIENTOS, ETAPAS INICIALES DE ENFERMEDAD, ESTADOS FEBRILES, TAMBIEN SE PUEDE PRESENTAR EN AFECCIONES POR DEFICIENCIA DE YANG EN ENFERMEDADES PROLONGADAS. No debemos de confundir EL PULSO SUPERFICIAL DURO Y RIGIDO DE CIERTOS ANCIANOS, CON EL PULSO SUPERFICIAL.

2. Pulso profundo. Se percibe presionando fuertemente. Indica síndromes internos. Si es fuerte, indica exceso en el interior. Si es débil indica deficiencia.

3. Pulso tardío o retardado. Pulso que late lentamente, cuya frecuencia es menor de 60 veces por minuto. Indica síndromes de frío. Se presenta igualmente cuando el YAN se encuentra dañado. Este pulso se puede considerar NORMAL en los deportistas de alta competición.

4. Pulso rápido. Su frecuencia sobrepasa las cinco veces por respiración. Se trata de un pulso que va y viene precipitadamente. Indica SINDROMES DE CALOR. Si es rápido PERO SIN FUERZA, SE TRATA DE UN CALOR FICTICIO.

4. Pulso resbaladizo. Se percibe con una sensación de deslizamiento. Con sensación de que resbala debajo de nuestros dedos. Indica SINDROMES DE ACUMULACION DE FLEMA. ESTANCAMIENTO DE ALIMENTOS Y DE CALOR. ES UN *PULSO FRECUENTE DURANTE EL EMBARAZO* TAMBIEN SE PUEDE *PRESENTAR EN CIERTAS OBESIDADES*. SI SE MANIFIESTA EN LOS NIVELES *INTERMEDIARIOS SE PUEDE CONSIDERAR UNA SITUACION NORMAL. YA QUE SE TRATARIA DEL PULSO DE LA TIERRA-BAZO.*

5. Pulso vacilante. Se trata de un pulso que va y viene de una forma vacilante y lo hace difícilmente. Es débil, filiforme y retardado. COMO SI SE RASPARA EL BAMBU CON UN *CUCHILLO... ES CAUSADO CON FRECUENCIA POR LA INSUFICIENCIA DE SANGRE, DE ESENCIA O DE PERDIDA DE LIQUIDOS ORGANICOS. TAMBIEN PUEDE OCURRIR POR EL ESTANCAMIENTO DE SANGRE Y ENERGIA. ES UN TIPO DE PULSO FRECUENTE EN LAS ANEMIAS.*

6. Pulso débil. Se trata de un pulso superficial, grande y blando, sin fuerza. Lo percibimos con una sensación de vacío. Indica *SINDROMES DE DEFICIENCIA,* YA SEA *DE SANGRE ENERGIA O LIQUIDOS.*

7. Pulso repleto-fuerte. Se trata de un pulso que va y viene con fuerza y que se percibe al presionar ligera o fuertemente. Indica SINDROMES DE EXCESO Y SE PRESENTA EN LOS ESTANCAMIENTOS DE CALOR EXCESIVO O DE ALIMENTOS O DE FLEMA.

8. Pulso largo. Pulso de larga extensión y de latido prolongado. El pulso largo y moderado se percibe en ciertas personas NORMALES CON SUFICIENTE ENERGIA DEL JIAO MEDIO. El pulso LARGO Y DURO, SE PERCIBE COMO TIRADO POR UNA CUERDA. SE OBSERVA EN SINDROMES DE CONFRONTACION ENTRE LOS FACTORES PATOGENOS Y LOS MECANISMOS DE DEFENSA. SUELE SER LA CAUSA, EL ACUMULO DEL CALOR EXCESIVO, O MOVIMIENTOS DEL VIENTO POR LA HIPERACTIVIDAD DEL CALOR.

9. Pulso corto. Se trata de un pulso de corta extensión. Se percibe bien en el dedo medio, pero deja de sentirse en el índice y anular (medio GUAN. Indice CUN. Anular CHI). Indica enfermedades de la energía. Si es fuerte indica *ESTANCAMIENTOS DE ENERGIA.* Si es CORTO Y SIN *FUERZA INDICA DEFICIENCIA DE LA ENERGIA DEL PULMON E INSUFICIENCIA DE LA ENERGIA DEL JIAO MEDIO.*

10. Pulso languido. Se trata de un pulso fino y blando, que casi no se percibe. Se presenta DEBIDO A LA DEFICIENCIA DE SANGRE Y ENERGIA EN ESTADOS DE SHOKS. ENFERMEDADES PROLONGADAS O ENFERMOS POSTRADOS LARGAMENTE.

11. Pulso lleno. Se trata de un pulso grande parecido a una gran ola. Que viene impetuosamente y desaparece gradualmente. SE DEBE A UNA HIERACTIVIDAD DEL CALOR PATOGENO.

12. Pulso tenso. Se trata de un pulso fuerte que se percibe como la tensión de una cuerda que se extensa bruscamente entre dos extremos... Se PRESENTA EN SINDROMES DE FRIO. CON SINTOMAS DE DOLOR ABDOMINAL O DOLORES ARTICULARES.

13. Pulso moderado. Si es moderado y proporcional se trata de un pulso normal. Pero si es moderado *y relajado INDICA DEBILIDAD DEL BAZO Y EL ESTOMAGO* O SINDROMES *CAUSADOS POR LA HUMEDAD PATOGENA.*

14. Pulso de cuerda. Se trata de un pulso recto y largo, que se siente como si se presionara sobre una cuerda de una instrumento musical. Se PRESENTA FRECUENTEMENTE *EN LOS ESTADOS DE HIPERTENSION. AFECCIONES DE HIGADO O DE VB. SINDROMES CAUSADOS POR EL VIENTO. ESTADOS DE DOLOR O ACUMULACION DE FLEMA.*

15. Pulso hueco. Se trata de un pulso superficial, blando y vacío. SE SUELE PRESENTAR *DESPUES DE UNA HEMORRAGIA GRAVE.*

16. Pulso duro y hueco. Se trata de un pulso grande en cuerda, pero con sensación de estar vacío por dentro. *INDICA PERDIDA DE SANGRE Y DE ESENCIA.*

17. Pulso firme. Se trata de un pulso fuerte y tenso que sólo se percibe cuando se presiona fuertemente. SE PRESENTA EN SINDROMES DE ACUMULACION DE FRIO.

18. Pulso blando. Se trata de un pulso superficial, filiforme que se percibe al palpar ligeramente y que desaparece con la presión. SE PRESENTA EN SINDROMES CON DEFICIENCIA *DE INN POR PERDIDA DE SANGRE O RETENCION DE HUMEDAD.*

19. Pulso profundo y debilitado. Se presenta en síndromes de DEFICIENCIA POR INSUFICIENCIA DE SANGRE Y ENERGIA.

20. Pulso disperso. En la exploración se nos presenta disperso y débil. Desaparece al presionar fuertemente... SE PRESENTA EN LOS AGOTAMIENTOS DE ENERGIA Y SANGRE. *TAMBIEN SE PRESENTA EN LAS CRISIS DE LAS ENFERMEDADES.*

21. Pulso filiforme. Se trata de un pulso fino como un hilo de seda. SE PRESENTA EN SINDROMES DE DEFICIENCIA DE SANGRE. PERDIDA DE LIQUIDOS CORPORALES O INSUFICIENCIA DE YANG CAUSADA POR LA DEFICIENCIA DE INN O DEFICIENCIA DE LA ENERGIA-SANGRE.

22. Pulso escondido. Se trata de un pulso que se nos presenta como hundido, y que nos cuesta trabajo encontrar. SE PRESENTA EN CASOS DE SINCOPE. DOLOR SEVERO *Y SINDROMES DE RETENCION.*

23. Pulso trémulo. Se percibe resbaladizo, rápido y fuerte, «como si saltaran los frijoles», pero en un área relativamente pequeña, y de manera menos rítmica. SE PRESENTA EN SITUACIONES DE SUSTO, DOLOR, EN ALGUNAS EMBARAZADAS.

24. Pulso corriendo o apresurado. Se trata de un pulso rápido, con pausas regulares pero que se presenta en síndromes de HIPERACTIVIDAD DEL YANG, ACOMPAÑADA DE ESTANCAMIENTO DE ENERGIA, SANGRE O ALIMENTOS. TAMBIEN SE PRESENTA EN ENFERMEDAD CARDIACA REUMATICA O EN ENFERMEDADES CORONARIAS.

25. Pulso lento. Va y viene lentamente con *espacios irregulares.* SE PRESENTA CON FRECUENCIA EN SINDROMES DE ESTANCAMIENTO DEL FRIO, DE ENERGIA O DE ENFERMEDADES CARDIOVASCULARES.

26. Pulso intermitente. Se trata de un pulso lento y débil con espacios regulares y largos. INDICA LA DEBILIDAD DE LA ENERGIA DE LOS ORGANOS IN-

TERNOS. SE PRESENTA CON FRECUENCIA EN ENFERMEDADES CARDIACAS.

27. Pulso grande. Se trata de un pulso gigantesco y lleno. INDICA EXCESO DE CALOR. *SI ES GRANDE Y SIN FUERZA INDICA DEFICIENCIA.*

28. Pulso veloz. Con una frecuencia de 7-8 veces por respiración (120-140). ES CAUSADO FRECUENTEMENTE POR LA HIPERACTIVIDAD DEL CALOR. AGOTAMIENTO DEL INN. SE PRESENTA EN LAS ENFERMEDADES FEBRILES. TUBERCULOSIS PULMONAR GRAVE. MIOCARDIOSIS.

Con esta descripción somera de los 28 pulsos «BASICOS», podemos adentrarnos en los difíciles mecanismos diagnósticos de la enfermedad.

DIFERENCIACION DE SINDROMES.

Se realiza de acuerdo con los ocho síndromes principales: INN-YANG, EXTERIOR-INTERIOR, FRIO-CALOR, DEFICIENCIA-EXCESO. Todas las afecciones por complicadas que estas sean pueden ser analizadas en base a estos ocho principios.

SINDROMES YANG. Los caracterizados por manifestaciones de hiperfunción. HIPERACTIVIDAD, EXCITACION, METABOLISMO AUMENTADO, CARA COLORADA, GUSTO POR EL FRIO, SED, CONSTIPACION, PULSO SUPERFICIAL, (LLENO, RESBALADIZO, FUERTE). LENGUA ROJA, SABURRA AMARILLA.

SINDROMES INN. MANIFESTACIONES CRONICAS, DEBILIDAD, DEPRESION, METABOLISMO DEFICIENTE, CARA PALIDA, LAXITUD, RESPIRA CION DEBIL, ANOREXIA, GUSTO POR BEBIDAS CALIENTES, ORINA PROFUSA, PULSO PROFUNDO, FILIFORME, RETARDADO. LENGUA PALIDA, OBESA Y TIERNA. SABURRA HUMEDAD Y RESBALADIZA.

En estos dos síndromes principales estan contenidos los demás. De tal manera que son de naturaleza Inn. *Frío-Deficiencia-Interior.*

Son de naturaleza Yang. *Calor-Plenitud-Exterior.*

DEFICIENCIAS DEL YANG

Cara pálida, manos y pies fríos, sudoración fácil, heces blandas, orina profusa y clara, lengua pálida con saburra blanca y humeda. Pulso débil.

DEFICIENCIAS DEL INN

Calor en el pecho, en las palmas de las manos y plantas de los pies, frecuentemente fiebre vespertina, labios rojos, sequedad de boca, lengua roja y tierna, o de color rojo oscuro, seca y sin saburra. Constipación, orina amarilla y escasa. Pulso filiforme y rápido.

SINDROMES EXTERIORES

Se corresponden con la patología de los factores patógenos exógenos. Los primeros síntomas son la consecuencia del ataque a la piel, vello, canales y colaterales superficiales, boca y nariz. Ocasionan. *Aversión al frio, fiebre, obstrucción nasal o tos, Pulso superficial; saburra balca y delgada.*

SINDROMES INTERIORES

Por la invasión de los factores patógenos externos y el ataque de los siete factores emocionales, en los órganos internos. En el inicio de la enfermedad encontramos: *Fiebre alta, desmayo, irritabilidad, sed, distensión abdominal, constipación o diarrea, orina amarilla y excasa o dificultad en el orinar. Suburra amarilla y seca, pulso profundo y rápido.* Culminada esta primera etapa se sucede una etapa de agravamiento que se caracteriza por: *mareo, vertigo, dolores de hipocondrio, palpitaciones, respiraciones cortas y rápidas. Distensión abdominal, diarrea, tos y asma. (Todos estos síntomas se corresponden con. H-2 C-B-P),* serán pues estos síntomas los particulares de cada órgano.

SINDROMES DE FRIO

Causados por el frío o por la debilidad de las resistencias. Insuficiencia de energía Yang y exceso de Inn. *Baja temperatura, cara pálida, depresión de ánimo, laxitud, gusto al calor y aversión al frío. Dolor episgástrico que se alivia con calor, sin sed,* o con deseos de tomar bebidas calientes. *Diarrea, orina profusa, y clara, lengua pálida con saburra blanca y resbaladiza. Pulso profundo y retardado. Se presenta con frecuencia en enfermedades de debilidad funcional crónica.*

SINDROMES CAUSADOS POR EL CALOR

Se producen por la hiperactividad del Yang. *Calor en el cuerpo, irritabilidad, cara y ojos rojos, aversión al calor. Sed y sequedad de garganta, deseo de tomar bebidas frías, labios rojos y secos. Constipación, orina roja y escasa. Lengua roja con saburra amarilla, o negra y seca. Pulso rápido. Se aprecian con frecuencia en enfermedades infecciosas o en hiperactividad metabólica.*

SINDROMES DE DEFICIENCIA «XU»

Se refiere a la insuficiencia de los factores defensivos. *Cara pálida. Laxitud. Palpitaciones. Respiración superficial. Sudoración espontánea o nocturna. Lengua tierna sin saburra y pulso débil sin fuerza.*

SINDROMES DE EXCESO «SHU»

Se refiere al exceso de los factores patógenos y la hiperfunción como reacción interior como consecuencia de estos ataques. Las manifestaciones más frecuentes son: *fiebre alta, sed, irritabilidad, delirio, plenitud abdominal, constipación, orina escasa y roja, lengua vieja con saburra amarilla, pulso fuerte.*

La diferenciación de síndromes que hemos realizado en base a las ocho reglas es una manera abreviada. Se dan a la clínica las diferentes variaciones que se ocasionan con las combinaciones de factores. No era el propósito desarrollar en profundidad estas cuestiones, tan solo se trata de presentar una guía que puede utilizarse como recordatorio a la hora de la clasificación y diagnóstico de los datos básicos que presente el paciente.

III. METODO DE DIFERENCIACION DE SINDROMES EN BASE DE LOS SINTOMAS DE LOS MERIDIANOS UNITARIOS

III. METODO DE DIFERENCIACION DE SINDROMES EN BASE DE LOS SINTOMAS DE LOS MERIDIANOS UNITARIOS

SINDROME DEL TAEYANG

Síntomas de aversión al frío, dolor de cabeza que se acompaña de rigidez de nuca. Pulso superficial.

SINDROME DEL YANGMING

Calor en el cuerpo, aversión al calor. Sudoración, calor en el pecho y sed. Pulso lleno grande y fuerte. Puede presentarse dolor abdominal, que no tolera la presión, constipación, fiebre vespertina. Pulso profundo y fuerte. Es causado por la acumulación del calor en el estómago y en los intestinos.

SINDROME SAOYANG

Sabor amargo en la boca, sequedad en la garganta, vértigo, alteración de frío-calor, plenitud de tórax, y en hipocondrio. Angustia y deseos de vomitar. Falta de apetito. Pulso en cuerda.

SINDROME TAIYINN

Se caracteriza por la falta de fiebre, distensión abdominal, vómitos diarrea, falta de apetito, pulso moderado y débil.

SINDROME SHAOINN

Depresión de ánimo, letargo, pulso lánguido y filiforme. Es causado por la deficiencia de sangre energía, debido al deterioro del *Riñon-Corazón.*

SINDROME DEL JUEINN

Se trata de un síndrome complicado y a la vez grave. Se presentan alteraciones del frío-calor, con sensación de frialdad en los miembros. Ya sea de más calor y menos frío o viceversa. Inconsciencia, sed, sequedad de garganta, ascenso del *qi* que ataca al corazón, dolor en el pecho que se acompaña de ardor. Sensación de hambre pero sin apetito.

En una visión cronológica de los acontecimientos de los procesos de penetración de las energías perversas podemos plantearnos de la siguiente manera.

1.— SINDROME DE LOS TRES YANG

Período inicial con dolor de cabeza, aversión al frío, fiebre, y pulso superficial. (*Taeyang*). Cuando los factores patógenos penetran en el interior aparecen los síntomas de calor en el cuerpo, aversión al calor se esta en la fase del *Yangming*. Los síntomas de fiebre sin aversión al frío, o aversión al frío sin fiebre o alteración de fiebre y escalofrios, acompañados por sabor amargo de boca y sequedad de garganta (*síndrome del Shaoyang*).

2.— SINDROME DE LOS TRES INN

Otro cambio patológico de la trasmisión de factores patógenos al interior es la transformación de los síntomas de calor en los de frío, con síntomas de plenitud abdominal, vómitos, diarrea. *Síndrome de Taeinn.* La continuidad en síntomas de laxitud, pulso filiforme y languido, con aversión al frío y miembros fríos son propios del *síndrome del Shaoinn.* Si continuan las complicaciones se presentan alteraciones al frío-calor. Síndrome del Jueinn.

También se presentan las reacciones de los meridianos a los ataques de las energías externas y las diferentes combinaciones entre las afectaciones de los canales y órganos. Igualmente se presentan las diferentes combinaciones de los diferentes síndromes. Como ya conocemos las intercomunicaciones entre los seis niveles de energía son las que hacen posible las diferentes manifestaciones del organismo ante el *ataque de los factores patógenos externos.*

IV. AFECCIONES PROPIAS DE LA MUJER. GINECOLOGIA. OSTETRICIA.

Estamos en el rescate de los permanentemente femenino...
en la matriz quieta del asalto lozano de la eclosión...

Si sabemos mirar en el pliegue de lo femenino, sin arrugas,
estaremos en la posesión de lo «masculino». Solo en el regazo
De lo que engendra, se emerge con la unidad de la dualidad...

...Y en el abrazo permanente de la mujer se encuentra la ruptura
de lo vulgar y se recupera la fantasia creativa...

...Y en los labios que palpitan, sin cesar, por el paso del amor,...
en una MUJER anida la posesión frenética de la consumación sin límites...

¿Existe algo más sutil que la sonrisa del permanente amor de una MUJER?...
No lo busques... que no lo encontrarás... Si ese gesto no lo sientes asi...
NO ES UNA MUJER

IV. AFECCIONES PROPIAS DE LA MUJER. GINECOLOGIA. OBSTETRICIA.

GENERALIDADES

¿Se puede decir que la mujer es el ser más manipulado, utilizado, utilizable, querido, odiado, admirado, despreciado, temido, e inmensamente amado?. Se puede también decir, que ya se ha dicho todo sobre la mujer, o bien que nada auténtico se ha dicho. Todo parece valer. ¿Pero dónde podemos encontrar los datos auténticos que nos pueda proporcionar una visión totalizadora de lo que es y representa la mujer en el todo cósmico-biológico?. Si nos ceñimos a las constantes que nos lega la tradición, a las particularidades biológicas y a las pautas de comportamiento quizás encontremos el exacto lugar dinámico en que se encuentra la mujer.

Aunque podamos decir: Nada se del pasado por que ya no existe, si puedo intentar rastrear el estado biológico después de millones de años de trabajo evolutivo-existencial.

Y dice la Biblia que de la costilla de Adán.... Se creo la mujer... ¿Pudo existir él *antes*? ¿El mucho antes?. Veamos ahora la mujer. ¿Qué *vemos*?. Lo que a primera vista nos sorprende es su genitalidad. En los genitales femeninos estan comprendidos las dos potencialidades: masculino y femenino. Se podría decir que es un ser *hermafrodita posible.* Autogestionador de su procreación y de su placer. Perfecto. En su reproducción hermafrodítica se generarían híbridos sexuales inoperantes y otras hembras... Pero en un momento dado de la evolución se rompe o cesa esa posibilidad autoprocreante y surge el hombre. Ser sin posibilidad bisexual. Estáticamente Yang. Mientras que la mujer permanece con las dos potencialidades: Inn-Yang. ¿Tenemos otra pregunta? ¿No será que es ahora cuando esta desarrollando esa capacidad autogestionante y estemos en el principio de la mutación y la desaparición del hombre como ser sexual independiente?.

En cualquiera de los casos: Venga desde... o marche hacia... el planteamiento de la autosuficiencia gestacional y sexual es posible. Todo lo dicho puede permanecer dentro de las hipótesis o elucubraciones más o menos exitosas; en ningún caso, han de ser pasadas por alto.

Lo que si constituye una evidencia es el fenómeno de la *procreación.* Esta *espectativa biológica* situa a la mujer dentro del rango de *elemento insustituible.* Las posibilidades de engendrar una nueva criatura es un acontecimiento *único e irrepetible*, solamente experimentado por la mujer. Estamos ante una constatación irrefutable, al menos desde el punto de vista biológico... Pues ya conocemos la posibilidad, al menos técnica... de que prosiga un embrión su desarrollo dentro de la cavidad abdominal del hombre... Pero, evidentemente, no se trata de un fenómeno de procreación.

La procreación gestacional posibilita una experiencia psico-biológica muy especiales que imprimen un carácter de comportamiento y supervivencia muy diferente al hombre. Consecuentemente, estas particularidades condicionan una especial patología.

Toda la patología de la mujer esta marcada por el acontecer histórico de su posición social en las diferentes culturas. En cualquiera de los casos y en la mayoría de las ocasiones, su papel es, al menos, en apariencia, alienador. Esta experiencia marcará una determinada idiosincracia a la hora de manifestarse la enfermedad, a la hora de padecerla y como no, a la hora de utilizarla.

Si tenemos en cuenta todos los condicionamientos expuestos estaremos en situación de entender mejor a la mujer... *Ese ser*¡¡¡

SUMARIO

1.— *Esterilidad.* Presentación de 37 casos. Estudio fisiopatológico, desde el punto de vista energético de la esterilidad. Puntos empleados.

2.— *Dismenorreas.* Presentación de 45 casos. Estudio de la dismenorreas. Tipos. Evolución. Puntos empleados.

3.— *Quiste de ovario.* Presentación de siete casos. Descripción clínica. Causas energéticas. Planteamiento de tratamiento. Descripción de puntos. Combinaciones. Valoración de resultados.

4.— *Endometriosis.* Presentación de 10 casos. Consideraciones energéticas. Estudio energético. Puntos empleados. Valoración de resultados.

5.— *Sindrome climatérico.* Presentación de 178 casos. Estudio energético del síndrome. Consideraciones en torno a su catalogación. Puntos empleados. Valoración de las diferentes combinaciones. Valoración de resultados.

6.— *Leucorreas.* Presentación de 12 casos. Estudio de los diferentes casos. Clasificación. Estudio energético. Descripción de los puntos. Combinaciones más frecuentes. Valoración de resultados.

7.— *Patología mamaria.* Consideraciones generales. Particularidades energéticas de la mama.

8.— *Mastopatía fibroquística.* Presentación de 10 casos. Estudio energético. Consideraciones entorno al desarrollo de esta afección. Puntos empleados. Valoración de resultados.

9.—*Bartholinitis.* Presentación de 9 casos. Consideraciones energéticas. Descripción de puntos. Combinaciones. Valoración de resultados. Evolución. Consideraciones entorno al pulso y la lengua.

10.— *Fibroma uterino.* Presentación de cinco casos. Consideraciones energéticas. Valoración de resultados. Puntos empleados. Técnicas. Combinaciones.

11.— *Lactación insuficiente.* Presentación de diez casos. Valoración energética. Puntos empleados. Resultados.

12.— *Apéndice bibliográfico. Mal posición fetal. Acción sobre el trabajo del parto. Analgesia del parto.*

GINECOLOGIA Y OBSTETRICIA

Presentamos en este apartado 318 casos que han sido seleccionados como muestra de las diferentes afecciones que se describen. Se añaden 5.132 casos de experiencia obstetricia de la República Popular China.

En cada apartado, además de la casuística y resultados, se explica el contenido fisiológico y fisiopatológico de la enfermedad. De la misma forma, se describen los puntos de tratamiento, con las manipulaciones que se emplearon.

Los elementos diagnósticos tradicionales son descritos en cada afección. Igualmente, cada capítulo es aprovechado con el fin de desarrollar aspectos difíciles de la terapeútica, la fisiología o la filosofía aplicada a que pueda dar lugar los diferentes temas.

ESTERILIDAD

La consulta de esterilidad ocupa uno de los apartados más importantes y ... Agradecidos... Además... *de comprobación certera.*

Los casos en general consultados se corresponden con patologías muy estudiadas en las que no se encuentra un sustrato macroscópico evidente que justifique el problema. Pequeñas variaciones de temperatura basal, posibles ciclos anovulatorios, hipogenitalismo, etc, etc suelen ser los diagnósticos más frecuentes. Otro apartado lo llenan las obstrucciones de trompas, ya sean bilaterales o unilaterales, casi siempre causa fímica. Finalmente los quistes ováricos, fibromas uterinos y alteraciones en el moco cervical, completan los otros cuadros diagnósticos.

Todas las pacientes procedían de otros centros, y como mínimo tenían un tiempo de estudio de *dos años.* De los *treinta y seis* casos tratados, en el 78% de los casos se había aplicado tratamiento sin resultado. La paciente más joven fue de 27 años, la de más edad fue de 40. En todos los casos las pacientes manifestaron su deseo de embarazarse. De todos los casos tratados, en *treinta y tres* se consiguió el embarazo. El tiempo medio de tratamiento fue de *cinco meses.* El tiempo mínimo fue de *cinco sesiones*, el tiempo máximo fue de *dos años.*

CONSIDERACIONES ENERGETICAS EN TORNO A LA ESTERILIDAD

FISIOPATOLOGIA ENERGETICA DE LA ESTERILIDAD

El torrente energético de los riñones tiene su afluencia en tres vectores fundamentales: *Tou-mae Ren-mae Tchong-mae.* Estos tres vasos curiosos son los más frecuentes responsables de los casos de esterilidad.

La energía *ancestral* será la más frecuentemente alterada en sus funciones y su distribución.

El renmae.— Es uno de los dos meridianos autóctonos de energía ancestral. Es el mar de los Inn y controla todas las actividades Inn de los órganos entrañas. El embarazo es una situación *hiperinn.* Las funciones de *renmae* son de gran importancia en estas circunstancias.

Tchongmae.— Es el meridiano más íntimamente ligado a los riñones, ya que no posee puntos propios y utiliza los del riñon para cumplir sus funciones. Según el *neijing*, es el mar de todos los meridiano. Su ligazón con el *bazo* le hace desarrollar funciones específicas relacionadas con la sangre. Es el meridiano que posibilitará una buena nutrición sanguínea al feto a través de la matriz-placenta. Las funciones de distribuir y controlar la sangre le hacen jugar un papel principal en el mantenimiento y ulterior desarrollo del feto.

Toumae.— Controla, las actividades Yang. Su papel es secundario comparado con los otros dos meridianos. Pero... La actividad del Yang es imprescindible para activar y desarrollar el Inn, por tanto, por ejemplo, si existe un estancamiento de sangre, la función de Yang es imprescindible para mover el Inn.

Funciones de los órganos y entrañas. Todos los órganos y entrañas participan en el proceso de fecundación, pero sin duda, unos tienen mayor proyección que otros.

Hígado.— Es el encargado de depositar la sangre y su función es expandirse. Su función de receptor de sangre es fundamental ante las nuevas necesidades maternas del feto... Además... El hígado cumple importante función en el *mantenimiento dinámico de las trompas*, al igual que sobre la dinámica uterina y sobre el desarrollo del tapón cervical. Igualmente el poder del hígado se expande realizando las funciones de preparación de la elaboración de sustancias que mantengan vivos a los enfermos y que faciliten su ascensión. Es importante que las funciones del hijo esten en plena actividad, sino, la fase genital de la aceptación experimental se verá alterada.

Bazo.— Comentamos al principio el papel de controlar y distribuir la sangre. Es esa su principal acción. Su equilibrio con el hígado según la ley de los cinco movimientos es esencial.

Riñón.— Es la esencia de la especie, su roll es la formación del desarrollo de los óvulos, su maduración, etc., es primordial igualmente, su papel en la función uterina como receptora. Constituye el *mingmen* (Puerta de la vida).

Corazón.— Es el motor de la sangre, es el impulsor. Además... conserva el *shen* mental, tan importante para la fecundación. Pensemos que el papel del corazón en el tratamiento de esterilidad estará más indicado en las funciones del psiquismo que en las funciones del corazón como vector impulsor del corazón. Los trastornos depresivos, maniácos, histéricos... etc, etc situan al corazón como un órgano importante a tener en cuenta para el tratamiento de la esterilidad.

Pulmón.— El maestro de la energía. Se situa en el lugar de movilizar energía para evitar los estancamientos, la buena oxigenación juega un importante papel en las posibilidades de fecundación. No debemos, además, olvidar, que es a través del 7*p* que se produce la apertura del *renmae.*

Visceras.— *Ig.* Estimulador general de energía.

Id. Acoplado del corazón, constituye una eficaz ayuda para el corazón. Además, el *toumae*, su punto de apertura en el 3*id.*

Tr. Los tres fogones gobiernan todo el fuego material del organismo. El equilibrio de los tres niveles favorece las posibilidades de anidación.

Vejiga.— El vector Yang de la energía del agua es el gran microcosmos del agua dentro de los demás sistemas. Esto se produce gracias al poder de los puntos *iu.* Estos puntos son los verdaderos controladores y equilibradores de la energía de cada órgano. Por tanto, podemos controlar la actividad de cada órgano por medio de los puntos *iu.*

Estómago.— Hablar del estómago implica hablar del bazo. La cupla E-B es una entidad indisociable dadas las importantes funciones que tiene que desempeñar en la absorción de los alimentos y en el papel de distribución del *qi* para toda la estructura. El papel nutridor de la energía del estómago constituye un factor a tener en cuenta, ya que los estancamientos, vacios o plenitudes repercuten sobre las posibilidades de fecundación.

VB.— El poder de decisión, tiene un papel fundamental por formar parte del cuarto meridiano maravilloso que participa activamente en la fecundación:

El Taemo. El vaso de cintura constituye el sostén de las posibilidades de la fecundación. Gracias a él, es posible el paso de las energías del cielo a la tierra y de la tierra al cielo. Es, dirían los alquimistas, *el embudo de los reencarnados.* Aunque su energía emana de los riñones, como en todos los vasos, su control permanece a la *VB «la apertura de la posibilidad»* no nos la brinda el *taemae.*

MC.—El maestro del corazón, representa el *fuego espiritual del que emanan lás posibilidades instintuales.* Representa lo que quiere ser el sujeto, y los deseos y posibilidades que posee. Por ello, en el caso de la mujer, y en concreto en los casos de esterilidad, jugará un papel en aquellos casos en que los factores psíquicos de la pareja, sobre todos los de la vida de relación sexual, no se encuentran en armonía. Es el canalizador de los instintos y el ordenador de nuestra vida sexual. Intimamente ligada con el mundo de los afectos. Sin duda el *mc* en estos aspectos, nos obliga a meditar profundamente.

Ya hemos determinado las diferentes participaciones de los organos-entrañas, canales, ordinarios y extraordinarios. Las funciones y significaciones de los mismos. Pasamos ahora a la descripción de los diferentes puntos que se utilizaron como base del tratamiento. No debemos de olvidar, que lo que se propone es un planteamiento global en base a la fisiopatología descrita. Además... Se deberán de añadir los puntos individualizados que se obtienen de la idiosincracia propia del paciente, de su forma de enfermar, de la condición individual en el momento de la consulta. Como es obvio, estas características no se describen, ya que haría interminable el libro. En algunas ocasiones profundizaremos en algún caso, que podrá quedar como patrón general minucioso.

REPERTORIO TERAPEUTICO

Renmae.—4-5-6-3-7-8

3rm.— Zhongji.— A cuatro distancias por debajo del ombligo. Se trata del punto *mo* de la vejiga. Punto de reunión de los tres Inn de las piernas. La reunión de la energía de los tres Inn sitúa a este punto en la encrucijada de manipular las energías, *en la zona de la matriz,* de los tres órganos más importantes en la función procreadora.

El Da Cheng hace una recomendación especial de este punto para la esterilidad, recomienda su puntura cuatro veces. Probablemente el texto se refiere a la manipulación especial que se debe de realizar sobre este punto en estos casos. Se trata de efectuar una puntura de un tsun de profundidad. Se manipula la aguja en cuatro direcciones. En un principio de forma perpendicular. Luego de forma oblicua hacia abajo. Se retira ligeramente y se introduce oblicuamente hacia la izquierda y hacia la derecha completando así los cuatro movimientos. Estas manipulaciones producen en el paciente las sensaciones de movimientos de energía que se manifiestan por una sensación de inflamación-calor en la parte baja pelviana. Deberemos de advertir y preguntar al paciente sobre esta sensación. De esta manera estaremos seguros de la eficaz manipulación del punto.

La manipulación de este punto se deberá de realizar con aguja China de dos tsun y medio o tres. Se deberá de rotar de un lado hacia otro rápidamente, pero sin llegar a completar una rotación completa. Moviendo ligeramente la aguja de adentro hacia afuera, (de la profundidad hacia la superficie).

La acción fundamental del punto se centra en la *apertura del canal.* Si bien la indicación más precisa se centraría en los casos de obstrucción tubárica y útero infantil, su aplicación se puede generalizar en todos los casos de esterilidad.

El nombre del punto también nos indica su específica acción sobre el útero: *polo medio,* lugar del medio de la mujer, por ser el núcleo central donde se desarrolla la fecundación. Podríamos decir que se trata del punto *maestro del útero*, ... sin duda, se trata de una apreciación muy personal, pero se encuentra dentro de la línea de pensamiento de la tradición, en este sentido pensamos que se debe de desarrollar la investigación, encontrando las claves que nos pueden hacer comprender los mecanismos de pensamiento, así como el añadir nuevas indicaciones y comprobaciones en torno a un tema, con el *mismo sentido de pensamiento.*

El útero constituye una de las entrañas curiosas y que van a comandar una de las funciones claves para la especie. En el Inn se encuentran las llaves de nuestra especie, el lugar desde donde se hace posible la manifestación del Inn en el Yang, por tanto el útero en funciones sería el *Inn con el pequeño Yang.* La función del 3*rm* sería la de posibilitar esa manifestación. El útero sería, permitaseme la comparación: *el vaso cósmico.* Sólo adquiriría su sentido cuando pueda llenarse, aunque su íntima realidad y origen lo constituyen el vacio. Sin duda se trata de un razonamiento Zen. En esa línea de pensamiento podemos encontrar alguna de las respuestas en cuanto a la utilización y sentido de las formas.

Otra utilización del 3*rm* es la aplicación de las moxas. Se puede realizar de una manera directa o indirecta. La directa se aplica con el intermedio del ajo o del gengibre. En los casos de esterilidad será más aconsejable el gengibre por la gran capacidad de difusión del calor. Las indicaciones más precisas se centran en los estados de falta de permeabilidad del *renmae.* Estados de vacio de energía. Reglas escasas e irregulares. Sensación de frío constante en la zona uterina. Estados de debilidad, pulso débil, profundo y filiforme, con astenia marcada, sensación de frío, nausea y vómitos frecuentes. Si se prefiere o no es posible la moxa directa se aplicara intermitentemente el cigarro, tantas veces como se precise hasta conseguir una sensación de hormigeo y calor en la zona abdominal baja.

Las manipulaciones con el masaje, serían sólo aplicables en los casos de gran obesidad. Suele ser doloroso a la palpación profunda. En los casos en que no sean precisas fuertes presiones se puede emplear la *imposición energética.* Se trata de la aplicación de uno de los dedos del terapeuta guiados por la *intencionalidad.* En el caso de la aplicación de los 3*rm* debe de aplicarse el dedo medio que se correspondería con la energía del maestro corazón. Igualmente se puede aplicar, adoptando la mano forma de oquedad y con la misma predisposición de intencionalidad, aplicarlo sobre la zona del punto. Esta última aplicación pretende concretar la energía del terapeuta mas Yang en el *smc*, con el fin de *activar y movilizar* la energía del 3*rm*. Estas prácticas de movimientos de conducción de energía deben de ser aplicados en las especiales condiciones del terapeuta, el cual se debe encontrar finamente predispuesto. Con mente clara y limpieza de espíritu. Estas artes son especialmente indicadas en las pacientes de gran labilidad energética, estados de depresión, indiferencia afectiva, etc, y en general cuando el terapeuta se sienta en condiciones y la paciente se encuentre en una especial predisposición para ser objeto de esta terapia.

Las otras aplicaciones del *3rm* las iremos desarrollando en la medida en que lo precisen las demás patologías.

4rm. Guanyuan. Barrera de la fuente. Se localiza a tres distancias por debajo del ombligo. Se trata del punto *mo* del intestino delgado. También es un punto de reunión de los tres Inn del pie. Los razonamientos que realizamos con este motivo en el *3rm* son idénticos en esta ocasión.

La aplicación más exacta en el caso de la esterilidad es en los casos del ataque del frío. Cuando se presentan reglas irregulares, abortos repetidos y metrorragias frecuentes, así reza en el Da Tccheng. En todos estos casos se deberá de emplear con la moxibustión. Forma parte según el *linshu* de los cuatro puntos de reunión de las energías *Inn- Yang. 4rm- 12r- 12rm- 22rm- 9tm.*

El nombre nos sugiere un lugar donde se encuentra retenida la energía esencial congénita, lugar donde aflora la energía original pero que se encuentra retenida. Se corresponde con los otros puntos barreras del organismo, como el *5tr* o el *6mc.* Al ser barrera permite la entrada y la salida con el medio. En este caso, al ser la barrera de la fuente, se trata de la fuente interna que debe de ser regulada para su relación con el medio interno y externo. Su puntura estara indicada en los casos de sangre en estado de vacio o riñones en vacio. Igualmente se indica en los estados de esterilidad en los que se encuentren alterados los procesos digestivos, síndromes de mala absorción, nauseas y vómitos, que se acompañan de estados frecuentes de angustia sensación de ahogo, cardialgias, palpitaciones y ansiedad. En estos casos se trata de actuar sobre el *mo* del *id*, que sería el responsable de la representación de estas sintomatologías acompañantes. El pulso suele ser amplio y tendido, superficialmente y ligeramente rápido. La actitud terapeútica en este caso debe de ser acompañada, aparte del *4rm* del *3id* con objeto de realizar la apertura del *toumai...*

El *4rm* es un punto contraindicado en el embarazo, y así lo especifican los textos tradicionales. También se puede emplear en los casos difíciles de expulsión fetal.

La puntura del *4rm* se hace de manera perpendicular a la profundidad de 2 pouces. El manejo de la aguja debe ser intermitente con ligeros movimientos de delante y atras y con rotación de 90° rápidas hasta conseguir la llegada del *qi*. La paciente experimenta una sensación de calor y parestesia a lo largo del abdomen bajo, aumento del peristaltismo intestinal, ocasionales ruidos abdominales, y con frecuencia la sensación llega hasta la espalda experimentando una sensación de corriente en la zona sacra.

La aplicación de moxa se realiza como en el caso anterior, si bien en este punto se debe de aplicar más conos de moxa. Es recomendable, si se emplea el rollo, la aplicación simultánea en el *3rm*, hasta conseguir un calor apreciable que se manifiesta con un enrojecimiento de la piel.

5rm. Shimen puerta de la piedra. A dos distancias por debajo del ombligo. Punto *mo* del *tr.* La principal característica de este punto se situa en su pontencial *mu* del *tr*. Se trata del *mo* del *tr* global, ya que existe un *mo* individual del *tr* inferior. Como ya comentamos al hablar del *tr* se trata de la función de regular el fuego físico que controlará todos los procesos vitales. Por tanto, es necesario la regulación del fuego físico a través del *tr* con el fin de normalizar las funciones físicas del fuego en relación con la matriz. Además, la situación del *5tr* se centra en la zona de acción de la entraña curiosa matriz. Toda la zona umbilical e infraumbilical se situa, en la mujer en la esfera de influencia del útero. La situación del *mo* de *tr* en la zona de influencia progenitora, da idea del papel que desempeña el *tr* en los procesos de fecundación. Todas estas consideraciones en torno al *tr* sirven para justificar la aseveración del *sowen. La puntura de este punto esta contraindicada en la mujer, ya que puede transformarla en esteril.* Con esta aseveración deducimos la importancia del conocimiento de este punto para su *no uso en los problemas de esterilidad.* ¿pero como razonar esta explicación?. La respuesta esta en la concepción que se desarrolla del punto de acupuntura. Esta especial localización en la piel de un gradiente especial de energía, se trata de un *resonador de energía.* Un lugar que mantiene un doble equilibrio homeostático. Por una parte con el medio interno y por otra con el medio externo. En este caso se ve claramente que la manipulación del fuego físico del *tr* puede entrañar una *pérdida del poder fecundador del fuego en la mujer.* Esta sería la explicación del porque el *sowen* advierte la posibilidad de esterilidad en la mujer si se manipula este punto.

6 rm.—Qihai. Mar de la energía. A una distancia y media del ombligo. Según el Da Cheng, se trata de un punto mar de la energía en el *hombre*, pero no en la mujer. Pero veamos que posibles funciones puede desempeñar en la esterilidad de la mujer y en que casos. La aseveración del Da Tchen es cierta en la medida en que la mujer pertenece a la sangre y el hombre a la energía. Por eso deduce el Da Tchen tal aseveración, pero... ¿Qué ocurre cuando existe un estancamiento de sangre y mala circulación de la misma siendo esta la cuasa de la esterilidad?. Será entonces la ocasión del empleo del 6*rm*. Sería en estos casos que se deben de tipificar exactamente para el uso de este punto. Se debe de aplicar la puntura y no la moxa, situación inversa que en el caso del hombre, donde se debe emplear la moxa, salvo en los casos en que el pulso sea lleno pletórico, superficial y tenso...

7rm.— Yinjiao. Cruzamiento de los Inn. A una distancia por debajo del ombligo. Se trata de un punto de reunión entre el *rem mae* riñon y Tchongmae. Punto *mu* del recalentador inferior. El Da Tcheng recomienda su uso en los problemas de esterilidad. La razón se centra en las especiales características energéticas que hemos mencionado al principio. Al ser el punto de cruce de los meridianos que conservan la esencia y que distribuyen la sangre se convierten en la máxima capacidad de acción. En segundo lugar, como deciamos al hablar del *tr*, este punto se relaciona con el *tr inferior.* Conserva la parte del fuego de la zona del utero. Esto situaria al punto como posible prohibido, con los razonamientos que realizamos con el 5*rm*. Pero... El poder de cruçe que realiza este punto hace posible su uso. La puntura se realiza de forma vertical a una profundidad de uno y medio tsun con manipulaciones intensas que provocarán una reacción de entumecimiento en toda la zona umbilical. Esta sensación se puede transmitir hacia toda la zona inferior infraumbilical. El estímulo debe de ser intenso.

8rm.— Shenque. Puerta del espíritu. Se sitúa en el centro del ombligo. La puntura esta contraindicada.

Se trata de un punto *shen.* Podriamos decir... *puerta del espíritu central* decimos central, por que es desde este punto donse se individualiza el nuevo ser. Y... curiosamente... es un punto del espíritu...¿reencarnado?. De cualquier forma las particularidades del punto *shen* le hacen aplicable en estos casos ya que es conocido por todos, los casos de esterilidad en los que los componentes psicógenos son evidentes... Pero, en que casos. Cuando escribíamos sobre la función de los diferentes órganos lo haciamos del corazón y del *mc.* Pero en que casos se deberá de centrar el psiquismo de acción para aplicar el

8rm. La principal indicación se deberá de centrar en los casos en que los trastornos psíquicos se concentran en las más tempranas etapas del desarrollo. Los estados de neurosis derivados de los disturbios de la infancia constituyen una de las más importantes indicaciones. Todos los procesos en los que se sospeche una causas antigua. La aplicación de este punto pretende restablecer la armonía y el equilibrio del espíritu. Esta situación pretende permitir una armonía entre la sangre y la energía en el útero.

La manipulación de este punto se realizara exclusivamente con moxa. Si bien se puede aplicar moxa indirectamente, lo más aconsejable es la aplicación de moxa directa con el intermedio de la sal y el ajo. En primer lugar se aplica la sal y encima de este el ajo y finalmente la aplicación de los conos de moxa. El número de conos de moxa dependerá del tamaño de los mismos, pero en general se deben aplicar hasta que enrojezca toda la zona umbilical. Se debe procurar la no formación de ampollas en las primeras sesiones. Si pasadas 10 sesiones se forma la ampolla carecerá de importancia, y por supuesto se cesará en la aplicación de las mismas.

Todos los puntos descritos del *renmae* son los más frecuentemente implicados en los casos que presentamos. También se puede emplear otros. Si hemos seleccionado estos es por que son los más empleados por la tradición. No se excluyen otros postulados.

Todas las técnicas empleadas en estos casos fueron cuidadosamente utilizada. Al final del capítulo realizaremos una manera de emplear según un determinado ritmo y en combinación con los puntos de otros meridianos.

ESTUDIO DE LOS PUNTOS DEL TOUMAE

Los puntos del meridiano del *toumae* empleados son menos que en el caso precedente.

3tm.— Yaoyangguan. Barrera del Yang. Se encuentra en la línea media por debajo de la cuarta lumbar.

Se trata de un punto barrera y como tal cumple las funciones de las consideraciones que realizamos con los puntos anteriores. Su aplicación en los casos de esterilidad se debe a la función de contener el Yang y por tanto, favorecer las funciones Yang de la fecundación, es decir, movilidad de las trompas, movilidad uterina, alimentación del esperma, etc, etc. La puntura se debe de realizar de forma oblicua, con la persona sentada, se localiza el punto, la profundidad es aproximadamente dos y medio tsun. La sensación se transmite hacia la zona baja abdominal, con ligero entumecimiento de las piernas. Lo más empleado fue las punturas, las moxas se aplicaron cuando existían en la mujer un aumento exagerado del flujo

Las otras aplicaciones de este punto, con los criterios de tratar lo alto por lo bajo, requeriran una manipulación y un tratamiento especial. En estos casos, la puntura oblicua se dirigirá hacia arriba.

4tm.— Mingmen. Puerta de la vida. Se encuentra situado por debajo de la segunda vertebra lumbar. Se trata de un punto que posee conexiones directas con el riñon *Yang.* Según el *neijing*, se trata del punto encima de la vejiga. Su nombre es altamente significativo en cuanto a las posibilidades de aplicación. Se trata de un punto preciso que debe de ser conservado especialmente por las posibilidades que presenta. Sus indiciaciones son más intensas en el hombre. En los casos de esterilidad su empleo se hace con la aplicación de moxa indirecta, para recalentar las funciones de utero. Las aplicaciones se realizaron en una caja de moxa. Se trata de un sencillo recipiente de madera de forma rectangular, que tiene en su interior una rejilla en donde queda depositada la moxa. Una vez encendida, se tapa ligeramente la caja, ajustando así la intensidad del calor. Esta forma de aplicación de la moxibustión tiene la ventaja de estimular los puntos *iv* de los riñones. 23*v*. El inconveniente que presenta en su poca especificidad a la hora de estimular un punto, de cualquier forma, es una forma de aplicar moxibustión sin que resulte especialmente desagradable para nuestra cultura. Las aplicaciones se deben de realiza *solas,* sin que existan otras punturas.

La puerta de la vida reúne en si misma un lugar de entrada y de salida de la energía esencial primigenia. Es el lugar de almacenaje del potencial energético de la procreación. En el hombre se encuentra ligado con los procesos de espermatogénesis, en la mujer se encuentra ligado con los procesos de fecundación ovular, y posteriormente con las actividades más incipientes del desarrollo del embrión, sobre todo en las fases de morula. Existe, además, y no esta desconexionada totalmente con lo que estamos hablando, la zona del mingmen, que todo parece indicar que se trata de la zona energética comprendida entre la radiación vital de la actividad de los dos riñones. Esta zona vital sería la zona de asiento del camino de los reencarnados?... sería una idea alquímia de los proce sos vitales en su devenir energético-espiritual.

Pensamos que las posibilidades de fecundación de nuestra especie estan íntimamente ligadas a la *energía del cosmos*. Nada puede ocurrir sin su consentimiento, las manifestaciones de la entropia y la entalpia deben de cumplir sus cometidos. Los acontecimientos deben de ocurrir en los momentos adecuados, con el fin de cumplir el plan que se encuentra escrito en las estrellas. Cuando se produce el «milagro de la fecundación, se cumple el milagro del *embarazo cósmico.* Se esta cumpliendo la manifestación de la esencia que ha estado guardada celosamente, para cumplir un determinado plan. Se trata de niveles de existencia diferentes, pero igualmente reales. En nuestro contexto tan solo percibimos los mundos materiales, pero estos no son posibles si no se da la realidad de los mundos invisibles. Los binomios materia-energía, tan traidos y manejados, son en esencia una muestra de lo que terminamos de decir. No se concibe la existencia de un mundo si no se realiza la del otro y viceversa. En este juego, aparentemente secreto se encuentran enraizadas las ideas alquímicas. La concretizaciones que realizan las energías espirituales para dar lugar a la procreación son estadios imperceptibles pero reales que obedecen a un plan prestablecido. El acontecimiento de la fecundación no es un acontecimiento fortuito, del «azar y la necesidad». Se trata *de los planes del todo que en su expansión se materializa y en su concentración se muta en esencia invisible.* El establecer los vínculos de unión entre el *todo* precósmico, la realidad de universo y nuestra inmediata cotidianidad es imprescindible para intentar, al menos, entender nuestra *presencia. Nuestra ausencia y... nuestro eterno nomadismo cósmico.* Si tenemos presentes estas «realidades» o al menos nos replanteamos nuestras conexiones con el *todo*, estaremos en óptimas condiciones para trabajar en la vida del *wu wei*, es decir, en descubrir y facilitar las manifestaciones del *todo,* sin realizar nada que se oponga a esa expansión. Solo si nos consideramos *medios,* intermediarios universales de la procreación, estaremos en la «vía».

Si se realiza la puntura sobre el mingmen será oblicua ligeramente hacia *arriba a una profundidad* de un tsun. Sobre las medidas tengase en cuenta que son aproximativas, ya que depende en gran medida de la constitución del paciente. Pero... podemos tener como base que ...: dos tsun es una medida profunda. Un tsun es una medida mediana, y medio tsun es una medida pequeña o superficial.

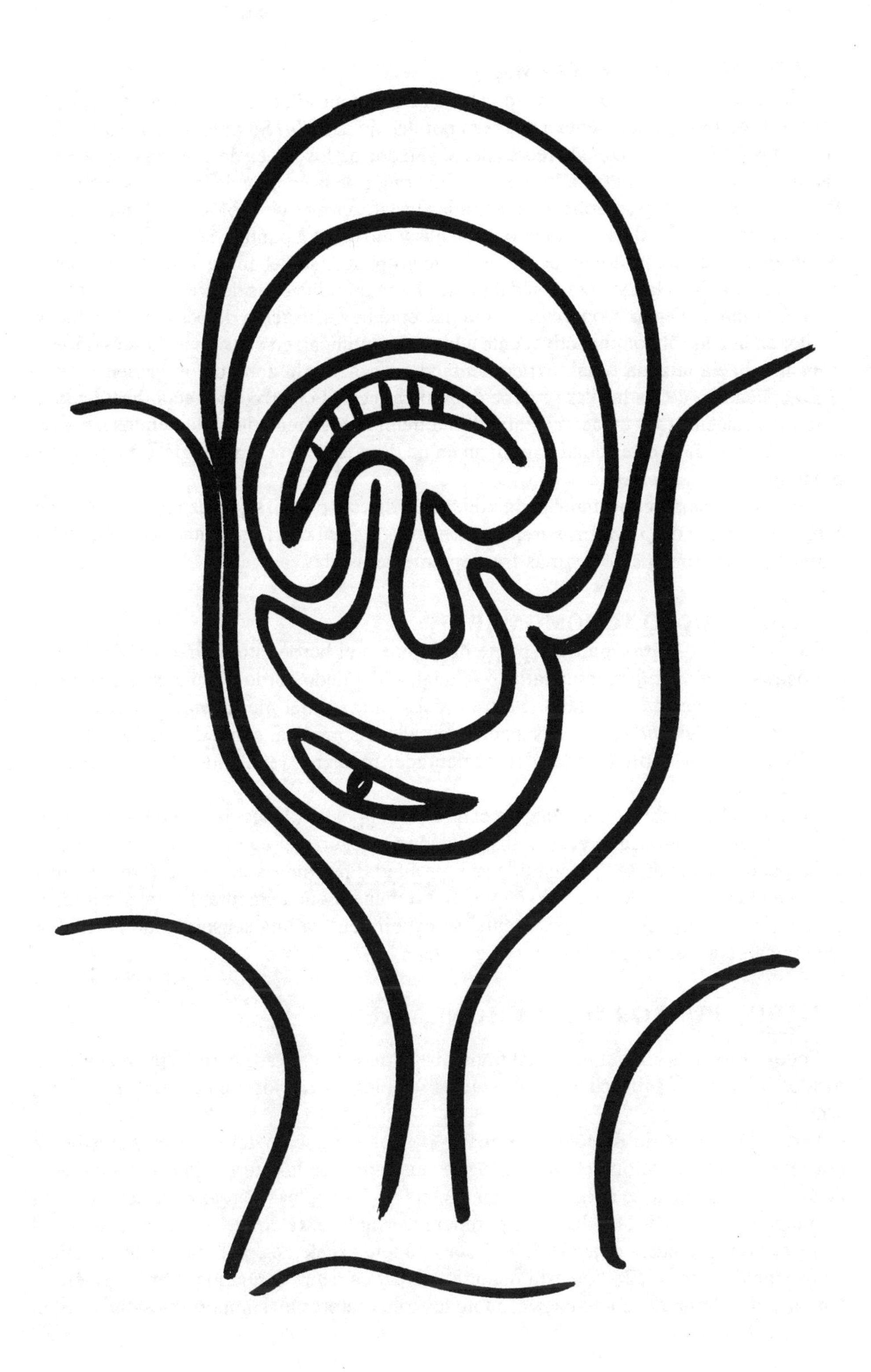

VASO DE CINTURA. TAEMAE

Este tercer vaso curioso tiene como punto de arranque el *26vb*. En la línea transversal del ombligo, aproximadamente a dos tsun por debajo del *13h*. Su nombre: *vaso de la cintura,* nos habla de la labor de recogedor y guiador de los haces de energía que suben y bajan, además... es el controlador y el administrador de la energía de la cavidad pelviana. Posee por tanto una gran aplicación en todas las afecciones ginecológicas. La manipulación energética, se realiza con medio de agujas y moxas. La puntura se realiza de manera perpendicular a una profundidad de un y medio pouce, se deben de tener las evidentes precauciones, dada la localización del punto. La manipulaciones de armonización que se realizán sobre él deben proporcionar a la paciente una sensación de pesadez, hinchazón y calor en la zona abdominal adyacente a la zona umbilical, en ocasiones, la sensación se transmite hacia la zona renal, experimentando sensación la zona del mingmen.

La aplicación de las moxas se debe de realizar con el cigarro, indirecta, hasta conseguir un enrojecimiento evidente. Esta última maniobra es recomendable en los casos en que las causas de la esterilidad confluyan en un desequilibrio entre sangre y energía, con predominio de la energía.

Una combinación importante en la utilización de este punto, se realiza con la moxa del *8rm* y la puntura del *3mr*. Insistiremos de nuevo, al final de la presentación, cuando hablemos de las combinaciones más frecuentemente usadas.

VASO CURIOSO TCHOMGMAE

4b Gongsun.— Gran padre y pequeño hijo. En el borde interno del pie a un pouce por detrás de la articulación metatarso falángica, del dedo gordo del pie, sobre el borde inferior del primer metatarsiano. Se trata del punto *Lo* del meridiano, y sobre todo... punto *maestro* del *tchongmae.* Esta situación además implica, como dice el Dr. Nguyen Van Nghi, el papel armonizador del recalentador mediano, regulando el reflujo energético hacia lo alto.

La indicación especial del punto se centra en las posibilidades de aumentar el caudal de sangre en el útero, favorecer la distribución y asegurar el equilibrio con la energía.

La puntura debe de ser perpendicular y profunda, próxima a los dos pouces. Se produce una fuerte sensación en todo el pie, de tal manera que aumenta de temperatura. Si el estímulo es permanente y persistente, se experimentará una sensación de hinchazón abdominal, con sensación de plenitud gástrica.

OTROS PUNTOS DEL TCHONGMAE

Todos los puntos abdominales del riñon que pertenecen al vaso curioso pueden ser utilizados, pero los más frecuentes que se han empleado son los siguientes: 12, 14, 15, 16.

12r.— Dahae. Rojo de cólera. A cuatro pouces por debajo del ombligo ya medio de línea media, la indicación del Da Tcheng se centra más en la esterilidad masculina, pero de todas formas, tiene su aplicación en la femenina. La puntura se realiza oblicua y semiprofunda, el sentido de la oblicuidad se refiere a establecer la dirección hacia el canal del *rm*, y en concreto hacia el punto *3rm*. Esta será una excelente combinación terapeútica. El trípode del *3rm* y *12r*. De esta manera energéticamente actuamos sobre el riñón, el tchomgmae, y renmae, en definitiva, sobre los tres vectores más importantes que pueden causar la esterilidad.

14r.— Siman. Cuatro excesos. A dos pouces por debajo del ombligo y a medio pouce de la línea media.

Igual que en el caso anterior se trata de un punto de acción específica por la zona donde se encuentra para las afecciones ginecológicas, y sobre todo uterinas. Su nombre se encuentra en relación con las posibilidades sanguíneas del útero. La puntura se realiza hacia la línea media, en sentido oblicuo a dos pouces de profundidad. De manipulación inconstante, de profundidad a superficie con rotaciones a derecha e izquierda intensas. En este sentido se debe de actuar cuando se sospecha estancamiento de sangre. Cuando el problema se relaciona con el déficit de sangre, se aplicará la moxibustión.

15r.— Zhongzhu. Lugar de confluencia. A un pouce por debajo del ombligo y a media distancia de la línea media. En la línea de actuación de los puntos anteriores. Su nombre de confluencia nos sugiere lugar de concentración de la sangre y la energía. La puntura debe de ser también oblicua hacia el *7rm*. La combinación de los tres puntos también constituye una alternativa terapeútica. La profundidad es de unos dos pouces. El estímulo se transmite hacia la línea media y crea una sensación de tensión y hormigeo en la zona abdominal baja.

16r.— Huangsun. Iu del encuentro con la entraña. Se encuentra a 0,5 pouces del ombligo. Pensamos que su nombre esta en relación directa con el utero. La traducción amplificada sería *Iu de la entraña curiosa utero.* La aplicación del punto se realiza siguiendo tres direcciones. La profundidad es de dos pouces. En primer lugar se puntura de forma perpendicular, se retira ligeramente la aguja y se introduce de manera oblicua hacia la región inguinal. Finalmente, se vuelve a retirar y se introduce de nuevo hacia los puntos precedentes. Cabe añadir una cuarta manipulación, hacia la base del ombligo. Se debe de manipular fuertemente, de manera que la sensación se transmita hacia toda la cavidad pelviana. La experiencia demuestra que la sensación se transmite hacia lo profundo de la cavidad abdominal, incluso se experimenta sensación en la espalda a nivel del mingem. Se puede realizar la aplicación de moxas junto con la aplicación de moxas en el *8rm*, cuando se sospecha que la afección tiene un fuerte componente psicógeno.

PUNTOS EMPLEADOS DE LOS TRES MERIDIANOS

RIÑON

10r.—Yingu. Valle Inn. Se trata del punto agua de los riñones. Localizado justo en el pliegue de la rodilla, en la parte interna. Es igualmente, el punto de partida del meridiano distinto, ¿por qué el empleo del punto agua de los riñones?. Para empezar, decir que los puntos aguas de todos los meridianos se relacionan con las energías ancestrales. En el caso de los riñones la aplicación es más clara, ya que él es el depositario de la totalidad de la energía original. Se trataría de incidir sobre las funciones más propias de los órganos riñones. El nombre del *valle Inn*, ya nos condiciona sus reservas energéticas de energía Inn. Su puntura fuerza a la movilización de la energía de los riñones.

La puntura se realiza a mediana profundidad, un pouce y en dirección ligeramente oblicual hacia arriba. La sensación se transmite hacia arriba con la experiencia de hormigeo y adormecimiento de la parte interna del muslo, que coincide con la línea de energía del canal.

3r.—Taixi. Gran balón. Se corresponde con el punto tierra. Por tanto se relaciona con la distribución de la energía. También pertenece al estímulo de la energía ancestral. En el lingshu, capítulo 9 nos específica que la energía de los tres Inn y de los tres Yang tiene su fuente en el punto taixi. Este dato es importante a la hora del manejo de la energía, ya que en este lugar se concentra un potencial. Pero, se debe de tener en cuenta si es encuentra en vacio o plenitud, así lo específica el *lingshu.*

Si el pulso es pleno y rápido serán signos de plenitud, en cuyo caso se deberá de dispersar, si el pulso es débil y lento, se deberá de tonificar. Pensamos que se trata del pulso revelador de los riñones que se localiza en este punto. Si bien es cierto que la energía global de los riñones nunca tiende a la plenitud, y por ley natural lo hace a la zona del vacío, en determinadas situaciones la actividad de los riñones es más acentuada que en momentos normales y es por ello que la manifestación es de plenitud. Por tanto, antes de la puntura del *3r* se deberá de tomar su pulso. La aplicación de este punto está especialmente indicada en los estados de insuficiencia de los riñones. Si la situación es de vacio, despueś de la puntura se deberá de realizar moxa indirecta, hasta conseguir que el calor se transmita hacia toda la zona del talón y del pie, e incluso que se ramifique hasta la planta del pie.

9r.— Zhubin. Este punto posee especiales condiciones que cita Solie de Moraand. Se trata de un punto *preventivo* durante el embarazo, para evitar la transmisión de caracteres hereditarios negativos, y por ende, de malformaciones congénitas. Su única puntura se debe en la esterilidad. Sobre todo en los casos en que se dispongan de antecedentes de familia con dificultad de embarazo. En embarazos fallidos anteriores... y ... aunque no se presenten estas condiciones, pero la paciente tenga una apertura de separación entre los dos incesivos centrales, en estos casos se debe de aplicar el punto. ¿Cuál es el significado de esa separación central de los incisivos?. Es en ese lugar donde se realiza las importantes interconexiones del *tm-rm*, cuando esta unión no es satisfactoria por un desarrollo embriológico energético deficiente, se produce esa separación. Por tanto, este signo debe de ser utilizado como método diagnóstico de la esterilidad. En estos casos la disfunción se presentaria en el *tm-rm-r...* Y en definitiva en los riñones.

La utilización de este punto se hace con puntura perpendicular a una profundidad de 1,5 pouce. La manipulación debe de ser moderada pero debe transmitir la sensación en el sentido ascendente de la energía del meridiano. También la sensación se transmite hacia el lado opuesto de la pierna, con una sensación de electricidad y cosquilleo.

La traducción del nombre: *homenaje a los maridos,* se podría interpretar como la mejor ofrenda que se puede ofrecer o que puede ofrecer la mujer a su marido: Un hijo sano. Sería pues, en los casos de esterilidad, un punto típicamente femenino.

BAZO

6b.—Sanyinchiao. Reunión de los tres Inn. Situado a tres pouces por encima del maleolo interno, en la línea media, es uno de los mayores puntos de confluencia energética del organismo. La unión de la energía de los riñones, del hígado, del bazo le confieren en el tratamiento de la esterilidad una significación especial. Por tratarse de la unión de las confluencias de la sangre, en los casos tratados siempre se tonificó. Su dispersión en la mujer embarazada puede provocar el aborto. La tonificación del *6b* nos va ha proporcionar un aumento de sangre en el útero, con las consiguientes mejoras o para las posibilidades de fecundación. Al tonificar el *6b* conseguimos un aumento de la movilización de la sangre por parte del hígado y consiguientemente un aumento de poder de distribución y asimilación. Finalmente se estimulará su formación.

La manipulación energética se realiza con aguja china de dos y medio tsun de longitud o tres y se activa a una profundidad que oscila entre uno y dos tsun. El estímulo debe de ser intenso con sensación de entumecimiento en la pierna así como la sensación de la ascensión de la energía hacia la zona genital. La manipulación de este punto en los casos de esterilidad debe de ser intensa y realizada a intervalos de tres a cinco minutos. Actuar de esta manera significativa actuar sobre los ritmos de energía y sobre los aflujos de sangre. Así mantendremos una constante y másiva invasión de sangre en el útero. En los casos en que el diagnóstico energético se manifieste por una debilidad del bazo-estómago y esten conservadas todas las demás constantes energéticas, será suficiente, además de las importantes medidas dietéticas, será suficiente con la aplicación del *Sanyinchiao.*

Del *4b* ya hablamos cuando comentamos el papel del Tchongmae.

10b.— Xuehai. Mar de la sangre. Se localiza poniendo la mano sobre la rodilla en posición de asirla, la posición que ocupe el pulgar en el lado interno de la pierna será el lugar exacto. Se trata como su nombre lo indica, de un regulador de la sangre así como un lugar donde se puede desencadenar el movimiento de depósito de la sangre. Elimina el calor y refresca la sangre. Con todas estas acciones queda claro el gran papel que desempeña este punto en el tratamiento de la esterilidad.

La manipulación de este punto se realiza con la moxa y la aguja. La puntura no suele ser muy profunda, pero dependerá de la lasas musculares de cualquier forma, la sensación aparece rápidamente. Se manifiesta por un entumecimiento a lo largo del muslo, que se irradia hacia arriba y la rodilla. Después de aplicada la puntura se debe de aplicar moxa indirecta.

13b.—Fushe. Domicilio de las entrañas. Este punto se encuentra localizado en la zona abdominal sobre el borde del trocanter mayor. En este punto se centralizan tres importantes aflujos energéticos *bazo, hígado, Inn, Oe...* desde aquí se irradian al hígado, escapula, pulmón, corazón y bazo. (Datcheng descrito por Nguyen Van Nghi). Esta especial confluencia energética en la zona de influencia de la entraña curiosa del útero, además del nombre del punto, hace que sea otro de los puntos de influencia en la matriz. Esta especialmente indicado cuando la esterilidad se acompaña de sensación de abombamiento abdominal y estancamiento energético.

La puntura será vertical a una profundidad media de 1,5 pouce, teniendo en cuenta la constitución de la mujer. Se deberá de aplicar a continuación moxa con calentamiento intenso que consiga una sensación de calor intenso que invade la zona baja abdominal.

Con la manipulación de este punto estimulamos también la reserva ancestral por medio del Inn-oe

HIGADO

3h.— Taichomg. Gran asalto o asalto supremo. Se sitúa en la comisura del dedo gordo del pie y el siguiente, aproximadamente a 1,5 pouce de los dos dedos. Ocupa el lugar homónimo del *4ig* de la mano. Punto *iu* de la cierra, y punto que recoge el vaso *lo* de la *vb*. Este gran asalto supone la gran azaña de mover la energía y la sangre hacia lo más alto del organismo, es decir, hasta el *20im*. Pero lo que nos interesa aquí es su comportamiento en el caso de la esterilidad. Sus funciones activas se derivan de su papel en la formación, depósito y distribución de la sangre.

La utilización de este punto se debe fundamentalmente al papel de equilibrio que desarrolla por tratarse de un punto tierra en el hígado, y estar ambos ligados con la sangre. De cualquier manera, toda tonificación de los puntos del hígado traen consigo un aumento de sangre en la zona abdominal baja. Piensese en el vaso *lo* longitudinal ascendente que se ramifica en la zona genital. En el *sqwe* nos específica claramente la significación del *3h*. «En la mujer a la edad de 14 años el latido de la arteria del punto se encuentre pletórico, es cuando comienzan las reglas, y es cuando se vuelve fecundo, y añade algo más importante...:» El diagnóstico -pronóstico- de vida o muerte esta basado sobre la presencia o ausencia del pulso del *taichong*». Estas consideraciones del *sowen* merecen una serie de explicaciones para poder ser entendidos:

La energía del hígado-madera es la primera manifestación de la esencia de los riñones. Representa el *movimiento*. Este movimiento es la general manifestación de todos los seres vivos. Todos ellos se sitúan en la tierra y dependen de ella para su subsistencia. Luego... no es extraño que la aparición del pulso en el *taichong* este íntimamente ligado con el pronóstico de la vida. Igual ocurre en el caso de la mujer. A los 14 años se cumple el duplo del número clave de la mujer: 7, el *Inn* en el *Yang*, luego es el momento de florecimiento de la sangre y por tanto el momento de aparición de las reglas y de la posibilidad de fecundación. Desde el punto de vista diagnótico-pronóstico de la fertilidad de una mujer será pues necesario la palpación del latido de la arteria (pedia) situado sobre el *taiching*, pero debemos de ser cautelosos a la hora de la exploración, es decir, saber en que momento se debe de pulsar. No se deberá de hacer en plena regla, ya que el latido estará debilitado y la percepción será débil, y por tanto, el diagnóstico equivocado. Fuera de estos días de intensa pérdida de sangre, las observaciones obtenidas son válidas.

La aplicación de la puntura se debe de realizar con aguja china de 1,5 tsun de largo. La puntura aunque perpendicular se debe de hacer ligeramente oblicuo hacia la base del centro del pie. La sensación se transmite de manera intensa hacia todo el pie proporcionandole intenso calor y sensación de adormecimiento. Se debe de tener cuidado de no sangrar la arteria, a no ser que se pretenda sangrar, que no es el caso de la esterilidad. En los casos de esterilidad por déficit de sangre la cupla de *3h* en fuerte tonificación y la dispersión del *4ig* proporciona excelentes resultados. Si bien se puede aplicar la moxa es recomendable en el caso de hacerlo no provocar una intensa quemadura. Es recomendable el empleo de la moxa indirecta.

8h.—Ququan. Fuente en recido. Se trata del punto agua del hígado. Punto ancestral que recoge y absorbe las actividades de la transformación del agua en madera. Se trata del punto de tonificación estático. Se encuentra localizado en la extremidad interna del pliegue de flexión de la rodilla ligeramente por encima y detrás del *10r*. El Da Tchen lo recomienda en los transtornos menstruales y algias pelvianas. Se trata del lugar energético donde la energía se profundiza para hacerse lanzar hacia la zona abdominal. Si añadimos la cualidad anterior a esta y además ser el punto de tonificación, tendremos la explicación del porqué de su uso en la esterilidad.

ESTOMAGO

25e.—Tianshu. Pivot celeste. Se situa a dos pouces en la horizontal del ombligo. Se trata del punto *mo* del intestino grueso. Es un punto de numerosas conexiones con en *tchongmai*. Estas dos condiciones junto con el significado de su nombre nos situa ante un punto de gran utilidad en los casos de esterilidad. Al ser punto *mo* del *ig* estamos ante un punto de una gran caudal energético, porque se trata de la parte *Yang* del metal con el acoplado pulmón. Las diversas conexiones que establece con el tchongmai le hacen compartir el compromiso de ayudar en la nutrición del apartado reproductor femenino. En referencia al nombre debemos de decir que se trata de un punto con afinidades celestes, *lugar de culminación celeste*. Sin duda esta en relación con el significado del *8rm* en su rol de punto *shen*. Por eso los textos clásicos explican que en este punto se situa el alma vegetativa y el alma sensitiva (una depende del hígado y otra del pulmón). Debemos entonces pensar que a este nivel se producen conexiones con estos dos órganos. El papel de guardar lo sensitivo y lo vegetativo lo situa en las justas aplicaciones del punto. En las mujeres que cursan con abundantes síntomas vegetativos inespecificos, como, ardor de estómago, malas digestiones, estreñimientos, palpitaciones, insonmio, etc, etc. De igual manera en lo sensitivo, que viven la situación de su esterilidad con sentimientos de frustración y fracaso, por la posible falta de realización, o bien que se siente intensamente la necesidad de proyectar los afectos... En todos estos casos el empleo del *25e* debe de ser la norma.

El modo de aplicación debe de ser con puntura y moxa. La puntura debe de efectuarse en dos direcciones. En una primera intención de forma perpendicular a una distancia de dos pouces, con fuertes rotaciones a derecha e izquierda. A continuación, se retira ligeramente la aguja y se inclina ligeramente hacia el plano del *8rm*, pero con manipulaciones menos intensas. Las sensaciones transmiten hacia la profundidad del abdomen. Se producen ruidos hidroaéreos en ocasiones. Con posterioridad a la puntura se deberá de aplicar la moxibustión indirecta con cigarro, con aplicaciones intermitentes hasta conseguir un intenso enrojecimiento.

30e.—Qichong. Reflujo energético. Se sitúa a cinco distancias por debajo del 25 de estómago y a dos en la horizontal del *2rm* se trata de un punto de reunión con la energía del Tchongmai, punto que permite la difusión de la energía del estómago hacia lo alto. Según nos dice el Lingshu...« Cuando el Tchongmai esta perturbado el *30e* es sensible y doloroso a la presión». Según el Da Tcheng su empleo se efectúa en la esterilidad y en las reglas irregulares. Su nombre de reflujo energético nos sitúa en su potencial de acción con un gran gradiante de energía, que podemos utilizar en los procesos de fecundación.

La puntura de este punto debe de ser cuidadosa ya que si es demasiado profunda puede lesionar la femoral. La profundidad será de 1,6 pouce y posterior aplicación de moxa indirecta con cigarro.

36e.— Zu sanli. Tres lugares. Se trata del punto *he* del meridiano de *e*. Punto recuperador del Yang. Todas las afecciones pueden ser tratadas con este punto según los textos tradicionales. Sin duda se trata del punto con más aplicaciones clínicas en su unión con otros. En el caso de la esterilidad su acción se centra en la movilidad la energía hacia la zona abdominal, combatir los estancamientos de sangre, y aumentar la vitalidad general de la mujer. La puntura se realiza en sentido oblicuo hacia arriba, con fuerte estímulo, hasta conseguir que la sensación se propague hasta la zona abdominal. La aplicación de la moxibustión también es aconsejable, si bien no debe de practicarse en exceso, al menos hasta los treinta años, posteriormente no existen problemas.

Como deciamos a propósito del bazo, la unidad bazo-estómago constituye un sistema unitario que debe de regularse unitariamente, de tal manera que si se emplea el 36e se deberá de asociar con el 6b o 4b, ect, etc. Nos extenderemos sucesivamente en este punto en las demás afecciones.

PULMON

7P.— Lieque. Desfiladero débil disposición. A un pouce y medio del pliege de la muñeca, o bien tomando la mano contraria y apoyar ligeramente el índice que caerá directamente sobre el punto. Se trata del punto de apertura del renmai. Se trata además de un punto lo que el *ig*. La indicación fundamental del *7p* se deduce de su rol de apertura del *renmai.* Como ya conocemos el meridiano del pulmón emerge del recalentador mediano y es allí donde establece las conexiones con el pulmón.

Su aplicación se centra en la desostrucción del *renmai*. Los bloqueos de circulación energética a nivel de nacimiento del meridiano curioso son los sucedáneos del tratamiento con el *7p*. La puntura se realiza oblicua hacia arriba, produciéndose una sensación de propagación de la energía hacia arriba o bien la manifestación del *lo* con la propagación hacia el *ig*.

Si el tratamiento se enfoca en base a los vasos curiosos se emplerá el *4b* y el *7p*, de esta manera permeabilizamos las vías de la sangre y la energía.

CORAZON

3c.— Shaohai. Mar secundario. Se localiza en la extremidad interna del pliegue del codo, teniendo este flexionado 90º, se trata del punto antípodas del *11ig*. Se trata de un punto *he-agua* del meridiano de corazón. Por esta razón sus manipulaciones equilibran el ejer agua-fuego dentro del corazón. Esta condición determina una armonización *shen* del organismo. Sus aplicaciones más importantes se relacionarán con los estados de ansiedad y depresión que puedan estar interfiriendo en las posibilidades de embarazo.

Su manipulación se realiza con la aguja y la moxa. La puntura es de un pouce de profundidad. La estimación debe de ser de mediana intensidad. La aplicación de las moxas se reserva para los casos en que la tardanza del embarazo es muy prolongada.

7c.—Shenmen. Puerta mental. Se localiza en el pliegue anterior de la muñeca, al lado del borde interno del pisiforme, sobre la arteria cubital. Se trata de un punto *iu*-tierra del corazón. Punto de dispersión estático. Se trata de un punto *shen* y por tanto de un punto que actua sobre el psiquismo. Sus acciones más intensas se centran sobre los trastornos afectivos recientes o pasados de tiempos de carácter consciente. Los shocks emocionales o emotivos, también son sucedáneos de ser tratados por este punto. Además, no debemos de olvidar que el corazón comanda la circulación de la sangre, y por tanto de su poder y actuación puede también depender la esterilidad. Al ser un punto tierra, se consigue, además, la armonía en las relaciones del soberano con las demás entidades.

La puntura se realiza perpendicular y suele provocar fuerte sensación. Después de la puntura es aconsejable la aplicación de moxa indirecta con cigarro.

MAESTRO DEL CORAZON-FUEGO MINISTERIAL

6mc.— Neiguan. Barrera interna. Se situa a dos pouces por encima del pliegue de la muñeca, en la línea media entre los dos tendones. Se trata de un punto *lo* de donde parte un vaso hacia el *tr*. Es el punto empleado por excelencia en todas las patologías internas y en general en todas las enfermedades crónicas. Es el punto de apertura del *Inn-oe.* Su apertura y estimulación permite desbloquear a la compresión energética a nivel del tórax y el estómago. Con este fin establece el equilibrio alto-bajo (Hguyen Van Nghi). Por tratarse de un punto del fuego ministerial del secretario particular del corazón, es el gran intermediario entre dos funciones del soberano y su pueblo. Al ser un punto barrera se define como un punto de contención en el que se regula el medio interno. De eso proviene su nombre de barrera interna. La terminación del *mc* se hace a nivel de *tr* en la zona abdominal, una razón más, para provocar su estímulo. Por último debemos de tener en cuenta que es el punto de apertura de un vaso de energía ancestral. La puntura del *6mc* se hace perpendicular penetrando entre los dos tendones de tal manera que se transmita la sensación a lo largo del canal en progresión ascendente hacia el brazo. La sensación es de hormigueo y adormecimiento. Se debe de tener la precaución de no modificar la posición de la moano ni de los dedos ya que sino se producirá un cambio en la posición de la aguja y ocasionará un fuerte dolor.

La barrera de lo interno permite establecer una perfecta homeostasis del medio interno preservando el fuego imperial y garantizando una perfecta distribución del fuego ministerial.

TRES FOGONES

2tr.— Yemen. Puerta de los líquidos. Se localiza entre el cuarto y el quinto metacarpiano, por delante de la articulación metacarpo-falángica. Punto iong-agua del meridiano de los tres calentadores. La misión de los tres fogones, entre otras, es la de distribuir el fuego orgánico por toda la economía con el fin de garantizar todos los procesos de combustión. En definitiva todos los metabolismos celulares. Si la distribución de los líquidos se realiza de una manera armoniosa. Si no ocurre así, los líquidos se estancan, y los productos celulares de derecho no pueden ser catalizados, y los procesos metabólico-anabólicos se ven seriamente enlentecidos, por las sustancias de desecho que se convierten en elementos obturadores de los intercambios normales. En una idea esquemática ese sería el funcionalismo de los tres fogones. No se olvide que en los textos antiguos, tanto de medicina China, como de alquimia, se describe la función de los tres fogones, como tres recipientes liquidos que están siendo calentados por el fuego. El simbolismo habla por si sólo, sobre las imbricaciones del fuego-agua, en la función -acción- mantenimiento de los tres fogones. Esta aclaración es necesaria para matizar la función de este punto. Su puntura, permite una correcta distribución de los líquidos, y como no, de todos los líquidos, incluido la sangre. Esta situación permite que la activación del *2tr* se emplee para eliminar los estancamientos que se puedan producir en los mecanismos de la fecundación. Además, no sólo facilita la distribución, sino que purifica el estado de los líquidos. La puntura se realiza perpendicular y ligeramente oblicua, hacia la zona de la muñeca. La sensación se transmite hacia la palma de la mano. Para la puntura se recomienda que la persona tenga la mano ligeramente cerrada y que permanezca así mientras dure la sesión. Se puede aplicar la moxibustión. Esta será empleada cuando existan problemas de retenciones hídricas, edemas en piernas, tendencia a la oliguria. En estos casos se aplica moxa directa a base de pequeños conos hasta producir una leve quemadura. Cuando ello se produzca, se deja descansar al punto hasta pasados 20-30 días.

VESICULA BILIAR

25Vb.— Jingmen. Puerta de la capital. Se localiza por debajo y delante de la extremidad de la 12 costilla. Se trata de un punto *mu* de los riñones. La selección de ese punto se debe a la facultad de ser el *mu* de los riñones. La significación general de los puntos *mu* de estimular las facutades *Inn* de los órganos y entrañas, fundamentalmente, nos permite activar la raiz de todos los vasos curiosos y en definitiva de toda la energía ancestral.

La puntura se realiza de manera perpendicular, 1,5 pouce de profundidad. La sensación que se produce se transmite en todo el abdomen, irradiándose hacia la zona renal.

El otro punto de la *vb* que se emplea para los problemas de esterilidad ya ha sido descrito al hablar del *taemai. 26vb*

INTESTINO GRUESO

4ig.— Hegu. Fondo del valle o unión del valle. Se trata de un punto *yuan* que recoge la energía del vaso *lo* de los pulmones. La selección de este punto está en relación con la dicotomía, o mejor sería decir, el binomio; *sangre-energía*. De manera global, los problemas de esterilidad se deben a deficiencias de sangre. Uno de los objetivos más buscados es el pletorificar la sangre dentro del sistema reproductor. Para ello debe de dejar su lugar la energía. Los puntos que manejan la energía con más intensidad que la sangre están en el yangming, entre otros, y ahora nos corresponde el *ig,* pues bien, la *dispersión* del *4ig* nos proporciona la salida de la energía y por consiguiente, la sangre ocupa su lugar, para ello, como es lógico, deberemos de tonificar, o bien el bazo o bien el hígado. Se trata de facilitar la fecundación, por tanto se esta actuando en un momento dado, ya que esta situación no se puede mantener demasiado tiempo. Una vez conseguido el embarazo se cesarán las punturas.

La puntura del *4ig* se hace perpendicular. Para su perfecta localización se debe de pulsar el latido de la arteria que se localiza en el fondo del valle. Ese es el lugar exacto. Una vez conseguida la sensación, se emplean las técnicas de dispersión, como son las rotaciones inversas seis veces, la retirada por planos, según la idea de cielo-tierra-hombre o bien la técnica de dispersión según los movimientos respiratorios. La dispersión de un solo movimiento. Cualquiera de las técnicas empleadas puede ser útil. De todas formas, las más comúnmente empleadas en los casos presentados fueron las de retirar la aguja por planos. Cielo-tierra-hombre, y en cada movimiento de retirada hacerlo en el momento de la inspiración, de esta manera se combinan dos modalidaddes y la dispersión es más activa.

INTESTINO DELGADO

3id.— Houxi. Valle posterior. Su localización se realiza con la mano cerrada en el borde cubital de la mano inmediatamente posterior al pliegue de flexión de la línea palmar de los afectos. La selección de este punto se realiza por la función de apertura del *toumai.* Se trata de un punto *iu*-madera.

La puntura se realiza de forma perpendicular y profunda hacia la palma de la mano, de tal manera que se experimente una fuerte sensación de calor y corriente en toda la mano.

La aplicación del *3id* tiene sus indicaciones más precisas cuando la energía general se encuentra deficitaria, también en mujeres que padecen trastornos del S.N.C no muy severos, como disritmias centroencefálicas, crisis de ausencias, pequeño mal, etc, etc.

VEJIGA

39v.— Weiyang. Abastecimiento del Yang. Se trata del punto mar del triple recalentador. Se encuentra en conexión con el *tr* y juega un papel básico en los elementos de regulación del agua del organismo. Además, desde este punto parte el meridiano distinto de vejiga. Sus razones de aplicación se derivan de las explicadas con motivo del *tr*.

La puntura se realiza en perpendicular provocando una fuerte sensación que se transmite por toda la pierna hasta el pie.

PUNTOS DE ASENTIMIENTO DE LOS ORGANOS Y ENTRAÑAS

Todos estos puntos pueden ser utilizados, pero fundamentalmente se utilizan los *iu de bazo-hígado-riñón* . El objeto del empleo de estos puntos se debe al papel *armonizador* de los puntos de *vejiga*. La vejiga posee en sus puntos todos los elementos de toda la economía energética. Se trata de un microcosmos dentro del macrocosmos. Esta concepción se debe de tener en cuenta por que se puede desarrollar cualquier tipo de tratamiento mediante el uso del ejer energético de la vejiga.

La puntura de estos puntos se debe de realizar de forma perpendicular y ligeramente oblicua hacia el eje del toumai. Se efectuan las manipulaciones a una profundidad media de 1,5 pouces. Estas medidas en los puntos de la espalda son muy relativas, ya que dependerán de la constitución de cada persona. Después de la puntura es aconsejable el empleo de la moxa indirecta, con aplicaciones del cigarro de forma intermitente hasta conseguir el enrojecimiento del punto.

Con estos puntos de vejiga terminados todos los puntos empleados en la serie de casos de esterilidad que se presentan en esta ocasión. Pasamos ahora a diferentes alternativas terapeúticas que se realizaron con los puntos que se han descrito.

SISTEMA DE COMBINACIONES DE PUNTOS

a) Tratamiento por los vasos maravillosos.— Se emplearon fundamentalmente el *4b-6mc-3ic.*

b) Puntos de meridianos curiosos y otros meridianos.— *7p-3r-15r-4ig* (disp); *3id-25e-25vb-36e*; 14-15-16 (riñón)-*3rm-36vb;*v asentamientos de *h-b-r* Con moxa *3rm-7rm; 6mc-4rm-3rm-6b-4ig* (disp); *3rm-4tm-2se; 8rm-3tm-26tae-mo-1or; 9r-10b-8h-2tr; 13b-12r-6mc-4tm; 7c-6mc-15r-6rm; 12r-13r-6mc-4tm; 3rm-4ig* (disp)-*36e-10b-6b; 3pm-ass de h-b-r-39v*

Estas fueron las combinaciones que con más frecuencia se utilizaron en los casos que se presentaron, otras alternativas también han sido comentadas cuando se describían los diferentes puntos.

Cada una de las alternativas utilizadas se emplearon, al menos, durante *cinco sesiones*. El orden en que han sido presentadas no es un orden formal. Se pueden emplear alternativamente cada una de las combinaciones presentadas. Las posibilidades son muy grandes. No pretendemos agotarlas.

El ritmo general empleado fue de una a dos sesiones semanales, con un tratamiento inicial de 3-5 sesiones. Se añadieron algún otro punto según los estados energéticos particulares de cada caso. No se describen, pues haria a la obra interminable y nos obligaria a la descripción de cada caso en particular. Sin duda sería lo más correcto, tratandose de M.T.C. pero sería muy limitadamente transmisible, ya que el número de historias que se podrian presentar sería muy limitado, y tendriamos además el inconveniente de abarcar muy poca patología. Ya disponemos de nuestra revista mensual en la que podemos detallar, cada mes, casos clínicos. Ahora de lo que se trata es de transmitir una experiencia global de resultados y de las alternativas terapeúticas con que contamos y que hemos empleado. Las características individuales de cada caso, de momento, no es transmisible, pero... sin duda que se deje de traslucir en la descripción de los puntos, en la manera de plantearlos, etc, etc. Siempre hemos abogado por la individualización de los tratamientos, seguimos en la misma línea, pero es imprescindible conocer las alternativas globales en base al comportamiento energético. *Esta es una laguna enorme que pretendemos llenar con esta larga experiencia de casos clínicos.*

Veamos ahora según la Medicina Tradicional China cuando se suele producir la esterilidad. La causas más frecuentes se dividen en *causas internas y causas externas. Las internas* se dividen en congénitas y *adquiridas.* La externas se relacionan con los *agentes externos* y con los *shocks emotivos.*

Dentro de las causas congénitas, las que tienen trastornos graves morfológicos no pueden tratarse por acupuntura. Las que se establecen según alteraciones hormonales que se traducen por trastornos en la regla y que se suelen manifestar por amenorreas, las llamadas primarias, sí son susceptibles de tratamiento. Debemos además añadir las causas congénitas que sin manifestarse en amenorrea se deducen por la historia familiar que corrobora las dificultades de embarazo.

Las causas congénitas son sucedáneas de ser tratadas con los vasos curiosos con la adicción del *9r*, en el cual de la puntura se añadira la moxibustión. La pauta terapeútica más ceñida a la realidad de estas patologías lo constituiran los siguientes puntos:

4b.—Actuar sobre la sangre

6mc.—Actuación sobre la sangre y sobre el psiquismo.

3id.—Activación del *toumai.* Activación de la energía.

9r.—Eliminación de los factores congénitos en su papel obstructor.

Las causas internas obedecen a las secuelas consiguientes a las alteraciones energéticas de los órganos y entrañas

Causas de humedad-flema.—La excesiva producción de la humedad que se transforma en flema se convierte en un elemento de obstrucción de la matriz. El estancamiento se produce en la cavidad abdominal y suele ser acompañado de obesidad, trastornos circulatorios (varices, cansancio de piernas, etc.) también presentan irregularidades en la presentación de la regla, tanto en la cantidad que suele ser escasa, como en la presentación del ritmo que suele ser irregular. En estos casos la actuación sobre el bazo es imprescindible. El tratamiento más ajustado sería:

25E. Activación de la flema.

6B. Movilización de la flema.

4OE. En dispersión- drenador de la flema.

3OE. Activación de la energía abdominal.

3RM. Movilización de la sangre y energía. Desobstructor del bloqueo mucoso del útero.

El estancamiento de la energía del hígado constituye otra causa que ocasiona esterilidad. El bloqueo de la sangre impide la nutrición y distribución hacia el útero. El tratamiento más adecuado consiste en drenar y activar la energía del hígado, a la vez que se estimula su llegada al útero.

3h-3h-3oe-3rm-4rm. Actuar así es motivar el organismo hacia las causas del origen y reforzar los mecanismos naturales de la armonización y equilibrio.

El vacio del bazo es otra de las causas internas, que mejor sería decir *b-e.* Estas deficiencias no pueden nutrir el útero y producen la debilidad de los meridianos curiosos tzhongmai y renmai. En estas situaciones se debe de recuperar la energía del *b-e*. La primera medida debe de ser dietética. La administración de una dieta de cereales integrales en un 50% y el resto distribuido en las verduras, legumbres, frutas y algas. Ocasionales frutas, huevos y pescados y más ocasional la ingesta de carne. La manipulación de la energía se realiza en los puntos:

6b En tonificar fuerte.

4b En tonificación y moxibustión.

36e En tonificación y moxibustión.

30e En tonificación y moxibustión.

14-15-16r En tonificación y moxibustión.

Finalmente dentro de las causas internas reseñadas *los vacios de sangre y los riñones.*

El vacio de sangre. Básicamente el *10b-3h-8h* y moxibustión de los puntos del canal *rem*, excepto el cinco, es de tratamiento de elección.

La debilidad de los riñones. *4rm* con moxa y puntura. *23v.*—moxa y puntura. En los dos puntos de aplicación de las moxas de manera indirecta con la caja que describimos al principio. *3rm.*—puntura y moxa.

Las situaciones externas que pueden provocar la esterilidad se relacionan con los *cinco agentes y las seis emociones.* Las causas psíquicas de las seis emociones son las más frecuentemente activas. Se suelen relacionar con *acontecimientos vividos en la infancia o en la pubertad.* Estas situaciones con las cotidianas del comportamiento, son los generadores de fuego, fuego que desea los líquidos, y por consecuencia la sangre. Se añade además la transformación del calor interno en fuego. Las reglas desaparecen a intervalos, aparecen psicosomáticos, con alteraciones digestivas, insomio, taquicardia, etc, etc. Si bien en estos casos se podrían incluir en los factores internos, hemos preferido situarlos en los factores externos, ya que posee connotaciones propias adquiridas a través de la educación, normas, costumbres, etc, etc.

El tratamiento será:

6mc.— Purificar la sangre y armonizar el *shen.*

8rm.— Con la moxibustión, para actuar los factores más antiguos.

8h.—Para favorecer el desarrollo de la raíz *Inn* de los riñones.

39v.—Para regularizar y activar la formación de líquidos.

2tr.—Para estimular la distribución de los líquidos.

Con estas sucesivas descripciones de las causas de la esterilidad según la M.T.C. creemos que se contempla el pancrama de los tratamientos más selectivos.

Como es evidente por los resultados, la M.T.C. es una arma eficaz para el tratamiento de los problemas de esterilidad.

No debe de olvidar el terapeuta que en todos los tratamientos propuestos y efectuados con nuestra paciente se ejerció en cada ocasión de manipulación de las energías, ya sea con la moxa, con la aguja, o con las manos una alta dosis de *Intencionalidad-intuición y creación.* Son elementos indispensables que deben de acompañar todo acto terapeútico.

La intencionalidad terapeútica situa al médico en otra dimensión. Se produce la abstracción y se situa la fuerza del espíritu en el deseo-orden de labrar el camino de la fuerza de la naturaleza. Es un acto de humildad, de sumisión respetuosa, en donde la soberbia no tiene cabida. El silencio debe de ser el acompañante externo. Antes hablar, después del enfermo, que son un todo, puesto que confía un problema a nosotros, se añade los del terapeuta. Se produce una *consumación de energías* en las que las resultantes *es el surco por donde penetra la vía de los posibles.*

Con estas consideraciones se me puede tildar de una acupuntura subjetiva (frase de uno de mis alumnos) o bien de una acupuntura esotérica. Me apunto a las dos matizaciones. No podemos olvidar nuestra pertenencia al cosmos, al *todo.* Es un acto grave de soberbia *cultura y biología-cósmica el apartarse de estas consideraciones. Queremos recuperar al terapeuta universal, el que no esta sujeto a dogmas y que no rie o sonrie ante las ideas o alternativas del entorno. Es necesario destruir los corses que envuelven la ciencia, y en general toda manifestación artística, ej. terapeuta debe de ser una sola del fuego inexpugnable y eterna* te puede ser lanzado hacia el espacio y puede *brillar con luz propia*, y ser *reconocido utilizado* y *manipulado* por todos, para ser así vehículo de liberación.

ALGUNAS CONSIDERACIONES EN TORNO A LA PULSOLOGIA-COLOR-SABURRA

Pulsología. El diagnóstico pulsológico coincidió en *diez* casos de pulso *profundo-filiforme* y pequeño. En *nueve* casos era *intermedio resbaladizo. Doce* tienen el pulso ligeramente tenso y resbaladizo. Seis tenían el pulso *superficial-tenso y duro.*

Podemos entonces dividir el diagnóstico pulsológico de los casos de esterilidad en tres grandes grupos.

1.— *Profundo-filiforme-pequeño.* Correspondencia con el movimiento *agua.*

2.— Intermedio-resbaladizo. Correspondencia con el movimiento *tierra. Bazo-estómago*

3.— *Superficial-tenso-duro.* Correspondencia con el movimiento *fuego. Madera. H.C.*

Dentro de estas tres posibilidades caben las combinaciones de ambas, situación que no contemplamos ahora. Estas tres posibilidades se encuadran dentro de todas las patologías que hemos descrito como posibles de la esterilidad.

En el primer caso el pulso se corresponde con el agua. El déficit. Se trata del típico pulso de los riñones.

En el segundo caso, se corresponde con el pulso resbaladizo o intermedio que se identifica con el exceso de humedad-flema.

En el tercer caso, la relación superficial-tenso-duro, es la identificación de la madera (tenso) (superficial) y duro (fuego). Implica un exceso de *shenn* con trastornos en el fuego.

El primer caso, además, implica un déficit de sangre y energía.

En el segundo se implica un estancamiento de sangre.

En el tercero implica una plenitud con dificultad de circulación.

Podemos apreciar que a través del pulso estamos en condiciones de discernir la causa que esta provocando la esterilidad. Esta claro pues, que el método diagnóstico pulsológico se basta por si solo para determinar la causa patógena que está produciendo la esterilidad.

La evolución que siguieron estos pulsos fue de acorde con los resultados. En el momento en que se produjeron los embarazos el pulso se torno irregular, ligeramente resbaladizo e intermedio. Los casos en que no se produjo el embarazo no se modificaron, salvo en estados de tiempo momentáneo.

El estudio de la tez y su significación por el **calor** fue también interesante. En la mayoría de los casos el color de la tez era *amarillo verdoso.* En 18 casos. En 12 era *amarillo-negro*. En siete el color era blanco amarillento. La evolución del color fue lo suficientemente clara. Los casos de embarazo la tez cambio hacia el *amarillo-rojo* (actividad del bazo-estómago-sangre). De nuevo, el examen minucioso tradicional confirma las variaciones energéticas que se traslucen por medio del color.

El estudio de la lengua y en especial de la **suburra** también manifestó variaciones importantes.

La suburra pálida con escasez de humedad se dió en diez casos, los cuales correspondían con el pulso profundo-filiforme y pequeño.

La suburra espesa amarilla se dió en nueve casos que correspondieron con el pulso resbaladizo.

La suburra clara, brillante con ligero punteado rojo, más intenso en la punta se presenta en los 12 casos de pulso tenso-superficial-duro.

La evolución de la saburra también experimentó cambios sustanciales. Después de cinco días de confirmarse el embarazo el examen de la lengua de la embarazada había cambiado completamente. La saburra *no era espesa.* El color era *blanco-amarillento* y el aspecto general era de una aspecto sonrosado. Estos hayazgos confirmaban la actividad del *bazo-pulmón-corazón* de una manera armoniosa. La ligera persistencia del color amarillo nos denota que la actividad del *bazo-estómago,* es la más acentuada en su papael de proveedor de sangre-energía.

Todos los datos expuestos sobre las observaciones diagnósticas confirman la importancia de los métodos de observación de la M.T.C. Nos situa, además en la individualización diagnóstica, autónoma, en la que no es preciso el diagnóstico occidental. No se debe, por supuesto, desdeñar, pero se debe de plantear el caso desde el punto de vista de la M.T.C para así poder determinar un tratamiento apropiado. Partir de un diagnóstico occidental y aplicar un tratamiento oriental nos conduce irremediablemente al empleo de las fórmulas, experiencias que debemos de rechazar.

DISMENORREAS

Se trata de una afección dolorosa que se presenta durante la aparición de la menstruación y que se manifiesta por dolor en la zona abdominal baja. Se trata de un «especial dolor» que suele tener de uno a cinco días de evolución. Esta alteración no posee ningún sustrato orgánico que justifique el dolor. Suele presentarse en un alto índice de mujeres con trastornos afectivos o de personalidad, pero también ocurre en mujeres en las que no parece evidente ninguna alteración del ánimo o de la personalidad.

Suele ser una situación invalidante durante los días que dura. El tratamiento habitual suele ser todo tipo de calmantes que en la mayoría de los casos no solucionan el problema.

En algunas ocasiones, desaparecen cuando se produce un embarazo (después), pero esta no es la norma, y en muchas ocasiones suele durar toda la edad de fecundación de la mujer.

El dolor es de carácter espástico, con momentos de reposo en la actividad. Se suele acompañar de alteraciones somáticas como: nauseas, vómitos, palidez, diarrea, pulso rápido, profundo y filiforme. Alteraciones de carácter -irritabilidad- alteraciones del sueño -insomnia.

En ocasiones son hipermetrorragias, pero en otras no guarda posible relación con la cantidad. Igual ocurre con los ritmos, en ocasiones son ritmos largos y otros cortos.

Presentamos la experiencia de 45 casos de dismenorrea en mujeres de edades comprendidas entre los 16 y 35 años. En todos los casos el tiempo mínimo de duración de la enfermedad fue de dos años. El tiempo máximo fue de cinco años.

La duración del tratamiento mínima fue de tres sesiones. La máxima fue de 28. El tiempo medio de tratamiento fue de cinco meses. El control de calidad sobre la eficacia del tratamiento fue de al menos cuatro ciclo menstruales.

Los resultados fueron buenos en 43 casos y medianos en dos. Entendemos por resultados buenos la desaparición total del dolor y a la desaparición de factores invalidantes. El resultado inconstante en dos casos se manifestó por una gran amortiguación de dolor y disminución de los días invalidantes. En los dos casos las pacientes dejaron el tratamiento después de dos ciclos menstruales.

La valoración global de los resultados situa la eficacia de la acupuntura en casi un 100% situación que habla por si sola sobre la necesidad de aplicar la M.T.C en los comienzos de esta enfermedad.

Los resultados más rápidos se produjeron en las pacientes que tenían menor tiempo de evolución, si bien los dos casos inconstantes se registraron en mujeres con tres años de evolución. Pensamos que de continuar el tratamiento se podrían haber resuelto también estos dos casos rebeldes.

El tratamiento empleado fue la acupuntura-moxibustión-movilización de energía. El ritmo de las sesiones fue de dos por semana, procurando que uno de los tratamientos se produjera días antes de la regla. De una manera general se les recomendó acudir a la consulta en el momento en que se empezaran a producir los síntomas de dolor. Se les sugerió la necesidad de que se abstuvieran al máximo de la ingesta de calmantes. En todos los casos se siguió con exactitud esta orden. Pasados dos períodos solo se ingerieron en 18 casos calmantes débiles como aspirina, optalidón, etc, etc. En cinco casos se emplearon calmantes más potentes con espasmolíticos durante dos períodos, del tipo e dolobaralgin-nolotil-compositun, etc, etc. Al final de los tres períodos prácticamente el 95% de las pacientes dejaron de tomar cualquier medicación.

Puesto que la mayoría de los casos no se había aceptado el problema como tal por el médico general o el ginecólogo, en nuestro caso se aceptó el problema como tal con todas las connotaciones que podría tener y toda la patología de base que podría justificar la dismenorrea. En ningún caso se restó importancia a la consulta, no por efectuar una terapía de ayuda afectiva y complaciente, sino porque pensamos que se trata de una verdadera patología, que, no por ser grave, merece toda nuestra atención. Pensamos que este factor psicógeno transferencial del terapeuta con la paciente colaboró en buena medida en la resolución de los casos.

Pensamos que toda manifestación de *malestar* que puede manifestar una persona obedece a una serie de factores *existentes,* ya sean reales o creados por el propio paciente, es decir, ya sean del mundo material o existencial. Esto nos situa siempre en la esfera de lo *posible*. Nuestro papel como terapeutas esta en llegar a comprender la situación vivencial del paciente, remontarnos al origen y finalmente ofrecer una alternativa terapeútica.

La complejidad de factores que con frecuencia coinciden en la aparición de un cuadro de dismenorrea deberá de hacer recapacitar a los terapeutas sobre las consecuencias que en el futuro podrían tener para la mujer. No se puede tomar a la ligera esta forma de enfermar. Se debe de aceptar con todos los correlatos que trae consigo la paciente. En muchas ocasiones detrás de una dismenorrea se oculta una afección importante del ánimo... No pasar por ligero o poco importante esta enfermedad, sindrome, o síntoma... como ustedes quieran...

En nuestra opinión, salvo en los casos evidentes comprobación patológica, se deben de evitar los tratamientos hormonales, que en la mayoría de los casos actuan de forma indiscriminada perturbando gravemente el frágil equilibrio hormonal de la paciente. De igual manera opinamos con respecto al uso sistemático, en ocasiones, de los anovulatorios como medio para actuar sobre las dismenorreas. Se trata de una terapia alienadora que no contempla la raíz del problema, sino la prescripción simple sin contenido pero con continente *iatrogenico*.

Todo paciente tiene el derecho natural a que se contemple su enfermedad como una consecuencia de estar en el entorno biológico-cósmico, de tal forma que el enfoque terapeútico que se derive de esta visión no tenga ni a corto ni a largo plazo situaciones patológicas más graves de la enfermedad consultada o bien de otros procesos morbosos que se deriven en la aplicación de una *actuación incorrecta*. Esta, podríamos decir, aseveración nos parece una *mínima base* que debería de ser *aplicada sistemáticamente en cualquier forma o manera de enfermar*. Debería ser, además uno de los principios elementales desde donde debería de partir cualquier alternativa terapeútica. El resumen sería la máxima hipocrática. *Primero, no hacer daño.*

En una primera intención podríamos clasificar en dos categorías, según la M.T.C. los cuadros dismenorreicos: *vacio-plenitud.*

Dismenorrea plenitud. El dolor suele aparecer con los primeros signos menstruales. *El dolor se empeora con la presión*. Este signo es de gran importancia para diferenciarla de la dismenorrea vacio. Esta plenitud puede deberse a estados de estancamiento de la sangre y energía. Las causas más frecuentes se centran en aspectos psíquicos, sin que puedan exceptuarse los factores externos.

Dismenorrea vacio. La intensidad del dolor es menor. Suele aparecer cuando ya se ha iniciado la regla. *No aumenta con la palpitación-presión*. La duración del dolor en los casos de vacío suele ser más prolongada que en los casos de plenitud, que son más cortos pero más intensos. La causa suele ser un *vacio* de *sangre-energía.*

En una segunda intención más amplia, ligada a la etiopatogenia de la enfermedad se puede clasificar en *vacio-plenitud-frio-calor.*

Vacío.— Por el vacio de sangre por el vacio del *Inn* de los riñones.

Plenitud.— Por estancamiento de *qi* estancamiento de los riñones.

Frio.— Plenitud-frio, vacio-frio.

Calor.— Por ataque de calor perverso externo. Por transformación de humedad-calor, por escape del fuego del hígado.

VACIO DE SANGRE Y DEL INN DE LOS RIÑONES.

El dolor aparece como consecuencia del vacio de sangre. Aparece durante la regla. Mejora con la presión y con el calor. Se acompaña de signos somáticos como insomnio, palpitaciones y respiración entrecortada. Se suele acompañar de debilidad del *qi*, por lo que habrá de añadir, anorexia, pérdida de fuerza, astenia y miembros fríos. La lengua presenta una saburra blanca débil delgada. El pulso es profundo, débil y fino. El aspecto de la paciente es débil, se suede dar en pacientes delgadas con tendencia a la caida de hombros. Cara afilada y ojos saltones.

Cuando se presenta el vacio *Inn* de los riñones el dolor también se presenta en el curso de la menstruación, se acompaña de hinchazón abdominal e irradiación del dolor hacia los flacos. Suele presentarse sensación de pesadez y dolor lumbal, el pulso es profundo y débil y menudo. La saburra es pálida, blanca y delgada.

PLENITUD POR ESTANCAMIENTO DE QI Y DE SANGRE

El dolor es de comienzo brusco, de corta duración, antes de la regla o durante los dos primeros días. El cuadro suele ser aparatoso con sensación de mareo, mal estar general, nauseas y vómitos. Suele presentarse dificultad respiratoria y dificultades para el inicio de la hemorragia. La lengua es pálida con saburra delgada y blanquecina. El pulso es tendido tenso y superficial.

Cuando el estancamiento es de sangre, el dolor también es violento como en el caso anterior, pero a diferencia de este se percibe las sensaciones de masas abdominales cuando se realiza la exploración. La regla también cuesta trabajo en aparecer pero *cuando lo hace el dolor disminuye.* La lengua se presenta roja con punteado rojo violaceo, más intenso en la punta. El pulso se presenta duro-profundo y ligeramente rugoso.

PLENITUD-FRIO

El dolor se acompaña con sensación de frio. El dolor suele aparecer en el momento de la regla. *El dolor mejora con calor.* Los periodos suelen ser *retardados.* La exploración lingual presenta una saburra *espesa y blanca.* El pulso es *profundo-tendido.* Profundo por corresponder al frio y tendido por corresponder al *dolor.*

VACIO-FRIO

El dolor es de frecuencia intermitente pero la paciente lo percibe como en «puñalada». *Mejora con el calor y la presión.* Suele aparecer durante la regla y en ocasiones suele persistir ciertas molestias durante el resto del ciclo. La saburra es blanca y espesa. El pulso es débil, lento y profundo.

DISMENORREA POR EL CALOR

El dolor se suele instaurar en los días que anteceden a la regla. *Se empeora con la presión.* Las reglas suelen ser abundantes y de color rojo oscuro con textura pastosa y fuerte olor. Se suele acompañar de cuerpo caliente, en ocasiones fiebre, boca seca, labios rojos, sensación de sed. Estados de irritabilidad. Insomnio. Polaquiuria u oliguria. La lengua se presenta roja, más intensa en la punta, y la saburra es amarilla. El pulso es tendido-superficial y en cuerda. Si el calor se encuentra producido por un exceso de humedad, la saburra se vuelve *más espesa y amarilla.* Cuando el fuego esta nutrido por el Yang del hígado, el pulso es *totalmente tenso* y desaparece la saburra amarillenta, torneandose la lengua roja y ligeramente violacea. En el caso del aumento de humedad, el pulso se presenta *intermedio y resbaladizo.*

Todos los tipos descritos de modelos de dismenorreas son las más frecuentes que se presentan en la clínica. En esos casos, la exploración abdominal y la toma del pulso suelen ser los datos más fiables para la identificación, ya que los momentos de comienzo del dolor así como los síntomas psicosomáticos que se acompañan puede coincidir, y de hecho ocurre, en muchos casos. Una atenta exploración de la *cantidad-cualidad* del pulso puede decidir con exactitud el tipo más preponderante de la dismenorrea. *Si el diagnóstico pulsológico es cierto, el tratamiento comenzará su efecto inmediatamente.*

Los planteamientos sobre el tratamiento se deriva de las condiciones causales de cada tipo, pero no podemos ser rígidos, debemos de saber combinar armoniosamente todas las posibilidades terapeúticas. Realizaremos un enfoque sobre los puntos y las técnicas empleadas, después, realizaremos una serie de alternativas utilizadas, así como las variables más resultantes según los casos.

PUNTOS EMPLEADOS

6rm.—Qihai. Mar de la energía.

Se trata del punto de concentración de energía de características «*mar*», es decir, que nos encontramos ante un gradiente energético importante. La movilización de energía que se realiza sobre este punto en la mujer, sin duda, tiene una participación de la entraña curiosa útero. La aplicación del *6rm* se proyecta en los casos *de vacio* y en los casos de *vacio-frio*. Si el tratamiento se realiza en el momento en que la paciente presenta dolor se debe de manipular *rítmica y gradualmente en intensidad,* hasta conseguir un *aminoramiento claro del dolor.* Si la causa es claramente *frio,* se deberá a continuación practicar la moxibustión intermitente con el cigarro, el efecto es igualmente rápido. Lo que hemos realizado es *recalentar el ameridiano atacado por el frio.*

3rm.—Zhongli. Polo del medio. Punto de reunión de los tres *Inn, mu* de vejiga. Cuando hablamos de la esterilidad recordamos la importancia del punto desde el punto de vista de su engarce energético con los tres meridianos, además, comentabamos el significado del nombre. En este caso tiene como función *armonizar la sangre y activar la energía del recalentador inferior,* si se aplica moxibustión, se consigue, además, recalentar el útero. Su empleo se centra en las dismenorreas *vacio-plenitud.* Todo dependera de la manipulación que se efectúe del punto. Igual ocurre en los casos de estancamiento. En el caso de *vacio se estimulará.* En el *caso de plenitud se dispersara*. En el caso de *estancamiento de drenara.* En los *casos de vacio se moxara.* Se trata pues de un punto *comodín en el tratamiento de las dismenorreas.*

32v.—Ciliao. Hueso medio. Se trata de uno de los *ocho puntos liao.* Se localiza en el tercer agujero sacro. Punto de reunión con el *hígado-riñon.* Es uno de los puntos reguladores de la región lumbar y pelviana. Puede *eliminar las energías perversas -viento-frio-calor.* La aplicación de este punto es también plurivalente. Se aplica en las causas frio-calor, estancamiento-vacio-plenitud. También aquí la manipulación juega un papel importante.

La puntura se realiza de manera perpendicular-oblicua, *en busca del agujero sacro.* La sensación se transmite hacia toda la zona abdominal y genital y en ocasiones desciende que la sensación se propague hacia la zona genital. La otra propagación se emplea en el tratamiento de las lumbalgías bajas y en ciertas ciáticas.

6b.—Sanyinchila. Reunión de los tres Inn. El punto de reunión de los tres *Inn* de las piernas ejerce una poderosa acción sobre el control de la sangre en la cavidad abdominal. Su empleo se reafirma en los vasos de estancamiento-vacio-plenitud. También es pues un punto pluripotencial que dependerá su acción de la forma de manipulación de la aguja. En los estados de plétora se dispersara. En los casos de vacio se tonificara y en los casos de estancamiento se drenara. Los *casos de vacio de sangre son los más empleados.* Le siguen los casos de estancamiento. Se puede emplear en *fuerte dispersión* en los casos de *acumulo de humedad,* pero piensese que suele ser más efectivo el *40e*.

La aplicación de la moxa después de la puntura se realiza con cigarro, en los casos de vacio de sangre-energía.

10b.— Xuehai. Mar de la sangre. El empleo de este punto justifica en los casos de *vacio de sangre.* Se debe de punturar profundo, con experimentación de sensación, y posteriormente aplicación de moxa indirecta. También se puede emplear en los estancamientos, para activar el extasis.

40e.— Fenglongf. Gran Bloque. Se trata del punto *lo* del estómago que establece con el bazo. Regulador del sistema bazo-estómago.

Activador de los movimientos energéticos del Chiao medio. (Neguyen Van Nghi). Participa en la repartición de los líquidos orgánicos, drena las flemas de arriba y armoniza el *shen.* En el Da Tcheng se recomienda en los dolores abdominales. Nosotros lo aplicamos *en los casos de causa humedad-flema-fuego.* La manipulación del *40e* permite calmar el fuego (mental) y drenar la flema que, estancada provoca el bloqueo y el dolor en el útero.

La manipulación se realiza en *dispersión.* Pero... veamos de que manera. La puntura se realiza con aguja larga. Se puntura de forma oblicua, en un plano paralelo a la cresta tibial. Se manipula la aguja lentamente, hasta conseguir la *sensación qi.* Una vez que esta ha llegado se procede a una mayor profundización, con el fin de conectar con el meridiano de vejiga. Entonces la sensación se transmite por la parte posterior de la pierna. Conseguida esta segunda sensación, se procede a realizar maniobras de dispersión leves, realizando movimientos en sentido contrario de las agujas de reloj, hasta que aparece una tercera sensación, y es la sensación de la propagación del canal hasta los dedos del pie. Esta tercera sensación completa las movilizaciones de energía y flema. Se deja la aguja, de 20-30 minutos, tiempo en el que suele estar aun sensible el trayecto del meridiano, y se procede a sacar la aguja. Se debe de realizar en tres planos. Siguiendo la idea de: *cielo-tierra-hombre.* Realizando en cada estadio *seis* rotaciones inversas. Se debe de procurar antes de la puntura y durante las maniobras que el paciente se encuentre relajado, y si es posible, advertirle de las sensaciones que debe de experimentar. De esta manera la predisposición del paciente es mejor. Si el paciente es muy sensitivo al dolor se deben de realizar las manipulaciones de una manera suave y sin provocar fuertes estímulos, ya que de producirse, se añadirían nuevos síntomas a la ya atormentada paciente.

36E.—Tsusanli. Tres distancias. Se trata del punto humedad del meridiano de estómago. Como tal, es capaz de dispersar la humedad, drenar el bloque, activar la energía y movilizar la sangre. Son todas estas las condiciones que situan al 36E como punto de elección para cualquier tipo de dismenorrea.

La puntura se realiza profunda a dos cun y medio, con una estimulación que transmite la sensación hacia la zona del muslo, y en ocasiones con sensación de bienestar abdominal. Si la inclinación del punto no es apropiada, es decir, si es oblicua hacia abajo o totalmente perpendicular, la sensación se dirigira hacia la parte baja de la pierna, hacia los dedos. No es la sensación más recomendable. En ocasiones nos valdremos, para evitar esa transmisión, a la colocación del dedo explorador del punto, inmediatamente por debajo de la puntura y permanecer con presión asistida hasta que la sensación se transmita correctamente.

EMPLEO DE LOS PUNTOS «SU» DE LA ESPALDA.

Su empleo puede ser de primer orden en algunos casos rebeldes. Se seleccionan los puntos 20V-23V-18V. El empleo y manipulación de estos puntos se debe de hacer en armonización y posterior moxibustión indirecta.

4IG. Hegu. Fondo del Valle. Como decíamos al hablar de la esterilidad, en este punto manejamos los gradientes de energía. Por tanto, en los déficits de energía se debe de emplear en tonificación. Su uso se debe combinar con el 6B. La puntura es de fuerte estimulación con sensación de adormecimiento en toda la mano. Manipulaciones cada cinco minutos en las crisis y permanencia de unos 20-30 minutos.

AURICULOTERAPIA

Se han recomendado muchos puntos para el empleo de los puntos auriculares en los procesos agudos de dismenorrea, de las diferentes combinaciones y manipulaciones efectuadas pensamos que la *moxibustion del punto UTERO*, es la que mejor resultados puede proporcionar. Lo hemos empleado en numerosas ocasiones, *SOLO* o en unión de alguno de los puntos citados. En *todos LOS CASOS* el resultado ha sido *INMEDIATO*. En algunos casos supresión TOTAL del dolor y malestar general, en otros evidente mejoría del dolor. Con independencia de la causa diagnóstica, pensamos que el empleo de este *punto CON MOXA*, es una elección de primer orden. La aplicación de conos de moxa en este limitado punto puede resultar difícil y como no incómodo. Este problema se puede solventar con el empleo de una varilla de sándalo. Aplicando la punta incandescente sobre el punto en dos o tres ocasiones hasta dejar ligeramente cauterizado el punto.

La razón de la eficacia de este punto auricular pensamos que se debe a lo que supone la proyección energética de los riñones en la oreja. Aceptando esta proposición, todos los órganos que esten relacionados con la esfera de acción de los riñones, son *MAYORMENTE* susceptibles de ser manipulados. El útero, además de entraña curiosa, depende de la actividad de los riñones fundamentalmente, es por ello que su punto auricular también esta especialmente sensible cuando se encuentra alterado, como ocurre en las dismenorreas. Pero aún queda por contestar... ¿por qué la moxa?. La *utilización de la aguja no dió los mismos resultados que la moxa.* Luego... Pensamos que el buen resultado de la moxa se debe a un fenómeno de mutación energética de pequeñas dosis. Explico. El fenómeno del dolor dismenorreico esta directa o indirectamente *ligado con el FUEGO*. Luego se trata de un FUEGO. En los procesos de cambios mutacionales que se producen del fuego al agua y viceversa intervienen dosis infinitesimales de cada elemento. Si el proceso de dolor se encuentra en su culmen, con el máximo de fuego... El añadir, en la esfera del agua... Una pequeña nueva dosis de fuego... es el elemento suficiente para *producir la MUTACION*. El cambio del *movimiento-fuego-dolor* ... a ... *calma-agua-no dolor*. Esta explicación creemos que se encuadra en el espíritu de la dinámica del INN-YANG, que en definitiva, al principio, a la mitad y si, existe, al final, son la explicación de toda la fenomenología de la M.T.C.

En la exploración durante la crisis de dolor de las dismenorreas se aprecian variaciones importantes que permiten, no siempre, determinar la causa etiológica que las produce. Veamos:

PULSOLOGIA

La pulsología del dolor es homogénea a primera vista. El *pulso es TENSO* ¿porqué es tenso el pulso del dolor? El pulso tenso se corresponde con la madera, la madera controla los músculos, los músculos son los protagonistas de la recepción del dolor, por supuesto a través del S.N.C., el cual a su vez depende del agua, la cual es la madre de la madera, asi que el *pulso DEL DOLOR SOLO PUEDE SER TENSO*, y en *OCASIONES CRONICAS... TENSO Y PROFUNDO.* Por eso decíamos al principio que no siempre es posible, en este caso por el pulso, el distinguir a que entidad nosológica pertenece la dismenorrea tratada. Que duda cabe que si se trata de un experto pulsólogo las dificultades se ven disimuladas... Pero en términos globales esto no ocurre y lo que se percibe es un *pulso tenso y superficial.*

EXPLORACION DE LA LENGUA.

En los estados de crisis la saburra suele presentarse amarillenta y espesa o bien rojo intenso y sin saburra, brillante y con más intensidad de color en la punta. Si la causa es el frío, la saburra es blanquecina, espesa y seca. En estos casos las indicaciones de la saburra nos pueden guiar hacia la causa de base... Pero!!! *OJO*, puede que sólo estemos viendo la manifestación y no veamos el origen, ... asi que se deberá de ser cauto ... y volver a explorar la lengua fuera de las crisis. Si persiste estaremos en condiciones de confirmar el diagnostico. El diagnóstico por la tez es también de difícil catalogación en los momentos de la crisis en comparación con fuera de ella. Estamos como en los casos precedentes. Las dificultades se vuelven a resolver de la misma manera.

El diagnóstico por los puntos sensibles puede ser también interesante. De una manera general, en los *TRASTORNOS DE LA SANGRE ES SENSIBLE-DOLOROSO EL 6B*. Esta situación nos indica, además que puede ser punturado. En estos casos, la puntura se realiza profunda, y oblicua hacia arriba.

EMPLEO DE OTROS PROCEDERES TERAPEUTICOS.

Además de las posibilidades descritas, que fueron las empleadas en los casos presentados, existen otras alternativas terapeúticas que es interesante conocer. Así, amplificaremos nuestro arsenal terapeútico.

Martillo de siete puntas. Si bien los casos presentados nos hemos empleado el martillo, si lo hemos hecho en otros casos con buenos resultados. Se debe de emplear en pacientes nerviosas, con fobia a las agujas, o en pacientes muy excitables y pusilánimes. La *zona a tratar es el pliegue inguinal*. Se debe aplicar de forma bilateral, de arriba abajo y de abajo arriba, se trabaja sobre estas zonas hasta conseguir un claro enrojecimiento de la zona. *Cuatro o cinco sesiones ANTES de la regla* son un tratamiento. Es conveniente realizar otras tres o cuatro sesiones a la mitad del ciclo.

Aguja permanente. Se trata de pequeñas agujas, que apenas poseen mango, tanto solo un tope. Muy finas, y cortas. Se trata de aplicar estas minúsculas *agujas en tres o cuatro puntos dolorosos abdominales.* Se realiza el tratamiento en el momento de comienzo del dolor y se dejan permanentemente durante cinco días, pasados los cuales, se retiran. Se realizan en tres o cuatro ciclos. Los *resultados son inconstantes*. Puede ser un medio de elección cuando no disponemos de los pacientes por motivos de trabajo o viaje.

Podemos también aplicar agujas permanentes en los puntos SU de la espalda, sobre los asentimientos de B-R-H. Los resultados son también semejantes a los casos anteriores.

La aguja permanente auricular ofrece *resultados más bajos*. Seguimos pensando, por nuestra experiencia, en base a los razonamientos expuestos, que el empleo de la moxa en el punto útero, es el remedio más eficaz cuando empleamos la oreja.

Inyección de vitaminas y analgésicos en los puntos dolorosos, es otra de las experiencias a valorar en estos casos. No tenemos experiencia al respecto. Los autores chinos publican buenos resultados con el empleo de novocaina subcutánea en puntos abdominales.

A falta de mayores precisiones, creemos que estas técnicas se apartan del modelo energético de la M.T.C.

El empleo de Cagut es otra modalidad a la que se puede recurrir en casos rebeldes y severos. Se toman uno o dos puntos abdominales y el 32V y se les somete a un cosido con cagut del 0 ó 000. Se deja de una forma permanente durante dos ciclos. Si el resultado es bueno, pasadas las dos reglas, se pueden retirar. Realizado con las debidas condiciones de asepsia, no suele presentar problemas. Esta técnica, al igual que la de las agujas permanentes se deben de aplicar a los casos en que no podamos ver al paciente con la frecuencia que su caso requiera.

Finalmente, si podemos enseñar o recomendar unos movimientos de TAICHI la paciente que realice estos ejercicios de una manera sistemática y constante, obtendrá unos resultados mayores de los que pueda pensar. El conseguir que los flujos y reflujos de la sangre-energía, es caminar hacia la normalización de los sistemas, esto, inevitablemente nos proporcionará un beneficio en los casos de dismenorrea. Creemos, además, que se trata de una terapia de elección, que no debe de quedar en un buen consejo.

QUISTES DE OVARIO.

Presentamos *siete casos* tratados por quiste de ovario.

Todos los casos venían con el diagnóstico anterior de alguna institución sanitaria. Los diagnósticos fueron realizados *por ecografía* y control ginecológico. En todos los casos, fue el mismo ginecólogo el que ratificó la evolución de los casos.

Después de *nueve meses de tratamiento*, de los siete casos tratados, *cinco* mostraron una disminución evidente del tamaño y una supresión casi total de síntomas. El tratamiento continuo hasta completar el año, al final del cual, de los cinco casos, cuatro estaban totalmente resueltos. La *desaparición total del quiste era completa*. La experiencia y el tratamiento *continuo con dos de las tres restantes*, y al final del *segundo año una de ellas resolvió completamente* el problema. El otro caso se evidenció una disminución evidente, pero no una desaparición.

De toda la documentación que disponemos sobre estos casos, publicamos uno de ellos, en los que se evidencia la evolución clínica que experimentó la paciente a lo largo del tiempo, hasta resolver el problema. Como muestra es un buen botón.

Todos los casos tratados lo fueron solamente por acupuntura y moxibustión. No se emplearon ningún tipo de fármacos, ni ningún derivado hormonal, ni ninguna otra terapia.

Las pacientes estaban comprendidas entre los 26-36 años. Los diagnósticos se produjeron como consecuencia de los trastornos dolorosos y menstruales que presentaban. En ningún caso se trato de una enferma post-operada. Una había sufrido intervención quirúrgica.

En M.T.C. las formaciones quísticas que se producen en los ovarios se corresponden con *estancaciones de humedad-energía QI*. Esta es la causa primera por la que se desarrolla una formación quística. *El primer mecanismo es el estancamiento del QI*. La sigue una alteración en la circulación de los líquidos que ocasiona la formación *de humedad-flema*. Es el momento en que se produce la materialización y la formación quística. En síntesis, la secuencia es:

ESTANCAMIENTO DE QI................................ESTANCAMIENTO DE LIQUIDOS (al no poder ser movidos por la energía)...................FORMACION DE HUMEDAD ⟹ DESARROLLO DE LA FLEMA..........

FORMACION MATERIA QUISTICA.

La pregunta que además debemos de preguntarnos es... Porqué se estanca la energía QI? Las razones pueden ser muy extensas. No podemos analizar todas, pero de las más frecuentes se derivan de la mala circulación del circuito ancestral del *TOUMAI-RENMAE*, y del mar de los meridianos el *TCHONGMAE.* Pensamos que en la génesis de estos estancamientos subyacen en muchas ocasiones *tensiones emocionales* o alteraciones en la *práctica o comportamiento de la energía sexual.* En el primer caso se producen sobre todo estancamientos de energía. En el segundo, estancamiento de sangre-energía.

En los trastornos afectivos son más los canales de TOMAI-RENMAI los que experimentan variaciones en cuanto a sus gradientes energéticos. En los trastornos de la sexualidad, en lo que se refiere a la *utilización de la energía sexual de la mujer*, se ven comprometidos los meridianos TCHONGMAI-RENMAE. Son los casos más frecuentes de neurosis sexuales, coitus interruptus, miedo a la fecundación, vivencia de tabús sexuales, etc, etc. En toda esta inmensa patología se produce un estancamiento de sangre-energía que puede terminar por producir un quiste ovárico.

Los trastornos afectivos-emocionales pueden verse acrecentados, no solo por las causas que los producen y que los estan manteniendo, sino por *el estancamiento de la energía del hígado*. Este estancamiento se traduce psíquicamente por *las alteraciones del HUM*, entidad visceral del hígado. No se producen las transformaciones de la madera en el fuego... Produciéndose un *vacío del SHEN.* Otra consecuencia del *estancamiento de la energía del hígado es el aumento de sangre en el recalentador inferior*. La consecuencia es pues doble, *PSIQUICA Y ORGANICA.* Esta consideración se debe de tener en cuenta a la hora de establecer el tratamiento.

Como vemos, los principales comprometidos en este problema se situan las energías ancestrales del TOUMAI-RENMAI-TCHONGMAE. La energía nutricia del hígado y la energía *perversa humedad interna*. Tendremos pues que añadir el BAZO-ESTOMAGO.

Las exploraciones generales tradicionales no arrojan signos patognomónicos para el diagnóstico de la enfermedad. Pero reseñaremos algunos datos.

PULSOLOGIA.

El pulso en general se presenta *TENSO Y RESBALADIZO.* Esta situación indica la *alteración del eje MADERA-TIERRA.* La tensión se puede deber, o bien a que la etiología se debe a estancamiento del hígado, o bien al dolor que puede presentar la paciente. *La cualidad RESBALADIZO* se debe al *acúmulo y formación de la humedad-flema estancada.* En alguna ocasión el pulso puede ser *profundo y resbaladizo*. Se presentó *en dos* casos de los estudiados. El significado de profundidad en este caso se debe a la deficiencia de la energía del AGUA-RIÑON. Es la consecuencia de los estancamientos de los meridianos curiosos.

LENGUA.

La lengua no ofrece en la exploración resultados relevantes. La saburra se muestra *amarillenta y no muy espesa*. Esta situación se agudiza en los momentos de reagudización del tamaño del quiste, en los momentos hormonales altos. La saburra se vuelve más espesa y el amarillo es más intenso.

LA TEZ.

En todos los casos tratados fue el *color AMARILLO EL QUE SE HIZO PREDOMINANTE*. Con el transcurso del tratamiento se *fue tornando a blanco-sonrosado*. Esta variación es sinónimo de *dispersión de la humedad y recirculación del QI.*

EXPLORACION ABDOMINAL.

En cuanto al color del abdomen no se suele percibir ningún cambio. Pero si somos cuidadosos en el tacto podremos *percibir cambios de temperatura*, de tal manera que en la *zona de la proyección quística* se siente *una mayor temperatura*, la cual es consecuencia del estancamiento de *sangre-energía*. Pero esta situación no siempre es así. Por tanto, debemos de ser cuidadosos a la hora de la exploración y de la historia clínica. Si la paciente es de una *evolución muy larga*, el estancamiento se ha ido *enfriando, por lo que supone su situación INN.* Entonces en la exploración percibiremos una *sensación de frialdad, con calor en el derredor.* Por tanto, podemos resumir diciendo:

EN CORTA EVOLUCION......... TUMORACION CALIENTE.......PLENA ACTIVIDAD........ LARGA EVOLUCION ⟹ TUMORACION FRIA.. .... CALOR CIRCULAR.

Pero cabe preguntarse, ¿cuál es el objeto de esta exploración y que fin persigue?.

La localización del tumor, o mejor, la proyección energética del tumor, nos posibilita una de las actuaciones sobre él. Se trata de la aplicación de *agujas en derredor del mismo, de tal manera que queda cercado.* Pero esta operación no puede ser arbitraria o de rutina. Deberemos de seguir unas reglas precisas. Si la palpación de la proyección del tumor se *nos presenta CALIENTE; SE TRATA DE UN BUEN MOMENTO PARA LA DISPERSION.* Si se nos *presenta FRIA, ES UN BUEN MOMENTO PARA LA TONIFICACION.* Queremos decir, claro esta, tonificar o dispersar la zona. En el caso de la DISPERSION se colocaran *SEIS agujas en sentido oblicuo hacia la base del tumor.* Se manipulan hasta la *llegada del QI* y se dejan sobre la zona durante una media hora. Pasado este tiempo, se retiran siguiendo técnicas de dispersión. Seis rotaciones inversas y retirada en tres niveles. Si se trata de la tonificación, se colocan *NUEVE agujas*. Se manipulan hasta la llegada del QI. Se dejan durante unos 15 minutos, y finalmente se retiran efectuando manipulaciones en series de nueve con retirada en los tres planos. Se puede dar el caso, ya sea por la obesidad de la paciente o por la incipiente del proceso o por el contenido líquido excesivo del quiste, o por el momento de exploración coincida con un momento hormonal poco activo... En estos casos en que es difícil el discernir si nos encontramos ante CALOR-FRIO. Deberemos de emplear la técnica de *ARMONIZACION*. Se trata de *aplicar sucesivamente* sobre la aguja técnicas de dispersión-tonificación. Así continuaremos actuando hasta conseguir un diagnóstico claro sobre *el momento energético del tumor*. Este concepto de momento energético del tumor nos situa en los umbrales de la actuación de la energía *de diferente manera*, según sea el tipo de actividad. *El comportamiento de todo tumor se desarrolla según pautas de ritmos de energías diferentes a los ritmos de energía conocidos*; PERO, teniendo en cuenta los ritmos de energías del hombre. *Se establecen dos ritmos diferentes: INTERDEPENDIENTES Y COMPLEMENTARIOS. El ritmo energético tumoral y su momento* esta íntimamente relacionado con los ritmos de las mareas energéticas de los órganos y entrañas (microcosmos) y con los ritmos energéticos del cosmos. Sol y luna (los más evidentes) (macrocosmos). *El ritmo y momento energético del turmo* es *INDIVIDUAL* no es un ritmo generalizado, se encuentra en relación directa *con su momento cinético* y este *es interdependiente de los ritmos siete y ocho* (mujer-hombre).

El cálculo del momento energético del hombre o mujer se realiza en base a la edad cronológica del paciente. Teniendo en cuenta que *cada momento se corresponde con la actividad de un movimiento*, estableciéndose *el comienzo* de la vida en el movimiento *agua*. Completado el ciclo *se vuelve a comenzar* y así indefinidamente hasta ajustar la edad energética del paciente. Se determinaría así lo que podríamos llamar *el tiempo cinético del hombre o de la mujer.* Exponemos en un cuadro la sencilla forma del cálculo. Por tanto, introducimos la *variable de la edad cronológica* para determinar la *real* participación del tumor en su interdependencia con el organismo. Determinado el *momento cinético humano* estamos en condiciones de saber *cual movimiento se encuentra en interdependencia cinética con el tumor, y por cuanto tiempo.* Entonces nuestra terapia se ajustará a tener en cuenta las condiciones de energía en que se sitúa este órgano-entraña y que *cualidades va ha ceder de su energía al tumor.* De esta manera podemos entender *el diferente comportamiento de los tumores según las diferentes edades* del sujeto. Sin duda, debemos de tener encuenta la estación, hora, lunación, etc, etc. El hacer incapie sobre este punto se debe a la novedad que supone este nuevo concepto. Estas nuevas perspectivas que se establecen son válidas para todos los tumores, o mejor sería decir, procesos tumorales, o enfermedad tumoral. En el caso que nos ocupa también encaja. Si bien las deducciones se hacen en base al pensamiento de los tumores malignos, en los benignos ocurre lo mismo, lo que pasa es que la forma de evolución es diferente.

El momento cinético humano, del que *depende el momento tumoral* implica el conocer la idea de que cuando nos encontramos en determinada edad es el movimiento que le corresponde el encargado de dirigir la orquesta de nuestro organismo. *El momento cinético humano* de cada movimiento *COMIENZA POR LA ACTIVIDAD YANG DEL MOVIMIENTO Y FINALIZA CON LA ACTIVIDAD INN.* El tiempo de participación de cada vector de energía es igualmente repartido, pero sin olvidar que en cada uno de los tiempos existe un micro tiempo del otro, así cumplimos la ley del TAO. En el tiempo medio, la participación del INN-YANG es idéntica, pero se trata de equilibrios frágiles que rápidamente se mutan. Pongamos un ejemplo para discernir más claramente. Se trata de una *enferma tumoral de 38 años* de edad que padece un *tumor ascitógeno de ovario.*

1ª pregunta. ¿Cuál es el momento cinético humano?

Respuesta. Los 38 años se encuentran dentro del agua. *La respuesta es el AGUA.* Pero dentro del agua en qué momento? Puesto que en la mujer la bipartición es de 3,5 años el momento actual se corresponde *con el vector VEJIGA y con la raiz YANG de los riñones*. En este momento, toda la esfera de acción del agua esta amenazada por el tumor. Las metástasis en el S.N.C. cerebro, por ejemplo, se encuentran en su mejor momento para realizarse o bien dentro de sus propios límites de la cavidad abdominal. Nuestra actuación terapeútica en este caso debe de tener en cuenta que el tumor se está *nutriendo FUNDAMENTALMENTE DEL AGUA*, y en el momento del ejemplo, de *la vejiga y la raiz yang de los riñones. EL GRAN YANG Y EL PEQUEÑO YANG DEL INN.* Ante esta realidad, nuestra conducta terapeútica debe de tener en cuenta el *debilitamiento* del movimiento, en este caso el agua, y actuar en consecuencia. Ahora es momento de reflexión. Medítese sobre el alcance de esta idea.

MOMENTO ENERGETICO DEL HOMBRE

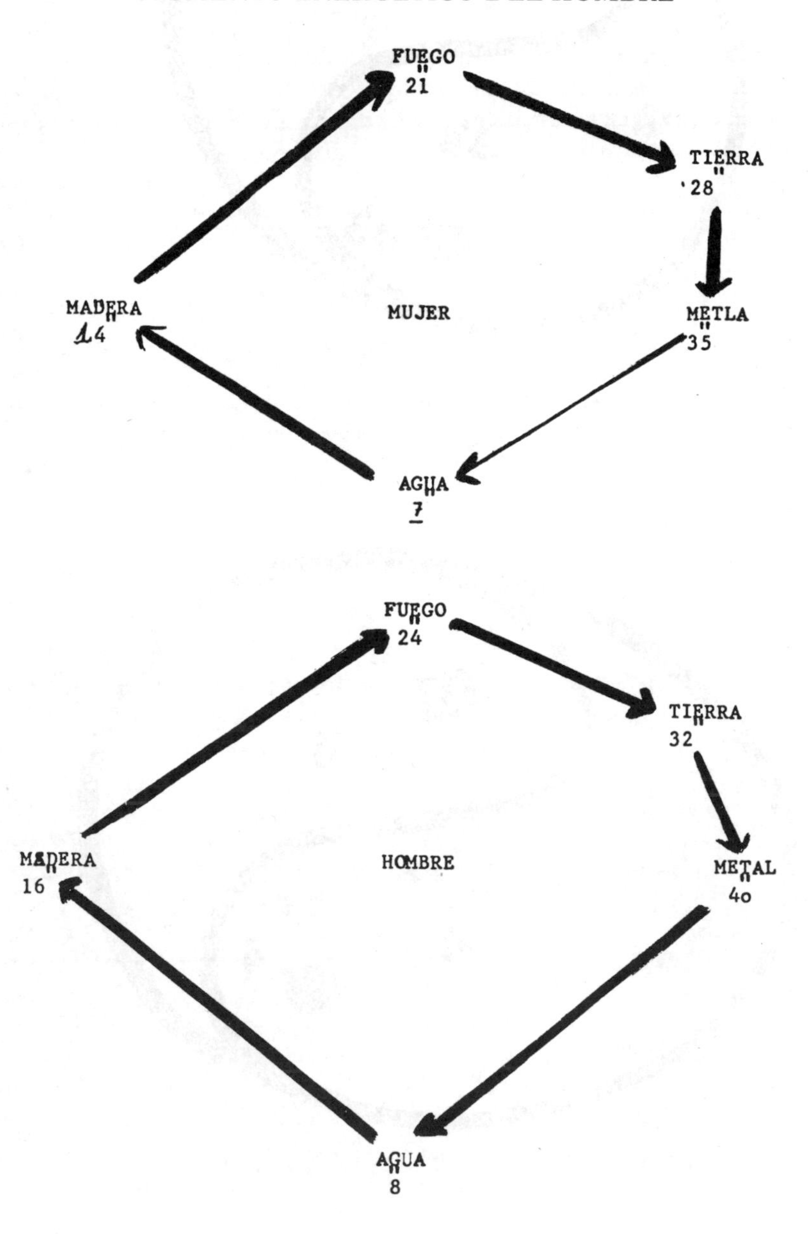

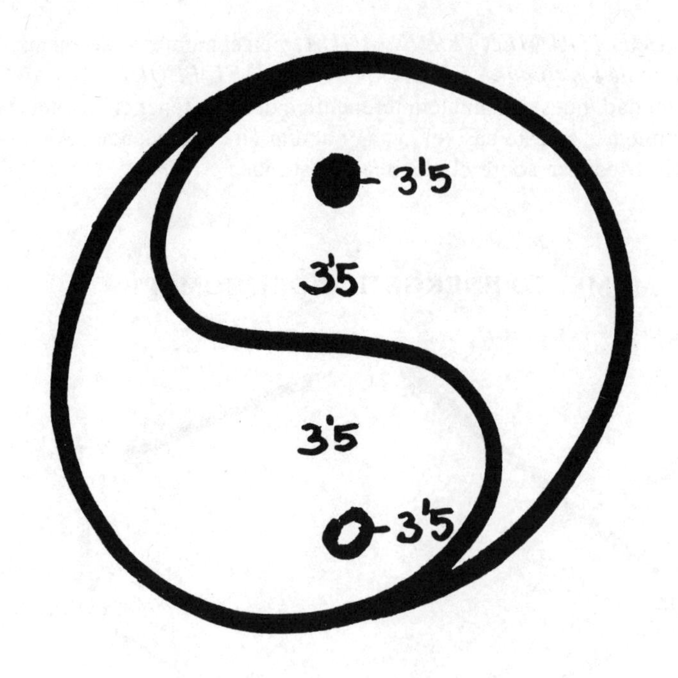
3'5
3'5
3'5
3'5

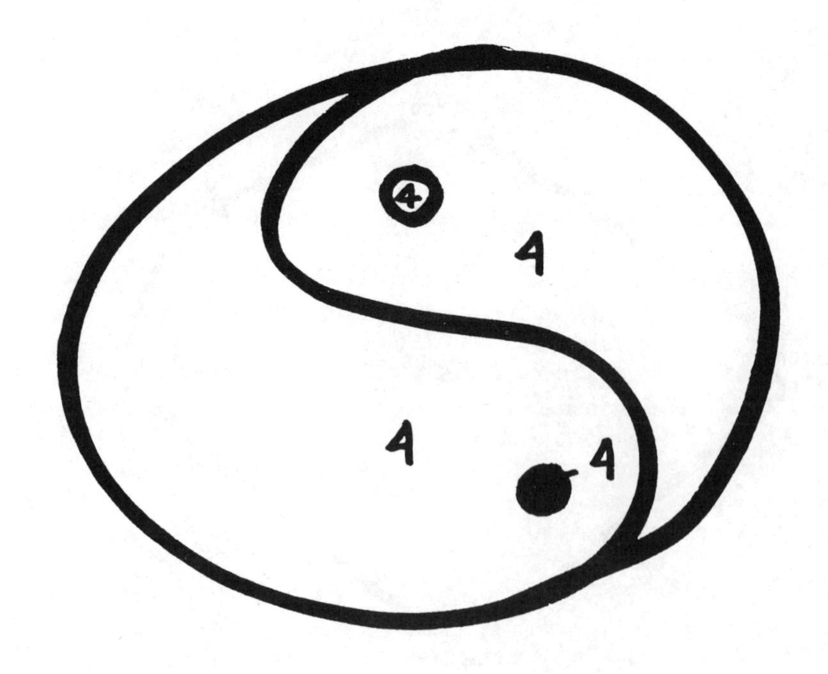
4
4
4
4

EJEMPLO TERAPEUTICO

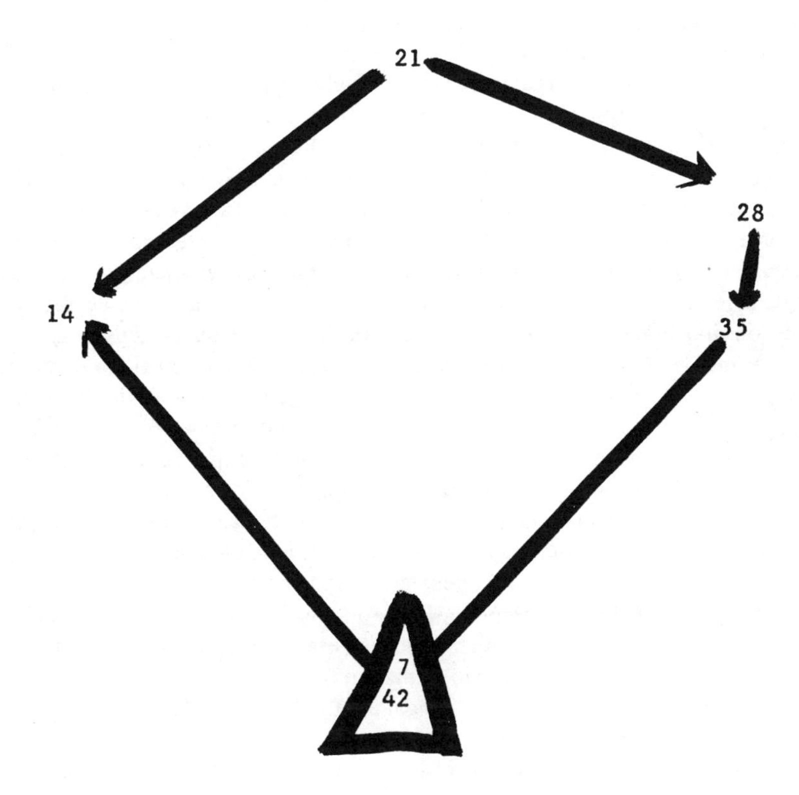

TRATAMIENTO.

Los puntos seleccionados para el tratamiento de los casos de quiste de ovario fueron los siguientes:

4RM.—Guanyuan. Barrera de la fuente. Mu de vejiga y punto de reunión de los tres INN.

Su indicación nos la brinda el Da Tcheng. Utilizar en el *estancamiento de la cavidad pelviana.* Su empleo posibilitará la movilización del estancamiento que se ha producido ocasionando el quiste. Además, la estimulación del 4RM posibilita la circulación del Tchongmae y renamae. Regulariza el Qi y armoniza la sangre.

La manipulación de la aguja se debe de realizar en cuatro direcciones cuando queremos tratar un quiste de ovarios.

1. Perpendicular. En profundidad de uno y medio pouce hasta conseguir la llegada del QI.
2. En dirección descendente, hacia los órganos genitales, con el fin de provocar una ligera retención de energía.
3. Inmediatamente, retirada ligera de la aguja, y cambio de dirección hacia arriba. En los dos casos con transmisión de sensación.

4. Ligera retirada de la aguja, situándola en posición perpendicular, y a continuación, una nueva penetración en sentido oblicuo en dirección al ovario afecto. En esta última manipulación, debemos de transmitir la sensación hacia la zona ovárica, que se manifiesta en forma de calor y parestesia.

Se debe de emplear aguja larga de tres tsun y medio, y si la habilidad lo permite, mejor sería utilizar la *aguja larga* de 5 tsun. Si es posible y la sensibilidad del paciente lo permite, se empleará la aguja China, sino, el empleo de la aguja Coreana o Japonesa pueden suplir con éxito, pero téngase en cuenta que el manejo de las agujas largas finas es extremadamente difícil si no se tiene una larga experiencia. Los casos excepcionales de accidentes con agujas, se suelen producir con agujas extremadamente finas. Mi recomendación es que no se empleen hasta no contar con una larga experiencia y ductilidad en el manejo de la técnica. Mientras tanto, el empleo de la aguja China es más seguro, y ofrece una reacción más intensa que permite la cuantificación de nuestra actividad.

4OE.—FongLong. Todas las consideraciones que realizamos en el punto a propósito de su empleo en las dismenorreas son aplicables en este caso con el fin de dispersar la humedad estancada. Las manipulaciones que sobre punto se han descrito son idénticas. Su empleo se debe al papel dispersador de lo alto por lo bajo, por ser punto LO de E con el bazo, y por el descenso de la energía del estómago hacia lo bajo.

Aunque el empleo de este punto para este tipo de problemas no suele recomendarse en la mayoría de los textos, en nuestra experiencia, se trata de un punto con grandes posibilidades terapeúticas en muchos problemas ginecológicos.

3OE.—Qichong. Reflujo energético. Recordamos que decíamos a propósito de este punto, que cuando en la exploración era dolorosa era signo de que el Tchingmae estaba atacado (lingshu). Cuando al principio hablabamos de las alternativas etiológicas del quiste de ovario comentabamos el estancamiento de sangre. El Meridiano curioso Tchongmae tiene estrechas relaciones con la sangre, y como distribuidor de la energía de todos los meridianos, es por ello que el empleo de este punto reune las necesarias condiciones para su empleo.

La manipulación de la aguja debe ser intensa, hasta conseguir la transmisión de la propagación del QI hasta el ovario afecto.

29E.—Guilai. Camino de retorno. Se localiza a cuatro distancias por debajo del 25E y a dos pouces del 3 RM. La indicación de este punto se debe, entre otras razones, a su localización. Su esfera de acción le situa en la actividad del sistema reproductor. Una de sus funciones es recalentar el recalentador inferior, así como regularizar las funciones de la matriz.

La puntura se realiza perpendicular y ligeramente oblicua hacia el RM, hasta conseguir la llegada del QI y la transmisión de energía hacia la zona baja genital.

6B.—Sanyinchiao. Reunión de los tres INN. De todas las consideraciones realizadas en torno al 6B, los que más nos importan son dos. Por una parte su papel regulador de la humedad. Por otra su función de comandar la energía de los tres meridianos que mayor participación poseen en los problemas ginecológicos.

La manipulación del 6B se debe de hacer en dispersión, pero obteniendo antes la llegada del QI. En los casos de *gran frío tumoral* se deberá de tonificar con el fin de actuar *como mecanismo de lisis tumoral*. Pero no solo eso. Después de la técnica de tonificación debemos de emplear la técnica en dispersión con el fin de drenar o mejor será decir, favorecer los mecanismos de eliminación del estancamiento de ENERGIA-SANGRE-HUMEDAD. Actuar así, es actuar sobre los mecanismos de origen del problema, y además, sobre los momentos dinámicos. Piensese que la actividad de la acupuntura se debe de desarrollar dentro del marco de la DINAMICIDAD. NINGUN MOMENTO ES IDENTICO. TODOS SON DIFERENTES-SEMEJANTES-RITMICOS. Este íntimo conocimiento en cada actuación terapeútica situa al terapeuta en una difícil situación, ya que *su compromiso es una constante apuesta por el ya y ahora.* Siempre existe un pequeño detalle que hace diferente, o que debe de hacer, cada actividad de cara al paciente. Esta situación convierte al terapeuta en un ser creativo, y no por ello observador y minuciosamente escrupuloso de su realidad.

4IG.—Hegu. Fondo del Valle. Las movilizaciones de energía que provoca el 4IG son las mejoras ayudas para contribuir a la desostrucción del estancamiento de energía QI que se producen en estos casos. De nuevo la cupla con el 6B o el 3H puede situar a este punto como manipulador del binomio sangre-energía.

La manipulación se realiza en tonificación, con transmisión de sensación por el recorrido del canal.

14H.—Qimen. Puerta del ciclo. Se trata del punto Mu del hígado. Punto maestro de la energía de todos los órganos. Punto de reunión con el INN OE y el bazo. Establece conexiones con el pulmón para recomenzar el ciclo energético. Al ser el hígado el depositario de la sangre, sus actuaciones son esenciales para el mantenimiento de la circulación de la sangre. El Da Tcheng lo recomienda en el tratamiento de los estancamientos sucostales, y en general en la mujer en los problemas postpartum, todos ellos relacionados con la sangre.

La puntura no puede ser muy profunda, un pouce. La manipulación energética provoca una concentración de energía en toda la zona del hipocondrio que se expande por toda la cavidad abdominal. Su papel fundamental consiste en eliminar la estancación del QI del hígado. Además, evita también el estancamiento de la energía de los demás órganos.

El empleo del 14 H es sobre todo empleado en los quistes de etiología hepática, donde el estancamiento del QI hepático es la causa del tumor.

A continuación, presentamos la evolución de un caso de quiste ovárico. Por razones obvias, hemos suprimido los nombres personales para evitar cualquier identificación. De similar manera evolucionaron los demás casos que fueron resueltos favorablemente. Creemos que este caso es suficientemente ilustrativo de como se debe de tratar un caso de este tipo. La paciencia que se debe de tener hasta conseguir los objetivos propuestos. El tratamiento propuesto por el centro asistencial en el primer informe *NO SE REALIZO*. Como decíamos al principio del trabajo, los casos tratados no recibieron *NINGUNA MEDICACION*. Es la única manera de demostrar la acción específica de la acupuntura.

CIUDAD SANITARIA PROVINCIAL
«FRANCISCO FRANCO»

Servicio GINECOLOGIA
Prof. XXXXXXXXX XXXXX
Fecha 27-X-72

XXXXXXXXXXXXXXXXXXXXXXXXXXXXXXXXXX

Domicilio ....
Población .... Ingreso .... Alta .... Sección ....

INFORME CLINICO

RESUMEN DE LA HISTORIA CLINICA Y EXPLORACIONES EFECTUADAS :

Enferma de 22 años, soltera, enviada por el Servicio del Prof. Schuller por tumoración abdominal, a este Centro.

EXPLORACION GENITAL: Genitales externos con caracteres virginales. Tacto rectal: Cuello fino, en retro, rechazado por tumoración que va de vacio izquierdo a FID, que impide separar utero y delimitar el mismo. La posicíon del utero parece desviado a la izquierda (Tacto de cara posterior). La tumoración parece depender del anejo izquierdo, de tamaño como gestación de 5-6 meses, de forma redondeada, regular, ligeramente alargada, de consistencia dura.

EXPLORACIONES COMPLEMENTARIAS: Sangre, orina, citologia, pulmón corazon: Dentro de los limites de la normalidad. Gravindex(-). Ecografia (Utero de 9 cm de histerometria, desviado a la izquierda por tumoracion abdomial quistica no tabicada y ausente de ecos.

JUICIO DIAGNOSTICO

TUMORACION ABDOMINAL. XXXXXX QUISTE LIQUIDO A MUCHA TENSION. ENDOMETRIOSIS.

TRATAMIENTO: ANEXECTOMIA IZQUIERDA Y APENDICECTOMIA.

Primolut-Nor, 10 mgrs. durante 3 meses.

Madrid, 27 de Octubre de 1972

El Jefe de Sección, Dr.
XXXXXXXXXXXXXXXXXXXXXXXX

INFORME ECOGRAFICO

Nombre ______________________ Fecha 29-4-82

Prescripción __________ Entidad __________ N.º H.ª __________ N.º orden 8036

DESCRIPCION: Utero en ante, de forma normal, superficie regular, tamaño correspondiente a nulípara; ecográficamente vacío.
En anejo derecho formación esferoidea, bien delimitada, de contenido denso, consistencia quística, de unos 3'3 cm de diametro compable con endometriosis ovárica.
No se visualiza el anejo izquierdo.

Observaciones: Se recomienda el oportuno tratamiento y repetir la exploración dentro de 3-4 meses.

GABINETE ECOGRAFICO DR. [illegible] - [illegible]

Firma,

INFORME ECOGRAFICO

Nombre ______________________ Fecha 5-8-82

Prescripción __________ Entidad __________ N.° H.ª __________ N.° orden 9201

DESCRIPCION: Ecografía semejante a la anterior, realizada el 29-4-82, siendo las dimensiones, de la formación descrita en anejo derecho, ligeramente inferiores; 2'8cm.

Observaciones: Continuar con tratamiento y revisión a final de mes.

GABINETE ECOGRAFICO DR. [illegible] - DR. [illegible]

Firma,

Dr. [illegible]

INFORME ECOGRAFICO

Nombre ______ Fecha 27-10-82

Prescripción ______ Entidad ______ N.° H.ª ______ N.° orden 10.027

DESCRIPCION:

Utero en ante,de forma normal,superficie regular y tamaño correspondiente a nulípara;ecográficamente vacío.
No se visualiza anejo izquierdo.
Dependiente del anejo derecho se aprecia una formación líquida de unos 2 cm de diametro,bien delimitada,en la que se ha apreciado una notable disminución del tamaño en relación a las ecografías anteriormente practicadas.

Observaciones:

GABINETE ECOGRAFICO DR. ______ - DR. ______

Firma

INFORME ECOGRAFICO

Nombre ______ Fecha 9-2-83

Prescripción ______ Entidad ______ N.° H.° ______ N.° orden 11.396

DESCRIPCION:

Utero en ante, tamaño, forma y superficie normales; ecográficamente vacío.
Anejo izquierdo normal.
Anejo derecho muy ligeramente engrosado dentro de los límites normales, no se observa la imagen descrita en anterior ecografía.

Observaciones:

GABINETE ECOGRAFICO DR. [illegible] - DR. [illegible]

Firma

UN ABRAZO

Dr. [illegible]

INFORME ECOGRAFICO

Nombre .... Fecha 14-11-84

Prescripción .... N.º orden ....

DESCRIPCION:

Utero en ante, de forma normal, superficie regular y tamaño correspondiente a su edad y paridad; ecográficamente vacío.
Dependiente de anejo derecho y situado por detrás de la cara posterior del útero y ocupando parcialmente el Douglas, se aprecia una formación esferoidea, de unos 3'7cm x 2'5cm de diámetro, bien delimitada, de contenido líquido y consistencia quística, imagen compatible con quíste endometriosico del ovário.
No se aprecia el anejo izquierdo.

Observaciones:

GABINETE ECOGRAFICO DR. [illegible] - DR. [illegible]

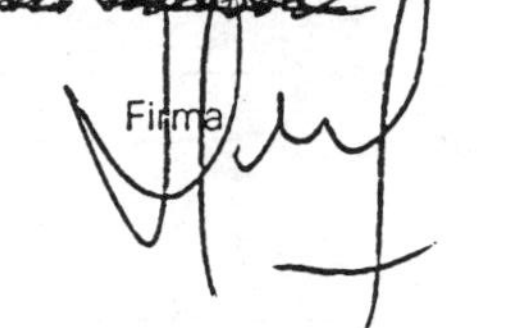

Firma

INFORME ECOGRAFICO

Nombre ______________________ Fecha 10-6-85

Prescripción ______________________ N.º orden ________

DESCRIPCION:

Utero en ante de forma normal, superficie regular, tamaño correspondiente a su edad y paridad; ecográficamente vacío.
El ovario derecho de estructura ecográfica normal, presenta una pequeña formación líquida de 1'7 cm de diametro; imagen tipicamente folicular.
No se visualiza el anejo izquierdo.

Observaciones:

GABINETE ECOGRAFICO DR. [illegible] - DR. [illegible]

Firma.

INFORME ECOGRAFICO

Nombre

Fech› 5-6-86

Prescripción

DESCRIPCION:

Utero en ante, de forma normal, superficie regular, tamaño correspondiente a su edad y paridad; ecográficamente vacío.
En la actualidad ambos anejos son normales a la exploración ecográfica y no hay evidéncia de formación quística, ni microquística.

Observaciones: Aparato genital ecográficamente normal.

GABINETE ECOGRAFICO DR. [illegible] - DR. [illegible]

Firma.

ENDOMETRIOSIS

Se trata de una afección de incidencia en alza, que bien existía ya en esa proporción o que ahora se puede diagnosticar con más exactitud.

Se trata de la aparición de tejido endometrial, que sigue las mismas fluctuaciones hormonales que en el útero, que aparece fuera de esta cavidad, como en ovarios, recto, etc. Las consecuencias inmediatas son *DOLOR-HEMORRAGIAS-INFLAMACION-PROBLEMAS COMPRENSIVOS*. Cada regla es vivida con auténtico temor, sobre todo por el dolor y el cuadro hemorrágico.

Presentamos 10 casos de endometriosis en mujeres en edades comprendidas entre los 23-37 años. Todos los casos acudieron a la consulta tras el fracaso de otras terapias. *Todos los casos* fueron diagnosticados por especialistas en centros sanitarios. En todos los casos se reconfirmó el diagnóstico, al precisar una nueva consulta, durante el período de tratamiento. De los 10 casos en *cuatro* de ellos se propuso la histerectomia total. *Seis de los casos eran mujeres estériles* y sin teóricas posibilidades de embarazo. Todos los casos tenían una larga evolución y tratamientos. Como *mínimo eran de dos años y como máximo 5.*

Después de *tres años de tratamiento y seguimiento* se puede afirmar que de los 10 casos *siete* estan *totalmente resueltos, dos* continuan con molestias en las reglas de *carácter ocasional*, las hemorragias metrorrágicas han desaparecido. *Una ha mitigado sus dolores pero continua con metrorragías de difícil control*. De los 10 casos en *ocho casos* se consiguió un embarazo y en *dos casos*, de los propuestos para la histerectomia total, se *consiguieron dos embarazos a término y un aborto.*

El tratamiento *más corto fue de ocho meses, el más largo de dos años.* El seguimiento *fue de tres años.*

Durante los *primeros cinco meses* el tratamiento fue de *dos veces por semana*, con un ritmo de *comienzo de tres sesiones*, el restante tiempo de tratamiento fue de *una vez por semana* o cada *15 días* según los casos.

Durante el tiempo de tratamiento no prescribieron ningún tipo de fármacos. Ni calmantes ni productos hormonales. En ninguna paciente se realizó ninguna intervención quirúrgica.

¿Cuál es el enfoque de la medicina tradicional China sobre la endometriosis? La definición dada al principio dista poco de la explicación energética. Se trata de *un estancamiento de sangre* que sigue los ritmos de la mujer, pero en lugares fuera de la esfera uterina. Se trata *de una suplantación de la sangre en los lugares de la energía*. De alguna manera podría decirse que en su génesis es la aberración en el desarrollo de los tres vectores curiosos de los riñones. TM-RM. TM. Si en sus génesis se entremezclan los tres meridianos, en la concretización, podrían deberse a una aberración en el desarrollo del Tchongamae.

El principio terapeútico fundamental es la tonificación de la energía en la zona afectada. Al activar esta, se lucha contra el estancamiento de sangre y contra el lugar de asiento de la misma. Los puntos empleados fueron.

QIHAM.—6RM. Mar de la Energía. Se trata de uno de los puntos más importantes, ya que en el se concentra la energía original y adquirida del recalentador inferior. La tonificación de este punto supone la invasión, si se quiere indiscriminada de energía, que tratara de ocupar el puesto de esta y de movilizarla.

La puntura en los casos de dismenorrea debe de ser en cinco direcciones.

1.—Perpendicular, a una profundidad de 1,5 pouce. Se capta la llegada del QI.

2.—En dirección descendente. Retención de la energía en la parte baja. Propulsión de la energía hacia la zona rectal.

3.—Ligera retirada de la aguja, sin extracción completa y puntura en dirección ascendente. Propulsión de la energía hacia toda la zona abdominal y uterina.

4.—Ligera retirada de la aguja y puntura oblicua hacia la izquierda. Transmisión de la sensación hacia el flanco e hipocondrio izquierdo. Marcha de la energía hacia trompa y ovario.

5.—Retirada de la aguja hacia la posición perpendicular y nueva puntura hacia la zona del hipocondrio y flanco derecho. Sensación de progresión de la energía con objeto de invadir los anejos de su lado.

Estas cinco actitudes de manipulación de la aguja deben de ser manipuladas cuidadosamente si queremos obtener un buen resultado. Es importante que se experimente la sensación de transmisión de la sensación. Es una manera de asegurarse que la movilización de energía se produce.

En pacientes con debilidad de energía, es posible la aplicación de MOXIBUSTION. En un principio, indirecta, con intermedio de ajo o gengibre, posteriormente se debe de aplicar un pequeño cono de moxa directo en tonificación.

4IG.—Hegu. Fondo del Valle. Como hemos descrito en anteriores afecciones, la tonificación de 4IG promueve un fuerte gradiente de energía hacia la zona uterina abdominal. Esta es la circunstancia que debemos de aprovechar para la utilización de este punto.

Se debe de emplear en tonificación, con transmisión de sensación por el canal.

6B.—Sanyinchiao. Reunión de los tres INN. La manipulación en dispersión del 6B produce un descenso en la actividad de la sangre dentro del sistema reproductor.

La puntura se realiza perpendicular, hacia la llegada del QI, luego, se la manipula en dispersión, situación, que si es correctamente empleada, producirá una sensación de frío en el territorio del pie y parte ascendente de la pierna.

5H.—Ligou. Rellaño Final. Se trata del punto LO del hígado, desde donde parte el LO longitudinal ascendente, para terminar en los organos genitales.

La función fundamental de este punto es el de *MOVILIZAR LA SANGRE ESTANCADA. REFRESCAR LA SANGRE, SI SE PREFIERE.*

La puntura se debe de realizar en dos direcciones.

1.—Perpendicular. Sensación de la llegada del QI.

2.—Oblicua hacia arriba. Interposición del dedo esplorador en la parte inferior del punto, y manipulación de la aguja en *tonificación hacia arriba.* La sensación se trasmite por la cara interna de la pierna. En ocasiones se puede conseguir una sensación de calor en los órganos genitales.

La aplicación de moxas también es posible. Se aplicara en moxa indirecta con cigarro. Varias aplicaciones hasta conseguir un enrojecimiento claro del punto. La sensación se transmite hacia toda la pierna.

PUNTOS DE ASENTIMIENTO DE VEJIGA

Se emplean los puntos IU del B-R-H. Con técnicas de armonización. Posterior moxibustión con cigarro.

3H.—Taichong. Gran Asalto. Se trata del punto IU del hígado. Recoge la energía de la VB. Al ser punto tierra tiene la capacidad para dispersar las acumulaciones de sangre.

En este sentido se emplea para movilizar y desplazar la sangre. Se aplican sucesivamente técnicas de tonificación y de dispersión. *SIN RETIRAR LA AGUJA*. De esta manera se logran los dos objetivos que desempeña el punto.

El empleo de la moxibustión se realiza con moxa indirecta.

7P.—Lieque. Desfiladero. Punto de apertura del vaso RENMAE. Su estimulación favorece el desbloqueo del meridiano curioso, evitando el estancamiento. A esta acción se añade la de tonificar el pulmón, maestro de la energía. La tonificación de la energía moviliza el estancamiento de la sangre.

La puntura se realiza en el sentido opuesto de la corriente de energía del meridiano. Se estimula hasta obtener la sensación y la propagación de la energía.

Estos grupos de puntos fueron los empleados en los casos presentados. En otros casos se emplearon otras combinaciones, pero los resultados fueron peores que esta serie.

COMBINACIONES POSIBLES.

1.—Punto Base el 6RM. Con las correspondientes manipulaciones.
2.—Con 7P-5H.
3.—Con 63-3H-4IG.
4.—Con 5H-6B.
5.—Con ASS de H-B-R.

SOBRE UN CASO CON ENFOQUE DIFERENTE AL CITADO.

Aparte de los casos citados, presentamos un caso tratado según la teoría de los cinco movimientos. El resultado fue excelente después de 18 meses de tratamiento, curación completa.

Se trata de una mujer de 28 años que desde hace cinco viene presentado reglas muy dolorosas con metrorragias evidentes. Establecida consulta ginecológica, se diagnostica una endometriosis severa con extensión a recto-vagina-cavidad pelviana. La propuesta es una intervención con histerectomia total. La paciente la rechaza por lo que puede suponer, de riesgo y de inutilización procreativa. Se decide la consulta de acupuntura.

El diagnóstico de estancamiento de fuego-sangre se siguió con el consiguiente razonamiento de que para apagar el fuego se recurre al agua. Por tanto, todos los meridianos que tienen un compromiso abdominal deben de ser tonificados en sus puntos agua. Asi se procedió. Se punturo *8H-1OR-9B.* Los tres puntos de agua de los meridianos INN de las piernas. Se aplicó la moxibustión suave en los tres puntos con el fin de movilizar la sangre. La manipulación de las agujas fue en tonificación.

Después de tres meses de tratamiento la mejoría era muy evidente. Se aplicaron dos sesiones semanales. Al final del sexto ciclo cesaron las hemorragias y el dolor dejo de ser invalidante. Al terminar el año, las reglas tenían una llegada y duración normales. *No existía prácticamente dolor.* Continuado el tratamiento en base a una sesión cada semana o quince días, la mejoría continuó evidente sin experimentar ningún retroceso. Los tres últimos meses antes de completarse los 18 fueron sin tratamiento por las obligaciones de la paciente. Transcurrieron con absoluta normalidad. Una nueva consulta al ginecólogo confirmó la absoluta normalidad de la exploración ginecológica. Reconfirmado lo que por la experiencia nos mostraba la paciente, se procedió al *alta por remisión completa*.

La reseña de este caso, pretende ilustrar las múltiples posibilidades de tratamiento que disponemos. Es otra opción que no debemos desechar. La excluimos de la estadística general por tratarse de un caso aislado con un enfoque, diríamos, que poco ortodoxo, pero no por ello eficaz y creativo. Estos ejemplos aislados seran presentados a lo largo del libro en diferentes patologías, con el fin de ilustrar con más amplitud el tema que se describe.

SINDROME CLIMATERICO

Se trata de un cuadro polimorfo pluridimensional que involucra a todo el organismo tanto físico como psíquico. *No se trata de un cuadro obligado en la evolución natural de la mujer*. Si bien en ocasiones se presenta con signos recortados, en la mayoría de los casos o bien la enferma no es consciente de la participación en sus síntomas del síndrome o bien los síntomas son lo suficientemente intensos para hacer pensar al terapeuta que no se encuentra ante un síndrome climatérico.

Las manifestaciones que con más frecuencia presenta este síndrome son las siguientes:

1.—*Sistema Nervioso*. Sensación de parestesia y hormigueo en extremidades a *nivel psíquico*. Estados depresivos-ansiedad-obesión. Crisis de histeria. Reagudización de cuadros dolorosos.

2.—*Sistema cardiovascular*. Palpitaciones-sensación de ahogos. Molestias precordiales. *SOFOCACIONES*. Se trata de cambios repentinos en el estado circulatorio que se manifiesta por sensación de calor y enrojecimiento causados por una repentina vasodilatación. Piernas frías. Crisis hipertensivas.

3.—*Sistema óseo.* Aparición de dolores articulares o de columna vertebral, que suelen coincidir con un cuadro de *esteoporosis.* Reagudización de cuadros dolorosos artrósicos y aparición de pseudoartrosis, con lo cual es encasillada dentro de los enfermos reumáticos.

4.—*Sistema genito-urinario.* Comienzan los cuadros de nicturia, oliguria o poluria. Sensación de hinchazón abdominal. Frecuentes cistitis y molestias renales.

5.—*Organos de los sentidos.* Alteraciones auditivas que se manifiestan en acufenos, tinitus y ligera hipoacusia. Disminución de la agudeza visual.

6.—*Aparato digestivo.* Naúseas matinales, mal sabor de boca. Polifagia. Alteraciones en el hábito intestinal.

7.—*Sistema hormonal.* La obesidad es una de las alteraciones más frecuentes. Pueden también aparecer alteraciones tiroideas y alteraciones adrenales que pueden ocasionar insomnio-irritabilidad, etc. Alteraciones pancreáticas con crisis de hiperglucemia, que hacen pensar en un paciente diabético, sin serlo.

8.—*Piel.* Frecuentes picores y alteraciones en la hidratación de la piel. Ocasionales apariciones de ezcemas o heridas de difícil cicatrización.

A grandes rasgos, estos son los síntomas que con más frecuencia se suelen encontrar en un cuadro climatérico. Cada enferma evolucionara y se manifestara de manera diferente. La razón es exponer tan largamente todos los más frecuentes síntomas, es para evitar errores diagnósticos frecuentes que aparecen en la mujer de edad climatérica. Esta edad debe de ser minuciosamente explorada si queremos ser certeros en el diagnośtico y eficaces en el tratamiento.

Si bien debemos de tener en cuenta todos los síntomas que se pueden presentar en el desarrollo de un cuadro climatérico, podemos hacer un resumen de los síntomas que con mayor incidencia suelen presentarse.

Los *sofocos-alteraciones del ánimo-alteraciones del ritmo del sueño-sudoraciones profusas-trastornos genitourinarios*, constituyen los síntomas más frecuentes. Podríamos decir que se tratan de los *síntomas mayores*. Pueden ser suficientes para diagnosticar un síndrome climatérico. La asociación de los síntomas mayores, al menos dos con algunos de los demás síntomas descritos pueden dar una aproximación muy certera de la afección.

Los 178 casos que presentamos con patologías muy recortadas que se agrupan fundamentalmente dentro de los síntomas mayores. En muchos de los casos su consulta no fue pensando en su estado climatérico. En el transcurso del tratamiento se descubrió que todo obedecía a esta situación. En algunos casos los pacientes no aceptaban que todos los síntomas podrían deberse a su estado hormonal. La mayoría de los casos habían sido ya diagnosticados al menos dos años antes. En todos los casos se habían intentado tratamientos de todo tipo, ya sea hormonales, *antidepresivos,* etc, etc. Entre otras razones, una de las causas de la consulta estaba relacionada con los problemas secundarios derivados de la medicación.

En una gran parte de los casos los centros o las personas que iniciaron el tratamiento lo hicieron *con-excaso interés.* Asi se expresan ellas. «Se trata de un problema que le llega a la mujer... debe usted de tener paciencia... Pronto pasará... etc, etc... Esta actitud casi siempre iba seguida de una medicación complaciente... Y así pasan los años...» ...Y se perpetuan los problemas ...Y lo que empezó con un cuadro climatérico ...se transformó... En un estado depresivo permanente... Y en el mejor de los casos... En un estado ansioso-fóbico con dolores más o menos frecuentes que *deterioran en gran medida LA CALIDAD DE VIDA.* Esta es una consideración que en muy pocas ocasiones se plantea la medicina del poder. *Sin duda la calidad de vida de una persona se inicia siempre por su estado de salud...* Después vienen las demás cosas... Este inicial planteamiento se debe de realizar ante todo tratamiento. Se debe de pensar a un largo plazo. Y en este sentido cada terapeuta debe de efectuar *SU CONTROL DE CALIDAD PERSONAL. El control de calidad de la asistencia recibida,* además de superar un completo diagnóstico y una eliminación total de iatrogénesis, debe de plantear *una pauta de actuación EFICAZ EN EL MENOR TIEMPO POSIBLE.* Este debe de ser el inicial tratamiento que debe de realizar todo terapeuta.

Con los síndromes climatéricos pasa un poco como con las dismenorreas. El entorno cultural las ha transformado en una situación vulgar, sin importancia en la que no merece mucho invertir. Esta actitud cultural... Implicara forzosamente un descuido por parte de la persona que padece estas entidades... «podríamos decir...» «aspirina y resignación hija mía»...

Pensamos que esa no puede ser una actitud saludable. No abogamos tampoco por un proteccionismo... Sino simplemente, situar la cuestión en su justa medida. De esa justa medida debe de ser muy consciente el terapeuta. Puede situarse a nivel del enfermo en la medida en que se comparte el sufrimiento, pero ...debe de tener la cabeza sobre los hombros y no verse arrastrado ante posibles chantajes del enfermo... Ciertamente se trata de una posición difícil. Pero se trata del compromiso que acepta el terapeuta. Por mucho que *se insista en convertir en un burócrata de 8 a 3* a la actividad médica, no se podrá evitar *el que el terapeuta consciente de su papel en el desarrollo del hombre de nuestra sociedad tome conciencia de su responsabilidad total ante el paciente* sin limitación de tiempo, espacio...

o cualquier otra limitación que supongan un obstáculo en el desarrollo de la situación transferencial que hace imprescindible todo acto terapéutico.

¿Cómo definir exactamente la cuantificación de resultados en esta afección tan diversificada? En muchas ocasiones nos encontramos con serios problemas para definir el grado de mejoría de un paciente con síndrome climatérico. En ocasiones desaparecen los motivos iniciales de consulta, pero aparecen nuevos síntomas que no fueron expuestos en el momento de la consulta. ¿cómo valorar este caso? Si bien es cierto que se suele focalizar en síntomas y signos, a veces muy claros, no es menos cierto, que la paciente con síndrome climatérico obedece a una forma de enfermar general. Entonces... Podemos definir, además de la desaparición o no de síntomas, el estado general de la paciente y su calidad de vida a la hora de definir las variaciones observadas después de un tratamiento. Este punto de vista nos parece más homogéneo a la hora de valorar resultados que la descripción de desaparición o no desaparición de síntomas. Por ejemplo, si tenemos una paciente que nos consulta por continuas sofocaciones con oleadas de calor y crisis de sudor... No se hace mención, en el momento de la consulta a más datos. Pasados cuatro meses podemos decir que prácticamente han desaparecido los síntomas, pero en la medida en que mejoraban estos afloraban claros síntomas depresivos, al final de los cuatro meses ese estado de ánimo es muy bajo, pero los síntomas de consulta han desaparecido. ¿Cómo valorar el resultado? Sabemos claramente que su estado de ánimo corresponde a su síndrome climatérico... Entonces, realmente no podemos incluir a esta paciente en la relación de pacientes mejorados o curados. Se deberá de seguir trabajando *hasta encontrar una calidad de vida que permita al paciente desarrollar unas actividades normales, de acuerdo a sus necesidades y su entorno cultural.* Entonces, estaremos en condiciones de asegurar que el tratamiento ha conseguido el objeto buscado.

El planteamiento de esta manera de valorar los resultados en los pacientes climatéricos, posiblemente no responda a unos cánones muy cuantificados, pero si responde a un criterio humanista de valorar la evolución de un estado morboso. Creemos que en esta entidad, y otras más, se debe de emplear esta pauta. El diagnóstico por la tez se puede considerar poco efectivo en estos casos. Los cambios de coloración constante que experimentan estas pacientes, por los frecuentes ritmos de vasodilatación vasoconstricción, hacen difícil, y poco constante, la clasificación de las enfermas por el diagnóstico de la tez.

El ritmo de las sesiones fue de *tres el inicio del tratamiento* y continuación del mismo, a razón de una sesión semanal. En algunas ocasiones se precisó dos sesiones semanales. Esta circunstancia se determinó según el estado del paciente. En momentos de reagudización de los síntomas se emplearon *tres sesiones seguidas,* con pausas de cinco días.

El tiempo de duración de las sesiones dependió del estado de la paciente, de su *pulsología,* de las *fases lunares,* del *empleo de las técnicas de tonificación y dispersión,* del *momento del día de las punturas* y de la *estación del año.* Si bien todos estos parámetros se deben de tener en cuenta a la hora de realizar las punturas para establecer el tiempo de permanencia de las mismas, en estos casos se *hizo especial mención. Las fases de luna se emplearon para realizar las dispersiones, las de la luna nueva para realizar las tonificaciones.* En *verano y primavera las punturas fueron de poca duración, 10-15 minutos,* en *otoño invierno de larga duración, de 20-30 minutos.* Se hicieron los reglajes oportunos de las combinaciones de puntos cuando no existía concordancia entre los tiempos y las actitudes de los astros y estaciones con el diagnóstico del pulso. *En última instancia el pulso decidió la actitud terapéutica a seguir.*

Los pulsos que más variaciones experimentaron fueron los de agua-fuego-madera. Los pulsos resbaladizos experimentaron pocas variaciones a lo largo del tratamiento. Cuando los síntomas remitieron de una manera clara y permanente los pulsos experimentaron variaciones siguiendo los ritmos estacionales, aunque los pulsos resbaladizos fueron los que menos cambios produjeron.

CONSIDERACIONES ENERGETICAS EN TORNO AL SINDROME CLIMATERICO

La medicina occidental cataloga la aparición del climaterio como una situación que surge como consecuencia del final del trabajo de las de las fases foliculares ováricas, lo que ocasiona una elevación de las tasas de hormonas hipofisarias, en un intento de activar el ovario. Ante esta definición, muy somera, cabe preguntarse, por que en unas mujeres se desarrolla el síndrome y en otras no. Es una constatación evidente la traslocacción de las tasas hormonales. Pero cuándo se producen estas? Los desequilibrios hormonales con situaciones muy inestables que con enorme facilidad reaccionan a la ley todo o nada. Existe además la comprobación de que los estados emocionales producen importantes variaciones en las diferentes secreciones glandulares. Por tanto, podría pensarse que las diferentes alteraciones del estado de ánimo. Nos inclinamos a pensar que aquellas mujeres con un psiquismo inestable y que las circunstancias ambientales puedan hacer que sufran impactos emocionales importantes, son las personas con más posibilidad de desarrollar el síndrome climatérico. El entorno sociocultural en que se encuentra la mujer también puede favorecer la aparición de este cuadro. Las consideraciones sociales en torno a la edad, a la capacidad de procreación, etc., contribuyen a vivenciar la propia situación biológica con la suficiente desgana vital como para estar fuera de situación, sin lugar propio donde realizarse. Todas estas consideraciones deben de tenerse en cuenta en todas las mujeres predispuestas con el fin de ahorros problemas cuando se presenta la edad en la que las secrecciones hormonales empiecen a realizar otros cometidos.

Si miramos la vida como un acontecer biológico-cósmico que se desarrolla por ciclos *los acontecimientos rítmicos no tienen por que producir enfermedad.* Son cambios de estado importantes, si, pero no acontecimientos dramáticos. Son edades diferentes, pero no peores. Lo que ocurre es que en nuestra sociedad siempre se encuentran presentes las valoraciones de bueno-malo. Las *categorías morales estan siempre presentes.* Y estas son *consecuencias de las actitudes del poder. Luego son falsas*. Son las necesidades del momento las que determinan los mejores slogans y los prototipos, pasado un tiempo, ...lo anterior no vale ... y nuevos planteamientos. Ahora estamos en el mito de la juventud. Todo el que no se encuentre entre las edades juveniles será un desgraciado... No tendrá chispa ni... marcha ... será un carroza... Y no se cuantas cosas más... Total... material de desecho. Sin duda, de tomarselo en serio son planteamientos suicidas para los que no se encuentren en ese momento. *NINGUN MOMENTO ES MEJOR QUE OTRO. SON DIFERENTES. TIENEN FUNCIONES DIFERENTES. NINGUNO MOMENTO BIOLOGICO PUEDE NI DEBE USURPAR OTROS MOMENTOS DE SU ACONTECER. NO PUEDE RETROCEDER NI ANTICIPARSE. DEBE DE VIVIR AQUI Y AHORA. ASI, ES POSIBLE QUE DESCUBRA SU ESENCIA.*

La visión que nos proporciona la tradición de los diferentes ritmos del hombre y la mujer son aconteceres rítmicos que se producen cada cierto tiempo. En la mujer los ritmos suceden según los saltos lunare. *CADA SIETE AÑOS*. Es el número que interrelaciona todos los procesos de la mujer. Siete años... siete meses... siete días...

En el sowen... Cap. 1, podemos leer... «a los 7 por: 49 años, el *RENMAE desfallece*. El *Tchgongmae se atrofia. Las reglas desaparecen*. La esterilidad aparece...».

Ya tenemos la primera clave energética de la desaparición de las reglas y las consiguientes etapas climatéricas. La *pérdida de función del RM y la atrofia del TM*. Lo que supone una *falta de aflujo de sangre a los órganos reproductores y un déficit de energía INN. TODO ELLO ES CONSECUENCIA DIRECTA DEL DECLIVE DE LOS RIÑONES*.

Veamos ahora que consecuencias crean estas especiales condiciones para justificar el polimorfismo sintomático de este síndrome. Antes, conviene aclarar que en condiciones normales, este déficit fisiológico se acompaña de una reestructuración de los demás sistemas, razón por la cual la sintomatología es apenas imperceptible.

Según la ley de los cinco movimientos el debilitamiento de los riñones supone un déficit en la formación de su hijo, el hígado. Se trata en una primera instancia de una debilidad de la raiz INN y por tanto del HIGADO INN. Estas debilidad crea una hiperacción del fuego del corazón. Las relaciones con el bazo también se ven perturbadas. El dominio de este sobre los riñones se hace más manifiesto. Pero ...veamos ahora como se sucede la debilidad de los riñones... El déficit de los riñones no se produce de una manera brusca en sus dos vertientes. *Las dos raices INN-YANG SE HACEN DEFICIENTES DE MANERA DIFERENTE. Si el INN de los riñones es deficiente... EL YANG AUMENTA.*

Si el YANG DE LOS RIÑONES ES DEBIL... EL FUEGO DEL MINGMEN ES DEFICITARIO... Y UN AUMENTO CUALITATIVO DE LA RAIZ INN. FINALMENTE... *SE PRODUCE UN DEBILITAMIENTO DE LAS DOS RAICES. LA DECLINACION SE INICIA CON EL INN.*

El inicio del cuadro se produce con la *deficiencia del INN de los riñones* y la doble consecuencia *del hígado*. Debilidad de *su raiz INN y escape del YANG.*

Los cambios más manifiestos se producen por el exceso del YANG. Carácter irritable, ansioso, tendencia a la cólera desproporcionada.

Los cambios del INN, por contra son la tendencia a la quietud y la depresión.

Los síntomas somáticos se manifiestan por el ascenso de la energía hacia lo alto. Dolores de cabeza, insomio, dolores de espalda en la zona renal, acufenos, trastornos térmicos en las extremidades con variaciones de temperatura de frío a calor intenso en palmas y plantas de los pies y manos.

En la *exploración diagnóstica* observamos a nivel del pulso que este se presenta *superficial y tenso. Ligeramente rápido con alternancias normales.* Es la consecuencia del escape del YANG.

La lengua se presenta clara, sin saburra, es roja, con más intensidad en la punta.

La consecuencia de la debilidad de los riñones INN y el consiguiente aumento del YANG situa al organismo en una *hiperactividad del fuego. ROMPIENDOSE LA RELACION DE EQUILIBRIO ENTRE EL AGUA Y EL FUEGO.*

El exceso de fuego se *manifiesta psíquicamente* por una alteración del humor, tendencias catastrofistas, irritabilidad, ansiedad, tendencia a la depresión, alegría desproporcionada e inmotivada.

La *manifestación somática* más llamativa *es la SUDORACION*. Sequedad de mucosa y crisis de sed.

La exploración diagnóstica se nos presenta *con pulso profundo, en gancho y rápido.* Signos claros de la *insuficiencia de los riñones con incrustación del fuego.*

La lengua se presenta con una ligera saburra blanca, pero con coloración muy roja.

El siguiente paso en el juego energético de los cinco movimientos se centra en la *tierra. La debilidad del INN de los riñones favorece la presión del YANG DEL BAZO.*

En estos casos, o estadios, se presentan actitudes *mentales reflexivas* y apatia mental al no dar cabida a otras ideas.

El *cuadro fisico* se centra en pérdida de apetito, cara edematosa, inflamación abdominal, tendencia a los edemas. Transtornos en el ritmo intestinal. Orinas abundantes.

En el diagnóstico encontramos un pulso *profundo-resbaladizo.*

La lengua suele presentar una *saburra espesa amarilla.*

El vacio global de los riñones en sus dos raices completa el recorrido por los cinco movimientos.

Psíquicamente aparecen miedos exagerados ante cualquier acontecimiento. El sobresalto es también frecuente.

Físicamente encontramos dolores en la zona renal, tinitus, crisis hipertensivas.

Frecuentes cambios de temperatura en manos y pies.

En el diagnóstico *pulsológico* encontramos un pulso profundo-débil y pequeño, que puede ser de ritmo normal o rápido (según sea el vacío del Yang).

En la lengua suele ser pálida con saburra blanquecina.

Hemos descrito las diferentes manifestaciones de la debilidad de los riñones y su repercusión sobre la dinámica de los demás órganos siguiendo la ley de los cinco movimientos. Veamos ahora los diferentes puntos que se emplearon. Cada uno con su función particular en este caso, luego las diferentes combinaciones.

PUNTOS EMPLEADOS

23V.—Shenshu. Asentimiento de los riñones. El punto IV de los riñones es uno de los puntos más empleados en los estados climatéricos. Ya que partíamos que el núcleo del problema se centraba en la debilidad de los riñones y sus diferentes manifestaciones.

La puntura del 23V implica una *armonización* de la energía de los riñones.

La puntura se realiza perpendicular, ligeramente oblicua hacia el TM. Se manipula la aguja hasta conseguir una sensación de movilización de energía que se percibe como una sensación de hormigueo en la zona de la puntura que se expande hacia la profundidad. Si se insiste en las manipulaciones se puede experimentar la sensación en el abdomen bajo.

La localización del punto se realiza siguiendo una línea horizontal que parte de la última costilla hasta la columna vertebral.

Después de realizada la puntura se aplicará moxa indirecta con cigarro, hasta conseguir un enrojecimiento y calor interno de la zona.

6B.—Sanyinchiao. Reunión de los tres INN. El punto de reunión de los tres INN vuelve a ser de uno de los puntos de mayor empleo. Su indicación se centra en la armonización de los tres principales órganos que participan en el proceso que describimos.

La tonificación del bazo permite la regularización de la humedad, conserva la sangre en los vasos y evita el edema. Su función con respecto al hígado estriba en regularizar las oleadas de sangre hacia arriba, el control del yang del hígado. Sobre los riñones actuará tonificando.

Su empleo se realiza en tonificación. Puntura profunda con transmisión de la sensación en el sentido del canal.

El empleo de la moxibustión debe de ser obligado. Se emplea moxa indirecta. Conseguir la sensación de penetración de calor en profundidad.

7C.—Shenmen. Puerta del Espíritu. El empleo del punto Shen del corazón se debe a todos los síntomas psíquicos que se producen. Su empleo debe de ser sistemático en todos los casos de diferentes etiologías. Consigue una sedación del estado psíquico. Mejora el ánimo y hace recobrar la alegría.

La puntura se realiza perpendicular, con transmisión de sensación hacia la mano y hacia arriba. Se manipula en tonificación. En casos de tratar a una paciente con gran exaltación se deberá de emplear en dispersión. No debemos de olvidar, que se trata de un punto de dispersión del corazón. Se debe de tener en cuenta, no obstante, que la dispersión de los puntos del corazón se debe de utilizar en contadas ocasiones, y siempre, estando seguro del diagnóstico de plenitud.

3R.—Taixi. El punto tierra del meridiano de riñón ofrece la posibilidad de armonizar las funciones del equilibrio entre *el agua y la tierra*. Esta circunstancia le convierte en un punto de gran utilidad. Sobre todo, en los casos de participación del bazo, circunstancia que tarde o temprano aparece, como es el caso de la muestra que presentamos.

La puntura del 3R. se realiza en tonificación. Perpendicular. Con este punto podemos conseguir dos tipos de sensaciones. Por una parte una ligera, que consiste en experimentar una sensación de calor y hormigueo por la zona del talón de aquiles y talón. Otra, es una *sensación fuerte* que se experimenta como una *sensación de fuego-corriente*, que suele transmitirse hacia el principio del meridiano, es decir, hasta la planta del pie y la base de los dedos medios del pie. Esta fuerte sensación suele permanecer a lo largo, en ocasiones de horas, de un tiempo después de la sesión. La eficacia en la movilización de energía de este punto, supone una activación poderosa de la energía de los riñones, y además, un equilibrio entre la energía del riñón y la del bazo.

Después de la puntura se puede utilizar la moxa, en base a cigarros. Forma indirecta. De los 178 casos presentados 120 modificaron sustancialmente su estado hasta el punto que los mínimos trastornos que poseían no dificultaban su actividad. Se considera un *resultado bueno*.

50 casos necesitaron tratamientos más intensos y experimentaron recaidas, en sus síntomas y en su estado general. Consideramos estos *resultados REGULARES*.

8 casos, han experimentado mejorías, estas fueron muy transitorias en intensidad y tiempo. Precisaron más tiempo de tratamiento y su calidad de vida no se modificó sustancialmente. Consideramos los *resultados MALOS*.

Los 8 casos de no buen resultado fueron las pacientes que presentaban un cuadro más severo en sus síntomas, casi siempre, en cinco casos, de carácter psíquico. Mantenido durante más de tres años, habiendo sido muy medicadas. En el transcurso del tratamiento de estas pacientes, no se consiguió suprimir del todo la medicación. Siempre estuvieron sujetas a algún tipo de fármaco.

El tiempo medio de tratamiento fue de 10 meses. El tiempo mínimo fue de tres meses, el máximo de dos años.

En el tratamiento se emplearon la acupuntura moxibustión, masajes y ocasionales charlas de corazón a corazón (serie la actual psicoterapia de apoyo... Pero con algunas diferentes connotaciones). Se introdujeron en la mayoría de los casos, cambios en los hábitos alimenticios.

Durante todo el tiempo de tratamiento se procuro reducir al máximo, y en la medida de lo posible cualquier medicación. Los 120 casos con resultados buenos dejaron de tomar toda medicación. Tan solo, ocasionalmente ingieren alguna planta medicinal en forma de tisanas.

Los casos de resultado irregular toman ocasionalmente, dependiendo de los síntomas, fármacos de poca intensidad y de excaso poder iatrogénico.

Los ocho casos con mal resultado establecen una situación crítica ante la toma de medicación (cosa que antes no ocurría), pero continuan con tratamientos, en ocasiones intensos.

Uno de los aspectos de la exploración diagnóstica que más llamó la atención fue el diagnóstico pulsológico. De los 178 casos, en 147, la valoración global del pulso *fue resbaladizo*. La humedad-flema encontraba buen lugar de actividad en esta enfermedad.

21 casos eran de pulso tenso y duro. Predominio del fuego.

6 presentaban el pulso profundo pequeño y filiforme. Agua.

4 presentaban el pulso profundo y rebaladizo. Humedad-agua.

La evolución de la saburra también fue digna de mención. El predominio de la saburra *espesa de color amarillo* fue la norma más frecuente (78%).

La saburra pálida y blanquecina (17%)

La saburra desaparecida, con lengua seca y color rojo-violaceo (5%)

2OTM.—Baihui. Cien Reuniones. Se trata del punto de reunión de las energías YANG. Punto de terminación de la energía del hígado. Su empleo obedece a los trastornos dolorosos de cabeza y a los estados de sofocación. La técnica de armonización de este punto, permite que la energía no se acumule en la cabeza. Es igualmente importante para las crisis hipertensivas. Calma la mente y mejora la memoria.

Se localiza en el vertes craneal. Es un punto sensible a la presión que provoca una senación diferente fuera del punto.

La puntura es perpendicular y ligeramente oblicua hacia abajo. La sensación se transmite en forma expansiva hacia todo el cráneo. Si en ocasiones produce mareo o malestar general, debe de ser retirado.

10B.—Xuehai. Mar de la sangre. Su empleo obecede al trabajo de regularizar la sangre por parte del bazo. Su empleo se realiza con aguja profunda transmitiendo la sensación hacia la parte alta.

Si pensamos que todos los síntomas climatéricos, al final se reducen a una pérdida de equilibrio entre sangre-energía, podemos mejor comprender las funciones de este punto.

El déficit global de energía del organismo, marcada por el desfallecimiento de los riñones, marca una *pérdida de control sobre los movimientos de sangre.* Esta es la causa de las violentas sofocaciones, palpitaciones, hipertensión, sudoración...

El *mantenimiento de la sangre* en los vasos y en su *normal distribución y ritmo* por parte del organismo *dependen de la función del bazo.*

Todos los puntos de empleo del bazo persiguen directa o indirectamente esas funciones.

En momentos de crisis de brusca ascensión de la sangre hacia arriba, se deberá de emplear en dispersión.

La tonificación debe de ser la norma, porque de esa, manera conseguimos que la distribución de la sangre se realice de una manera homogénea.

6MC.—Neiguan. Barrera Interna. El secretario del corazón es uno de los meridianos que más entra en función de los estados climatéricos. El fuego ministerial se desborda con las situaciones de vacío de los riñones, y no es capaz de contener el medio interno con su barrera. Al ser punto de apertura de vaso curioso y vaso LO su empleo es más acentuado. Mejora las palpitaciones, la hipertensión, oxigena el miocardio, alivia la presión precordial. Mejora y regulariza las funciones digestivas. Refresca el calor general y sosiega el espíritu. Son todas indicaciones de gran necesidad en estos casos.

La manipulación de la energía en este punto es de vital importancia para conseguir un resultado satisfactorio.

La localización debe de ser precisa. Entre los dos tendones. La posición de la mano de la paciente debe de estar en supinación con reposo en zona dura. La puntura se realiza perpendicular, con una aguja de tres y medio tsun. Se manipula suavemente hasta conseguir una penetración que suponga una clara sensación de la llegada del QI. *No es válida la sensación de dolor con fruncimiento de la zona pericircular del punto.* Esta sensación denota un atrapamiento, de la energía defensiva, y para nada es la sensación que se debe de producir. Una vez conseguida la llegada del OI se procede a la manipulación de la energía. Si pretendemos que las sensaciones de opresión y palpitaciones cesen se buscará que las sensaciones de manipulación realicen maniobras de ascensión de la energía. Si lo que se pretende es, eliminar palpitaciones, malestar torácico, sensación de ocupación toraco-gástrica, con molestias dolorosas en el brazo izquierdo, la sensación se debe de transmitir hacia la mano. Pequeñas inclinaciones en la manipulación del punto, son capaces de conseguir esta diversidad de movimientos de energía.

Debe de pensarse, y esto es una realidad *cuando se tiene larga experiencia*, que la manipulación *de un solo punto* es capaz de propagar las energías *hacia los lugares que el terapeuta necesite.* Para realizar estas experiencias, es necesario contar con un paciente *relajado, CONFIADO, y tranquilo.* Por parte del terapeuta, este se debe de encontrar en situación de armonía personal. *CON UNA CLARA INTENCIONALIDAD DE LO QUE SE PROPONE...* Lo demás viene por añadidura. *La mano se mueve y rota con ritmo de pluma, mareada en un estanque que se somete a la brisa...* Nuestra atención *no esta ya en la aguja*, ni *en la mano*, esta en la intención de lo que desea. Los terapeutas ciegos tienen mucho que enseñar sobre estas experiencias. Como realizamos estas experiencias cegamos nuestros ojos de forma intencional, así la energía se deriva hacia los movimientos de energía de nuestra intención. No son situaciones que se consiguen en la primera experiencia, pero si es necesario insistir... y no dejarlo como misión imposible.

2R.—Rangu. Valle iluminado. Se trata del punto fuego del meridiano de riñón. Una de sus importantes funciones consiste en regular las relaciones fuego-agua, que se encuentran deterioradas en esta afección.

En el lingshu, cap64 se recomienda su empleo en los dolores de corazón que se irradian hacia la espalda.

Es el punto de partida del meridiano curioso INNKEO.

Con todo, lo más importante es que al tratarse de un punto fuego dentro del agua, participa en el equilibrio de ambos factores.

Como el riñón es el encargado de la voluntad, el nombre de valle iluminado nos suguiere una factor psíquico en las funciones de ese punto. Las acciones de la voluntad y memoria se encuentran frecuentemente alteradas en estas pacientes. Nada mejor que la puntura del 2R.

La puntura se realiza perpendicular a 1,5 pouce. La sensación se transmite hacia todo el pie con una experiencia de adormecimiento.

Se puede aplicar moxa indirecta con cigarro.

La aplicación más usual de este punto se realiza sobre las pacientes que presentan trastornos depresivos. Se puede asociar con el 7C o 3R o 6MC.

4TM.—Mingmen. Puerta de la vida. Las funciones yang de los riñones se encuentran representadas en el MINGMEN. En otros momentos cuando representamos este punto, veíamos que su empleo se debía a la capacidad de activar y movilizar la energía de los riñones. De esto se trata en este caso. Su empleo obedece a *la necesidad de activar la esencia y consolidarla.*

Se puede emplear en combinación con el 23V. La puntura de estos tres puntos es muy eficaz para regularizar las emanaciones de los riñones. Después de las punturas emplear moxa, con la caja, indirecta, hasta conseguir un fuerte enrojecimiento de la zona.

4RM. Guanyuan. Barrera de la fuente. Punto de reunión de los tres INN de las piernas. Su función es tonificar los riñones y consolidar las esencias. En el Da tchen se recomienda su empleo para las reglas irregulares. No olvidar tampoco que se trata de uno de los puntos de los grupos de reunión de las energías INN-YANG (4-12-22RM-9TM).

La puntura se realiza vertical y ligeramente oblicua hacia abajo. Se transmite la sensación hacia la zona genital y en la profundidad del abdomen. La profundidad debe de ser de unos dos pouces, con movimientos intermitentes de salida y entrada de la aguja. La aplicación de moxa se realiza con cigarro, hasta conseguir el enrojecimiento de la zona.

24TM. Shenting. Sello del espíritu. Se trata de un punto SHEN, y por tanto de un punto controlador de los sentimientos. Por pertenecer al TM, por la posición que ocupa y por el nombre, nos inclinamos a utilizarlo en los *trastornos más recientes del ánimo.* Por tanto, sus principales indicaciones se deben a los síntomas más frecuentes.

Se debe de aplicar este punto en las primeras sesiones de tratamiento. Situará a la paciente en una nueva perspectiva psicológica que le hace acceder a un tratamiento más profundo que incida sobre las raices del desequilibrio.

La puntura se realiza de forma oblicua hacia atrás con suaves manipulaciones que producen una sensación de entumecimiento y hormigueo en la zona de la puntura.

La aplicación de la moxa, si se realiza, debe de ser ligera e indirecta.

La movilización y armonización de la energía mental se puede realizar con la imposición energética de los dedos de la mano. Es de aplicación en los estados ansiosos, en crisis de miedo o irritabilidad. También, cuando la paciente experimente una sensación de desagrado ante las punturas. Se debe de aplicar el dedo medio, propulsor de la energía del MC. El acto debe de estar precedido de un grado de concentración y de intencionalidad. Se debe de efectuar presión ligera sobre el punto. Se puede realizar con una mano, o con el apoyo de las dos.

El empleo de las movilizaciones de energía por las manos a través de los dedos no debe de asustar a nadie. Descritas en el SOWEN-LINGSHU, son maniobras que se encuentran en la mayoría de las medicinas populares, no en forma de doctrina como pueden presentarse en la M.T.C., pero si de una manera empírica. Es uno de los acervos más ancestrales que se conservan en las medicinas tradicionales. Por tanto, deberíamos de *utilizar más las manos* en nuestra actividad terapeútica. Piensese una cosa muy simple *estamos trabajando con energías*. Se trata de *fluidos vitales muy sensibles*, y extremadamente *variables*, todo ello les configura una especial forma de comportarse, y como no de poder ser manipulados. Si comparamos las técnicas de las agujas, con la manipulación energética con los dedos de las manos, las agujas quedan en un lugar arcaico. Pero no se trata de comparar, se trata tan solo de llamar la atención sobre estas intervenciones del terapeuta que deben de ser tenidas en cuenta y rescatadas para la práctica diaria.

Podemos emplear más puntos y diversas combinaciones. La patología tan variada puede aconsejar su uso, no obstante, pensamos que los puntos descritos, con los resultados ofrecidos representan un buen bagaje para ser aplicados.

COMBINACIONES MAS FRECUENTES

1.—23V-4TM-6B.
2.—24TM-6MC-7C-2R.
3.—4RM-2R-10B.
24TM-6MC-20TM-4RM-2R.
5.—24TM-6MC-4RM-6B-3R.
6.—20TM-7C 4RM 6B.
7.—6MC-4RM-2R.
8.—7C-4RM-6B-3R.
9.—23V-4TM-2R-3R.
10.—6MC-4RM-3R.

Volvemos a insistir en la necesidad de considerar la mujer en estado climatérico *sintomática* como una enferma global, que si bien es capaz de desarrollar una multitud de síntomas, todos obedecen al desfallecimiento de los vasos curioosos TM-RM. Y es en base a la debilidad del Tchongmae, mar de todos los meridianos, lo que hace posible el cuadro polisintomático. Se debe de hacer especial mención al cuadro psíquico, ya que es, el que con más intensidad daña la actividad diaria de la persona, es, además la situación más invalidante y que en menor proporción se relaciona con el síndrome climatérico.

LEUCORREAS

Se trata de la aparición exagerada del flujo vaginal, o la secreción muco purulenta del mismo, como consecuencia de procesos infecciosos. De etiología variada que puede corresponder, desde una simple hipersecreción vaginal, hasta una de las manifestaciones tumorales.

El estudio de la leucorrea merece una descripción en el SOWEN, cap...60. «Cuando el *RENMAE se encuentra en vacio...* pueden aparecer las leucorreas...». Ya tenemos *la primera connotación energética* para enjuiciar las leucorreas. A partir de este postulado deben de girar las demás especulaciones. En la aparición de las leucorreas pueden estar implicados todos los órganos... Si bien, son los riñones a través del RENMAE los principales protagonistas. El mar de los INN es el reservorio del alimento de energía INN para los órganos, esta característica hace que todos los órganos puedan participar en la génesis de las leucorreas. Como se puede apreciar a primera vista, las connotaciones que realiza la M.T.C. sobre las leucorreas es mucho más amplia que las aproximaciones de la medicina occidental. Volvemos a lo que hemos comentado en otros lugares. Cada enfermedad, aunque pueda representar sumariamente a un órgano, es la *responsabilidad del todo*. Y se establece una responsabilidad de todos los órganos y entrañas. *No debemos nunca confundir manifestación con origen.*

La causa profunda que provoca las leucorreas es *EL EXCESO DE HUMEDAD INTERNA.* LA *CUAL DESEMBOCA EN UN ACUMULO DE MUCOSIDAD QUE SE MANIFIESTA EN EL FLUJO VAGINAL.* Las causas que suelen determinar el acúmulo de esta humedad interna suelen ser, enfermedades crónicas, debilidad general, estados de abatimiento, incomprensión... *El largo y prolongado stress*. Siendo el *núcleo central el BAZO ESTOMAGO*, estamos en condiciones de comprender la distribución de sus influencias a los demás órganos. Su posición central en los cinco movimientos asegura esas influencias. Estas diferentes manifestaciones del moco en exceso se verán manifiestas en el color de las secrecciones. Veamos:

1. LEUCORREA BLANCA.

Su color corresponde al metal. Su secreación suele ser clara, *transparente y no suele presentar olor especial. Se denomina LEUCORREA HUMEDAD+METAL*. En la exploración, encontramos un pulso *PROFUNDO RESBALADIZO FLOTANTE.*

La saburra se presenta con ligera *capa blanquecina y PALIDA.*

Sintomáticamente la paciente presenta *cansancio, tristeza, sensación de frío.*

2. LEUCORREA AMARILLA.

Se corresponde con la propia *TIERRA*. La secreción *es espesa y pastosa, pegajosa y de olor desagradable.*

En la exploración el pulso se presenta *profundo, ligeramente lento y resbaladizo.* La lengua se presenta con *saburra espesa y amarilla.*

Clínicamente la paciente presenta *ansiedad, Sensación de sed, Reflexión excesiva* tendencias depresivas y miedos constantes.

3. LEUCORREA ROJAS.

La secreción es *sanguinolenta y de olor desagradable*. Se trata de LEUCORREA HUMEDAD FUEGO.

En la exploración encontramos un pulso *RAPIDO, SUPERFICIAL Y AMPLIO.*

En la saburra prácticamente ha *desaparecido*. La lengua se presenta *ROJA Y PELADA*. Clínicamente la paciente presenta irritabilidad, ansiedad, sed y frecuentes molestias *vaginales*, en forma *de picor y ardor*.

4. LEUCORREAS VIOLACEAS.

Se corresponden con las leucorreas HUMEDAD AGUA. Se suelen presentar en los procesos degenerativos; su diferenciación con las rojas están en el matiz de la exploración que suele presentar un tono muy oscuro de la sangre.

Los signos clínicos se corresponden con la enfermedad causal.

En el diagnóstico destaca un pulso profundo, *fino y ligeramente resbaladizo*.

La lengua suele ser pálida, con una ligera saburra blanquecina, o bien, extremadamente seca y violacea.

5. LEUCORREAS AMARILLO VERDOSAS.

Se suelen corresponder con los procesos infecciosos. Son de contenido espeso, color amarillo verdoso. Se trata de una *leucorrea HUMEDAD-MADERA.*

En el diagnóstico se presenta un pulso-*superficial y tenso*.

En la saburra la encontramos amarilla y con ligera congestión de los capilares de los bordes laterales.

En la clínica, la paciente se encuentra muy incómoda, con sensación de *tensión en la parte baja abdominal.* Irritabilidad, insomnio.

Terminamos de ver las diferentes modalidades de presentación de las leucorreas según la muestra del color, el cualo lo hemos relacionado con los cinco movimientos. Como vemos, todos los órganos pueden estar implicados en este contexto.

Si realizamos la vinculación con los meridianos curiosos encontraremos tres participaciones importantes. Por una parte el ya comentado *RENMAE*, por otra parte, el *TCHONGMAE* que colabora con su debilidad y finalmente el *TAEMAE* que participa con su déficit de contención, de retención.

Este otro punto de vista según la dinámica de los vasos curiosos no es contradictorio con el planteamiento inicial, se trata de un enfoque del funcionamiento de las energías ancestrales, de su comportamiento con la sangre-energía.

Durante la exposición del tratamiento iremos intercalando las consideraciones de los vasos curiosos con las funciones de los cinco órganos.

Presentamos 12 casos de leucorreas. Se trata de 12 mujeres en edades comprendidas entre los 29-42 años.

En el momento de la consulta, todas presentaban un diagnóstico previo de más de *dos años y medio* de evolución de la afección.

En todos los casos se emplearon fármacos para tratar de resolver el problema. En todos los casos que se presentan no se obtuvieron resultados completos, solo parciales y de corta duración.

De los 12 casos tratados 10 presentaron una curación total.

El tiempo medio de tratamiento fue de dos meses y medio. El caso más corto fue de cinco sesiones, el más largo de cinco meses. Pasados siete meses del tratamiento, las pacientes continuaban asintomáticas y sin ningún tipo de tratamiento.

De los dos casos no favorables uno correspondía a un cuadro tumoral, debiendo canalizarse su tratamiento en otro sentido. El otro se trataba de una enferma con un polireumatismo crónico y diabetes insulino dependiente. Las infecciones repetidas y las recaidas constantes la hicieron abandonar el tratamiento.

Durante el tratamiento todas las pacientes estuvieron libres de fármacos.

No se realizaron cuidados especiales, salvo las recomendaciones de rigor referente a la higiene y la evitación del frío en las zonas abdominales bajas, al igual que evitar el permanecer con el cuerpo humedo, con ropa. Estas medidas generales deben de ser atendidas en pacientes que presenten un cuadro leucorreico.

El número de sesiones fue de tres al comienzo del tratamiento, en un caso fue de cinco y dos semanales hasta notar un claro mejoramiento de los síntomas. Establecida la mejoría se procedió a una sesión semanal, hasta completar el tiempo de tratamiento en que se permaneció asintomático. De una manera general, la supresión del tratamiento se realizó cuando pasadas tres semanas no existían síntomas, fue entonces cuando se decidió la supresión de las sesiones.

No se debe de precipitar la supresión del tratamiento en los problemas de humedad. Es frecuente la supresión momentánea de los síntomas, sin que se eliminen las causas, con lo que las recaidas hacen más difícil el remontar el tratamiento. Se debe de *CONSOLIDAR EL TRATAMIENTO*. Debemos de ser cautelosos con la enfermedad. Su instauración es *lenta y ensidiosa* su afincamiento *desgarrador* y su salida *terriblemente costosa.*

Con estas premisas debemos de enfrentarnos a los acontecimientos que supone la llegada de la enfermedad. Dice el SOWEN... «*las enfermedades recientes deben de tratarse violentamente... las enfermedades crónicas... lentamente.* La violencia procede de la *necesidad de evitar la cronificación*. Cuando esta es una evidencia... Debemos de ser extremadamente pacientes y cautos con los acontecimientos que se suceden durante los períodos de curación... Una *agravación puede ser* un signo de mejoría definitiva... Una mejoría rápida *no es signo evidente de curación*... Estas consideraciones deben de ser muy tenidas en cuenta si queremos que nuestros resultados sean constantes y duraderos.

PUNTOS DE TRATAMIENTO

26VB.—Taimai. Vaso de cintura. Se trata del punto de reunión con el meridiano curioso TAEMAE. Sus indicaciones en los casos de leucorreas están descritas en el DA TCHENG. La pérdida de función del TAE MAE crea la falta de retención de los líquidos, favorece la falta de movimiento de la humedad, y ayuda a que esta se estanque en la parte baja. Se debe de recuperar esta función del meridiano curioso. El mejor modo: Tonificando el punto de arranque del meridiano.

La puntura se realiza vertical a uno y medio pouce. Se realizan manipulaciones de la aguja *hasta conseguir la llegada del QI*. Posteriormente se manipula en los dos sentidos, hasta conseguir que la sensación se propague hasta todo el abdomen y en algunos casos se irradie hacia la espalda.

El empleo de la tonificación potente con moxa está indicado en los casos de leucorrea blanca tipo frío. Se realizará la moxa después de la puntura, de manera indirecta hasta conseguir una irradiación del calor semejante a las de la puntura.

6RM.—Qihai. Mar de la energía. La debilidad de energía del RM hace obligado el empleo de este punto. Se deberá de tonificar y moxar.

La puntura se realiza perpendicular y ligeramente oblicua hacia abajo. La moxa se realiza de manera indirecta hasta conseguir un enrojecimiento de la piel.

16R.—Huangshu. IU de reencuentro de la entraña. Punto de reunión del Tchongmae. A medio pouce del ombligo.

La puntura se realiza vertical y con ligera oblicuidad hacia el centro y posteriormente hacia abajo. Se emplean pues tres direcciones. Después de la puntura se realizará moxa indirecta.

La sensación se transmite hacia todo el abdomen y la región periumbilical.

La descripción de estos tres puntos completa la terapia de *tratamiento de los vasos curiosos*. El papel que se pretende con ellos es el *de regularizar el tchongmae-Renmae-taemae.* Este debe de ser el primer interés a la hora del tratamiento con el fin de evitar que la afección se profundice y perturbe las energías ancestrales.

El tratamiento siguiendo los vasos de órganos y entrañas es el siguiente:

2H.—Xingjian. Intervalo activo. Se trata del punto IONG fuego del meridiano del hígado. Es su punto de dispersión estático. Se situa en el espacio interdigital del primer y segundo dedo del pie.

El papel fundamental de este punto es el de *DISPERSAR EL CALOR ENDOGENO. TANTO EL PRESENTE COMO EL QUE SE FORMA POR LA HIPERACTIVIDAD DEL HIGADO. SE AÑADE LA ACCION PURIFICADORA DEL CALOR, EVACUANDO EL CALOR DEL HIGADO.*

Las situaciones de hiperactividad del hígado se producen en los estados en que los *sentimientos y afectos, junto con los instintos, son REPRIMIDOS*. Esta situación provoca en la energía del hígado un estado de congestión. La función del hígado es la expandirse. Esta función no se puede realizar en estas condiciones. En estas condiciones se produce un exceso de calor que se distribuye en dos funciones. *Por una parte aumentar el fuego que normalmente se crea por la madera*, y de otra, ejercer una fuerte presión sobre *el bazo acentuando su dominancia.* Esta excesiva dominancia sobre el bazo ocasiona una debilidad por parte de la tierra para controlar la humedad. Esta se deposita y desciende dando origen a la leucorrea, que en estos casos se suele acompañar de sangre por el exceso de fuego. En este complejo mecanismo se desarrolla la instauración de las leucorreas de desarrollo psicógeno. Es por tanto importante, establecer una correcta historia clínica que garantice todos los pormenores de la actividad psíquica de la mujer. En estos casos el pulso se nos presenta *TENSO Y LIGERAMENTE RESBALADIZO. OSCILANDO ENTRE SUPERFICIAL E INTERMEDIARIO*. El examen de la saburra nos la presenta *brillante y roja* con más intensidad en la punta.

En estas situaciones debemos de dispersar el calor. El punto fuego del hígado.

La puntura se realiza perpendicular hacia el plano del pie. Se manipula ligeramente hasta la llegada del QI. En ese momento se la deja sin manipular durante unos 30 minutos. Posteriormente se realizan las maniobras de dispersión. *Movimientos de retirada de energía en seis movimientos*. Retirada por planos en tres estadios. CIELO-TIERRA-HOMBRE.

9B. Yinglinchuan. Fuente de la Colina INN. Se trata del punto HE AGUA del meridiano de bazo.

Se localiza en el condilo interno de la tibia. En una depresión. Sobre el plano medio de la parte interna de la pierna.

Su función en los casos de leucorrea se centro *en metabolizar la humedad y refrescar el calor humedad*. Finalmente, en restablecer el equilibrio entre el AGUA-TIERRA. Frágil equilibrio que se encuentra alterado en las leucorreas.

Su empleo obedece en todos los tipos que estamos presentando.

Su manipulación: Se puntura perpendicular. Hasta conseguir la llegada del QI. A continuación, se manipula hasta conseguir la transmisión de la sensación hacia la profundidad de la pierna.

En los casos en que exista un fuerte componente de calor-fuego en las leucorreas se deberá *de suprimir la moxa*. En los casos de *FRIO BLANCO*, después de la puntura, se debe de moxar de manera indirecta, hasta conseguir el enrojecimiento de la zona.

36E. Tsusanli. Tres distancias. Se trata del punto HUMEDAD DEL ESTOMAGO. Por tanto su papel es fundamental en el control de la humedad en la zona vaginal.

Su manipulación produce una evaporación y drenación de la humedad.

La técnica de manipulación del punto es importante. Antes, recordar que también su empleo es posible en las leucorreas de origen fuego-calor, ya que la dispersión de la humedad puede dispersar el fuego.

La manipulación se realiza en primer lugar provocando *la llegada del QI*. A continuación se profundiza la aguja en sentido perpendicular. Se continua con una ligera retirada de la aguja hasta poderla situar en *sentido oblicuo ascendente*. De tal manera que la sensación pueda ser transmitida hacia arriba. Posteriormente se vuelve a retirar la aguja y se vuelve a profundizar en forma perpendicular hasta conseguir una nueva llegada del QI y la transmisión de la sensación hacia la parte descendente de la energía del meridiano, justo hasta los dedos de los pies. Esta es la correcta manipulación del 36E en los casos de dispersión y drenación de la humedad calor.

Esta técnica para cualquier tipo de leucorrea nos parece de primer orden. Debe de ser utilizada en segundo lugar después de los vasos curiosos.

PUNTOS DE ASENTIMIENTO DEL MERIDIANO DE VEJIGA

Los puntos de asentimiento de los riñones bazo hígado y vejiga, son los más empleados, deben de ser punturados hasta obtener sensación de entumecimiento en la parte interna del abdomen. Posteriormente se debe de aplicar moxa indirecta con cigarro.

3R.—Taici. Gran Balón. Se trata del punto IU del meridiano de riñón. Punto HUMEDAD-TIERRA.

En su aplicación esta el hecho de ser un punto tierra, y así, al igual que ocurriera con el 9B(agua). Las relaciones del agua con la tierra se ven beneficiadas. Se trata de alcanzar la *armonía entre la TIERRA Y EL AGUA*.

No podemos perder de vista que en la génesis de las leucorreas los dos vectores que gravitan sobre los orígenes de la afección son *el RIÑON Y EL BAZO*. Uno en sus responsabilidades con respecto a los meridianos curiosos, el otro, en cuanto a sus manifestaciones, ya que la concretización de la *afección se manifiesta en la humedad.*

La puntura se realiza de forma perpendicular, con manipulaciones en las dos direcciones hasta conseguir que la sensación se manifieste en la zona del talón, y si se prefiere, un estímulo más intenso, activar la aguja hasta conseguir la propagación hasta la planta del pie en el territorio del IR.

Todos los puntos relacionados son los que fundamentalmente se emplearon en el tratamiento de las enfermas presentadas. Las combinaciones más usuales fueron:

COMBINACIONES MAS EMPLEADAS

1. 26TaeM 6Rm 3R.
2. 16R 36E 9B.
3. 2H 36E 6RM Ass V.
4. 26V 36E 9B 3R.
5. 6RM 36E 9B 3R.
6. 27Tae 6RM 3R.

PATOLOGIA MAMARIA

Antes de entrar en consideraciones patológicas, es importante establecer unas consideraciones en torno a las correspondencias de las mamas y en cuanto a las topografías energéticas.

Según el Da Cheng el pezón corresponde al hígado. En principio, la razón que se da no es muy concluyente. «La mujer deberá de tener cuidado con la cólera y las comidas con grasa... Pueden originar estancamientos y posteriormente galactoforetis severa,...».

Parte de las consecuencias patológicas que se pueden derivar de las alteraciones del hígado, que pueden dar como consecuencia una alteración mamaria para justificar las correspondencias con el pezón. Veamos otras consideraciones...

En el punto 17E confluye la energía del hígado... El 17E se corresponde con el centro del pezón... Esta sería la razón energética. De la topografía de los vasos.

La tercera razón estaría en concordancia con las funciones del hígado. Reservorio de sangre... Durante las épocas de lactancia la glándula mamaria aumenta su volumen de líquido a expensas de las transformaciones de la sangre.

Otra consideración está relacionada con la especial constitución del pezón, que le sitúa en el territorio de los músculos. Estas serían las razones de correspondencia.

En definitiva...

1.—Por razones empíricas de los daños que produce la cólera en la mama...

2.—Por la confluencia energética con el meridiano de estómago y el de hígado.

3.—Por las funciones glandulares de secrección láctea de las mamas y su correlación con la función del hígado de reservorio de sangre.

4.—Por las consideraciones materiales del pezón, de diferente constitución del resto de la mama... Se establecen las relaciones de correspondencia con los músculos.

Todas estas consideraciones nos establecen que el hígado es el responsable de la patología del pezón y por extensión de la glándula mamaria.

El otro gran responsable de la energía de la mama es el estómago. Los canales energéticos del estómago son los responsables del crecimiento, maduración y desarrollo lácteo en la mama.

La energía del estómago es el nutriente de las glándulas. Es el que hace posible que la humedad pueda condensarse y mantener un equilibrio con el resto de los líquidos del cuerpo. Su canal irriga de una manera central toda la glándula. Todas las consideraciones de la energía que se establezcan con la patología mamaria deben de pasar por el meridiano de estómago.

En síntesis debemos de recordar que cuando nos enfrentemos a una patología mamaria debemos de considerar en primer lugar las situaciones energéticas *del hígado-estómago*. De las esferas de acción de estos dos órganos, de la exploración de los puntos sensibles del meridiano... De los vasos LO... y en fin de todas las consideraciones a las que se encuentran sometidos estos dos reservorios, órgano y entraña.

MASTOPATIA FIBROQUISTICA

Se trata de una afección de carácter crónico que se desarrolla en la mujer preferentemente entre los 27 y los 35 años. Puede ocurrir en épocas más tempranas, y de no mediar una terapia adecuada se cronifica permanentemente. Se trata de la aparición de múltiples módulos fibrosos de tamaño variable que tienen cierta evolución con los ritmos menstruales. No se encuentran fijados a planos profundos, desplazables y no doloroso a la exploración. Suelen ser de carácter bilateral. En el estudio más detallado vemos que se tratan de modulaciones con contenido quístico.

Como decíamos al principio del capítulo, nuestras primeras consideraciones en torno a la posible etiología de la enfermedad esta ligada al estómago y al hígado.

La secuencia de acontecimientos estaría ligada en primer lugar al frágil equilibrio de la humedad en la mama, a continuación, al estancamiento de la humedad flema, finalmente a la formación de la matería quística fibrosa. Anterior a estos acontecimientos podemos encontrar alteraciones de irritabilidad, ataques de ira, inestabilidad emocional, etc.

Debemos de tener en cuenta que en la mujer, por las especiales condiciones de energía que posee por el fenómeno de la fecundación, todas las variaciones que puedan sufrir sus equilibrios emocionales van a repercutir inmediatamente en todas las partes que estan relacionadas con los sistemas reproductores.

Presentamos 10 casos de mastopatía fibroquística que han sido tratados durante un tiempo medio de 10 meses.

Las edades eran entre los 26 la más joven y treinta y siete la mayor.

Todas fueron diagnosticadas, al menos un año y medio antes.

En todos los casos se habían ensayado terapias farmacológicas.

Todas las pacientes, a pesar del pronóstico benigno de la afección, presentaban un intenso estado de preocupación ante la posibilidad de malignización.

El número mínimo de sesiones fue de 13. El número máximo 45.

En el inicio del tratamiento se realizaron tres sesiones. Luego se continuó con dos sesiones semanales, según la evolución de los casos, para finalmente pasar a una sesión semanal.

De los *diez casos tratados siete fueron curaciones, dos claras mejorías.* Con disminución evidente de las masas, pero sin desaparición total. *Uno* sin claros resultados. Mejoría al principio, pero recaida evidente, con ligeras modificaciones.

Los casos de curación total fueron las más jóvenes de las muestras. Los dos casos de clara mejoría y el caso sin resultado fueron las que más tiempo soportaban la enfermedad.

Los casos de solución total fueron confirmados y explorados por ginecólogos ajenos a nosotros. De las siete curaciones, en cinco casos se practicaron mamografías que confirmaron la exploración manual. Todos los casos resueltos tuvieron un período de seguimiento de al menos diez meses, y en cuatro casos de un año y medio.

UNA APROXIMACION ENERGETICA DE LA MASTOPATIA FIBROQUISTICA

En los orígenes etiológicos de la enfermedad se barajean muchas causas. Desde el punto de vista occidental se piensa que la causa obedece a desórdenes hormonales, y que estos, en el transcurso del tiempo terminaron por desencadenar la formación de quistes fibrosos. No entramos en discusión sobre la validez de esta hipótesis. Desde el punto de vista químico, sin duda este fenómeno se produce, pero nosotros debemos de fijarnos en otros niveles. Los disturbios energéticos. Esta es la primera manifestación que se produce antes de las manifestaciones químicas detectables. Si somos capaces de determinar los acontecimientos energéticos que pueden hacer posible la enfermedad estaremos en condiciones de prevenirla. Sin duda, la auténtica misión del terapeuta: *LA PREVENCION.*

FACTORES PREDISPONENTES DE LA ENFERMEDAD.

Alteraciones menstruales en ritmo y cantidad.

Trastornos digestivos.

Enfermedades crónicas.

Stress.

Trastornos emocionales.

Dietas inapropiadas. Sobre todo las dietas grasas y el exceso de productos animales.

Antecedentes familiares de historias de enfermedad.

Alteraciones mamarias anteriores.

Supresión artificial de la lactancia.

Ingesta prolongada de anticonceptivos.

Tratamientos hormonales intensos.

Tratamientos prolongados con corticoides.

Infecciones durante el puerperio.

Mastitis de repetición.

Alteraciones emocionales durante la lactancia.

Exposiciones repetidas a Rx.

Bruscos tratamientos adelgazantes.

Todos estos factores, y alguno más, por no hacer interminable la lista, son los acontecimientos que pueden ayudar a desencadenar la enfermedad.

Si nos fijamos en la extensa lista, una buena parte de ellos son debidos a procedimientos iatrogénicos. Esta situación debemos de tenerla muy presente si queremos realizar un buen diagnóstico y un consecuente buen tratamiento.

¿Cómo contemplar la sucesión de acontecimientos desde el punto de vista de la energía?.

El primer acto que ocurre energéticamente es *la dificultad en la circulación de la sangre y la energía*. ¿Pero por qué se produce esta alteración? La energía del organismo es muy sutil, multiples factores pueden hacer que se produzcan las suficientes alteraciones capaces de desencadenar una deficiente circulación.

Las alteraciones en la cualidad de la sangre y la energía son las causantes de la dificultad de circulación en los canales y colaterales. Insistimos en la pregunta. ¿Qué factores pueden alterar las condiciones cualitativas de la sangre y la energía? La respuesta en síntesis sería. *UNA NO ADECUACION DE LA RESPUESTA DEL HOMBRE A SU MEDIO.* Analicemos algo más esta respuesta, ¿de qué forma se produce la respuesta del hombre al medio ambiente? La respuesta es la consecuencia de una integración de información con elaboración de respuesta. En el hombre con sus sistemas de sensores, se produce la posibilidad de captación de una información que le proporciona el medio. En virtud de su experiencia previa, que es la suma de su experiencia ancestral pasada, la que corresponde a su raza y la experiencia ancestral próxima que corresponde a la energía ancestral más mediata de padres y abuelos, más las experiencias en el tiempo de desarrollo, se va a elaborar una respuesta. Esta respuesta, *EN NUESTRO ENTORNO; ESTA CASI SIEMPRE CONDICIONADA POR LA IDEA DE LA RENTABILIDAD DE LA RESPUESTA.* Esta situación cultural *MOMENTANEA*, suele IMPEDIR ver una prospección de futuro. Se persigue *el rendimiento inmediato.* En esta situación, *el hombre ha dejado de reconocer como algo consustancial a él mismo, su entorno*, en estas condiciones la respuesta del hombre hacia el medio, casi siempre, es equivocada. Si esta respuesta de HOMEOSTASIS no es correcta, el equilibrio entre los dos vectores se rompe, y en consecuencia... Aparece la enfermedad. Siempre, lo primero que ocurre con el ecosistema (hombre) que rompe con su *sistema generador*, es *la pérdida* de *una función correcta* por parte del ecosistema.

Este primer impacto del hombre con su medio es el que hace posible las alteraciones *de la CUALIDAD DE LA SANGRE Y LA ENERGIA.* Si bien este modelo lo estamos aplicando en esta afección, bien podría ser *UN MODELO FUNDAMENTAL DE LA GENESIS DE LA ENFERMEDAD. La cualidad de la sangre y energía esta en la cualidad de la respuesta del hombre a su medio.* Si dejamos las cosas en este punto, sin duda podemos decir... Que todos los males del hombre tienen solución... Pero... Pero... resulta que el *ser hombre*, es el único *ente vivo* que no es capaz de sacar conclusiones de sus *experiencias negativas*. Las repite *UNA Y OTRA VEZ... CON UN SINIESTRO SENTIDO DE DERROTA... DE INSTINTO DE MUERTE... DETERMINISTA. EN LA REPETICION CONSTANTE DE EXPERIENCIAS DESTRUCTORAS ESTA LA CLAVE DE LA SALUD DEL HOMBRE.* Las enseñanzas que transcienden de las experiencias destructivas, son empleadas por el propio hombre *COMO ELEMENTO DE PODER Y BASE PARA EL DESARROLLO DE MAS DESTRUCCIONES.* En estas circunstancias es difícil eludir las alteraciones en nuestra calidad de energía. ¿Pero cuáles son esas cualidades energía que principalmente se ven afectadas? Las cualidades más sutiles de las energías son las psíquicas. Entendámonos. Al alterarse las cualidades de las energías... Es la energía mental la primera en alterarse. Es la quinta esencia de las energías, por tanto, la más sutil. Su cualidad es la más volátil. Piénsese en situaciones tan simples como un susto, impresión, ...alegria... Cualquiera de las seis emociones es capaz de modificar RAPIDAMENTE el comportamiento de los órganos y entrañas... Aumento del ritmo respiratorio, modificación del volumen minuto modificaciones de la presión arterial, cambios bruscos hormonales, etc, etc. Esto... que podamos observar de una manera clara y medible... Ponemos puntos suspensivos en las seguras modificaciones de las finas estructuras celulares, de los líquidos coloidales... de las estructuras moleculares...

Esta primera impresión cualitativa de las energías son las encargadas de producir los trastornos en la circulación. Entendámonos. Los canales y colaterales no son situaciones que se sustenten por una realidad material demostrable. Los canales se van elaborando en la medida en que se producen y desarrollan las energías. Esto posibilita las irrigaciones a todo el organismo. Es la calidad y secundariamente la cantidad lo que da realidad a los cabales. Son caminos tan sutiles, que cuando cambian las variables de las energías, los territorios de irrigación sufren también los cambios... Es la etapa previa a los fenómenos de estancamiento. *La cualidad de las energías hace modificar los ritmos y trayectos de los meridianos*. Se produce el *fenómeno de los trayectos aberrantes*. Con el ritmo de llegada de las energías ocurre lo mismo. Los ritmos habituales no se cumplen con la ritmicida debidas, entonces... se producen las alteraciones de las funciones de los órganos y entrañas.

Aún, podríamos describir un fenómeno anterior, al de los trastornos circulatorios, los fenómenos de *no reconocimiento*, por parte del organismo, de las nuevas cualidades de las energías. Sería lo que se describe en medicina occidental como los mecanismos autoinmunes. Estos planteamientos podrían explicar incluso parte de esta patología.

Los trastornos de las cualidades, ocasionados por la mala respuesta del hombre al medio, que ocasionan una falta de reconocimiento por parte del organismo, la posterior alteración en los mecanismos de alimentación energética, y la formación de los vasos aberrantes con los cambios en los ritmos de energía, son el paso previo para que se desarrollen los *fenómenos de estancamiento*. Este segundo estadio es de prolongada evolución. Los estancamientos de sangre y energía son alteraciones progresivas que culminan con la *creación de una masa*. Lo que podríamos *llamar TUMOR*. ¿Qué ocurre cuando comienzan a estancarse las energías y la sangre?

Las variaciones de las cualidades de las energías que comienzan por la energía mental, producen cambios en la fluidez de las energías. Lo primero que ocurre es un cambio en la velocidad de las mismas. El tiempo de recorrido se debe de emplear para cumplir un *ritmo biológico natural se enlentece*. Esta situación conlleva una deficiente irrigación energética lo que se traduce en una *deficiente alimentación de sangre energía*.

Las energías que debían de haber cumplido determinados ciclos se vuelven a encontrar en los lugares de estancamiento... Esta crónica situación *se transforma en humedad-estancada*. ¿porqué humedad? Como conocemos... La tierra constituye dentro de los cinco movimientos el lugar central del eje de distribución. Esto significa, también, que la cualidad global que tiene impresa *toda energía es la CUALIDAD HUMEDAD*. Este seria el sello de identificación que permitiría luego una mayor individualización.

Esta cualidad humedad, permitirá luego la adhesión de las otras cualidades individuales de viento, calor, sequedad, frío... Por esta razón, al producirse un estancamiento de las energías, el factor que predomina como común a todas las energías es la HUMEDAD. Las demás cualidades se pierden por no poder reciclarse. Se crea así una afinidad por todas las energías humedad de tal manera que se van transformando *paulatinamente en FLEMAS*. Se trata de un mayor grado de aumento de humedad, hasta el punto de constituir una formación visible y con estructura... Transcurrido el tiempo esta situación *se transforma en* moco. Esta nueva estructura supone una nueva organización. La constitución es más compleja se delimita el territorio y comienza a establecer un mecanismo de homeostasis con el organismo. Podríamos decir entonces, *que el moco es una parasitación del propio organismo que se desarrolla como consecuencia del estancamiento de la humedad*. De la constitución mucosa se va pasando paulatinamente a la situación de *quietud estancamiento frío*. Se crean así *sustancias sólidas*. Es el INN en su íntima expresión. FRIO. Con la formación de este estadio tenemos casi completa la génesis del desarrollo tumoral desde el punto de vista energético. Tan solo es un resumen de lo que pensamos que puede ser la génesis de formación según el comportamiento energético. Aún siendo un resumen, es suficiente explicación para aproximarnos a comprender la formación de una mastopatia fibroquística. Establecer deducciones terapeúticas y actitudes pronósticas... Y claro... Aplicaciones PREVENTIVAS.

PUNTOS DE TRATAMIENTO

El motor central de tratamiento se debe de *centrar en el ESTOMAGO*. El estómago es el vector capaz de movilizar el estancamiento de humedad, al constituir el mar de la nutrición y vector YANG de la tierra. Ya explicamos que la *unidad BAZO ESTOMAGO* es algo indisoluble, pero, sus connotaciones INN YANG subyacen en su interior.

18E.—Rugen. Base del Mamelón. Se trata del punto que recoge el vaso que proviene del *GRAN LO DEL ESTOMAGO*. Se sitúa en la línea media mamelonar, en el pliegue mamatio del 5º espacio intercostal.

Se trata del punto local de mayor eficacia en las mastopatias fibroquísticas. Actua como drenador y activador de las energías-sangre estancadas.

La manipulación de la aguja en este punto requiere unas posturas determinadas si queremos que cumpla sus funciones.

La aplicación *primera*. Se hace perpendicular, a pequeña profundidad, hasta la llegada del QI. Aparecida esta sensación, se retira ligeramente la aguja y se manipula con movimientos en ambos sentidos (dcha. izqd.) colocándola a continuación en *su segunda* aplicación. En un plano horizontal oblicuo hacia la base de la mama. En esta posición se manipula la aguja durante un minuto. A continuación, tercera aplicación, se retira ligeramente y se dirige hacia el lado derecho, o izquierdo hacia el centro del pecho. En esta situación se manipula la aguja otro minuto, hasta conseguir que la sensación se transmita al centro del tórax. *La cuarta aplicación* se realiza también oblicua y en este caso, hacia afuera, derecha o izquierda. Se manipula igualmente la aguja hasta conseguir que la sensación se transmita hacia la parte lateral del tórax y la zona axilar. *La quinta* manipulación se realiza hacia abajo en el sentido de la corriente del meridiano. Se vuelve a manipular hasta conseguir que la sensación se transmita en el sentido de la dirección del canal. En ocasiones la sensación puede llegar hasta el estómago.

Todas estas manipulaciones se deben de realizar en una *sola puntura*. Finalizadas las manipulaciones se retira la aguja.

40E.—Fenglong. Garan Bloque. Se trata del punto *Lo* del meridiano de E. Como decíamos en casos anteriores regulariza las funciones del sistema BAZO-ESTOMAGO.

Es el punto *drenador de la humedad del pecho.* Actua a manera de sifón movilizando el estancamiento y favoreciendo la drenación de la humedad estancada en las mamas. Sería el punto a distancia en contraposición al punto local del 18E.

En la manipulación del punto se emplea la técnica de dispersión, realizando los siguientes pasos.

1.—Puntura perpendicular a una profundidad de unos dos y medio pouce. Profundo. Llegada del QI.

2.—Manipulación del QI hasta sentir que la energía desciende por el canal hasta los dedos del pie.

3.—Dejar la aguja durante veinte o treinta minutos. Durante ese tiempo es probable que el paciente sienta la sensación de movimientos de energía hacia abajo.

4.—Manipulación de dispersión.

a) Rotación en seis veces en sentido contrario a las agujas de reloj, desde donde se encuentra la aguja.

b) Realización de los mismos seis movimientos en la retirada de la aguja según los tres planos CIELO-TIERRA-HOMBRE.

5.—Salida de la aguja de forma dulce y suave. SIN MASAJEAR. NO OBTURAR EL PUNTO.

Estas manipulaciones realizadas sobre el punto garantizan una auténtica dispersión del mismo, asegurando el movimiento de energía desde el pecho hasta el resto del organismo.

6B.—Sanyinchiao. En el meridiano del BAZO encontramos el lugar de confluencia de los tres INN de las piernas. Con la manipulación de este punto se consigue evitar el estancamiento de la sangre.

Se efectuan sobre él las dos técnicas de *tonificación Dispersión*. En primer lugar se *dispersa. A continuación se tonifica.* En la primera maniobra se pretende movilizar el estancamiento de sangre en la segunda, *activar* los movimientos de la circulación que se encuentren enlentecidos.

4IG.—Hegu. Fondo del Valle. Se trata del punto que nos proporcionara la activación de la energía en las zonas mamarias.

Se debe *de emplear en tonificación* de tal manera que la sensación se transmita en dirección ascendente en el sentido de la corriente del canal.

17RM.—Mangzhong. Medio del Tórax. Se trata del punto MU del MC. También MU del TR superior. Se trata de un punto de reunión de las energías del B-R-IG-TR. Se trata del punto de reunión de todos los vasos secundarios. Todas estas consideraciones energéticas son suficiente bagaje para utilizar su empleo en esta afección.

Desde el punto de vista de los tres calentadores, se puede exponer que la mastopatía fibroquística se debe a un estancamiento de humedad en el recalentador superior. En este sentido se debe de manipular este punto para conseguir una activación del estancamiento de la humedad.

La localización se centra justo en el centro del pecho en la línea que une los dos mamelones.

Según el Nanjing todas las afecciones de etiología energética deben de ser tratadas por este punto.

Este es otro de los puntos fundamentales para el tratamiento de esta afección.

La manipulación del punto es una de las características más importantes si queremos obtener máximos beneficios.

1.—Se puntura en ligera oblicuidad hacia abajo hasta conseguir la llegada del QI.

2.—Cuando esta se ha producido, se manipula la energía hacia abajo. La paciente experimentara una sensación de movimiento de energía hacia abajo, en dirección de la parrilla costal.

3.—Se retira ligeramente la aguja y se vuelve a introducir en ligera manipulación, también en sentido oblicuo hacia abajo, pero algo más perpendicular. Ahora la sensación se transmitirá hacia el centro del pecho, con sensación de que la energía se profundiza hacia la profundidad del tórax.

4.—Se vuelve a retirar ligeramente la aguja, sin retirarla, y manipularla hacia la izquierda, en dirección hacia la zona mamilar. Se manipula la aguja hasta que la sensación se transmita hacia la zona mamaria izquierda.

5.—Se vuelve a retirar ligeramente y se vuelve a manipular hacia la derecha, de la misma manera que en el caso anterior, pero en el lado opuesto. La sensación se vuelve a transmitir hacia la zona mamaria.

Estas cinco manipulaciones constituyen maniobras esenciales para el desarrollo de la actividad de este punto. Todas estas maniobras persiguen la tonificación del punto evitando el estancamiento de la energía-sangre en las mamas,

Estos cinco puntos son los puntos de mayor actividad en esta afección.

Como puntos básicos. 18E-17EM-40E. Los demás puntos pueden considerarse como secundarios.

OBSERVACIONES SOBRE LA INMUNIDAD CELULAR Y LOS EFECTOS CURATIVOS DE LA TERAPIA DE ACUPUNTURA EN LA HIPERPLASIA MAMARIA

Kou Chengjie, Kou Tingxing, Ma Zhengya, Chong Hong, Han Yongan (Colegio Sanxi de Medicina Tradicional China).

De marzo a agosto de 1978, tratamos 72 casos de hiperplasia mamaria, con acupuntura, en casos escogidos al azar y obtuvimos resultados eficaces en un 93,15% de casos y un 32,90% fueron curados. Con el fin de efectuar observaciones ulteriores, se escogieron 60 casos y se dividieron en 3 grupos, en el período comprendido de octubre a diciembre del mismo año y tratados con acupuntura, inyecciones de estracto L. de Phasoulus Vulgaris y medicina occidental, respectivamente.

METODO TERAPEUTICO.

I. El grupo que empleo acupuntura:

1) Primer grupo de puntos: Wuyi, Zusanli, (ambos bilaterales y Tanzhong).

2) Segundo grupo de puntos: Tienzong, Jianjing y Shenyu (todo bilaterales).

3) Puntos para sumar y restar.

4) Método de acupuntura: Generalmente los dos grupos de puntos pueden ser empleados e intercambiados a diario con estimulación mediana. A los enfermos que se enojan con facilidad, se les puede aplicar estimulación enérgica en el punto Taichong, pero a aquellos con vitalidad deficiente y deficiencia de sangre se les puede aplicar estimulación leve.

En todos los casos, las agujas deben retenerse durante 20 a 30 minutos y rotarse dos o tres veces.

5) Cursos terapeúticos. Un curso se compone de 3 etapas y cada etapa consiste de 8 aplicaciones de acupuntura.

II. Grupo que emplea las inyecciones de estracto L. de Phaseolus-Vulgaris. Inyéctese en los puntos una vez por semana. Cuatro semanas hacen un curso. A los enfermos de ambos grupos también se les efectuaron observaciones sobre sus reacciones inmunológicas antes y después del tratamiento.

III. Grupo que empleaba medicina occidental: Administrada con testosterona según las instrucciones. Los enfermos de cada grupo fueron cotejados según las normas de efectos terapéuticos después del curso del tratamiento.

RESULTADOS DEL TRATAMIENTO.

I. Comparación de efectos terapéuticos: En el grupo de acupuntura (20 casos) 10 fueron curados, 8 satisfactorios, 1 mejorado, 1 fracaso.

En el grupo de inyecciones (18 casos) 2 fueron curados, 5 satisfactorios, 4 mejorados, 7 fracasaron.

En el grupo de medicina occidental (20 casos), 1 fue curado, 3 satisfactorios, 9 mejorados, 7 fracasaron.

El efecto en pacientes con hiperplasia mamaria, en el grupo mamaria, el grupo de acupuntura fue mucho mejor que en el de los otros (P 0.01).

II. La relación entre los tipos clínicos y el efecto terapéutico: Según la teoría de la medicina tradicional china, los pacientes con esta enfermedad pueden ser divididos en los 4 tipos siguientes: tipo melancolía del hígado, tipo colérico del hígado, tipo con deficiencia de fluídos de hígado y riñones y tipo de vitalidad deficiente y sangre. Dentro de los 130 casos, 105 estaban propensos a trastornos del hígado 80.7%. Empleando la determinación de tratamientos basados en la diferenciación de los síntomas y signos, de acuerdo con la teoría de la medicina tradicional, obtuvimos excelentes resultados en pacientes de todos los tipos.

OBSERVACIONES INMUNOLOGICAS.

Dos grupos, 20 casos en el grupo de acupuntura y 15 en el grupo de inyecciones, se mantuvieron bajo observación para cambios inmunocelulares.

La comparación de los resultados de las reacciones de activa y total rosette eritrocita en estos grupos, demuestra que se encontraron muchas similitudes entre sí.

Más importante fue la gran diferencia existente entre las reacciones antes y después de la acupuntura (P 0.01). Esto indica que la acupuntura y las inyecciones de estracto L de Phaseolus Vulgaris ayudan a aumentar el nivel de las funciones inmuno celulares de los enfermos.

BARTHOLINITIS

Se trata de una infección crónica de las glándulas de Bartholino. Suele presentarse en cualquier edad, aunque son más propensas las mujeres diabéticas, las que poseen otra enfermedad crónica. En enfermas sometidas a gran stres, etc, etc.

El tratamiento, en general, suele ser quirúrgico.

Desde el punto de vista de la M.T.C. estas infecciones corresponden a las alteraciones de la HUMEDAD FUEGO. El estancamiento de estos dos agentes son los causantes de la enfermedad.

Presentamos 9 casos de bartholinitis, de los cuales cinco son en primera ocasión y de carácter subagudo. Una de las mujeres era diabética. Las edades estaban comprendidas entre los 17, la más jóven y los 52 la de más edad.

De los nueve casos seleccionados y tratados todos resolvieron su problema en un plazo medio de *tres meses*. El número mínimo de sesiones fue de cinco. El número máximo 27.

El comienzo del tratamiento fue de cinco sesiones, para continuar con dos sesiones semanales según los síntomas, proseguir con una semanal y asegurar el resultado con tres a cinco sesiones más, después que la enferma se encuentra asintomática.

Las bases del tratamiento se centran en dispersar la humedad y combatir el fuego.

La selección de los puntos se centra en los meridianos de RM-Bazo-Hígado.

3-4RM.—La selección de estos puntos se debe a su participación INN en la irrigación energética vaginal.

Se trata de puntos de reunión de las energías de los tres INN de las piernas, junto con las energías ancestrales de los meridianos curiosos, lo cual supone una movilización de la energía ancestral.

La puntura y manipulación de estos puntos supone el manejo de la aguja con el fin de estimular los dos puntos con la puntura de uno.

Se inicia la puntura con el 4RM. Se puntura perpendicular a una profundidad de 1,5 pouces se manipula la aguja hasta la llegada del QI. Cuando esta sensación se produce *se retira* ligeramente la aguja y se *estimula con manipulaciones oblicuas* hacia el 3RM; SE

MANIPULA *LA AGUJA HASTA LLEGAR AL LUGAR DEL 3RM. Sentida la sensación* en este punto, se procede a efectuar movimientos de tonificación hasta que la sensación se transmita hacia la zona vaginal. La sensación es de cosquilleo y calor. Conseguidas estas sensaciones se procede a la retirada de la aguja. Estas manipulaciones son precisas si queremos transportar energía defensiva y dispersar el calor patógeno con el calor endógeno.

6B.—Sanyinchiao. Se trata como sabemos del punto de reunión de las energías de los tres INN de las piernas. En el caso anteriormente descrito, se trata de una unión en la zona proximal de la afección, en este segundo caso se trata de una unión distal. En los dos casos se trata de zonas de unión de las energías de los tres INN de las piernas.

La manipulación de este punto se realiza en TONIFICACION. Se puntura perpendicular, se manipula hasta la llegada del QI y a continuación se estimula transmitiendo la sensación hacia el sentido ascendente del meridiano.

5H.—Ligou. Recodo final. Se trata del punto LO del meridiano de hígado, lugar desde donde parte la energía del vaso ascendente que termina contorneando la zona genital. Este punto purifica la sangre y combate el calor. Se localiza sobre el borde interno de la tibia, a cinco pouces del maleolo interno del pie.

Se estimula y manipula hasta que la sensación se transmita en el sentido ascendente del meridiano. Se puede emplear la moxibustión indirecta.

También se pueda emplear la moxibustión en los puntos antes descritos del RM-3-4. También indirecta con puro.

PUNTOS DE ASENTIMIENTO DE VEJIGA.

En los casos rebeldes, que después de tres o cinco sesiones no hemos notado resultados evidentes, se emplearan los puntos antes citados con los puntos de asentimiento de H-B-E-R. Estos cuatro puntos se deben de emplear en tonificación, y posterior empleo de la moxa indirecta.

Se realiza la puntura perpendicular oblicua al plano del TM, se manipula hasta la llegada del Qi, y posteriormente se prosigue la manipulación hasta que la sensación se siente en la parte profunda del abdomen.

3TM.—Yaoyangguan. Barrera del Yang. Se trata de un punto barrera situado a nivel de la apófisis espinosa de la 4ª lumbar por debajo.

Las posibilidades de manejo de energía WANG en la zona afectada, es evidente en la manipulación de este punto.

Se debe de punturar en el siguiente orden:

1.—Inserción perpendicular, con movimientos de activación, hasta conseguir la llegada del QI.

2.—Si la paciente está sentada, se continuará manipulando en perpendicular hasta obtener que la sensación se transmita hacia la zona genital.

3.—Si la paciente esta acostada, se manipulará la aguja en sentido oblicuo descendente a mayor profundidad, hasta conseguir igualmente que la sensación se transmita.

4.—Después de esta manipulación y propagación de la energía hacia la zona afecta, se dejará la aguja por espacio de cinco minutos. A continuación se vuelve a manipular hasta conseguir una nueva sensación.

5.—Se vuelve a dejar cinco minutos, y se vuelve a manipular hasta conseguir esta tercera sensación. Terminada ésta, se retira la aguja en tonificación. Retirada ligera, con masaje y cierre del punto.

También se puede reforzar la acción de la puntura con la aplicación de moxa. Tanto indirecta como directa.

20TM.—Cien Reuniones. Se trata del punto de reunión de la energía YANG. La selección de este punto se aplica por la regla del tratamiento de lo bajo por lo alto. Por otra parte, por el papel purificador de la sangre.

La puntura se realiza perpendicular y ligeramente oblicua hacia el sentido del meridiano. La sensación se transmite a lo largo del meridiano. En ocasiones puede llegar hasta la zona genital, entonces, su efecto será más intenso.

Después de la aplicación de la puntura se debe de aplicar moxa indirecta con cigarro.

Estos seis puntos, junto con los asentimientos de vejiga son el arsenal terapéutico más importante en el tratamiento de esta afección.

En las primeras sesiones utilizar: 3-4RM-3TM-4H. Todos con moxa después de las punturas.

En las siguientes sesiones emplear: 3-4RM-6B-20TM.

Y a continuación: 3-4RM-6B-5H-20TM.

En casos rebeldes, utilizar la primera combinación y a continuación, emplear los puntos de asentimiento de los órganos B-H-E-R.

Dentro de los niveles diagnósticos de esta afección se destaca la exploración del pulso y el diagnóstico de la lengua.

PULSO.

El pulso se nos presenta ligeramente superficial o intermedio, pero tenso y amplio. Son los signos de la HUMEDAD-FUEGO. Durante el transcurso del tratamiento se producen cambios hacia la supresión de las cualidades de tensión y amplitud. Es decir que lo primero que tiende a desaparecer es el fuego. La humedad permanece más largo tiempo.

LENGUA.

La lengua se nos presenta de color rojo, con saburra amarilla espesa. En el transcurso del tratamiento se nos irá cambiando, de tal manera que el color rojo se transforma en más pálido y la saburra amarilla espesa se transforma en saburra de menos intensidad y poco espesor. En la medida en que el tratamiento se completa y los síntomas desaparecen, el color amarillento se transforma en blanquecino... Hasta presentar una saburra normal.

Como podemos apreciar, existe una concomitancia entre los signos diagnósticos del pulso y los signos diagnósticos de la lengua... Si bien... los cambios son más frecuentes intensos y evidentes en la lengua, y más tardíos en el pulso.

El tiempo de seguimiento de las pacientes fue de más de seis meses después de cesar el tratamiento. En ninguno de los casos se apreció ninguna recaida.

FIBROMA UTERINO

Presentamos *cinco casos tratados y seguidos su evolución*.

Se tratan de cinco mujeres con edades comprendidas entre los 29-48 años.

Todas ellas con el diagnóstico previo de mioma uterino.

Todas vistas en centros sanitarios.

Diagnósticos confirmados con ecografías y exploración manual.

Todas las enfermas acudieron a la consulta ante la posibilidad de evitar la intervención. *De los cinco casos tratados, en CUATRO* se consigue una recuperación total. En el quinto caso, se trataba de un fibroma múltiple útero-fibromatoso. Disminuyeron los efectos secundarios, y también el tamaño de las formaciones, pero al final del tratamiento no se resolvió de todo el problema.

En medicina occidental se considera la aparición de fibromas uterinos como una consecuencia de la involución uterina... Si bien no es fisiológico... Si se considera una afección muy frecuente. El remedio tras algún intento de tratamiento hormonal es la estirpación quirúrgica. Histerectomía total.

CONCEPCION ENERGETICA DE LA FORMACION DE UN FIBROMA.

En una estricta concepción, se trata de una afección que surge como consecuencia del estancamiento de la humedad-sangre. Con la participación posterior de los estancamientos y formación de mucosidad... para finalmente aparecer los fenómenos frío.

En los *fenómenos de estancamiento de sangre* intervienen los siguientes factores.

1.—Penetración del frío con posterior estancamiento de sangre.

2.—Excesivo cansanción, por un trabajo grande, una constitución débil... Estados de intensa preocupación... Todas estas circunstancias pueden provocar una dificultad en la circulación de la sangre en el útero.

3.—Alteraciones del bazo.

4.—La cólera del hígado ocasiona un estancamiento del hígado. En consecuencia un estancamiento de la sangre.

En los *fenómenos de estancamiento de humedad con formación de mucosidad.*

1.—Trastornos congénitos.

2.—Personas excesivamente reflexivas.

3.—Trastornos crónicos de alteraciones en los ciclos menstruales.

4.—Alteraciones crónicas como consecuencia múltiples embarazos.

5.—Transtornos circulatorios crónicos.

6.—Obesidad prolongada.

Las sintomatologías dependiendo de las causas suelen presentar algunas variaciones generales.

SINTOMATOLOGIA DE ORIGEN HUMEDAD-FLEMA.

1.—Suele presentarse en personas obesas.

2.—Alteraciones menstruales con excasa producción.

3.—Pulso RESBALADIZO Y TENSO.

4.—Saburra espesa amarillo grisaceo.

5.—Ocupaciones ocasionales de flemas en la zona torácica con sensación de ahogo y aumento de expectoración.

6.—Frecuentes accesos de leucorreas de color amarillo con intenso olor.

PUNTOS EMPLEADOS.

Los puntos empleados en estos casos fueron los siguientes.

3RM.—Zhongmai. En este punto se concentran las energías de los tres INN de las piernas. Es el lugar idóneo local para actuar modificando los estancamientos. La función del punto consiste en *ACTIVAR LA ENERGIA DE LA ZONA DE LA MATRIZ.* De esta manera se modifica el estancamiento de humedad-moco.

La forma de puntura se debe de efectuar con la aguja larga. Con las consiguientes manipulaciones.

1.—Puntura perpendicular con manipulación hasta obtener la llegada del QI.

2.—Ligera retirada de la aguja y puntura ligeramente oblicua hacia abajo, hasta transmitir la sensación hacia la zona genital.

3.—Ligera retirada de la aguja y lanzar la aguja hacia la zona izquierda del territorio del meridiano de riñón-estómago. Se manipula hasta que la sensación se transmita en profundidad hasta la cavidad abdominal.

4.—Se vuelve a retirar ligeramente la aguja y se dirige ahora hasta la zona derecha. Se efectúa la misma maniobra que en el lado izquierdo.

5.—Finalmente se vuelve a retirar la aguja y se manipula en el sentido ascendente de energía del meridiano. La sensación se transmite de forma que llegue hasta la zona abdominal alta. La sensación se siente en la profundidad.

4OE.—Fenglong. Punto LO del meridiano de estómago y drenador de la energía de la parte alta. Esta es la razón de su empleo, con el fin de drenar la mucosidad que constituye el fibroma.

La técnica de manipulación es la misma que la descrita en los casos anteriores.

3H.—Taichong. Gran asalto. Se trata del punto tierra del hígado. Su función reside en dispersar la humedad. La puntura se efectúa de forma perpendicular. Se manipula primero en dispersión y luego en tonificación.

39E. Xianjuxu. Gran vacío de la región inferior. Se trata del punto He inferior del intestino delgado. Al tratarse de punto mar, se trata de un punto de gran concentración de energía, que se encuentra dentro de las influencias del meridiano de estómago.

Según cita de Nguyen Van Nghi, forma con los puntos 11V-37E el grupo de puntos más de los doce meridianos. «LINGSHU. cap. 35».

Elimina la humedad de las partes altas, al igual que el 40E.

Su puntura requiere como en el caso del 40E unas manipulaciones especiales.

1.—Se puntura con la aguja larga. La puntura se realiza profunda hasta 2,3-3 Pouce, aprox. Se manipula hasta conseguir la llegada del QI.

2.—Conseguida la llegada del QI, se manipula con suaves manipulaciones hasta conseguir que la sensación se transmita hacia la parte baja de la pierna y pueda llegar hasta los pies.

Se mantiene la aguja durante 20-30 minutos. Al retirarla se activa nuevamente hasta conseguir de nuevo la sensación de descenso de la sensación.

6B.—Sanyinchiao. Reunión de los tres INN. Con la manipulación del 6B conseguimos desbloquear el estancamiento de la humedad-flema del territorio del útero.

La manipulación del punto es importante. En una primera intención, después de conseguir la llegada del QI se manipula en dispersión. A continuación se manipula en tonificación hasta conseguir que la sensación se transmita de forma ascendente a lo largo del meridiano.

Esta fue la conducta terapéutica aplicada en tres de los casos presentados que debían su origen a la humedad.

En los casos de estancamiento sanguíneo, los síntomas más frecuentes son.

1.—Trastornos menstruales, con tendencia a reglas abundantes.

2.—Frecuentes infecciones urinarias en vejiga.

3.—Leucorreas amarillo-sanguinolentas.

4.—El pulso es RUGOSO.

5.—La lengua esta exenta de saburra y su aspecto es rojo.

En estas situaciones, que fue en un caso se emplearon los siguientes puntos.

3RM. Igual que en el caso anterior se trata de movilizar el estancamiento de sangre. De la misma manera, al tonificar la energía de la zona, activamos el estancamiento de la sangre. Las manipulaciones descritas en el caso anterior son las mismas en este caso.

17V.—Geshu. IU del diafragma. Se trata del punto de reunión de la sangre. Se trata del punto conservador de la sangre. «LINGSHU». Su puntura es obligada en estos casos en que se sospecha el estancamiento de sangre.

Se localiza a uno y medio pouce de la apófisis de la séptima dorsal.

La puntura se realiza de forma oblicua hacia la base, hasta conseguir que la sensación se transmita hacia la profundidad del tórax.

6B.—Sanyinchiao. Como en los casos anteriores su empleo se debe al poder de movilización. En este caso el intento se debe de focalizar en las movilizaciones de sangre.

Las manipulaciones se deben de efectuar de la misma manera que en los casos anteriores, se dispersa y tonifica. *Se dispersa para dispersar la sangre* acumulada. Se tonifica con el fin de activar la sangre y evitar que esta se estanque.

En los casos en que el frío se encuentre presente, y es cuando el tiempo de evolución es muy prolongado, se deben de emplear.

23V.—Asentimiento de riñón. Se trata del punto IU de los riñones. Su empleo se debe a la dispersión del frío. Después de la puntura se aplicará la moxibustión indirecta.

4TM.—Mingmen. Puerta de la vida. A través de las activaciones de este punto conseguimos fortificar las funciones YANG de los riñones. Después de las tonificaciones con la aguja, se empleará la moxibustión tanto directa como indirecta.

Estos dos puntos se emplearon en un caso.

OBSTETRICIA

En el terreno de la obstetricia la acupuntura es una de las armas más utilizadas en la República Popular China. En nuestro medio la situación es bien diferente. Las posibilidades de actuación en centros que posibiliten estas actuaciones se encuentra muy limitadas. Por otra parte, la experiencia obstétrica requiere una completa dedicación y una permanencia hospitalaria sostenida. Es por ello que nuestra experiencia al respecto es escasa. Por tanto, presentamos la experiencia de la República Popular, que bien puede ser una muestra de los beneficios de la acupuntura en esta especialidad. En Europa, similares experiencias han aportado los franceses, alemanes y sobre todo La Escuela Italiana que dirige el Dr. Ulderico Lanza, es una de las mejores exponentes del buen hacer de la acupuntura en el terreno de la obstetricia.

En los trabajos que presentamos están también incluidos raports sobre *analgesia-obstetrica en cesárea.*

Resaltar la basta experiencia que sobre la aplicación del 67V se tiene en la República Popular China. Su acción sobre la mal posición fetal es concluyente. Esta sí sería una labor de acción de la medicina tradicional, fuera de los centros hospitalarios. La acción es simple y no entraña ningún tipo de riesgos para la paciente ni para el feto. A buen seguro que con la práctica sistematizada de esta terapia, se evitarían numerosas cesáreas.

ESTUDIOS PARA LA CORRECCION DE LAS POSICIONES FETALES ABDOMINALES MEDIANTE MOXIBUSTION A LOS PUNTOS ZHIYIN. (V. 67)

La moxibustión a los puntos Zhiyin ha sido ampliamente usada en China para corregir la posición fetal abdominal. Infinidad de reportes clínicos demostraron que era seguro, simple y efectivo, además las pacientes se sometían de buena gana al tratamiento.

INVESTIGACIONES CLINICAS.

Se estudiaron pacientes con varias anormalidades en la posición fetal y con 29 a 40 semanas de embarazo. 2.069 fue el total de casos sometidos a terapia de moxibustión. Esta terapia se aplicó bilateralmente a los puntos Zhiyin (V. 67). Se controló el calor a fin de no producir dolor de quemadura. Se aplicó una vez al día y durante quince minutos se corrigió la posición fetal en 1.869 de 2.069 casos después de aplicada la moxibustión, dando un 90.37% del total.

86% de los casos se corrigieron después de una a cuatro aplicaciones y los restantes 14% de los casos se corrigieron después de cinco a diez aplicaciones. En 2.069 pacientes, 2.041 fetos estaban en presentación de nalgas (1.841 corregidos) y 28 estaban en posición de acromión (todos corregidos). La diferencia entre los efectos terapeúticos en primípara y multípara (hasta 6 partos) no fue de significancia. La frecuencia de correcciones más alta fue en pacientes con una tensión media promedio en la pared abdominal que en aquellos con tensión alta o baja, la frecuencia de correcciones en pacientes con 30 a 34 semanas de embarazo fue más alta que en aquellas con gestación de más de 34 semanas, sin embargo, en 880 casos comprendidos en esta última categoría, la frecuencia de correcciones aún se aproximó a 84.6%.

En 1.794 casos de entre 1.869 con posición fetal anormal, corregida con éxito, se pudieron sentir movimientos fetales cuando fue aplicada la moxibustión, 200 en las que no se pudieron sentir movimientos fueron fracasos.

De los 200 fracasos, la cabeza de feto estaba fija en 10 casos bajo el borde costal. En 65 casos la pared abdominal estaba más bien tensa. Entre ellos el feto había ya entrado parcialmente en la pelvis en 10 casos. Estas condiciones eran desfavorables para la versión fetal. En otros 38 casos, la pared abdominal de la paciente estaba laxa. La posición anormal del feto recurrió fácilmente después de la versión; con el fin de comprobar o verificar más extrictamente los efectos de éste método, se admitieron 111 pacientes con 30 a 38 semanas de embarazo, para observación ulterior. Con el fin de eliminar los casos de versión espontánea de los casos exitosos, no se aplicó terapia durante los primeros dos días de la admisión, durante este período, la posición fetal en 11 casos volvió espontáneamente a la posición normal. Haciendo un 9.9 por ciento. En los siguientes casos no ocurrió ninguna versión espontánea. La moxibustión se aplicó una vez al día durante nueve días, a los puntos Zhiyin.

En el curso de la terapia, se corrigió la posición fetal en 71 casos, siendo la frecuencia de correcciones de 71 por ciento. De los 29 casos 4 sin éxito, hubo 7 en los cuales se corrigió la posición fetal durante la moxibustión, pero hubo recurrencia a la posición anormal antes de la expulsión. El total de casos sin éxito fue de 24.1%. En 6 de los antes mencionados casos se había intentado la postura Genu-Pectoral (rodilla-pecho) y terapia de moxibustión, pero sin éxito antes del ingreso hospitalario. En 5 de esos casos tuvo éxito la moxibustión después del ingreso la conclusión derivada de las observaciones en estas series estuvo en concordancia con las derivadas de observaciones anteriores.

Pero la frecuencia de correcciones fue algo más baja en las presentes series. Esto puede ser debido a diferencias en el criterio para la selección de casos y la evaluación entre el departamento de pacientes externos y las salas hospitalarias.

De acuerdo con informes de países extranjeros, la incidencia de versión cefálica espontánea fue de un 60 por ciento de la que un 90 por ciento tuvo lugar antes de la 34va. semana. Como queda mencionado, la frecuencia de correcciones con moxibustión fue superior a un 90%. En paciente con gravidez de más de 34 semanas, la frecuencia de correcciones llegó a un 84.6 por ciento. Estos hechos demostraron el significado práctico de la moxibustión para corregir la postura fetal anormal.

OBSERVACIONES EXPERIMENTALES.

1.—Han sido registrados simultáneamente varios parámetros fisiológicos entre 41 pacientes con postural fetal anormal. Se demostró que en el curso de la moxibustión, la actividad respiratoria del paciente no tuvo cambios de significación, no se contrajeron los vasos sanguíneos de la piel, sino que más bien estaban en un constante estado de dilatación. Lo anterior quedó demostrado por el hecho de que en el pletismograma aumentó la amplitud de la onda del pulso, y por haber aumentado la temperatura de la piel. No hubo aumento en la frecuencia del pulso, la presión sistólica y la presión diastólica no aumentaron, la primera bajó un poco, no hubo cambios apreciables en la hemasitometría diferencial. Sin embargo aumentó la frecuencia cardiaca del feto. Estos resultados sugieren que el sistema simpático adrenal no fue estimulado por moxibustión. El aumento de la frecuencia cardiaca fetal puede ser debido a otros factores.

2.—Se han investigado las alteraciones de la actividad endocrina en 33 casos, se descubrió que antes de la moxibustión el valor de la 17 hidroxicorticosterona urinaria y 17 cetosteroides en mujeres grávidas era más alta que en las no grávidas. Después de la moxibustión el valor de estas hormonas Pre y Post-moxibustión, los valores de corticosterona libre en plasma han mostrado variaciones similares. Estos resultados sugieren que la moxibustión estimula el sistema hipofisiario-adrenocortical.

3.—En 8 pacientes con presentación pélvica del feto, se registraron huellas de contracciones uterinas y movimientos fetales antes y después de la moxibustión, se observó que el aumento en frecuencia y amplitud de estas actividades alcanzaron su punto máximo una hora después de la moxibustión o durante la noche, volviendo a sus anteriores niveles al día siguiente. En pacientes cuya posición anormal del feto fue corregida después de la moxibustión o durante la noche, volviendo a sus anteriores niveles al día siguiente. En pacientes cuya posición anormal del feto fue corregido después de la moxibustión, la reversión ocurrió automáticamente, cuando estas actividades se aproximaban a su cúspide. En cuatro casos con feto muerto. (3 en presentación cefálica, 1 en presentación pélvica), no se registraron movimientos fetales después de la moxibustión. En estos casos la posición del feto permaneció inalterada. Se sugirió que la versión automática después de la moxibustión está relacionada al aumento de fuerza de las contracciones uterinas y movimientos fetales.

4.—Se registró actividad uterina en conejas anestesiadas con uretrano, se aplicó moxibustión bilateralmente en puntos que corresponden a los puntos Zhiyin (V. 67) en seres humanos. Este procedimiento indujo un aumento de actividad uterina.

5.—Con base en los hechos ya descritos se conjeturó que la moxibustión aplicada a los puntos Zhiyin, mediante estimulación de la secreción del cortex adrenal aumentó la actividad uterina. Al mismo tiempo, el movimiento fetal aumentó en fuerza (y consecuentemente aumentó la frecuencia cardiaca del feto). Estos factores favorecieron la corrección automática de la postura fetal.

APLICACION DE ANESTESIA POR ACUPUNTURA A PACIENTES CON TOXEMIA DE EMBARAZO

Durante 1976-77 se analizaron 64 casos de operación cesárea en enfermos con toxemia del embarazo, empleando los guiones 3 y 4, incluyendo 10 casos de hipertensión durante el parto, 37 casos de toxemia moderada, de carácter leve, 6 casos de toxemia moderada tipo severo, 4 casos de pre-eclampsia, 1 caso de eclampsia y 6 casos de toxemia aguda con hipertensión agregada. Las ventajas mencionadas aquí fueron: Durante el nacimiento del niño, la presión sanguínea y el pulso permanecieron estables. Hubo menos pérdida de sangre durante la operación y no hubo complicaciones. Durante el nacimiento del niño, los casos en que hubo cambio en la presión sanguínea dentro de 20 mmHG en la presión sistólica, presión diastólica y variación leve de pulso, fueron de 67.2%, y 84.4% y 73.4% respectivamente.

El valor promedio de cantidad de sangre perdida fue de 267.98±21.94 ml., y la pérdida por debajo de 300 ml., fue de 68.8%. La frecuencia de la hemorragia post-parto fue de un 14% muy próxima a la de (10.8%) pacientes sin toxemia. Esto significa que la anestesia por acupuntura bien puede ser empleada en paciente con toxemia del embarazo.

AVANCES EN PROCEDIMIENTOS OPERATIVOS.

Con vista a elevar el efecto de la anestesia por acupuntura, se hicieron avances en el procedimiento operativo. Consisten en la elección exacta del sitio y la longitud de la incisión, mejoramiento en la operación manual al libertar la cabeza fetal, métodos modificados de suturar el miometrio, buena cooperación entre el asistente, la enfermedad encargada del instrumental y el cirujano, inyección oportuna de occitóxicos, reducción de la maniobra de tracción, etc. Por estos medios se redujo la duración de la operación y se mejoró el efecto de la anestesia por acupuntura.

CONCLUSIONES.

a) La anestesia por acupuntura es regularmente buena para la operación cesárea.

Durante el curso de la operación la presión sanguínea y el pulso permanecen estables y la pérdida de sangre se reduce. Puede ser aplicada a pacientes comunes tanto como en aquellas con complicaciones tales como: Toxemia del parto, anemia, etc. Asimismo es muy útil en el medio rural.

b) Los factores de influencia en los efectos de la anestesia por acupuntura son multifacéticos. La elección de los guiones apropiados es de vital importancia.

Se ha sugerido un guión en concordancia con la teoría básica de la medicina tradicional china «determinar el tratamiento según los diferentes síntomas» y seleccionar los puntos de acupuntura según el curso de los canales en combinación con la especialidad relativa de los puntos de acupuntura. Los guiones deben consistir del complejo del punto de acupuntura principal para ser empleadas en todo caso y algunos otros puntos para uso selectivo en condiciones diferentes.

c) Los factores obstétricos pueden alterar los efectos de la anestesia por acupuntura. Los adelantos logrados en el procedimiento operativo para reducir el tiempo de la operación y para mejorar el efecto de la anestesia, se dan a conocer en el libro.

ANALISIS CLINICO DE 1.000 CASOS DE OPERACION CESAREA BAJO ANESTESIA POR ACUPUNTURA

Grupo de Anestesia por Acupuntura para la operación cesárea.
Hospital Beijing de Obstetricia y Ginecología.

La anestesia por acupuntura para la operación cesárea ha sido empleada extensamente en todo nuestro país. La condición del paciente durante la operación es relativamente estable, con pérdida mínima de sangre y eficacia constante.

La operación cesárea bajo anestesia por acupuntura se inició en nuestro Hospital en abril de 1966, y para fines de 1978 se habían efectuado 3.535 casos.

Se analizaron mil casos bajo nuestra observación en los aspectos siguientes: efectos de la anestesia por acupuntura y sus factores influyentes, la condición del paciente durante y después de la operación, su aplicación en la toxemia del embarazo y su comparación con la anestesia epidural, etc.

1. Método de Anestesia.

Durante los últimos años se emplearon siete guiones de puntos de acupuntura para inducir anestesia por acupuntura:

(1) Sanyinjiao (B 6), Zusanli (E-36), Ligou (H.5) y Diji (B.8).

(2) Acupuntura de la oreja.

(3) Sanyinjiao, punciones de anestesia externa (dolantina) y agujas de para-incisión (se usan en los bordes de la herida quirúrgica).

(4) Renzhong (E-17), Chengjiang (Ren 24) y agujas de para incisión.

(5) Sanyinjiao con penetración hacia Jeugu y agujas de para incisión.

(6) Sanyinjiao Taichong (H-3) y Xiajuzu (E-39).

(7) Sanyinjiao Neiguan (PC 6) y Zusanli (E-36).

El tercer guión es el que se usa con más frecuencia, el sexto y séptimo sólo se usan selectivamente, y las otras ya no se usan. La estimulación se aplica a las agujas por medio de aparatos eléctricos de acupuntura de corriente pulsátil. El tiempo de inducción es de 15 a 30 minutos.

Para el tratamiento suplementario pueden administrarse 50 mg. de dolantina mediante gotas intravenosas, cuando está naciendo el niño o 10 minutos antes de la operación.

2. Efectos de la anestesia por acupuntura.

La frecuencia de éxito en la anestesia por acupuntura fue de un 98.4% y la frecuencia combinada de los grados 1 y 2 fue de un 75.8%.

Tres factores que influyen en los efectos de la anestesia por acupuntura:

(a) Factores Obstétricos:

La paridad, el número de operaciones, sean planeadas o de emergencia, manera de operar y duración de la operación son factores que alteran el efecto. En los casos de primíparas, primer operación cesárea, operación planeada, operación cesárea del segmento inferior y si la operación duró alrededor de 30 minutos dieron el más alto porcentaje de grado 1 ó 2 y la diferencia es considerable. Entre estos factores, la duración de la operación fue la más importante.

(b) Factores Mentales:

Las mentalmente tranquilas o serenas resultaron evidentemente mayor porcentaje de grado 1.

(c) Selección de Puntos de Acupuntura o de Tratamiento:

No hubo diferencia apreciable en la frecuencia combinada de grado 1 y 2 entre los ya mencionados puntos de acupuntura en concordancia a la diferencia de los síntomas, arrojó un porcentaje más alto de grado 1 que aplicando el tratamiento fijo a todos los casos.

3. Condición del enfermo durante la operación.

(a) Cambios en la presión sanguínea y en el pulso.

En este renglón fueron incluidos los casos que pudieran influenciar la presión sanguínea y del pulso (ejemplo) toxemia, anemia, hemorragia, antepartum, etc.) dejando 664 casos para ser analizados: Entre estos, el límite de cambios en la presión sanguínea durante todo el curso de la operación y el tiempo en que hacía el niño, fue limitado. Los cambios en la presión sistólica dentro de los 20 mm. Hg. fueron de 67.6% y 82.9% respectivamente, y 85.8% y 90.5% respectivamente para la presión diastólica. Los cambios en la frecuencia del pulso y la presión del pulso fueron también pequeños.

(b) Cantidad de sangre perdida.

La cantidad promedio de sangre perdida durante la operación fue de 278.8±5.19 ml., pérdida de sangre menos de 300 ml., 66.1% y la mayor de 500 ml., 10.8%.

(c) Complicaciones:

Se dieron 13 casos de shock postural, 2 de desmayo al ser puncionados, y 23 de asfixia en recién nacidos, en la mayoría debido a factores obstétricos. No hubo accidentes por anestesia ni complicaciones serias.

4. Condiciones Post-Operatorias.

El restablecimiento post-operatorio fue rápido y con escasas complicaciones. El dolor de la herida fue muy leve y en el 40.4% no fue necesario ningún analgésico. Para los casos con medicación, el 5.2% necesitaron dolantina. La mayoría de los casos pasaron gas de 12 a 24 horas después de la operación. Hubo un 82.8% de casos en los que no se presentó distención por gas.

5. Comparaciones entre anestesia por acupuntura y anestesia epidural para la operación cesárea.

45 casos de operación cesárea bajo anestesia por acupuntura y 27 casos bajo anestesia epidural efectuados en 1974 fueron tomados al azar para ser comparados.

(a) La cantidad de sangre perdida durante la operación fue evidentemente mayor en los casos de anestesia epidural (Tabla 1).

TABLA 1

CLASE DE ANESTESIA	ACUPUNTURA	EPIDURAL
Número de casos	45	27
Cantidad promedio de sangre perdida durante la operación (ml)	201.3 11.48	280.0 26.3
Pérdida de sangre menores 300 ml. (5)	91	59.3

(b) Presión de la sangre y pulso durante la operación.

Durante todo el curso de la operación y durante el nacimiento del niño, el límite de cambios en la presión sanguínea y del pulso fue mayor en anestesia epidural (Tabla 2).

TABLA 2

TIPO DE ANESTESIA	ACUPUNTURA	EPIDURAL
Límite de promedio cambios de presión sanguínea.		
(1) Durante todo el curso de la operación.		
(a) Presión sistólica (mmhg)	21.33±1.82	29.63±3.6
(b) Presión diastólica (mmhg)	14.67±1.29	20.74±2.06
(2) Durante el nacimiento del niño el promedio de la presión sanguínea (mmhg)	18.57±2.6	23.33±3.09

(c) Entre estos dos tipos de anestesia no hubo marcadas diferencias durante el curso post-operatorio.

Se ve, por estos datos, que la anestesia por acupuntura tiene efecto analgésico definido, y además tiene también características de estabilidad en la presión sanguínea y en la frecuencia del pulso, menos pérdida de sangre y está exenta de accidentes anestésicos y complicaciones.

CONVERSION DE LA PRESENTACION DE NALGAS POR FUMIGACION DE MOXIBUSTION DEL PUNTO ZHIYIN.

Maternidad de la Paz y Hospital de la Salud del Niño, Instituto de Asistencia Pública Chino.

Este informe consiste en dos partes:

1) 896 casos de embarazos de nalgas, edad de gestación de 28 semanas o más, se trataron con fumigación de moxibustión del punto «Zhiyin» (bilateral) o combinado con otros medios, como tomar cocciones de medicinas herbarias chinas, practicar la postura genupectoral y versión externa. 855 casos fueron convertidos a presentación de vértice, siendo la frecuencia efectiva de 95.42%. De estos 10.06% volvieron a la presentación de nalgas, pero con tratamientos ulteriores, otra vez se convirtió la presentación. No hubo diferencia de importancia en las frecuencias efectivas de primigestas y multíparas (P 0. 05).

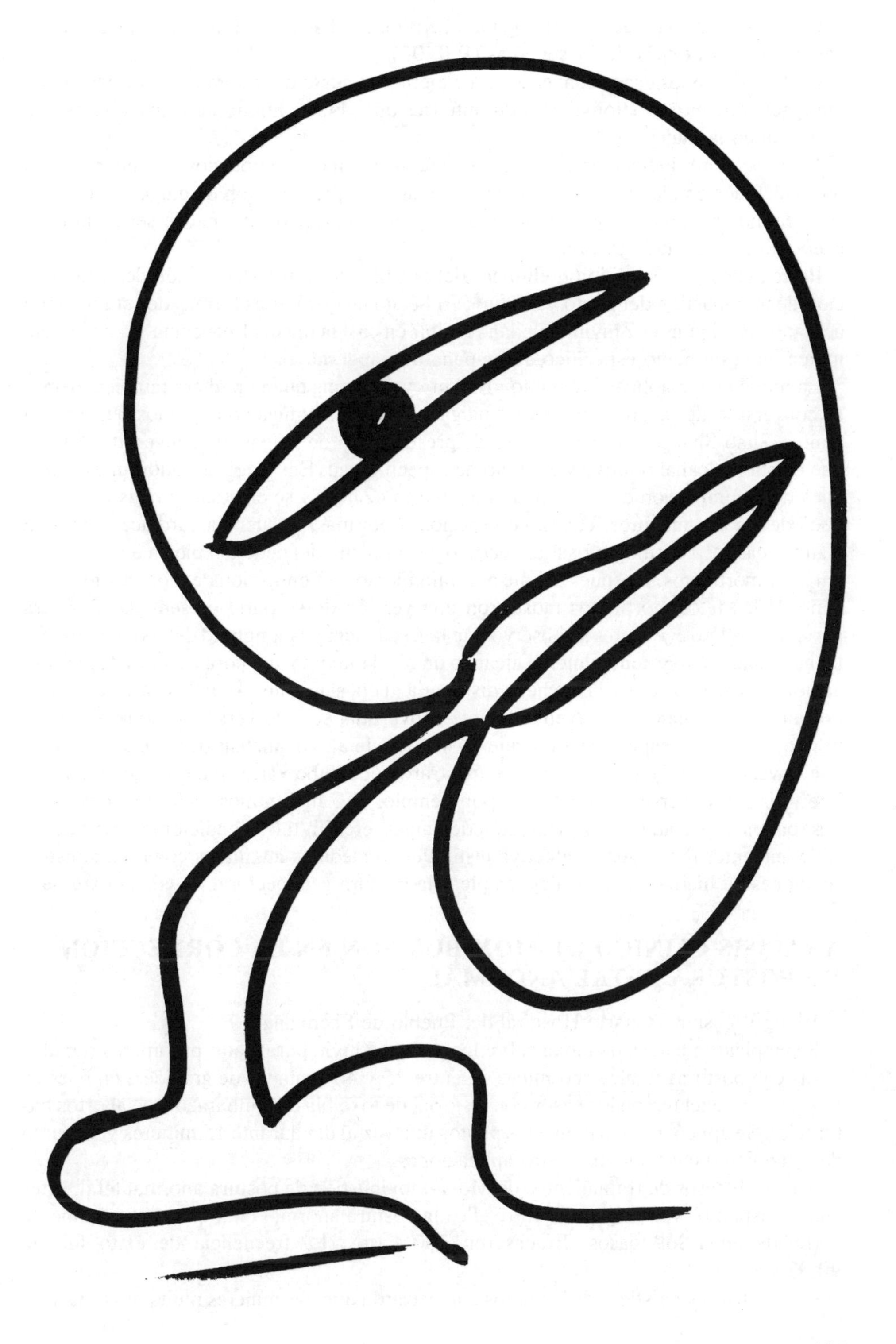

Pero la frecuencia fue más alta en embarazos de edad de gestación entre 28 y 30 semanas que en las de más de 31 semanas (P 0. 05).

El 99.53% de los casos convertidos recibieron un curso de tratamiento consistente en fumigación de moxibustión diarias durante tres días. No se notaron efectos adversos en el feto ni en la mujer.

No hubo contraindicación a la terapia de fumigación de moxibustión. Comparada con otros métodos empleados para efectuar la versión de presentación de nalgas, la fumigación de moxibustión en un método simple, seguro y efectivo que puede ser fácilmente aceptado por la mujer grávida.

Parte (2) es una discusión preliminar del posible mecanismo de acción de la fumigación de moxibustión del punto «Zhiyin». El hecho de que varias formas de estimulación actuando en el punto «Zhiyin» puedan resultar en casi la misma frecuencia y conversión, indica que este punto específico desempeña un papel mayor.

La moxibustión aplicada al punto «Baihui» y al «Yong quan» pudiera también afectar la conversión de la presentación de nalgas, pero con fumigación de moxibustión del punto «Shao Shang», ni un solo caso de presentación de nalgas fue convertido. Parece que existió un canal realtivo y el punto de especificidad. En varios períodos antes y después de la fumigación de moxibustión del punto «Zhiyin» se efectuaron registros continuos de los movimientos fetales, contracciones uterinas, frecuencia cardiaca fetal y en algunos casos, pletismógrafos fotoeléctricos de la punta del dedo del pie en embarazo de nalgas y mortinatos. Después del mismo tratamiento de fumigación de moxibustión, ninguno de los fetos mortinatos mostraron una versión de su parte presentada. Por otra parte, en los fetos vivientes se observó que la frecuencia y la amplitud del movimiento fetal activo aumentó y generalmente alcanzó un nivel máximo una hora después de la fumigación moxibustión o por la noche, y disminuía al día siguiente. Aquellos casos en que la presentación de nalgas fue eventualmente convertida, se notó versión espontánea algunas veces antes o después del movimiento máximo fetal. Un análisis de aquellos casos en que la versión espontánea no ocurrió, mostraron que hubo varios factores que pudieron interferir con la versión espontánea, por ejemplo, oligohidramnios, deformidades uterinas, partes impactadas de presentación de nalgas, etc. En tales condiciones, aun fue posible aumentar la frecuencia efectiva instituyendo medidas auxiliares como administrar cocciones de hierbas medicinales, emplear la postura genupectoral o versión externa.

ANALISIS CLINICO DE MOXIBUSTION EN LA CORRECCION DE POSTURA FETAL ANORMAL

Wang Wenshih. (Cuarto Hospital del Pueblo de Shenyang).

Se emplearon barras de moxa sobre los puntos Zhiyin para tratar primíparas o multíparas con posturas fetales anormales de entre 25 y 40 semanas de gravidez, en nuestro Hospital. Se excluyeron los casos con historial de toxemia del embarazo o de abortos habituales. Se aplicó moxibustión a los puntos una vez al día durante 15 minutos y un curso de tratamiento consistió en cuatro aplicaciones.

En 2.069 casos de tratamientos de Moxa-moxibustión de postura anormal fetal, estuvieron disponibles los registros, entre ellos la postura anormal fetal que venturosamente corregida en 1.869 casos. Fracasaron 200 casos. La frecuencia de éxito fue de 90.32%.

Los análisis estadísticos de los datos demostraron que: las mujeres multíparas (hasta 6 partos), en ocho meses de gravidez con tensión promedio de la pared abdominal mostraron los mejores resultados y tan solo un curso de tratamiento pudo tener éxito en corregir la postura fetal anormal.

En la mayoría de los casos se pudieron sentir movimientos activos del feto, después de la moxibustión. Esto se observó especialmente en aquellos casos con resultados positivos. Las causas de los fracasos de la moxibustión se debieron ya sea a excesiva tensión o a sobre flacidez de la pared abdominal, fijación de la cabeza fetal en la región hipocondriaca, puntos mal escogidos para moxibustión o a manipulación incorrecta. Según la teoría de la medicina tradicional china, el feto está eslabonado al riñón. Pertenece al canal del Riñón de pie-Shaoyin, este está relacionado con el canal de la Vejiga de Pie-Taiyang, del primero se dice ser el exterior y el último, el interior.

La postura fetal anormal se origina de una pérdida del equilibrio entre los dos sistemas, con desviación de la relación normal. Las reglas de la medicina tradicional china dicen: «cuando Yang se encuentra activo, Yin permanece adormecido», «cuando Yang crece, Yin también florece», «cuando Yang avanza, Yin retrocede». Así es que podemos tratar la postura fetal anormal vía el canal de la Vejiga. El punto Zhiyin se encuentra ubicado en el punto de partida de «función» en el Canal de la Vejiga del Pie-Taiyang. Está relacionado al Canal del Riñón. Por lo tanto, aplicando calor en este punto puede restaurarse el equilibrio entre los dos sistemas, lo que conducirá a la corrección de la postura anormal del feto. La corrección de dicha postura por moxibustión con barra de moxa es muy sencilla, segura y eficaz. Este método de tratamiento puede ser efectuado fácilmente en los hospitales de las ciudades y de los pueblos.

Su empleo en amplia escala merece ser tomado en consideración.

LA ESPECIFICIDAD DE PUNTOS EN LA ROTACION DEL FETO

Un informe de 260 casos.

Departamento de Acupuntura y Moxibustión, Instituto Shanxi de Medicina China Tradicional.

Se empleo acupuntura y moxibustión en 260 casos de presentación anormal en que habían fracasado otros métodos convencionales. Se escogieron 12 puntos a lo largo de 4 canales. Cada punto se utilizó para un grupo de 20 enfermos. En el grupo de control, solo la posición genupectoral y la versión externa fueron aplicados. Los puntos fueron estimulados con moxibustión durante 20 minutos cada día. En caso de no haber efectos después de cuatro días, la moxibustión se combinó con acupuntura. Si aún no había efectos, se aplicó electro-acupuntura. El tratamiento se consideró como un fracaso si todos los ya mencionados métodos fracasaron. La frecuencia exitosa, en total fue de 58.3%. No hubo diferencia de importancia entre los doce puntos empleados, pero la diferencia entre los canales fue de importancia estadística; Canal de bazo (68.7%), Canal de Pulmón (66.7%), Canal de la Vejiga (55%), Canal de Intestino Delgado (43.3%), grupo de control (15%). Se encontró que durante la acupuntura y moxibustión el músculo abdominal se relajó y el movimiento del feto estuvo activo.

PREVENCION DE «SINDROME DE ABORTO ARTIFICIAL» POR ACUPUNTURA EN MUJERES GRAVIDAS CON TRASTORNOS CARDIO-VASCULARES.

Chen Qiubo, Lu Qisun, Sheng Xing Xinyu, Qiu Yueying.
(Departamento de Control de Fertilidad del Instituto de Salud de la Maternidad del Colegio Médico Zhejiang).

«Síndrome de Aborto Artificial» denota una serie de manifestaciones clínicas de reacciones vagotónicas que fueron inducidas por exitación local del cérvix y de la pared uterina por instrumentos o por presión negativa durante el proceso de aborto artificial. En casos normales, el restablecimiento generalmente tiene lugar de 5 a 10 minutos después de la operación. Sin embargo, si las mujeres grávidas fuesen víctimas de alguna forma de trastornos cardio-vasculares, tales reacciones serían susceptibles de originar paro cardiaco repentino y, de suceder una vez, las medidas de resucitación tendrían menos probabilidad de tener éxito. Así la vida del enfermo podría estar amenazada si las medidas de emergencia no se tomasen a tiempo. En un intento para prevenir tales accidentes, desde abril de 1977 a noviembre de 1978 se tomaron medidas profilácticas con analgesia de acupuntura durante las operaciones en 10 casos de tales enfermos y los resultados se encontraron favorables.

Procedimiento de acupuntura y resultados: En casos de gravidez de menos de 80 días, se escogió el punto «Zhungji» en tanto que en casos de 80 días, se escogió el punto «Guanyuan». La profundidad de la inserción de la aguja fue de una pulgada aproximadamente, pero puede variar según el grueso de la grasa de los tejidos subcutáneos. Generalmente la profundidad apropiada para la inserción de la aguja debe tocar la vaina muscular.

Una vez que se haya aplicado la acupuntura, la aguja debe permanecer en el sitio durante 10 minutos después de la operación.

Debe girarse la aguja, durante la operación constantemente y evitar extraerla demasiado pronto. De julio a octubre de 1977. Se efectuaron abortos artificiales en 263 casos, sin acupuntura, la incidencia de «síndrome de aborto artificial» fue de 12.54%. En tanto que en 100 casos con trastornos cardio-vasculares en que se emplea la acupuntura como medida profiláctica de las reacciones, la incidencia fue de solo un 3%. La diferencia entre estas dos series fue estadísticamente importante ($X2=6.36$, P 0.025). Además, estos 100 casos con trastornos cardio-vasculares pasaron exitosamente la operación no recibiendo ningún otro tratamiento adjunto.

En este artículo, los informes también se rindieron en la clasificación de los trastornos cardio-vasculares de los enfermos, sus estados compensatorios cardiacos, y las manifestaciones clínicas del «Síndrome de aborto artificial». Finalmente los historiales de algunos casos típicos y sus cuadros de EKG, también fueron presentados.

INDUCCION DEL PARTO POR ESTIMULACION DE ELECTROACUPUNTURA.

Un análisis de 771 casos.

Zhu Renlie, Kao Xiuhui, Zhou Yulian, Yu Jin.
(Hospital de Obstetricia y Ginecología) Primer Colegio Médico de Shanghai.

Entre enero de 1977 y octubre de 1978, en el Hospital de Obstetricia y Ginecología del Primer Colegio Médico de Shanghai, se indujo el parto por estimulación de acupuntura en 771 mujeres grávidas con productos post-maduros o que tenían ruptura prematura de membranas. La duración de gestación varió de 37 a 44 semanas.

Los puntos empleados para la acupuntura fueron Hegu en la mano y Sanyinjiao en el miembro inferior. Se emplearon dos modelos aparatos de acupuntura, generadores de ondas cuadradas y ondas agudas.

Se logró una frecuencia exitosa de 72.11%, que fue similar a la de inyección de Pitocin 70.24% en 118 casos.

Los factores principales que afectaron los resultados de inducción de la electroacupuntura fueron la condición pre-labor, las medidas pélvicas pre-parto y si las membranas estaban rotas. Mientras más alta la puntuación mayor la posibilidad de éxito en la inducción del parto. La frecuencia de éxitos con puntuación pélvica de 7 o más, fue notablemente más alta que en las de 6 o menos (P 0.01).

Los resultados de inducción por acupuntura no está correlacionado al modelo de estimulación eléctrica, ni a la ruptura de membranas en inducción o al número de partos (P 0. 05).

No se pudo demostrar riesgo maternal ni efecto dañino en el lactante, que fuesen originados por este método de inducción. El mecanismo exacto de inducción del parto mediante electroacupuntura, aun no es comprendido con claridad, pero con base en los varios tipos de contracciones uterinas observados puede considerarse que los efectos en el útero sean probablemente, no solo neurales, sino también hormonales. Las acciones biológicas de la progesterona y del cortisol en el mantenimiento del embarazo y de la iniciación del parto, está bajo discusión, pero no se llega a ninguna conclusión, debido a los pocos casos de evaluación mediante el laboratorio. Se emprenderán investigaciones ulteriores.

Creemos que la estimulación por acupuntura puede emplearse como una técnica segura, eficaz y sencilla en la práctica obstétrica.

PUERPERIO

TRASTORNOS EN LA LACTACION. INSUFICIENTE SECRECION LACTEA.

Presentamos diez casos de lactación insuficiente, que acudieron a consulta entre los 25 días y dos meses y medio después del parto.

De los diez casos, los diez resolvieron el problema, retornando el caudal de leche antiguo. En todos los casos se *cumplieron, al menos tres meses y medio*. Con *un máximo de seis en dos casos*.

La respuesta terapeútica se *inició en la primera sesión*.

En total se impartieron *tres sesiones en un caso y seis en los restantes*. Después de este tratamiento, tan solo se efectuó un seguimiento.

Las sesiones se efectuaron consecutivamente.

Esta breve constatación de resultados no deja lugar a dudas sobre la eficacia de la terapia.

En todos los casos *NO se aplicó ninguna medicación.*

En todos los casos las madres tenían gran interés en proseguir la lactancia.

En M.T.C. la hipogalactia es la consecuencia de trastornos emocionales o bien a shocks emotivos surgidos durante la lactancia. Alimentaciones inadecuadas. Enfermedades crónicas. Trastornos constitucionales.

Desde el punto de vista energético, la falta de secrección láctea se debe a:

1.—Vacio de sangre-energía.

2.—Estancamiento de QI.

3.—Estancamiento de sangre.

4.—Alteraciones del QI del hígado.

5.—Plenitud de flemas.

6.—Ataque del frío, con posterior estancamiento de sangre.

Los vacíos de sangre-energía se suelen deber a grandes pérdidas de sangre durante el parto o bien a graves deficiencias en las dietas. De los casos tratados, tan solo en uno de ellos se debía a esta causa. Los demás se deben a las otras etiologías.

EMPLEO DE PUNTOS

17RM. Se trata del punto más importante en el tratamiento de las hipogalactias. Su actividad es debida al rol energético que juega como condensador de las energías de todos los vasos secundarios. Como ya comentamos en anteriores descripciones, es el punto maestro en las afecciones con trastornos de energía.

Es importante las manipulaciones que se efectuan sobre el punto si queremos obtener buen resultado.

1.—Puntura ligeramente oblicua hacia abajo hasta conseguir la llegada del QI.

2.—Manipulación de la aguja en sentido descendente hasta conseguir que la sensación se transmita hacia abajo.

3.—Retirada ligera de la aguja y manipulación de la misma en dirección hacia la mama derecha. Transmisión de la sensación hacia la profundidad.

4.—Ligera retirada de la aguja y transmisión de la sensación hacia el lado izquierdo. Conseguida esta acción se procede a dejar la aguja unos 15 minutos.

PUNTO FUERA DE MERIDIANO

En nuestra experiencia hemos determinado un punto fuera de meridiano que completa la acción del 17RM. Se trata de un punto situado a 1/2 pouce del 17 RM de la línea horizontal que conduce a los dos mamelones.

Se puntura en dirección de la mencionada línea y se manipula hasta conseguir que la sensación se propague hasta la parte profunda de la mama... Cada cinco minutos, durante tres veces, se manipulan las agujas, derch., izquierd., después de tres veces se retiran en tonificación.

17V.—Geshu. IU de diafragma. Se trata como hemos visto del punto de reunión de la sangre. Su tonificación es elemento de productor de sangre, y en consecuencia de leche.

Se debe de emplear en tonificación, con manipulación de la aguja hacia la línea media y con trasmisión de la sensación hacia la profundidad. Después de la puntura se debe de realizar moxibustión indirecta.

18E.—Rugen. El empleo de este punto en los problemas de insuficiencia láctica es importante, pero no imprescindible. Debemos de tener en cuenta que su uso en esta afección se debe de hacer con sumo cuidado, teniendo cuidado con su profundidad y manipulación. Pensamos que de entrada debe de ser un punto al que se deben de abstener los que no tengan la suficiente experiencia y habilidad manual. Las pequeñas lesiones que se puedan producir en la glándula mamaria, pueden verse acrecentadas cuando la mujer se encuentra en periodo de lactación.

18V.—Ganshu. Asentimiento de Hígado.

Se trata del punto asentimiento del hígado, por tanto, punto regulador de la energía del hígado. Se debe de punturar en tonificación con manipulación de las agujas. Posterior moxibustión indirecta.

El empleo del 18V se debe al papel que juega el hígado en su doble vertiente de 1.—almacenador de sangre. Su puntura tonoficará la sangre. 2.—El papel en el psiquismo. Como regulador de los impulsos afectivos.

Estas dos condiciones situan a este punto como fundamental en el papel de aumentar al caudal de leche.

36E.—Tsusanli. Tres distancias. La tonificación del estómago como elemento indispensable en los procesos de lactación es importante. Piénsese cuando describiamos las generalidades de la fisiología energética de la mama.

Su empleo se realiza en tonificación profunda, con transmisión de la sensación en la profundidad. Manipulación de la aguja cada cinco minutos.

6MC. Neikoan. Barrera interna. El empleo de 6MC se debe sobre todo al papel armonizador que juega en el psiquismo. Aunque no debemos de olvidar el papel que juega sobre el ZHONG QI o energía central, en el sentido de movilizar la energía contenida en el centro del tórax. En los casos de estancamiento de sangre-energía, su empleo es obligado.

Su utilización se debe de emplear en tonificación-dispersión. En primer lugar en dispersión, después de la llegada del QI, posteriormente en tonificación, para evitar nuevos estancamientos y facilitar el movimiento de la sangre-energía.

Las diferentes afecciones que se pueden desarrollar en el transcurso del embarazo, durante el parto o en el puerperio, serán objeto de estudio dentro de las afecciones de los diferentes aparatos, como por ejemplo, la hipertensión arterial, retención hídrica, hemorroides, albuminuria, etc, y en general cualquier afección que pueda aparecer en la embarazada y que tengamos experiencia en ella.

Terminamos con la patología propia de la mujer. No es un capítulo determina. Dejamos mucha tinta en el tintero, más ejemplos clínicos, más explicaciones teóricas... Pero tenemos que terminar... No queremos que el libro sea inacabable. Es preferible esperar a otras oportunidades. Este material seguiremos enriqueciéndolo con mas y nuevas experiencias. Todas las sugerencias que pueda tener nuestro amable lector seran bien recibidas... Y procuraremos que sean atendidas...

V. TRONCOS Y RAMAS

El hombre responde a las influencias del cielo.
Lo masculino se sincroniza con el Sol.
Lo femenino con la Luna...
...recordemos las utilizaciones de los troncos celestes
y ramas terrestres...

Y además... sugerimos el estudio de:

Los troncos y las ramas en la determinación
de los puntos de actividad según el año, los días y las horas.

V. TRONCOS Y RAMAS

EMPLEO DE LOS CONCEPTOS DE RAMAS TERRESTRES Y TRONCOS CELESTES EN LA DETERMINACION DE LOS PUNTOS DE MAYOR ACTIVIDAD.

El presente trabajo es la transcripción del seminario, que con este tema, fue impartido en la escuela NEIJING.

Se incluye, al final del tema, el calendario completo, con las diferentes posibilidades terapeúticas, durante los años 87-88.

Este tema es uno de los más controvertidos y sujeto a estudio que tiene planteado la M.T.C. En la República Popular se dedican buenos esfuerzos en la clarificación de este tema.

Nuestro enfoque del tema parte de los textos tradicionales, ya más concretamente en el SOWEN. En este punto de partida todos podemos estar de acuerdo. Las interpretaciones son las que luego hacen cambiar las coordenadas. Pero, el sistema que empleamos para abordar este complejo tema tiene como base todas las leyes analógicas de la M.T.C. y un constante ir y venir al concepto del TAO. Estas brújulas directoras difícilmente nos jugarán malas pasadas. Pero debemos de admitir que el camino esta lleno de obstáculos.

Las determinaciones que se realizan sobre los *puntos anuales* suponen *una NUEVA APORTACION* en el empleo de los troncos y ramas. Tenemos la experiencia de más de 7 años en la investigación y determinación de estos puntos, y hemos comprobado su eficacia. Este nuevo granito de arena enriquece enormemente nuestro arsenal terapeútico. Los sucesivos pasos empleados en las determinaciones pueden servir como base para que los terapeutas determinen en lo sucesivo, los puntos para los demás años.

Es un tema complicado porque el hombre se ha desconectado sobre todo del ritmo biológico que le debería ser familiar, entonces en virtud de esa desconexión, no comprende como él está entroncado dentro del Cosmos, ni que es una parte importante de interrelación con el movimiento de los astros, sobre todo del Sol y de la Luna, que son los más evidentes para él, ni tampoco comprende la interrelación con el desplazamiento de las estrellas y con la aparición de equinocios y solsticios. Todo esto para el hombre antiguo era familiar y cotidiano; en cambio para nosotros eso se ha ido perdiendo, en la medida que el hombre se ha ido individualizándose y se ha fijado cada vez más en su ombligo, entonces ha perdido el contacto con el entorno. Al parecer ya no necesita tanto del Sol, la Luna y de las estrellas y puede vivir años y años encerrado en un apartamento sin necesidad de ver una estrella. Entonces esta desconexión de miles de años, hace posible que cuando queramos recuperar esas relacciones de ritmos, que impone la naturaleza y que en definitiva nos la impone a nosotros, nos sea difícil entenderlo y por eso inevitablemente surge el cálculo matemático para intentar recuperar esa interrelacción de los movimientos de los astros con los movimientos de las energías de los hombres.

A pesar de que haya un sustrato matemático detrás de cada movimiento de energía que está en correlacción con los movimientos de los planetas, el hombre en su origen no estaba con la computadora calculando los días, sino que se guiaba por signos evidentes que se hacían manifiestos en el reino animal, mineral o vegetal.

Yo he hecho un planteamiento del tema con reglas sencillas, que no lo son tanto, para poder calcular, los meridianos, los puntos, etc., que son más activos en determinadas épocas del año para la aplicación terapeútica.

Vamos a estudiar el *capítulo 66 del Sowen*, que es el que inicia el estudio de los Troncos Celestes y las Ramas Terrestres; lo inicia de una manera original en cuanto a que se remonta al origen para poder comprender sus manifestaciones.

Nosotros los que percibimos en nuestro corto período de vida es la manifestación de los fenómenos y no el origen de estos. Nosotros somos protagonistas del pasado. Es semejante a cuando vemos la luz de una estrella y tenemos la ilusión de que está emitiendo luz y resulta que esa estrella a lo mejor ha desaparecido hace cientos de años, y la luz está viajando y en el viaje la estamos percibiendo. De esta manera nosotros vivenciamos la mayoría de las cosas, percibimos la manifestación, pero desconocemos casi siempre el origen y confundimos manifestación con origen.

Esta confusión ocurre con frecuencia en la clínica, una persona viene aquejada de una ciática, gastritis, etc... y casi siempre tratamos esa manifestación, sin darnos cuenta de que el origen a lo mejor está en un órgano a distancia, y a lo mejor la paraparesia espáctica de la pierna que se había pensado que era consecuencia de una hernia discal, resulta ser un tumor cerebral.

Entonces con frecuencia se trata la manifestación como si fuera el origen y casi siempre la manifestación es el reflejo del origen.

El capítulo 66 del Sowen se titulo: «*Estudio del Cosmos*».

Hoang Ti: «*HAY CINCO PODERES QUE RIGEN LOS CINCO ORIENTES*».

Los cinco poderes se refieren a cinco poderes celestes o fuerzas cósmicas que hacen posible y que controlan los cinco orientes, es decir Norte, Sur, Oeste y Centro. Esto nos sitúa en la perspectiva de que el hombre situado en la Tierra está sometido a influencias de orientación, que hace posible el poder situarse en un lugar, en un punto, por eso aparece el Centro como punto de orientación, es decir el centro del hombre, a partir del cual van a surgir los cuatro vectores. Pero lo importante es que no solamente sitúa al hombre sino que sitúa al planeta, luego el planeta está sujeto a los cinco poderes celestes que le situan en un lugar determinado de la Galaxia.

Asi pues aparecen dos centros, uno el que situa al hombre al orientarse, otro el que establece el planeta, sujeto a las fuerzas de los cinco poderes que rigen las cinco orientaciones.

...«*LOS CUALES ESTAN UNIDOS*, (estas 5 orientaciones) *A LAS ENERGIAS CELESTES*».

Esta es la 1ª forma de manifestarse los cinco poderes celestes, y estas energías son: Viento, Frío, Humedad, Calor, Sequedad y Fuego.

Veamos como pasamos de la Orientación a la Materialización, a la Concretización. El hombre recibe las influencias de estar situado en un lugar determinado, o el planeta al situarse en la Galaxia, en definitiva se orientan, esta orientación hace posible que reciban una serie de influencias que se concretizan y materializan a través de las seis energías. Y esto es el planteamiento que hace Hoang Ti para nuestro planeta; claro, si existiera otro Hoang Ti en otro planeta hará otros planteamientos, pero seguramente la orientación va a existir siempre, elijamos el planeta que elijamos y el sujeto que queramos; en cualquier lugar del Universo va a estar sujeto a las influencias de los cinco poderes. Por eso es Universal el planteamiento, no solo para nuestro planeta en un sujeto que se situe en el Norte o en el Sur, sino que es válido para cualquier planteamiento de cualquier planeta que queramos hacer.

Además dice Hoang Ti: «... *Y APARECEN LOS CINCO ORGANOS O LOS CINCO REINOS*».

Hay que tener en cuenta que cuando el Nejing habla de los cinco órganos, no solo se refiere al R. H. C. B. y P. sino que se refiere más al significado que tienen en los cinco movimientos, Agua, Madera, Fuego, Tierra y Metal, por eso es mejor decir cinco reinos, porque englobamos las proyecciones de cada movimiento.

«... *ESTAS CINCO ACTIVIDADES ESTAN CONDENSADAS EN EL CONOCIMIENTO DEL INN-YANG Y DE LOS CINCO REINOS Y ESTO CORRESPONDE AL TODO, Y EL TODO ES EL INN Y EL YANG*».

En el cap. 9 se dice que el conocimiento profundo de la Medicina Tradicional se basa exclusivamente en el conocimiento del Inn y del Yang.

Y efectivamente si trabajamos en esos conceptos es así, lo que sucede es que el Inn y el Yang se han dicotomizado de una manera simple y eso es una verdad a medias y las verdades a medias resultan falsas.

...«*EL SECRETO DE LA PROVIDENCIA ES EL DESTINO*».

Independientemente de los conceptos filosóficos esto nos debe hacer pensar ¿Qué entiende la filosofía china y a qué niveles nos situa cuando dice esta frase?

También dice. «*EL SER SE TRANSFORMA Y ADQUIERE LA FORMA; LA ENERGIA SE HA TRANSFORMADO*».

Quiere decir que el ser es un concepto puramente energético, que es intemporal, el cual se transforma y da lugar a la forma, pero antes de aparecer esta forma existía el ser y que lo que ha ocurrido es que la Energía se ha transformado, luego el ser como tal es un concepto energético antes de que se manifieste la forma, entonces ese ser que no tiene forma pertenece al secreto de Providencia, y se manifiesta según nuestros conceptos en el destino.

El hombre necesita de conceptos y de palabras para entender las cosas, no quiere asumir el protagonismo de vivirlas, entonces utiliza palabras para definirlas. Asi el Destino es un concepto pequeño, muy esquematizado, pero es la forma de entender la manifestación de la Providencia, que lo hace a través de la transformación de la Energía del ser para que adquiera forma.

«CUANDO LA VIA MATERIAL DESAPARECE; OCURRE LA MUTACION DE LA ENERGIA».

Esto es difícil de vivenciar pero relativamente fácil de entender.

Hemos pasado de la Providencia al Destino por medio del intermediario del ser intemporal que se transforma; su propia Energía tiene la capacidad de transformarse y de dar forma, y esa forma o vía material, cuando desaparece ocurre por una mutación de esa Energía, que es la misma Energía, que ha pasado por distintos estadios; es la representación del TAO.

En el estudio del Cosmos nos plantea el Sowen como todas las cosas estan en perpetuo movimiento; no habla del concepto de muerte sino de que cuando desaparece la forma ocurre una mutación de Energía. Este es un concepto que se identifica con la Alquimia.

Evidentemente el concepto de mutación está implícito en la representación del TAO, porque al llegar al máximo aparece el mínimo y al revés. Es un concepto alquímico y no hay que olvidar que esa intergeneración que hace posible la mutación, la transformación de la Energía del Ser → Materia → Mutación → Desaparición, es posible gracias a la dinamicidad de lo opuesto que está en el seno del factor que se va a desarrollar, es decir el Inn y el Yang. La dinamicidad y la posibilidad de que se transforme en el NO SER, se hace posible gracias a la actividad del pequeño Inn y del pequeño Yang. Si no tuviera el Yang dentro al pequeño Inn, no se movería, y al revés, pues sería algo absolutamente estático; existirían las cosas pero no se moverían, no tendrían ritmo, no se mutarían.

Para sintetizar la génesis podríamos decir: Providencia → Destino → Intermediario: Ser intemporal → Se transforma → Aparición de Forma → Se vuelve a transformar → Desaparece → Aparece la Mutación → NO SER.

¿El NO SER podría ser la NO FORMA?

Hay que tener cuidado porque si identificamos el NO SER con la NO FORMA estamos estableciendo un correlato cronológico de los acontecimientos y no existe esa cronología; yo de hecho casi lo establezco, pero no lo quiero establecer como un hecho cronológico, sino como un hecho que está ocurriendo, que no tiene que seguir ese camino; lo que pasa es que de la NO MANIFESTACION a la MANIFESTACION ocurren una serie de fenómenos; por tanto no creo que se pueda identificar el NO SER con la NO FORMA. La NO FORMA esta implícita en la aparición del SER, antes de que aparezca; entonces si podríamos identificar NO FORMA con SER, pero no con el NO SER; me estoy refiriendo a la cronología que hemos hecho.

Entonces se podría identificar NO FORMA con SER, porque el estadio energético del NO SER no lo sabemos, es decir que no es lo mismo que el SER, es otro nivel.

O sea que no podemos identificar NO SER con SER, eso es otra cosa, quizás esten en los mismos niveles de consciencia los dos, pero no es la misma cosa. Es como el Positrón y el Positrilo, es la misma partícula pero con distinta carga, esto se ve en todas las partículas atómicas.

¿Y la Forma no llevaría implícita al Ser?

Claro, la Forma es una concretización del Ser, pero en distinto momento de evolución, una es la producción de la manifestación y la otra sin manifestarse.

Siempre surge al hablar de este tema la idea de que el hombre es un conglomerado de células, y siempre pregunto ¿si es asi, un cadáver y un ser vivo es lo mismo? Evidentemente nosotros percibimos lo que está vivo y lo que no. Si cogemos una mesa y estudiamos electrónicamente su actividad, vemos que está en plena actividad y en una resonancia equilibrada que hace posible que la forma este mantenida. En el momento que un electrón o positrón se desequilibrara, la mesa se deshacería; esto más o menos está admitido físicamente, pero lo que impresiona es que lo admitieran hace tanto tiempo.

La cronología en Oriente es difícil de establecer. Si nos guiamos por la cronología, más antiguo que el Sowen es el I Ching. Sin duda alguna los textos sagrados hindues son más antiguos que los chinos. Lo que si se admite es que el I Ching es el libro más antiguo transmitido por transmisión oral, en ese sentido si sería más antiguo que los textos hindues, salvo los comentarios de Confucio.

¿Cuál es el origen del Chamanismo?

El I Ching es un libro chamánico, el chamanismo ha estado en todas las culturas. Probablemente el origen de los chamanes esté en China y en la India, y a partir de aquí se ha ido extendiendo; en Occidente conocemos más a los chamanes rusos, finlandeses e islandeses. Quizás la conservación de los chamanes en estas zonas se deba al exceso de Inn, es decir, en la medida en que el hombre se situa en el Cosmos en una zona Inn, se ve obligado a interiorizarse y a escalar niveles de consciencia especiales, sobre todo escala en la zona de la Corteza del Paleocerebelo, entonces le obliga a recordar y a encontrar preferentemente sus orígenes, y de hecho los pueblos nórdicos muy dados a estar en niveles de consciencia diferentes; con un tambor o una maraca saltan a otro nivel con más facilidad que nosotros. Quizás eso se deba a la influencia del Cosmos al que estan sometidos, que les obliga a Yinguinizarse y a retrotraerse en el tiempo para encontrar su propia génesis y su propio origen.

«*EL INN Y EL YANG ES MUY DIFICIL DE DEFINIR, SE LE HA LLAMADO PROVIDENCIA Y EL PAPEL DE ESTA SE LE LLAMA CREACCION*».

Es decir, la función de la Providencia en cuanto a que es una mayor concretización de la Energía Inn y Yang, es fundamentalmente la Creacción, o sea la manifestación de los diez mil seres, como dicen los taoistas.

«*CUANDO LA CREACCION ENTRA EN JUEGO, ES EL MISTERIO*».

Para el paso de Providencia a Creacción y el paso del Inn-Yang a Providencia no constituye especial problema, porque está en un nivel de consciencia en el que algunos pueden entenderlo. En cambio dice que cuando la Creacción entra en juego, empezamos a tocar la manifestación, entonces, es misterioso; no entendemos nada, es el Misterio; luego habrá que interpretar que hay diferencial consustancial entre los pasos Inn-Yang, Providencia, Creacción, entendibles para ciertas personas o ciertos niveles de consciencia de otros seres.

En cambio cuando tenemos la corporeidad entre nosotros aparece el Misterio, y es cuando el hombre empieza a indagar sobre los fenómenos de la vida, etc... y todo es misterioso, todo son suposiciones y teorías. Evidentemente este texto tiene mucha vigencia todavía.

«*EN EL HOMBRE ESTE MISTERIO SE MANIFIESTA EN EL TAO*».

Pone las cosas más difíciles pero más cercanas porque ya disponemos de elementos, aunque muy rudimentarios, útiles para comprender la dinamicidad del TAO. Debemos pensar en el desarrollo de las posibilidades del Inn y del Yang, del pequeño Inn y del pequeño Yang, es decir, que la manifestación de ese Misterio en el hombre esta representado en el TAO, y ese posible conocimiento del TAO está depositado en el TAO TE KING.

«*LA CREACCION SE CORRESPONDE A LA GENESIS DE TODAS LAS MA-*

TERIAS, QUE SE CARACTERIZAN POR LA APARICION ESPECIFICA DE CIERTOS SABORES».

Es lógico que sea el sabor, porque el sabor se corresponde inicialmente con el reino mineral y vegetal.

«*EL TAO ENGENDRA LA INTELIGENCIA, EL MISTERIO CELESTE ENGENDRA ESTOS FENOMENOS QUE EN EL CIELO SE TRANSFORMAN EN LAS SEIS ENERGIAS Y EN LA TIERRA SE MANIFIESTAN EN LOS CINCO MOVIMIENTOS*».

«*EN EL CIELO LA ENERGIA ES UNA SUSTANCIA ABSTRACTA, EN LA TIERRA SE TRANSFORMA EN UNA SUSTANCIA CONCRETA*».

Al decir que es una sustancia abstracta quiere decir que es algo misterial que no podemos medir desde la Tierra.

«*LA INTERACCION DE ESTAS DOS SUSTANCIAS CONSTITUYEN LA FORMACION DEL MUNDO VIVIENTE*».

El binomio Cielo-Tierra luego se manifestará en alto-bajo, izquierda-derecha, agua-fuego, etc...

«*METAL Y MADERA SON EL NACIMIENTO Y EL DEVENIR*».

Nacimiento y Madera está clara la relación.

Vemos que el Metal se interpreta como algo que va a venir, que no ha venido todavía; el Metal es el Otoño, parece que no cuadra, parece que es cuando el ser ha declinado, ha desaparecido; justamente cuando ha desaparecido como veíamos antes al decir que el ser se transformaba, que no había muerto y aparecía el NO SER, es precisamente justo cuando va a venir lo siguiente; luego el devenir de las cosas no empieza en el Agua sino en el Metal.

A partir de la Energía INN se va a desarrollar el Yang, el Yang llega al máximo de Fuego y este se agota al terminar el Estio, luego la 1ª manifestación de la esencia del Inn, ocurre en el Metal: ¡ojo! esto es un concepto muy dinámico que se está moviendo constantemente, y lo que hacemos es una fotografía en un instante. Entonces el Inn no empieza en el Agua, sino que en el Agua se desarrolla y llega a su máxima Plenitud, porque el Inn empieza a desarrollarse en el Fuego, cuando el Fuego llega su máxima, empieza a declinar el Yang y a crecer el Inn, hasta que al llegar al Metal, el Yang se ha agotado y el Inn ha alcanzado su máximo, por eso se identifica el Metal con el devenir, porque es a partir del nacimiento del Inn cuando se va a engendrar el Ser, la Forma. Luego hay que rectificar a veces conceptos que tienen cierta equivocación. Por el hecho de conceptuar a los 5 Movimientos como 5 Elementos, lo que sucede es una estatificación, se identifica el Yang con el Fuego y el Inn con el agua y nada más, claro eso es solo un instante.

«*LA ENERGIA DEL CIELO Y DE LA TIERRA NO ESTA EN CONSTANTE EQUILIBRIO, LA UNA O LA OTRA PUEDE AUMENTAR O DISMINUIR, ESTO HACE QUE LA FORMA SEA CONSTANTE*».

La forma es constante gracias al aumento o disminución del Cielo y de la Tierra, gracias a esa dinamicidad, es posible que la forma permanezca constante luego todo lo que vemos constante, imperecedero o eterno para nosotros, obedece gracias a la interacción; ahora fíjense en la comparación, nosotros los hombres estamos muy mal hechos, porque pasan unos años y salen canas, nos ponemos viejos y eso indica que nuestras interacciones internas se estan agotando, y no hay un gran dinamismo, si lo hubiera, nuestra forma estaría constante, luego el gran deteriorador de la salud es el estancamiento, el enlentecimiento de los ritmos de la energía. En cambio en el niño, la dinamicidad, la hiperactividad, la multiplicidad de los órganos es sinónimo de mantenimiento de la forma.

Con este concepto puede cambiar una cosa importante a la hora de percibir una enfermedad como *el cáncer*. Sabemos que el cáncer es una hiperatividad y una hiperdinamicidad de las energías, pero desgraciadamente no tiene forma y ha perdido la función de la célula madre que lo ha engendrado, pero en el fondo y esto es curioso porque se ve en el pulso de muchos cancerosos en diversos estadios, en el fondo se podría interpretar en un momento determinado como una necesidad del organismo de solucionar un problema, no como una agresión patológico, sino al revés, como una defensa del organismo.

Entonces la hiperactividad celular probablemente lo que intenta resolver es un problema anterior, lo que pasa es que los observadores no sabemos tratarlos correctamente y me refiero a los tratamiento que se conocen, que son totalmente específicos y exclusivamente al tumor. Sabemos que la enfermedad tumoral es una enfermedad y no es un tumor en la mama o en el útero, sino que eso es una manifestación de una enfermedad producida por una alteración del todo; esto lo enlazo con lo que decía del pulso, en los estadios iniciales he comprobado sorprendentemente que el pulso es excelente y eso me llama la atención, porque no tiene que ser bueno. He comprobado en enfermos con pulso patológico al poco tiempo les aparece el tumor, y el pulso cambia y se hace excelente. ¿cómo es posible?... habría que interpretar que las primeras manifestaciones del tumor serán beneficiosas para el organismo, pero lo que sucede es que no sabemos controlarlo correctamente, ni de donde sale la energía para el crecimiento de un tumor en un sujeto caquéctico.

Asi en la medida en que esa hiperactividad de todas las energías no se produce, la forma se deteriora, y por eso nos salen canas, y nos ponemos viejos, etc... ahora en la medida en que la hiperactividad de todas las energías se mantiene, la forma se hace constante. Y esto lo vemos en el reino vegetal, en los árboles ancianos, que pasan años y años, y el árbol esta aparentemente intacto, parece que no pasado el tiempo y si ha pasado, ha sido demasiado lentamente, por lo menos en nuestro tiempo de observador cronológico, indudablemente la hiperactividad de esa zona ha sido mucho mejor y ha mantenido la forma.

Hay que desechar la idea que se podría tener de que el enlentecimiento del Inn es la conservación y que la hiperactivación es la consumación, NO, eso es confundir el origen con la manifestación. Alguien pensará que el frío conserva... sabemos que con el frío que es el máximo de Inn se pueden conservar embriones, espermas, etc... pero lo que ocurre es que se ha sometido el máximo de Yang al máximo del Inn, entonces lo único que se ha hecho es hiperactivar la esencia del Yang, pero conservada en el Inn, es como si toda la energía del organismo la dejásemos en el Agua, y no permitiéramos que se desarrollara, como ocurre en una semilla, claro, en la semilla no se ve el árbol, ni el frito, pero está todo ahí, solo necesita un poco de agua, y tierra y así obtenemos un árbol de 8 metros.

Luego todo el proyecto del Yang está en hiperactividad pero contraido en el Inn, cuando las condiciones son favorables el Inn empieza a desaparecer y aparecen las manifestaciones del yang.

El médico de la corte habla de la génesis de los acontecimientos de la vida y dice: «*EN LA INMENSIDAD DEL ESPACIO EXISTE UNA ENERGIA ESENCIAL PRIMITIVA*».

Esta podría equipararse con un concepto físico y científico, más o menos reciente de la energía Ignea, que supone que es una energía Universal que esta en el espacio, pero volvemos a sorprendernos cuando el Sowen nos dice:

«EN LA GENESIS DE TODO EL DESARROLLO DE LOS PROCESOS VITALES QUE CONOCEMOS, LO 1º ES EL CONOCIMIENTO DE LA INMENSIDAD DEL ESPACIO DE LA ENERGIA ESENCIAL PRIMITIVA Y ESTA DA ORIGEN A TODOS LOS ELEMENTOS. LA ENERGIA DE LAS CINCO ACTIVIDADES RIGE EL TIEMPO Y SE REPARTE POR TODOS LOS LUGARES. TODO EL UNIVERSO ESTA REGIDO POR ESTA UNICA LEY».

Por una parte, la inmensidad del espacio, está haciendo referencia a todo lo que puede caber en nuestra cabeza como inmensidad. Ahora dice, la energía de las cinco Actividades rige el tiempo, y se refiere a los cinco Movimientos, luego el concepto de tiempo es distinto al que tenemos nosotros.

Nuestro concepto de tiempo es lineal, sumatorio, se suman acontecimientos para interpretar un hecho histórico. En la M.T.C. las cinco Actividades son las que van a regir el tiempo, y como sabemos cada Actividad va a engendrar a otra, luego el tiempo es circular, cíclico y no lineal, en el que no es posible la vuelta atrás; en cambio en el concepto de tiempo circular, el ciclo se repite. El tiempo no puede ser lineal porque no se ajusta a los ritmos, asi pues en el tiempo cíclico ocurren transformaciones o mutaciones, lo cierto es que si contamos a partir de un Elemento, tenemos la posibilidad de que al cabo de un cierto tiempo se vuelve a ver el mismo Elemento. Eso nos da la razón los fenómenos naturales; uno muy simple, el SOL, que desde que existen los seres vivos ha seguido un ritmo, sale y se oculta a determinada hora según la estación, siempre. Luego el sol sigue un ritmo circular, nos referimos a nosotros. Y si nos fijamos en el comportamiento del Macrocosmos, vemos que constantemente estamos con la elíptica y el círculo, y también vemos que Saturno, Júpiter, Urano, etc... siguen un ritmo circular, de creacción, como sigue el ritmo de reencontrarse a si mismo; de tal forma que el lineal no se reencuentra, el circular si. Asi que la Primavera aparecerá todos los años, queramos o no, y el día que no aparezca ocurrirá una catástrofe, o por ejemplo que aparezcan inversiones bruscas de temperatura como ocurre actualmente en Méjico, y eso hace que acabe con la vida eso es como ir en una carrera sin retorno.

Asi que cuando descendemos del macrocosmos al microcosmos nos encontramos con los mismos fenómenos de ciclos y ritmos. Si observamos al hombre vemos que está lleno de ritmos, el de la Cortison, la H. Tiroidea, el sueño etc... el hombre es desesperadamente monótono y hay que reconocerlo, lo digo en el sentido de estar sujeto a unos ritmos biológicos.

Insisto, *el tiempo es circular, creacional y vuelve sobre si mismo*, aunque la concretización de la energía, cambie a lo largo de ese tiempo, pero el fenómeno se va a repetir inexorablemente, entonces incluso podríamos decir que el concepto de tiempo en la forma que se entiende, no existe, sino que existen una serie de acontecimientos que se repiten.

Luego el texto continua diciendo que la energía se reparte por todos los lugares; nos habla de las manifestaciones de cada Actividad en su expansión.

«A PARTIR DE ESTA CREACCION NUEVE PLANETAS SE SUSTENTAN Y BRILLAN EN EL CIELO, SIETE DAN VUELTAS ENCIMA DE NUESTRAS CABEZAS».

Hace referencia a los Planetas del sistema Solar, pero distingue entre los visibles y no visibles.

«EN EL CIELO SE ENGENDRA EL INN Y EL YANG Y EN LA TIERRA LOS LIQUIDOS Y LOS SOLIDOS, ES A PARTIR DE ESTE MOMENTO QUE EL MUNDO VISIBLE E INVISIBLE TOMAN CADA UNO SU LUGAR, Y ESTAN SEPARADOS, COMO LO ESTAN LOS HOMBRES DE LOS DIOSES, EL FRIO Y EL CALOR SE SUCEDEN, LA VIDA Y LA MUERTE APARECEN, SERES ANIMADOS E INANIMADOS HACEN SU APARICION».

El texto no puede ser más contundente en cuanto a la génesis y desarrollo de los procesos vivos en nuestro Planeta, del desarrollo de los planetas, de la visibilidad de los planetas, del concepto del tiempo en relación a los cinco reinos, de la inexorabilidad de esta ley, y finalmente de los atributos del Cielo, que son el Inn y el Yang, y de la Tierra que son los aspectos físicos.

¿A qué se refiere con seres inanimados? ... se refiere al reino mineral y seres animados a todo aquello que se mueve de alguna manera.

Si nos fijamos en el desarrollo de la Génesis tal como lo explica, es una doctrina, capaz de acoger cualquier pensamiento filosófico-religioso, como puede ser Budismo, Cristianismo, etc...

Nos dice una cosa muy importante y es que existe el mundo invisible, lo cual lo enlaza con lo del Ser y No Ser; estamos en un mundo invisible separado del visible, lo cual indica también que hay dificultades para comunicarse, y además dice que existen dos mundos, y aqui encaja perfectamente la Reencarnación que sería la clavija del mundo visible e invisible, entre el mundo de la no existencia y el cambio de la Energía para la aparición de la forma y luego la mutación alquímica para pasar a otra dimensión.

Lo referente a los dos planetas que no son visibles y que en este siglo se han descubierto con métodos muy complicados, debo decir que el conocimiento que ellos tenían de estos planetas, no creo que fuera el mismo que tenemos nosotros, ellos llegaron a ese conocimiento por otras vías distintas a las utilizadas en este siglo.

Esto se enlazaría con el capítulo 1º del Sowen de la idea que tenían de hombres sabios, hombres volátiles, hombres intemporales, es decir, habla de seres con características especiales, hasta llegar al hombre cotidiano; el comportamiento de estos seres era muy diferente, hasta el punto de decir, que viajaban en el tiempo y en el espacio sin desplazarse. ¿Cómo va a ser esto? ... evidentemente estaban en un nivel de existencia diferente al nuestro, quizás a nivel invisible.

«EXISTEN TRES ENERGIAS INN Y TRES ENERGIAS YANG, LAS CUALES CAMBIAN CONSTANTEMENTE, DE FORMA QUE GENERAN:

FRIO - TAE YANG
CALOR - CHAO YANG
SEQUEDAD - YANG MING
HUMEDAD - TAE INN
VIENTO - TSUE INN
FUEGO - CHAO INN»

La similitud que hace el Sowen de los M. Unitarios con las energías del Cielo, se basa en la afinidad de cada meridiano con la energía que le corresponde, veamos:

FRIO - AGUA - V.
CALOR - FUEGO - TR.
SEQUEDAD - METAL -I.G.
HUMEDAD - TIERRA - B.
VIENTO - MADERA - H.

FUEGO - FUEGO - C.

Los tres niveles superiores son Yang los tres inferiores son Inn.

Muchos autores situan al Tsue Inn abajo, más profundo que el Chao Inn, yo pienso que no es asi, porque si lo más superficial es V-ID, y en eso estan todos de acuerdo, y sabemos que de lo más superficial puede pasar a lo más profundo, el acoplado de V. es R. y el de ID. es C., luego la última capa tiene que ser el Chao Inn y no el Tsue Inn.

El Sowen en dos partes del texto cita al Tsue Inn como lo más profundo, el resto de las veces a quien cita es la Chao Inn.

Las energías más Inn tienen afinidad por lo más Yang, que serían los canales Yang, es decir, frío, calor, sequedad. Y las energías más Yang, Humedad, Viento, Fuego, tienen afinidad por el Inn. Esto según el Inn y el Yang.

¿Cómo se explicaría según la S. y la E.?

El Tae Yang tiene mucha S., la afinidad es el Frío.

El Yang Ming tiene igual S. que E. y esto explica la Sequedad en el sentido del Vacio, etc...

Lo importante es que cuadre según la teoría del Inn y del Yang; la afinidad de las energías Inn para atacar a los órganos Yang, y la afinidad de las energías Yang para los órganos Inn.

¿Porqué unas energías son Inn y otras son Yang?

Hay algunos ejemplos que estan claros, el frío es Inn. Hay dos energías claramente yang, el viento y el fuego. Quedan como dudosas humedad, sequedad y calor. El calor es una forma menor de fuego, luego si la comparamos con el fuego, el fuego es Yang y el calor es Inn.

La humedad está a caballo entre el Yang y el Inn, ocupa el panel central entre el máximo de Yang y la aparición del Inn con el Metal.

La sequedad la identificamos con el Inn por el comportamiento que tiene en si misma. La sequedad no tiene humedad ni líquidos ni calor, la sequedad es un síntoma de vacío por tanto su equiparación debe de estar encuadrada dentro del Inn y no dentro del Yang. Asi la humedad es Yang y la sequedad es Inn; aunque la humedad tiene cualidades del Inn y del Yang, todo lo invade, tiende a descender, a estabilizarse.

«*LA MADERA, EL FUEGO IMPERIAL, LA TIERRA, EL AGUA Y EL FUEGO MINISTERIAL SON EL INN Y EL YANG TERRESTRES*».

Intencionadamente no esta el Metal porque es el devenir de las cosas y no se considera como el Inn y el Yang terrestre.

«*EL SIMBOLO DEL INN Y EL YANG TERRESTRE ESTA REPRESENTADO POR EL NACIMIENTO, EL CRECIMIENTO, LA METAMORFOSIS, EL DECRECER Y LA DESAPARICION*».

Es decir son las manifestaciones simbólicas, y añade:

«*EL YANG EN EL CIELO CREA, EL INN EN EL CIELO FECUNDA Y EN LA TIERRA EL YANG TERRESTRE HIERE Y EL INN TERRESTRE HACE DESAPARECER*».

El Inn y Yang del Cielo tienen como misión descender y el Inn y Yang terrestre ascender y en medio coge al hombre. Pero hay que tener en cuenta que las funciones son distintas. Cuando dice que el Yang de la Tierra hiere, quiere decir que acelera las cosas, que hace que las cosas vayan de prisa, y el Inn lo que quiere decir es que hace estar las cosas en lentitud.

«SE ENTREMEZCLAN Y COMBINAN Y DE ESTA FORMA RESULTAN LOS FENOMENOS».

Luego fijense que los fenómenos creativos y de fecundación son patrimonio del Cielo y no de la Tierra. Entonces los fenómenos de fecundación se dan en la Tierra, pero no porque sea fecunda sino porque el Cielo es fecundo, lo cual es diferente y eso lo vemos al hacernos la siguiente pregunta ¿Cuándo una tierra es fecunda? ... pues cuando le da el Sol, la lluvia, etc...

«YANG EN EL INN Y INN EN EL YANG HACEN POSIBLE TODAS LAS VARIACIONES, LA ENERGIA INN Y YANG DEL CIELO ESTAN EN PERPETUO MOVIMIENTO, SEGUN EL PAPEL QUE LES TOQUE A CADA UNA, SON PREDOMINANTES DURANTE UN AÑO Y DURANTE UN CICLO, QUE RECOMIENZA AL 7º AÑO».

Como hemos visto existen 6 E. Celestes, viento, frío, etc..., esto quiere decir que durante un año va a predominar una de ellas, como son 6, el ciclo recomenzará al 7º año.

«LAS ENERGIAS INN Y YANG DE LA TIERRA ESTAN SIEMPRE CALMADAS».

Antes decía que las energías Inn y Yang del Cielo estan en perpetuo movimiento. Es el ejemplo relativo a la tierra de labranza, en si no hace nada, son el Sol y las lluvias los que hacen que sea creativa.

«SEGUN SU ROL, ELLAS SON PREDOMINANTES DENTRO DE UN AÑO, DENTRO DE UN CICLO QUE RECOMIENZA AL 6º AÑO».

Luego el ritmo y el ciclo de la Tierra es 6. ¿PORQUE?... pues por los 5 Movimientos, los 5 Reinos de la Tierra, luego al 6º empieza el cielo.

En síntesis el ritmo del Cielo es 6 y se repite al 7º y el de la Tierra es 5 y se repite al 6º.

«SI ESTOS RITMOS NO SE CUMPLEN APARECEN MUCHAS CALAMIDADES. EL NUMERO DEL CICLO CELESTE ES EL 6 Y EL DEL CICLO TERRESTRE ES EL 5. POR TANTO NO SON SIMETRICOS».

Es una aparente contradicción, pero esa asimetría permite el dinamismo.

Otro factor es el *MC. y el TR. que actuan como elementos dinamizadores, porque se encuentran dentro del Fuego, además la realidad de estos es que no tienen sustrato físico.* El MC. es una unidad funcional sin sustrato físico ni real, yo lo compararía con lo que hemos hablado del mundo invisible en el sentido de que es algo que está ahí, *la energía no solo circula por los canales, sino, que tienen una proyección exterior, hacia el exterior; en ese sentido tiene relación con los auras, experiencias Kirlian, etc... lo mismo sucede con el TR. que se ha intentado comparar con Cardio-Respiratorio, Digestivo y Aparato Urinario*; y es válido a nivel de diferencias, pero si nos fijamos en los textos antiguos, se coloca una figura de un señor en posición de meditación, que tiene 3 calderos ardiendo, con lo cual nos indica que el Sanjiao, tiene como papel fundamental distribuir el Fuego orgánico, así como el MC. tiene como función distribuir el Fuego psicógeno, *entonces seguramente el desequilibrio del 6 y del 5 está ocasionado por estos dos vectores*, porque si se fijan los cinco Movimientos no serían tales si no existiera el TR. y el MC., ya que podrían moverse, estarían estáticos; pero esta es una particularidad que en ninguna endomedicina existe, e insisto, no tiene ningún sustrato morfológico que lo sustente. Al TR se le ha asignado la función de las glándulas endócrinas, pero no es así porque estas dependen de los riñones.

Otro concepto que nos situa esa asimetría de las influencias del Cielo y de la Tierra, es a partir de Soulié de Morant que se tomó la costumbre de las punturas simétricas, y eso no es así; si ponemos el 6 MC derecho, no hay porque poner el izquierdo, ya que los ciclos son diferentes.

Si trabajaramos en el Cielo, lo haríamos con el 6, si fuera en la Tierra, con el 5, pero trabajamos en un lugar de intercambio de energías, porque aqui es donde estan las interrelaciones del 5 con el 6, del 6 con el 12, del 5 con el 10 etc... entonces tenemos que ser asimétricos, no es que invalide lo simétrico, pero si el concepto rígido de Simetría. Lo dice el Ta Cheng cuando habla de llevar energía a la derecha o a la izquierda y nos obliga a utilizar un lado u otro.

«*CADA ENERGIA DE LAS CINCO ACTIVIDADES RIGEN Y SE INTERRELACCIONAN CON LAS ENERGIAS DEL CIELO, MENOS EL FUEGO IMPERIAL QUE ES NOMINAL, ASI EL INN Y EL YANG DEL CIELO SE REPRESENTA EN EL FUEGO MINISTERIAL EN EL AÑO 6º*».

Cuando veamos los ciclos de los años y se pasen por los cinco Movimientos no va haber lugar teóricamente para el Fuego Ministerial, pero el texto dice lo contrario, que el Fuego Imperial es nominal, no ocupa lugar y en cambio el Fuego Ministerial ocupa el 6º lugar; después de los cinco Movimientos la reedicción de la misma situación, sería el 6º lugar, como veremos a la hora de confeccionar las tablas. El Texto debería ser al revés, es decir, si está presente el Fuego Imperial que es C./ID. y el que no está presente y el que ocupa el lugar del último Tronco Celeste, es el Fuego Ministerial, así que habrá que pensar, aunque debe estar sujeto a una reflexión, que el Fuego Ministerial es nominal y en el año 6º se imagina con el Fuego Imperial, de todas formas quiero ser fiel al texto que mantiene así el planteamiento aunque luego los textos mismos no efectuan la tabla para la determinación del día y la hora.

El primer ciclo Terrestre se forma por la multiplicación de 6 Energías Celestes y los 5 Movimientos. Ciclo de 30 años.

El ciclo Celeste se puede obtener de la multiplicación de 12 Ramas Terrestres y los 5 Movimientos. Ciclo de 60 años.

«*EXISTEN REGENCIAS SUCESIVAS DEL INN Y DEL YANG*».

«*LA DOMINANCIA DE UNO DE LOS SEIS CLIMAS O DE UNO DE LOS DIEZ TRONCOS VA A PREDOMINAR EN UN SENTIDO O EN OTRO*».

«*CONOCIENDO EL PRESENTE SE CONOCE EL DEVENIR*».

Si estamos ante una enfermedad del Movimiento Madera, sabemos que mejorará con la llegada del verano, al llegar el Estio quedará estacionada, al llegar el Metal se agravará, al llegar al Agua estará estacionada y al llegar de nuevo la primavera curará.

Esto mismo se puede también aplicar para las horas del día. Es decir que conociendo el presente podemos conocer el futuro.

«*HE OIDO DECIR LA SIGUIENTE CRONOLOGIA DE LOS AÑOS HISTORICOS*»:

1º y 6º *TIERRA*	
2º y 7º *METAL*	*TRONCOS*
3º y 8º *AGUA*	*CELESTES*
4º y 9º *MADERA*	
5º y 10º *FUEGO*	

«*¿COMO LOS AÑOS SE CORRESPONDEN A LOS 3 INN Y A LOS 3 YANG?*»

1º y 7º *CHAO INN CALOR*
2º y 8º *TAE IN HUMEDAD*
3º y 9º *CHAO YANG FUEGO* — *RAMAS*
4º y 10º *YANG MING SEQUEDAD* — *TERRESTRES*
5º y 11º *TAE YANG FRIO*
6º y 12º *TSUE INN VIENTO*

El comienzo histórico esta en el Chao Inn y el final en el Tsue Inn.

Las influencias terrestres se manifiestan en el Cielo en forma de Troncos Celestes y las influencias celestes se manifiestan en la Tierra en forma de Ramas Terrestres. Luego las medidas del Cielo se emplean para medir las cosas de la Tierra y al reves.

Troncos Celestes: Se hace en base a los 5 reinos de la Tierra.

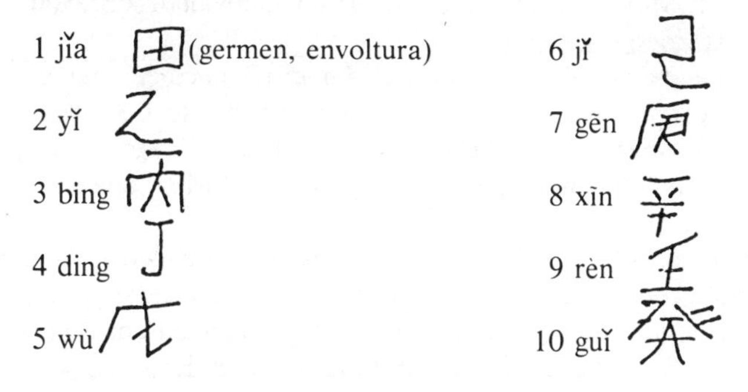

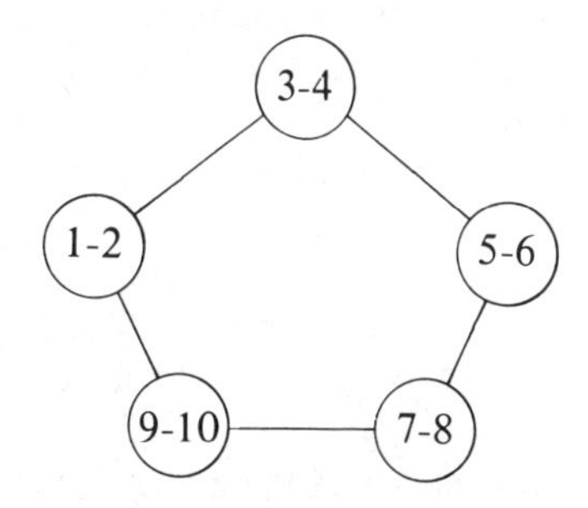

Esta es una forma de distribución de los Troncos Celestes sobre los 5 Mov. A cada Mov. le corresponde una cifra par y otra impar, de tal forma que las cifras pares pertenecen al Inn y las impares al Yang.

Entonces según esto sabemos que cada Mov. tiene dos vectores. El orden de sucesión sería:

Para el Inn, H-C-B-P-R-MC y para el Yang, VB-ID-E-IG-V-TR.

El TR se encuadra dentro del último Tronco, el 9 y el MC dentro del último Tronco al n.º 10. El orden de sucesión empezaría en la Madera, los impares para el Yang y los pares para el Inn, de tal forma que un día jiǎ es un día yang.

Esta es la 1ª forma de aplicación de los Troncos Celestes a los 5 Movimientos, entonces podemos decir que un enfermo hepático curará o mejorará en los días 3 y 4 es decir bing-ding, se quedará estable los diaswu-jǐ, empeorará los días gēn-xīn, quedará estable los días rèn-guǐ y curará su enfermedad los días jiǎ-yǐ.

Y es asi como lo describe el Ta Cheng para hablar de la evolución de la enfermedad a lo largo de los 5 Mov.

Tenemos 2 días para cada Mov. que corresponde a 2 Troncos Celestes, en general *el contaje de los días se hace por los Troncos Celestes, el contaje de las horas por las Ramas Terrestres y el contaje de los años y meses se hace por la combinación de los Troncos y las Ramas,* normalmente se hace asi, y se puede hacer solo por las Ramas o solo por los Troncos, pero tiene muchas dificultades.

TR.Ce.	Orient.	Mov.	Planeta	Color	S. Music.	Sabor	Virtud
1-2	Este	Madera	Júpiter	Verde	Chiao	Acido	Benevolencia
3-4	Sur	Fuego	Marte	Rojo	Chih	Amargo	Cortesia
5-6	Centro	Tierra	Saturno	Amarillo	Kung	Dulce	Fidelidad
7-8	Oeste	Metal	Venus	Blanco	Shang	Picante	Justicia
9-10	Norte	Agua	Mercurio	Negro	Yü	Salado	Prudencia

Cuando el día, la hora, el mes o el año que corresponda pertenezca a un Tronco impar, indicará que la actividad de ese Mov. y de su esfera está en hiperactividad, sobre todo si lo relaccionamos con las seis Energías.

Por ejemplo si estamos en el día jiă, el primer día o el primero Tronco del año, sabemos que ese año habrá una hiperactividad de la Madera, habrá mucho viento; pero si estamos en el día yĭ, par, Tronco 2, pertenece a la actividad Inn del Mov., luego indica que la fuerza de ese Mov. estará muy disminuida, entonces aparecerá el Mov. que normalmente le domina, la Sequedad.

Hemos dicho que los Tr. impares eran Yang, y los Tr. pares eran Inn; esto es así porque las cifras pares son estables, se pueden dividir en dos partes, y representan la estabilidad y la quietud. Las cifras impares no se pueden dividir pues siempre darán la mitad y una fracción, por eso las impares son yang, es cuestión de estabilidad. Entonces los impares Yang se relaccionan con la actividad manifiesta de cada Mov., los pares Inn se relaccionan más con el vacío del Mov., así pues los pares se relaccionan con el Vacío y los impares con la Plenitud. Es decir que decimos que un Mov. tiene actividad o no, si corresponde a Tr. pares o impares. Habrá Plenitud en los Tr. jiă-bing-wù-gēn-rèn y habrá Vacío en los Tr. yĭ-ding-jĭ-xīn-guĭ.

¿Qué mecanismo ocurre cuando aparece la rama del Inn? ... en este caso se despierta el ciclo de autocontrol interno o ciclo Ko, de tal forma de que si tenemos: Ma. 1 y 2 Fuego 3 y 4, Tierra 5 y 6, Metal 7 y 8, y Agua 9 y 10, cada Mov. tiene un Tr. Celeste que marca el ritmo de la actividad Yang y Inn.

El ritmo impar marca la hiperactividad, el Yang; el ritmo par marca la hipoactividad, el Inn.

Cuando hay hiperactividad, si corresponde a la Madera, habrá mucho viento, si al Fuego, habrá mucho calor, o la hiperactividad del órgano a que corresponda; es decir si estamos en jiă, la hiperactividad de la Madera puede transformarse en manifestaciones internas, como exceso de ira, uñas potentes, etc...

Cuando aparece el Inn, la hipoactividad del Inn ya no se comporta como el Yang sino que al haber una debilidad el ciclo Chen deja de funcionar y aparece el ciclo Ko, entonces al haber debilidad de la Madera, ese año, si es un año par, el clima no será falta de viento, aunque falta el viento, sino que el clima será el que le domina, la Sequedad. Si es un año 4 el clima que le domina será la lluvia, si es año 6 el clima será ventoso, etc...

En síntesis: *los años impares yang dan predominancia a las características del Mov. a que pertenecen. Los años pares Inn dan preponderancia al Mov. que controla a dicho Mov.*

Ramas Terrestres: Son 12 y se suelen representar con nomenclatura romana.

	HORAS		ORIENTAC.	SIGNO OCCIDENTAL	SIGNO ORIENTAL
子	I zǐ	23-1	Norte	Aries	Rata
丑	II chou	1-2	N. NE. E.	Tauro	Buey
寅	III yin	3-5	E. NO. N.	Géminis	Tigre
卯	IV mao	5-7	Este	Cáncer	Liebre
辰	V chen	7-9	E. SE. S.	Leo	Dragón
巳	VI si	9-11	S. SE. E.	Virgo	Serpiente
午	VII	11-13	Sur	Libra	Caballo
未	VIII wei	13-15	S. SO. O.	Escorpión	Oveja
申	IX shen	15-17	O. SO. S.	Sagitario	Mono
酉	X you	17-19	Oeste.	Capricornio	Gallo
	XI wu	19-21	O. NO. N.	Acuario	Perro
亥	XII hai	21-23	N. NO. O.	Piscis	Cerdo

Se empieza de 23-1 porque es el comienzo del yang.

Estas son las correspondencias más frecuentes.

Se puede observar que tanto Troncos como Ramas tienen correlacción con los Movimientos y las Energías. Los Troncos tienen relacción con los Mov. y las Ramas con las Energías; de tal forma que de los 5 Mov., cada una de sus manifestaciones Inn-Yang hacen posible la creacción de los 10 Tr. Celestes.

Las 6 Energías y sus manifestaciones Inn-Yang hacen posible la aparición de las 12 Ramas Terrestres, es decir surgen como consecuencia de la actividad de las 6 Energías Cósmicas y de las 5 Actividades del Cielo.

Ya tenemos la base para ir elaborando algunos intentos de calendario.

Se puede elaborar a través de los Tr. o de las Ramas, si bien el manejo de las horas corresponde a las Ramas, el de los Mov. corresponde a los Tr. y la combinación de ambos se reserva para el cálculo de los años y de los meses, aunque también se puede calcular para los días y las horas.

Cada animal emblemático del año chino está relacionado con una serie de actividades cotidianas. Entonces al hablar del año no solo hablamos de la Rama, sino que es importante reseñar el año en que se está.

Cuando se habla del animal se refiere a la actividad que consigo lleva, entonces aunque se manejan conceptos filosóficos, también son muy pragmáticos en cuanto a que todas las enseñanzas que se manifiestan en Tr. y Ramas se corresponde con actividades reales que ellos contemplan.

Se puede pensar que el dragón está un poco en desacuerdo; si preguntamos a un chino actual nos contestará que los dragones pertenecen a la imaginación de los antiguos señores feudales, pero un chino anciano nos respondería con una sonrisa. El dragón aparece en casi todos los monumentos chinos y deberíamos pensar que corresponde a una actividad, lo cierto es que el dragón siempre aparece en las fábulas y cuentos, etc... e incluso en las moradas de los emperadores, entonces no es algo ajeno a la cultura y está ligada a la actividad del Cielo. *Yo interpreto la figura del dragón como la influencia del Cielo a través de las Ramas Terrestres*. El dragón sería el ser híbrido que es capaz de recoger las cosas del mundo visible e invisible, porque es un personaje que juega ese doble papel. Haciendo un salto cultural, sería como la convivencia de los griegos con los dioses.

El dragón no esta tan fuera de los animales domésticos y está en relación con los acontecimientos de este pueblo que asi lo ha plasmado.

Los animales emblemáticos tienen una mayor operatividad si los comparamos con nuestros signos astrológicos.

Los signos astrológicos occidentales están determinados por la hora y fecha de natilicio y los orientales estan determinados por el año y unas fechas más o menos amplias de días, no interviene la hora. Es decir al ser un calendario solar-lunar, es más importante la influencia del año y de sus energías correspondientes que la hora de natilicio; por esto la Astrología Occidental está muy ligada a la Astronomía, aunque esta la ignora; en cambio la Astrología Oriental está muy ligada a la experiencia cotidiana, a la experiencia de miles de ejemplos; por eso equiparar Libra con Dragón no sería razonable, en todo caso Libra con Caballo; Leo con el Dragón tiene la concomitancia de la grandiosidad, del empuje etc... parece ser que en muchos cuentos chinos el dragón es terriblemente cobarde, lo que pasa es que tiene mucho fuego, mucha fachada, pero si le gritas, sale corriendo; es semejante a lo que le pasa a Leo, y no lo digo en sentido peyorativo.

Creo que no podemos situar al pueblo chino como el pueblo del dragón, y de hecho están más cercanos al caballo.

Cálculo de los Años: se basa en ritmo circular de ciclos de 60 años, esto se obtiene merced a la combinación de las 12 Ramas y los 10 Tr., todo este ciclo se desarrolla a partir de la época de los CHOU y se perpetua a través del tiempo de tal forma que se supone que mucho antes que la época de los CHOU, el inventor del calendario fue Hoang Ti.

Se parte del cálculo del año chino de un punto que es el año 2697 a. Xto. fecha que comienzan los ciclos de 60 años hasta nuestros días; se coge este momento porque es a partir del cual se tiene constatación de que se empieza a contar ciclos, y antiguos manuscritos lo corroboran. Hay muchos calendarios, pero todos coinciden en esta fecha. Es en virtud de la experiencia del campesinado, quien va a marcar los solsticios, las lunas, etc...

También en la dinastia SHANG existen sobre huesos inscripciones en las que empleaban ciclos de 60 años para designar días, meses y horas.

El 1º de los meses del año lunar empieza más tarde que el solar.

Actualmente estamos en el ciclo 780.

Para ver los años históricos, los Tr. Celestes se manifiestan en la Tierra y por eso se empieza a contar por la Tierra.

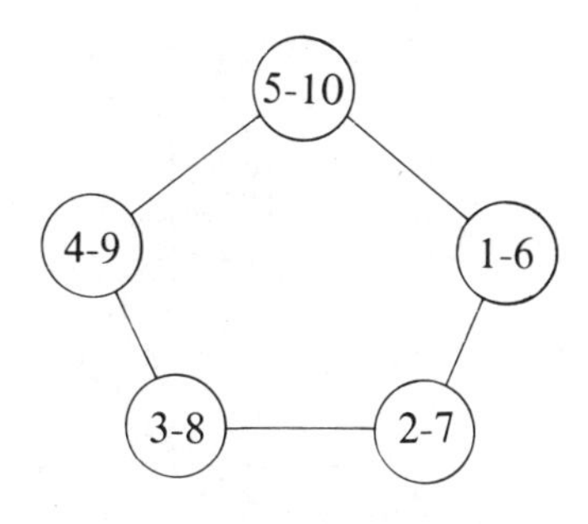

Otra forma de distribuir los Tr. Celestes, diferente de la que vimos antes, que según la teoría de los 5 Mov. empezabamos por la Madera y decíamos 1-2 Madera, 3-4 Fuego etc... hasta 9-10 Agua.

Aqui el Sowen habla de los años históricos que se manifiestan en la Tierra y por eso empieza por la Tierra.

Entonces aquí, el 1986 es un año 3 histórico del Agua, porque esta es la distribución de los Tr. Celestes en los 5 Mov., es decir es otra aplicación en relación con los ritmos anuales, antes lo hemos hecho en relación con la actividad de los órganos y las vísceras, según el Inn-Yang.

El siguiente aspecto es cuando habla de las Ramas Terrestres en relación con las energías.

También nos dice el Sowen que las Ramas Terrestres nos sirven para determinar las interacciones del Inn-Yang y en consecuencia distribuye los años siguiendo la regla de las 6 Energías, así tenemos:

Años		
1-7	CHAO INN	CALOR
2-8	TAE INN	HUMEDAD
3-9	CHAO YANG	F. MINISTERIAL
4-10	YANG MING	SEQUEDAD
5-11	TAE YANG	FRIO
6-12	TSUE INN	VIENTO

«**¿Cómo se corresponden los 3 Inn y los 3 Yang a los años?** EL AÑO 1-7 SE CORRESPONDE AL CHAO YANG, EL AÑO 2-8 AL TAE INN etc...»

Son Ramas Terrestres que se manifiestan en el Cielo, luego lo 1º es la consumación del Yang del Cielo, por eso empieza en el calor y los Tr. Celestes se manifiestan en la Tierra. Pero como son Ramas Terrestres tienen que volver a la Tierra, 1º asciende para dar su manifestación en el Cielo y luego desciende porque pertenece a la Tierra; entonces 1º año Calor, 2º Tierra, 3º Fuego, una vez que se ha consumido el Yang Celeste por las R. Terrestres, ya sigue el ciclo generacional, Sequedad, Frío, Viento.

Tiene que empezar por el calor porque es la 1ª manifestación terrestre, la otra manifestación ministerial es muy entelequial, y poníamos la duda de que el F. Imperial no se contabiliza y lo dejábamos para la reflexión. En el Sowen hay 2 ó 3 errores reales; parece ser del escritor que en su tiempo lo hizo. Este podría ser un error.

	I	II	III	IV	V	VI	VII	VIII	IX	X	XI	XII
1	1 1864 1924 1984		51		41		31		21		11 1874 1934 1994	
2		2 1865 1925 1985		52		42		32		22		12 1875 1935 1995
3	13		3 1866 1926 1986		53		43		33		23	
4		14		4 1867 1927 1987		54		44		34		24
5	25		15		5 1868 1928 1988		55		45		35	
6		26		16		6 1869 1929 1989		56		46		36
7	37		27		17		7 1870 1930 1990		57		47	
8		38		28		18		8 1871 1931 1991		58		48
9	49		39		29		19		9 1872 1932 1992		59	
10		50		40		30		20		10 1873 1933 1993		60

ANALISIS DEL AÑO 1986:

La 1ª correlación es que es un año 3 bing, vemos que corresponde a ID. En relación con el clima como es Mov. Fuego, puede ser calor o fuego, como es el yang máximo estaremos ante un año de fuego. Como tiene relación con el ID tenemos un año de Plenitud. Si nos atenemos a la cualidad de la Rama Terrestre, corresponde a Inn, a la hora 3-5, en relación con el Pulmón.

Se corresponde con el tigre, y nos decía el Sowen que el año 1 y 6 es el año histórico de la Tierra etc... entonces estamos en el año histórico del Agua según los Tr. y según el Inn-Yang el año 3 y 9 pertenecen al Chao Yang, Fuego Ministerial, es decir se corresponde con VB y TR.

Lo que coincide mucho es el fuego, ya que se manifiesta en dos aspectos distintos, el Fuego Ministerial por las Ramas y el Fuego Imperial por el ID, entonces lo que predomina a lo largo del año es el fuego.

Tenemos dos vectores que deben ser considerados, el Pulmón por la hora y el año histórico del Agua por los Tr. Celestes, de alguna forma se amortiguará la hiperactividad del Fuego.

Tenemos: 1º Fuego, plenitud de ID.
2º Pulmón de 3-5.
3º Tigre.
4º Tr. Agua.
5º Rama. Chao Yang.

En todos menos en un predomina un meridiano o un órgano. Al predominar un M. Unitario nos indica que habrá una actividad constante a lo largo del año en todo el organismo, por tanto tenemos que prestar especial atención a VB y TR., puesto que la actividad del Chao Yang va a potenciar a todo el organismo, en cambio las demás actividades como ID. P. y Agua, son de más lenta actividad y engloban una actividad mucho más general. Además coincide que el Fuego Ministerial está en actividad, luego nuestra máxima atención debe estar ceñida en el estudio VB y TR.

¿Cómo determinamos qué puntos utilizar?

Dentro de los «SU» tenemos: Ting que significa pozo; Iong, manantial; Iu, rio; King, fuente y Ho, mar. El F. Ministerial representa la instancia psíquica del fuego, representa la fuerza del Cielo, del mundo invisible; es representado a través del Fuego Ancestral y manifestado a través del Chao Yang, luego el Fuego Ministerial que depende del Fuego Ancestral estan íntimamente ligado al MC y a la VB. La 1ª misión de la VB es la DECISION, que es lo que los chinos llaman el espíritu del jefe. En la Antigua China los guerreros se comían la VB del guerrero que habían matado.

Decíamos que existen en los Yang seis puntos Ting, Iong, Iu, King, Ho, y Yuan.

Aunque dicen que el Iu y el Yuan es lo mismo en los Inn, nosotros no opinamos lo mismo. El Yuan es específicamente punto de los Yang, no existe en el Inn, porque como decíamos antes, hay asimetrías. El Cielo y la Tierra son asimétricos, no tiene porque haber 6 puntos en el Yang y 6 en el Inn, y no se tiene porque acumular el concepto de Iu y de Yuan en los Inn, como decíamos el 5 y el 6 pertenecen al Cielo y a la Tierra, por tanto el Yang y el Inn son asimétricos.

Equiparar el punto Yuan e Iu en los Inn no tiene sentido, eso es un apaño; existe el Yuan como manifestación del Yang del Cielo, y además el Sowen lo especifica, son puntos fuente y aunque el capítulo II dice existe 12 puntos Yuan claro y pone también el punto Iu de los órganos, no el punto Yuan de los órganos.

El Yuan está íntimamente ligado a la Ancestralidad, toda la carga ancestral de las vísceras está concentrada en el Yuan, también en el Ho que es punto Agua, no en el Iu que es punto Tierra. La Tierra Iu de los órganos tiene Ancestralidad junto con el Ho pero en el caso de las vísceras, Yuan o Fuente presenta la ambivalencia con capacidad para Tonificar o Dispersar, porque en él reside el Fuego Ancestral, por esto el punto clave es el 40 VB, punto Yuan como regulador de las Energías anuales. El siguiente punto clave es el Yuan 4TR.

Fíjense lo que pasa para este año.

Por un lado controlamos con el 40 VB todas las motivaciones psíquicas que tiene el año, por ser el año del Tigre etc...

El 4TR se va a ocupar del Fuego físico que se produce por la alimentación y la respiración.

El año histórico del Agua va a ser débil y de hecho poco está lloviendo.

El Pulmón en un año de Fuego puede tener sus riesgos, claro, el Fuego funde al Metal y esto no es bueno para los asmáticos.

El Fuego físico y psíquico lo hemos regulado con TR y VB, no lo hemos dispersado sino que lo hemos drenado.

No hay que olvidar que al haber mucho Fuego es necesario tonificar el Pulmón, pero la hora óptima de 5-7 de la mañana, asi que habrá que buscar alguna forma. Como sabemos que existe el Inn y el Yang, tomamos el opuesto, que son de 5-7 de la tarde, es decir la hora del Riñón, luego tonificaríamos el punto Metal del Ria prevenir las complicaciones que puede tener la plenitud a nivel pulmonar.

La energía invitada se distingue de la huesped, en que la huesped es la habitual, entonces como la energía invitada es el Agua quiere decir que puede haber un chaparrón y nada más, sin embargo la energía huesped este año es el Fuego. El invitado es el problema porque no se espera, y el Agua va a actuar en ese sentido.

De cara al Pulmón la energía invitada es el Fuego porque el Pulmón no se espera todo esto, pero le viene dado por la característica del año.

¿Porqué el calor ha llegado tarde este año?

El año chino empieza en febrero y puede que el calor haya tardado en llegar pero el verano será largo, además muchos días de primavera han sido calurosos.

Otra cosa que ha ocurrido esta Primavera ha sido una gran frecuencia de cuadros pulmonares que se ha tipificado como virales y en definitiva lo que se puede afirmar energéticamente es de ataque de Fuego Perverso al Pulmón; también ha habido mayor frecuencia de problemas vesiculares y que ha quedado determinado por el análisis del año que hemos hecho.

Hay que matizar que en las zonas sur, va haber más calor de lo habitual y en el norte hará un clima más agradable.

Entonces los años Fuego son típicos de epidemias.

Si estas previsiones se tuvieran en cuenta el trabajo sería más rentable.

La utilización de la moxa este año debe ser restringida a personas muy debilitadas y con poca energía.

Otra recomendación dietética sería aconsejar a nuestros pacientes que tomen un poco de picante para nutrir al Pulmón.

MODO DE EMPLEO

Instrucciones de las gráficas.

a) Gráficas redondas. Se trata del calendario completo con los puntos días y horas. Como en la copia no acoge la totalidad del mapa, se adjuntan dos copias complementarias que completan los extremos. La copia principal es la marcada con el N.º 3 y los apéndices complementarios de los extremos con los números 1 y 0.

b) Gráficas mensuales. Se reseñan los años 1986-87-88. Cada día del mes esta marcado en el calendario con un *tronco celeste*.

c) Tablas traducidas. Se trata de la traducción de las correspondencias de la tabla circular.

Veamos: Primer círculo. Troncos celestes de los días.

Segundo círculo. Puntos YUAN (fuente) de acuerdo a los troncos celestes.

Tercer círculo. Puntos pertenecientes a las ramas terrestres.

Cuarto círculo. El tiempo de acuerdo a las ramas terrestres.

Quinto círculo. Hora correspondiente a la rama terrestre.

Sexto círculo. Punto de *dispersión*. Ramas terrestres.

Séptimo círculo. Puntos de *tonificación*. Ramas terrestres.

Octavo círculo. Puntos Yuan (fuente) de las ramas terrestres.

Noveno círculo. Ben (origen) de las ramas terrestres.

* *Las tablas traducidas no incluyen la traducción del CUARTO CIRCULO.* No es necesario para la aplicación.

Modo de empleo. Se identifica el día del mes del año. En el calendario se especifica el día del tronco celeste a que corresponde. A continuación se consulta la tabla de los días y en ellas nos dara los puntos que ese día estan en máxima actividad, al igual que la hora más apropiada de su empleo.

附：子午流注针法按时开穴图

Appendix: Illustration of Selection of Acupoints According to Ziwuliuzhu

付註：子午流註針法の時間によつこ穴を開く図表

图例（从里到外）：
第一环是日干。
第二环是子午流注纳甲法“返本还原”开穴。
第三环是子午流注纳甲法的按时开穴。
第四环是当天的时辰。
第五环是与时辰相应的时间。
第六环是子午流注纳支法补母泻子取穴的泻穴。
第七环是子午流注纳支法补母泻子取穴的补穴。
第八环是纳支法“原穴”的按时开穴。
第九环是纳支法“本穴”的按时开穴。

はん例説明(内かろ外へ)：
第一輪は日干である。
第二輪は子午流註の納甲法の［返本還原］(原状に回復する）で開く穴位である。
第三輪は子午流註の納甲法で開く穴位である。
第四輪は当日の時辰である。
第五輪は時辰と相応する時刻である。
第六輪は子午流註の納支法の［母を補つて子を瀉する］取穴の瀉穴である。
第七輪は子午流註の納支法の［母を補つて子を瀉する］取穴の補穴である。
第八輪は納支法の原穴が時間により穴を開くこと。
第九輪は納支法の本穴が時間により穴を開くこと。

Illustration(start from the centre):
The 1st circle: the Heavenly Stems of the day.
The 2nd circle: yuan (source) points according to the Heavenly Stems.
The 3rd circle: the acupoints pertaining to both Stems and Branches.
The 4th circle: the time according to the Earthly Branches.
The 5th circle: hours corresponding to the Earthly Branches.
The 6th circle: the reducing acupoints: the “son” points according to the Earthly Branches.
The 7th circle: the reinforcing acupoints: the “mother” points according to the Earthly Branches.
The 8th circle: yuan (source) points pertaining to the Earthly Branches.
The 9th circle: ben (origin) points pertaining to the Earthly Branches.

1 9 8 5 年　乙 丑 年

日	一	二	三	四	五	六
		1 庚	2 辛	3 壬	4 癸	5 甲
6 乙	7 丙	8 丁	9 戊	10 己	11 庚	12 辛
13 壬	14 癸	15 甲	16 乙	17 丙	18 丁	19 戊
20 己	21 庚	22 辛	23 壬	24 癸	25 甲	26 乙
27 丙	28 丁	29 戊	30 己	31 庚		

日	一	二	三	四	五	六
					1 辛	2 壬
3 癸	4 甲	5 乙	6 丙	7 丁	8 戊	9 己
10 庚	11 辛	12 壬	13 癸	14 甲	15 乙	16 丙
17 丁	18 戊	19 己	20 庚	21 辛	22 壬	23 癸
24 甲	25 乙	26 丙	27 丁	28 戊		

日	一	二	三	四	五	六
					1 己	2 庚
3 辛	4 壬	5 癸	6 甲	7 乙	8 丙	9 丁
10 戊	11 己	12 庚	13 辛	14 壬	15 癸	16 甲
17 乙	18 丙	19 丁	20 戊	21 己	22 庚	23 辛
24 壬	25 癸	26 甲	27 乙	28 丙	29 丁	30 戊
31 己						

日	一	二	三	四	五	六
	1 庚	2 辛	3 壬	4 癸	5 甲	6 乙
7 丙	8 丁	9 戊	10 己	11 庚	12 辛	13 壬
14 癸	15 甲	16 乙	17 丙	18 丁	19 戊	20 己
21 庚	22 辛	23 壬	24 癸	25 甲	26 乙	27 丙
28 丁	29 戊	30 己				

日	一	二	三	四	五	六
			1 庚	2 辛	3 壬	4 癸
5 甲	6 乙	7 丙	8 丁	9 戊	10 己	11 庚
12 辛	13 壬	14 癸	15 甲	16 乙	17 丙	18 丁
19 戊	20 己	21 庚	22 辛	23 壬	24 癸	25 甲
26 乙	27 丙	28 丁	29 戊	30 己	31 庚	

日	一	二	三	四	五	六
						1 辛
2 壬	3 癸	4 甲	5 乙	6 丙	7 丁	8 戊
9 己	10 庚	11 辛	12 壬	13 癸	14 甲	15 乙
16 丙	17 丁	18 戊	19 己	20 庚	21 辛	22 壬
23 癸	24 甲	25 乙	26 丙	27 丁	28 戊	29 己
30 庚						

日	一	二	三	四	五	六
	1 辛	2 壬	3 癸	4 甲	5 乙	6 丙
7 丁	8 戊	9 己	10 庚	11 辛	12 壬	13 癸
14 甲	15 乙	16 丙	17 丁	18 戊	19 己	20 庚
21 辛	22 壬	23 癸	24 甲	25 乙	26 丙	27 丁
28 戊	29 己	30 庚	31 辛			

日	一	二	三	四	五	六
				1 壬	2 癸	3 甲
4 乙	5 丙	6 丁	7 戊	8 己	9 庚	10 辛
11 壬	12 癸	13 甲	14 乙	15 丙	16 丁	17 戊
18 己	19 庚	20 辛	21 壬	22 癸	23 甲	24 乙
25 丙	26 丁	27 戊	28 己	29 庚	30 辛	31 壬

日	一	二	三	四	五	六
1 癸	2 甲	3 乙	4 丙	5 丁	6 戊	7 己
8 庚	9 辛	10 壬	11 癸	12 甲	13 乙	14 丙
15 丁	16 戊	17 己	18 庚	19 辛	20 壬	21 癸
22 甲	23 乙	24 丙	25 丁	26 戊	27 己	28 庚
29 辛	30 壬					

日	一	二	三	四	五	六
		1 癸	2 甲	3 乙	4 丙	5 丁
6 戊	7 己	8 庚	9 辛	10 壬	11 癸	12 甲
13 乙	14 丙	15 丁	16 戊	17 己	18 庚	19 辛
20 壬	21 癸	22 甲	23 乙	24 丙	25 丁	26 戊
27 己	28 庚	29 辛	30 壬	31 癸		

日	一	二	三	四	五	六
					1 甲	2 乙
3 丙	4 丁	5 戊	6 己	7 庚	8 辛	9 壬
10 癸	11 甲	12 乙	13 丙	14 丁	15 戊	16 己
17 庚	18 辛	19 壬	20 癸	21 甲	22 乙	23 丙
24 丁	25 戊	26 己	27 庚	28 辛	29 壬	30 癸

日	一	二	三	四	五	六
1 甲	2 乙	3 丙	4 丁	5 戊	6 己	7 庚
8 辛	9 壬	10 癸	11 甲	12 乙	13 丙	14 丁
15 戊	16 己	17 庚	18 辛	19 壬	20 癸	21 甲
22 乙	23 丙	24 丁	25 戊	26 己	27 庚	28 辛
29 壬	30 癸	31 甲				

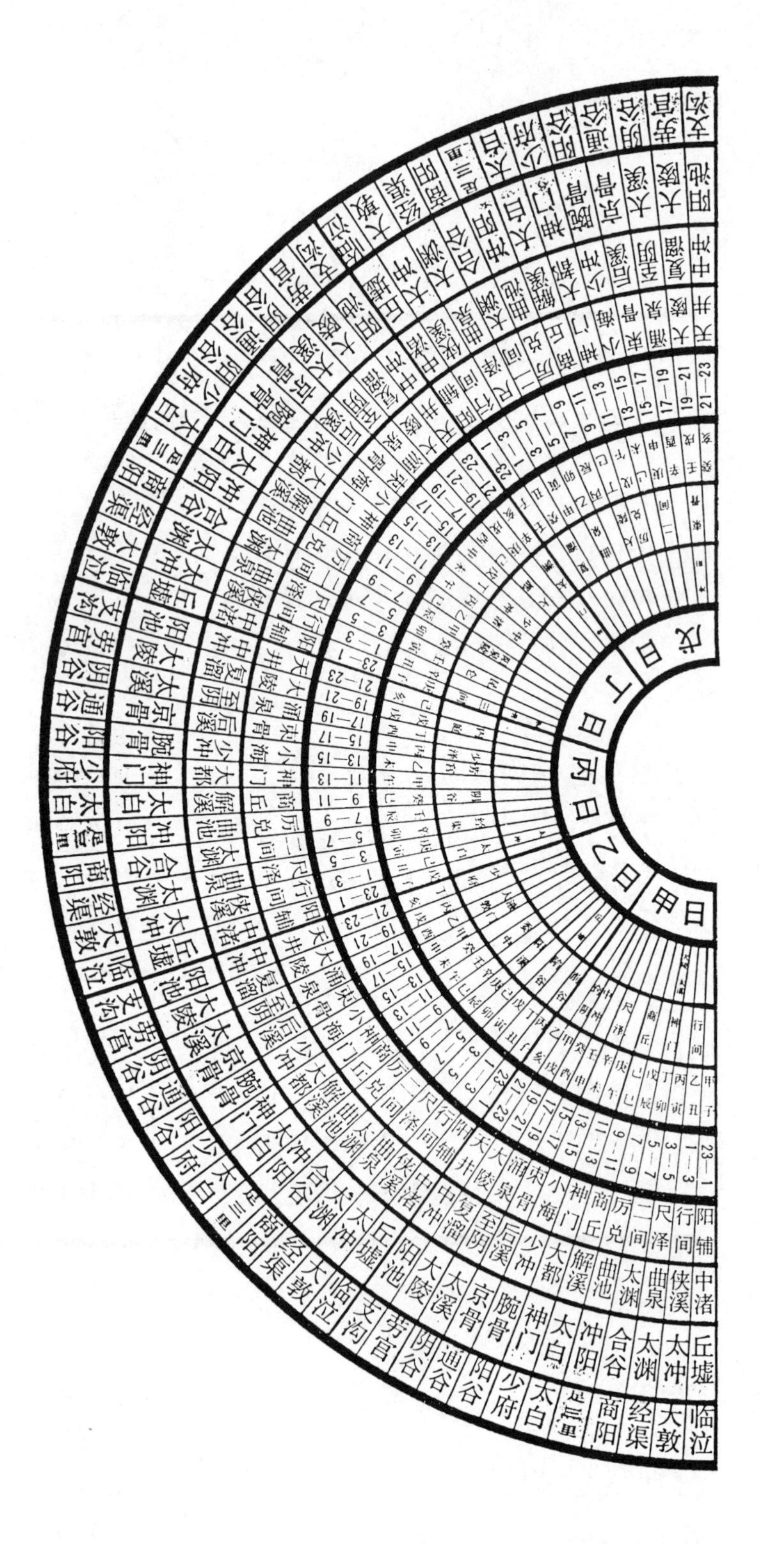
甲日
乙日
丙日
丁日
戊日

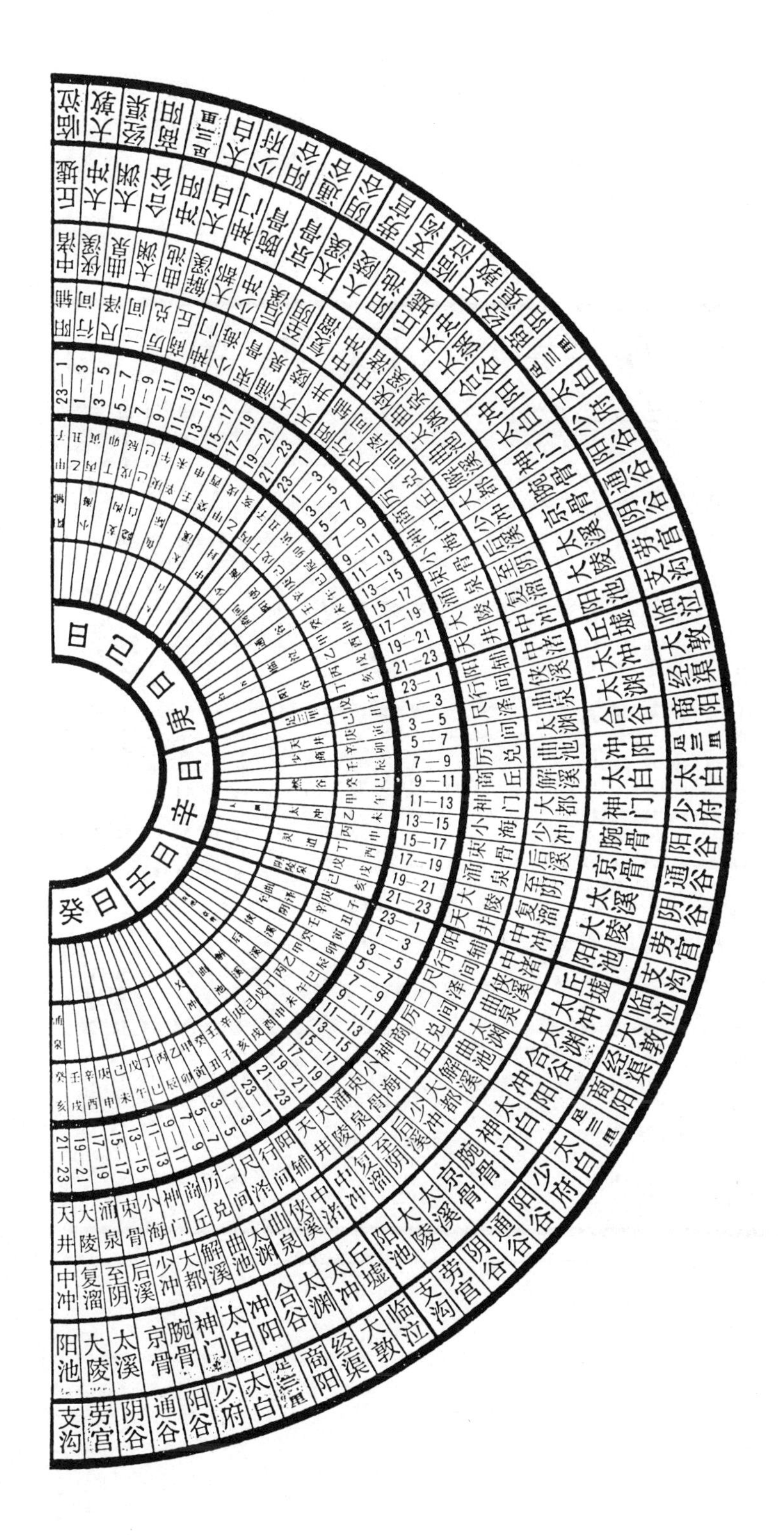
甲日
乙日
庚日
辛日
壬日
癸日
天井 大陵 涌泉 束骨 小海 神门 商丘 厉兑 二间 尺泽 行间 阳辅
中冲 复溜 至阴 后溪 少冲 大都 解溪 曲池 太渊 曲泉 侠溪 中渚
阳池 大陵 太溪 京骨 腕骨 神门 太白 冲阳 合谷 太渊 太冲 丘墟
支沟 劳宫 阴谷 通谷 阳谷 少府 太白 足三里 商阳 经渠 大敦 临泣

1 9 8 6 年　丙寅年

日	一	二	三	四	五	六
			1 乙	2 丙	3 丁	4 戊
5 己	6 庚	7 辛	8 壬	9 癸	10 甲	11 乙
12 丙	13 丁	14 戊	15 己	16 庚	17 辛	18 壬
19 癸	20 甲	21 乙	22 丙	23 丁	24 戊	25 己
26 庚	27 辛	28 壬	29 癸	30 甲	31 乙	

日	一	二	三	四	五	六
						1 丙
2 丁	3 戊	4 己	5 庚	6 辛	7 壬	8 癸
9 甲	10 乙	11 丙	12 丁	13 戊	14 己	15 庚
16 辛	17 壬	18 癸	19 甲	20 乙	21 丙	22 丁
23 戊	24 己	25 庚	26 辛	27 壬	28 癸	

日	一	二	三	四	五	六
						1 甲
2 乙	3 丙	4 丁	5 戊	6 己	7 庚	8 辛
9 壬	10 癸	11 甲	12 乙	13 丙	14 丁	15 戊
16 己	17 庚	18 辛	19 壬	20 癸	21 甲	22 乙
23 丙	24 丁	25 戊	26 己	27 庚	28 辛	29 壬
30 癸	31 甲					

日	一	二	三	四	五	六
		1 乙	2 丙	3 丁	4 戊	5 己
6 庚	7 辛	8 壬	9 癸	10 甲	11 乙	12 丙
13 丁	14 戊	15 己	16 庚	17 辛	18 壬	19 癸
20 甲	21 乙	22 丙	23 丁	24 戊	25 己	26 庚
27 辛	28 壬	29 癸	30 甲			

日	一	二	三	四	五	六
				1 乙	2 丙	3 丁
4 戊	5 己	6 庚	7 辛	8 壬	9 癸	10 甲
11 乙	12 丙	13 丁	14 戊	15 己	16 庚	17 辛
18 壬	19 癸	20 甲	21 乙	22 丙	23 丁	24 戊
25 己	26 庚	27 辛	28 壬	29 癸	30 甲	31 乙

日	一	二	三	四	五	六
1 丙	2 丁	3 戊	4 己	5 庚	6 辛	7 壬
8 癸	9 甲	10 乙	11 丙	12 丁	13 戊	14 己
15 庚	16 辛	17 壬	18 癸	19 甲	20 乙	21 丙
22 丁	23 戊	24 己	25 庚	26 辛	27 壬	28 癸
29 甲	30 乙					

日	一	二	三	四	五	六
		1 丙	2 丁	3 戊	4 己	5 庚
6 辛	7 壬	8 癸	9 甲	10 乙	11 丙	12 丁
13 戊	14 己	15 庚	16 辛	17 壬	18 癸	19 甲
20 乙	21 丙	22 丁	23 戊	24 己	25 庚	26 辛
27 壬	28 癸	29 甲	30 乙	31 丙		

日	一	二	三	四	五	六
					1 丁	2 戊
3 己	4 庚	5 辛	6 壬	7 癸	8 甲	9 乙
10 丙	11 丁	12 戊	13 己	14 庚	15 辛	16 壬
17 癸	18 甲	19 乙	20 丙	21 丁	22 戊	23 己
24 庚	25 辛	26 壬	27 癸	28 甲	29 乙	30 丙
31 丁						

日	一	二	三	四	五	六
	1 戊	2 己	3 庚	4 辛	5 壬	6 癸
7 甲	8 乙	9 丙	10 丁	11 戊	12 己	13 庚
14 辛	15 壬	16 癸	17 甲	18 乙	19 丙	20 丁
21 戊	22 己	23 庚	24 辛	25 壬	26 癸	27 甲
28 乙	29 丙	30 丁				

日	一	二	三	四	五	六
			1 戊	2 己	3 庚	4 辛
5 壬	6 癸	7 甲	8 乙	9 丙	10 丁	11 戊
12 己	13 庚	14 辛	15 壬	16 癸	17 甲	18 乙
19 丙	20 丁	21 戊	22 己	23 庚	24 辛	25 壬
26 癸	27 甲	28 乙	29 丙	30 丁	31 戊	

日	一	二	三	四	五	六
						1 己
2 庚	3 辛	4 壬	5 癸	6 甲	7 乙	8 丙
9 丁	10 戊	11 己	12 庚	13 辛	14 壬	15 癸
16 甲	17 乙	18 丙	19 丁	20 戊	21 己	22 庚
23 辛	24 壬	25 癸	26 甲	27 乙	28 丙	29 丁
30 戊						

日	一	二	三	四	五	六
	1 己	2 庚	3 辛	4 壬	5 癸	6 甲
7 乙	8 丙	9 丁	10 戊	11 己	12 庚	13 辛
14 壬	15 癸	16 甲	17 乙	18 丙	19 丁	20 戊
21 己	22 庚	23 辛	24 壬	25 癸	26 甲	27 乙
28 丙	29 丁	30 戊	31 己			

1 9 8 7 年　丁卯年

日	一	二	三	四	五	六
				1 庚	2 辛	3 壬
4 癸	5 甲	6 乙	7 丙	8 丁	9 戊	10 己
11 庚	12 辛	13 壬	14 癸	15 甲	16 乙	17 丙
18 丁	19 戊	20 己	21 庚	22 辛	23 壬	24 癸
25 甲	26 乙	27 丙	28 丁	29 戊	30 己	31 庚

日	一	二	三	四	五	六
1 辛	2 壬	3 癸	4 甲	5 乙	6 丙	7 丁
8 戊	9 己	10 庚	11 辛	12 壬	13 癸	14 甲
15 乙	16 丙	17 丁	18 戊	19 己	20 庚	21 辛
22 壬	23 癸	24 甲	25 乙	26 丙	27 丁	28 戊

日	一	二	三	四	五	六
1 己	2 庚	3 辛	4 壬	5 癸	6 甲	7 乙
8 丙	9 丁	10 戊	11 己	12 庚	13 辛	14 壬
15 癸	16 甲	17 乙	18 丙	19 丁	20 戊	21 己
22 庚	23 辛	24 壬	25 癸	26 甲	27 乙	28 丙
29 丁	30 戊	31 己				

日	一	二	三	四	五	六
			1 庚	2 辛	3 壬	4 癸
5 甲	6 乙	7 丙	8 丁	9 戊	10 己	11 庚
12 辛	13 壬	14 癸	15 甲	16 乙	17 丙	18 丁
19 戊	20 己	21 庚	22 辛	23 壬	24 癸	25 甲
26 乙	27 丙	28 丁	29 戊	30 己		

日	一	二	三	四	五	六
					1 庚	2 辛
3 壬	4 癸	5 甲	6 乙	7 丙	8 丁	9 戊
10 己	11 庚	12 辛	13 壬	14 癸	15 甲	16 乙
17 丙	18 丁	19 戊	20 己	21 庚	22 辛	23 壬
24 癸	25 甲	26 乙	27 丙	28 丁	29 戊	30 己
31 庚						

日	一	二	三	四	五	六
	1 辛	2 壬	3 癸	4 甲	5 乙	6 丙
7 丁	8 戊	9 己	10 庚	11 辛	12 壬	13 癸
14 甲	15 乙	16 丙	17 丁	18 戊	19 己	20 庚
21 辛	22 壬	23 癸	24 甲	25 乙	26 丙	27 丁
28 戊	29 己	30 庚				

日	一	二	三	四	五	六
			1 辛	2 壬	3 癸	4 甲
5 乙	6 丙	7 丁	8 戊	9 己	10 庚	11 辛
12 壬	13 癸	14 甲	15 乙	16 丙	17 丁	18 戊
19 己	20 庚	21 辛	22 壬	23 癸	24 甲	25 乙
26 丙	27 丁	28 戊	29 己	30 庚	31 辛	

日	一	二	三	四	五	六
						1 壬
2 癸	3 甲	4 乙	5 丙	6 丁	7 戊	8 己
9 庚	10 辛	11 壬	12 癸	13 甲	14 乙	15 丙
16 丁	17 戊	18 己	19 庚	20 辛	21 壬	22 癸
23 甲	24 乙	25 丙	26 丁	27 戊	28 己	29 庚
30 辛	31 壬					

日	一	二	三	四	五	六
		1 癸	2 甲	3 乙	4 丙	5 丁
6 戊	7 己	8 庚	9 辛	10 壬	11 癸	12 甲
13 乙	14 丙	15 丁	16 戊	17 己	18 庚	19 辛
20 壬	21 癸	22 甲	23 乙	24 丙	25 丁	26 戊
27 己	28 庚	29 辛	30 壬			

日	一	二	三	四	五	六
				1 癸	2 甲	3 乙
4 丙	5 丁	6 戊	7 己	8 庚	9 辛	10 壬
11 癸	12 甲	13 乙	14 丙	15 丁	16 戊	17 己
18 庚	19 辛	20 壬	21 癸	22 甲	23 乙	24 丙
25 丁	26 戊	27 己	28 庚	29 辛	30 壬	31 癸

日	一	二	三	四	五	六
1 甲	2 乙	3 丙	4 丁	5 戊	6 己	7 庚
8 辛	9 壬	10 癸	11 甲	12 乙	13 丙	14 丁
15 戊	16 己	17 庚	18 辛	19 壬	20 癸	21 甲
22 乙	23 丙	24 丁	25 戊	26 己	27 庚	28 辛
29 壬	30 癸					

日	一	二	三	四	五	六
		1 甲	2 乙	3 丙	4 丁	5 戊
6 己	7 庚	8 辛	9 壬	10 癸	11 甲	12 乙
13 丙	14 丁	15 戊	16 己	17 庚	18 辛	19 壬
20 癸	21 甲	22 乙	23 丙	24 丁	25 戊	26 己
27 庚	28 辛	29 壬	30 癸	31 甲		

1 9 8 8 年　戊辰年

日	一	二	三	四	五	六
					1 乙	2 丙
3 丁	4 戊	5 己	6 庚	7 辛	8 壬	9 癸
10 甲	11 乙	12 丙	13 丁	14 戊	15 己	16 庚
17 辛	18 壬	19 癸	20 甲	21 乙	22 丙	23 丁
24 戊	25 己	26 庚	27 辛	28 壬	29 癸	30 甲
31 乙						

日	一	二	三	四	五	六
	1 丙	2 丁	3 戊	4 己	5 庚	6 辛
7 壬	8 癸	9 甲	10 乙	11 丙	12 丁	13 戊
14 己	15 庚	16 辛	17 壬	18 癸	19 甲	20 乙
21 丙	22 丁	23 戊	24 己	25 庚	26 辛	27 壬
28 癸	29 甲					

日	一	二	三	四	五	六
		1 乙	2 丙	3 丁	4 戊	5 己
6 庚	7 辛	8 壬	9 癸	10 甲	11 乙	12 丙
13 丁	14 戊	15 己	16 庚	17 辛	18 壬	19 癸
20 甲	21 乙	22 丙	23 丁	24 戊	25 己	26 庚
27 辛	28 壬	29 癸	30 甲	31 乙		

日	一	二	三	四	五	六
					1 丙	2 丁
3 戊	4 己	5 庚	6 辛	7 壬	8 癸	9 甲
10 乙	11 丙	12 丁	13 戊	14 己	15 庚	16 辛
17 壬	18 癸	19 甲	20 乙	21 丙	22 丁	23 戊
24 己	25 庚	26 辛	27 壬	28 癸	29 甲	30 乙

日	一	二	三	四	五	六
1 丙	2 丁	3 戊	4 己	5 庚	6 辛	7 壬
8 癸	9 甲	10 乙	11 丙	12 丁	13 戊	14 己
15 庚	16 辛	17 壬	18 癸	19 甲	20 乙	21 丙
22 丁	23 戊	24 己	25 庚	26 辛	27 壬	28 癸
29 甲	30 乙	31 丙				

日	一	二	三	四	五	六
			1 丁	2 戊	3 己	4 庚
5 辛	6 壬	7 癸	8 甲	9 乙	10 丙	11 丁
12 戊	13 己	14 庚	15 辛	16 壬	17 癸	18 甲
19 乙	20 丙	21 丁	22 戊	23 己	24 庚	25 辛
26 壬	27 癸	28 甲	29 乙	30 丙		

日	一	二	三	四	五	六
					1 丁	2 戊
3 己	4 庚	5 辛	6 壬	7 癸	8 甲	9 乙
10 丙	11 丁	12 戊	13 己	14 庚	15 辛	16 壬
17 癸	18 甲	19 乙	20 丙	21 丁	22 戊	23 己
24 庚	25 辛	26 壬	27 癸	28 甲	29 乙	30 丙
31 丁						

日	一	二	三	四	五	六
	1 戊	2 己	3 庚	4 辛	5 壬	6 癸
7 甲	8 乙	9 丙	10 丁	11 戊	12 己	13 庚
14 辛	15 壬	16 癸	17 甲	18 乙	19 丙	20 丁
21 戊	22 己	23 庚	24 辛	25 壬	26 癸	27 甲
28 乙	29 丙	30 丁	31 戊			

日	一	二	三	四	五	六
				1 己	2 庚	3 辛
4 壬	5 癸	6 甲	7 乙	8 丙	9 丁	10 戊
11 己	12 庚	13 辛	14 壬	15 癸	16 甲	17 乙
18 丙	19 丁	20 戊	21 己	22 庚	23 辛	24 壬
25 癸	26 甲	27 乙	28 丙	29 丁	30 戊	

日	一	二	三	四	五	六
						1 己
2 庚	3 辛	4 壬	5 癸	6 甲	7 乙	8 丙
9 丁	10 戊	11 己	12 庚	13 辛	14 壬	15 癸
16 甲	17 乙	18 丙	19 丁	20 戊	21 己	22 庚
23 辛	24 壬	25 癸	26 甲	27 乙	28 丙	29 丁
30 戊	31 己					

日	一	二	三	四	五	六
		1 庚	2 辛	3 壬	4 癸	5 甲
6 乙	7 丙	8 丁	9 戊	10 己	11 庚	12 辛
13 壬	14 癸	15 甲	16 乙	17 丙	18 丁	19 戊
20 己	21 庚	22 辛	23 壬	24 癸	25 甲	26 乙
27 丙	28 丁	29 戊	30 己			

日	一	二	三	四	五	六
				1 庚	2 辛	3 壬
4 癸	5 甲	6 乙	7 丙	8 丁	9 戊	10 己
11 庚	12 辛	13 壬	14 癸	15 甲	16 乙	17 丙
18 丁	19 戊	20 己	21 庚	22 辛	23 壬	24 癸
25 甲	26 乙	27 丙	28 丁	29 戊	30 己	31 庚

丁日

7C											4ID
9P		2B		9C	3TR		34VB		60V		3IG
21-23	19-21	17-19	15-17	13-15	11-13	9-11	7-9	5-7	3-5	1-3	23-1
10TR	7MC	1R	65V	8ID	7C	5B	45E	2IG.	5P	2H	38VB
9MC	7R	67V	3ID	9C	2B	41E	11IG.	9P	8H	43VB	3TR
4TR	7MC	3R	64V	4ID	7C	3B	42E	4IG.	9P	3H	40VB
6TR	8MC	10R	66V	5ID	8C	3B	36E	1I.G.	8P	1H	41VB

丙日

										3H	[illegible]
	44E		1ID	8MC		10R		8P		3B	
21-23	19-21	17-19	15-17	13-15	11-13	9-11	7-9	5-7	3-5	1-3	23-1
10TR	7MC	1R	65V	8ID	7C	5B	45E	2IG.	5P	2H	38VB
9MC	7R	67V	3ID	9C	2B	41E	11IG.	9P	8H	43VB	3TR
4TR	7MC	3R	64V	4ID	7C	3B	42E	4IG.	9P	3H	40VB
6TR	8MC	10R	66V	5ID	8C	3B	36E	1IG.	8P	1H	41VB

乙日

									40VB		
8C		1H	2TR		40V		5IG		43E		2ID
21-23	19-21	17-19	15-17	13-15	11-13	9-11	7-9	5-7	3-5	1-3	23-1
10TR	7MC	1R	65V	8ID	7C	5B	45E	2IG.	5P	2H	38VB
9MC	7R	67V	3ID	9C	2B	41E	11IG.	9P	8H	43VB	3TR
4TR	7MC	3R	64V	4ID	7C	3B	42E	4IG	9P	3H	40VB
6TR	8MC	10R	66V	5ID	8C	3B	36E	1IG.	8P	1H	41VB

甲日

								7MC 3R			
	44VB	9MC		5P		5B		7C		2H	
21-23	19-21	17-19	15-17	13-15	11-13	9-11	7-9	5-7	3-5	1-3	23-1
10TR	7MC	1R	65V	8ID	7C	5B	45E	2IG.	5P	2H	38VB
9MC	7R	67V	3ID	9C	2B	41E	11IG.	9P	8H	43VB	3TR
4TR	7MC	3R	64V	4ID	7C	3B	42E	4IG.	9P	3H	40VB
6TR	8MC	10R	66V	5ID	8C	3B	36E	1IG.	8P	1H	41VB

癸日

YUAN. CELES												
P. RAMA	1R											1TR
HORA	21-23	19-21	17-19	15-17	13-15	11-13	9-11	7-9	5-7	3-5	1-3	23-1
P DISP	10TR	7MC	1R	65V	8ID	7C	5B	45E	2IG.	5P	2H	38VB
P. TONIF	9MC	7R	67V	3ID	9C	2B	41E	11IG.	9P	8H	43VB	3TR
P. YUAN. TERR	4TR	7MC	3R	64V	4ID	7C	3B	42E	4IG.	9P	3H	40VB
P. ORIGEN PEN	6TR	8MC	10R	66V	5ID	8C	3B	36E	1IG.	8P	1H	41VB

壬日

						4TR 64V						
		11IG.		41E		3ID		43VB		67V	3MC	
	21-23	19-21	17-19	15-17	13-15	11-13	9-11	7-9	5-7	3-5	1-3	23-1
	10TR	7MC	1R	65V	8ID	7C	5B	45E	2IG.	5P	2H	38VB
	9MC	7R	67V	3ID	9C	2B	41E	11IG.	9P	8H	43VB	3TR
	4TR	7MC	3R	64V	4ID	7G	3B	42E	4I.G.	9P	3H	40VB
	6TR	8MC	10R	66V	5ID	8C	3B	36E	1IG.	8P	1H	41VB

辛日

				9P							
9B		4C		3H		2R		11P	10TR		36E
21-23	19-21	17-19	15-17	13-15	11-13	9-11	7-9	5-7	3-5	1-3	23-1
10TR	7MC	1R	65V	8ID	7C	5B	45E	2IG.	5P	2H	38VB
9MC	7R	67V	3ID	9C	2B	41E	11IG.	9P	8H	43VB	3TR
4TR	7MC	3R	64V	4ID	7C	3B	42E	4IG.	9P	3H	40VB
6TR	8MC	10R	66V	5ID	8C	3B	36E	1IG.	8P	1H	41VB

庚日

			4IG.								
	5ID		41VB		66V		1IG	5MC		3C	
21-23	19-21	17-19	15-17	13-15	11-13	9-11	7-9	5-7	3-5	1-3	23-1
10TR	7MC	1R	65V	8ID	7C	5B	45E	2IG.	5P	2H	38VB
9MC	7R	67V	3ID	9C	2B	41E	11IG.	9P	8H	43VB	3TR
4TR	7MC	3R	64V	4ID	7C	3B	42E	4IG.	9P	3H	40VB
6TR	8MC	10R	66V	5ID	8C	3B	36E	1IG.	8P	1H	41VB

己日

		3B									
4H		3R		1OP		1B	6TR		8ID		38VB
21-23	19-21	17-19	15-17	13-15	11-13	9-11	7-9	5-7	3-5	1-3	23-1
10TR	7MC	1R	65V	8ID	7C	5B	45E	2IG	5P	2H	38VB
9MC	7R	67V	3ID	9C	2B	41E	11IG.	9P	8H	43VB	3TR
4TR	7MC	3R	64V	4ID	7C	3B	42E	4IG.	9P	3H	40VB
6TR	8MC	10R	66V	5ID	8C	3B	36E	1I.G.	8P	1H	41VB

戊日

	42E										
	65V		2IG		45E	7MC		8H		7R	
21-23	19-21	17-19	15-17	13-15	11-13	9-11	7-9	5-7	3-5	1-3	23-1
10TR	7MC	1R	65V	8ID	7C	5B	45E	2I.G.	5P	2H	38VB
9MC	7R	67V	3ID	9C	2B	41E	11IG.	9P	8H	43VB	3TR
4TR	7MC	3R	64V	4ID	7C	3B	42E	4IG.	9P	3H	40VB
6TR	8MC	10R	66V	5ID	8C	3B	36E	1IG.	8P	1H	41VB

SOBRE LAS DIFERENTES FORMAS DE LAS APLICACIONES CLINICAS DEL CICLO KIAT-TSE.

La aplicación clínica del presente calendario puede presentar diferentes enfoques, según lo que sea más apropiado para el paciente en el momento de la consulta.

Una vez determinado el día del mes del año y la hora solar, tenemos a nuestra disposición una serie de puntos... ¿Cómo emplearlos?

1.—Si el paciente presenta *un cuadro de claro VACIO*. Se emplearán los puntos de tonificación previstos para ese día. Se pueden emplear indiscriminadamente, sea cual sea su patología ... o bien... esperar... hasta la hora en que el punto abierto de tonificación sea el más apropiado para la afección consultada.

2.—Si el paciente presenta *un cuadro claro de PLENITUD*. Emplear los puntos de DISPERSION. Con los mismos dos criterios que en el caso de la tonificación.

3.—*Selección de los puntos según la afección*. En primer lugar se estudia al paciente, se establece un diagnóstico... Y se determina que puntos de los diferentes meridianos son los más importantes para el tratamiento. De esta manera *...CITAREMOS AL PACIENTE A LA HORA MAS APROPIADA PARA SU TRATAMIENTO*.

4.—El empleo de los puntos YUAN ofrece la posibilidad de poder utilizarlos *TANTO EN LA TONIFICACION COMO EN LA DISPERSION*. Por tanto, se podrá emplear en todos los casos. Una manera de empleo sera su utilización en la hora de la consulta, sea cual sea la patología consultada. Otra, será su empleo en horas determinadas, según convenga a la patología del paciente.

5.—El empleo de los puntos PEN esta indicado cuando queremos propulsar y activar la energía del meridiano. Será útil su empleo en los casos de congestión y estancamiento.

6.—En el caso de un paciente agudo, una de las primeras indicaciones será el determinar si el paciente está en vacío o en plenitud. Determinado esto, se procederá a utilizar los puntos *de tonificación o dispersión y el punto YUAN*. Esta primera actitud ante los pacientes agudos puede proporcionarnos excelentes resultados.

7.—En los casos crónicos, el empleo de los puntos calendario es más apropiado su uso estableciendo el terapeuta la hora más apropiada para su tratamiento.

8.—Si en el momento de la consulta, no se puede establecer un tratamiento muy acorde siguiendo los puntos abiertos del día... *PODEMOS EMPLEAR LA LEY MEDIODIA MEDIA NOCHE Y SE SELECCIONAN LOS PUNTOS EN LA HORA OPUESTA*. Esta nueva posibilidad, duplica los puntos que se pueden utilizar en cada hora del día.

Todas estas posibilidades son las más empleadas en la clínica diaria. Otras combinaciones también son posibles, pero exceden en mucho la extensión del tema.

El correcto empleo del calendario tanto en los casos agudos como crónicos proporciona excelentes resultados, y nos situa en la esfera de las concordancias MACROCOSMOS-MICROCOSMOS.

流注环周圖

灵龟八法圖

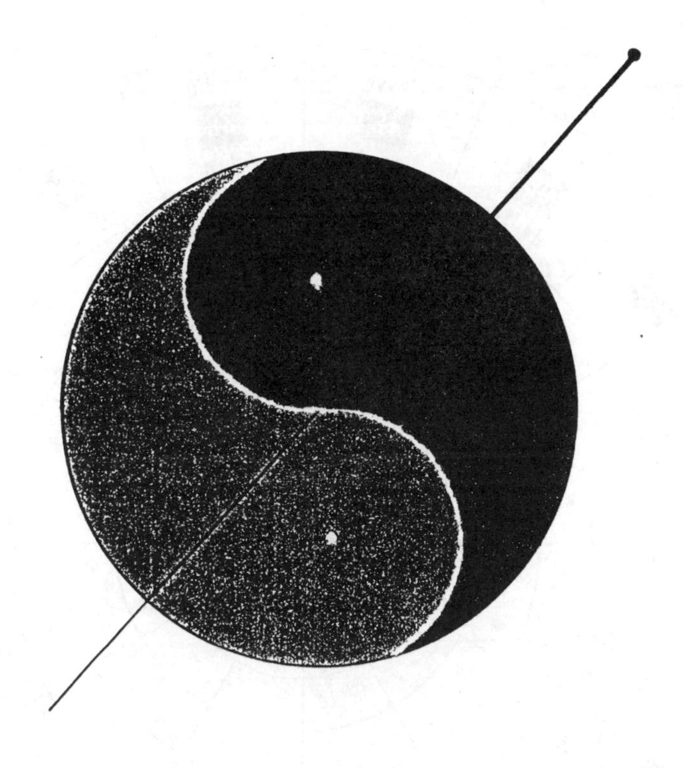

中国　　　　北京

中国中医研究院广安门医院

高 立 山

一九八二年七月

灵龟八法图

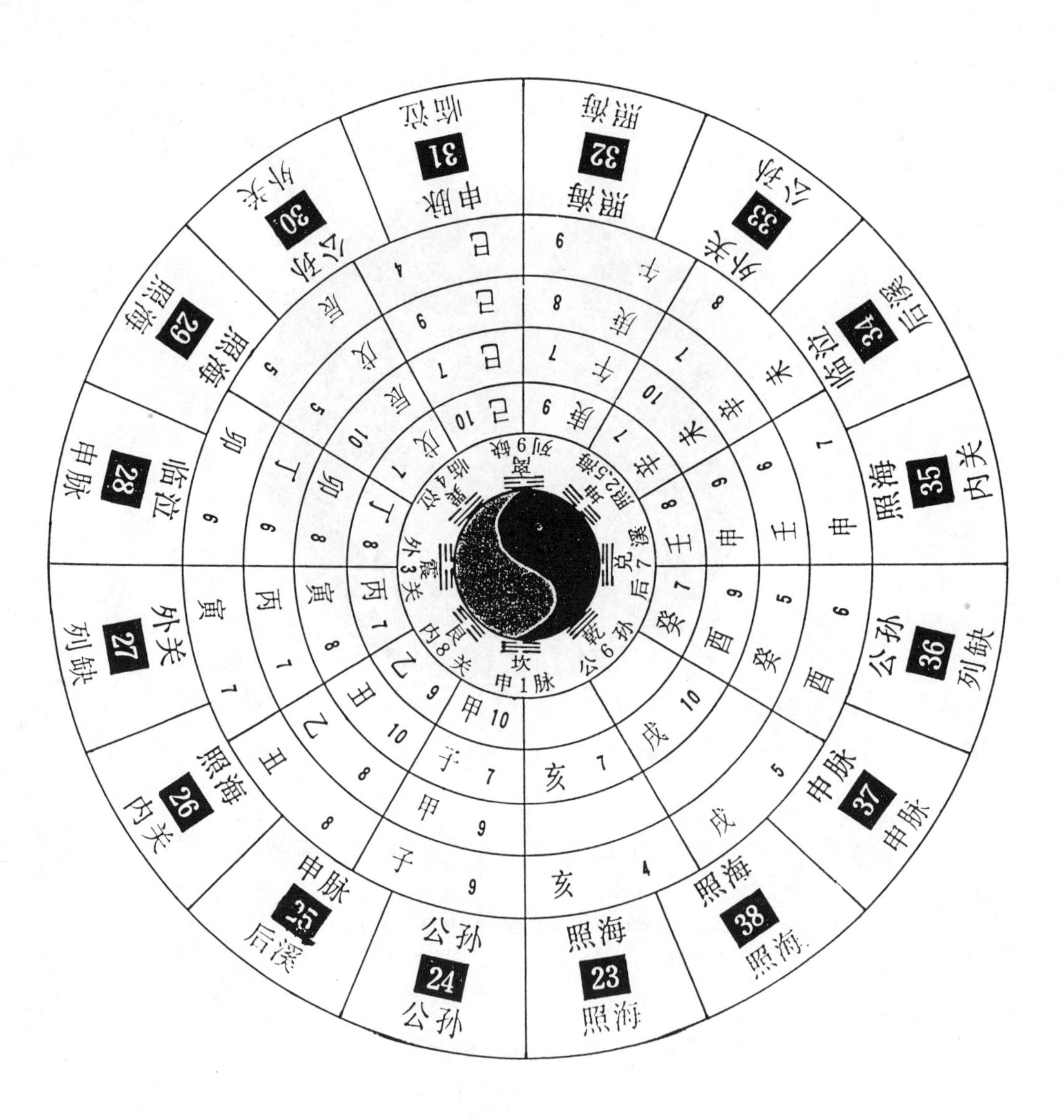

流注环周图

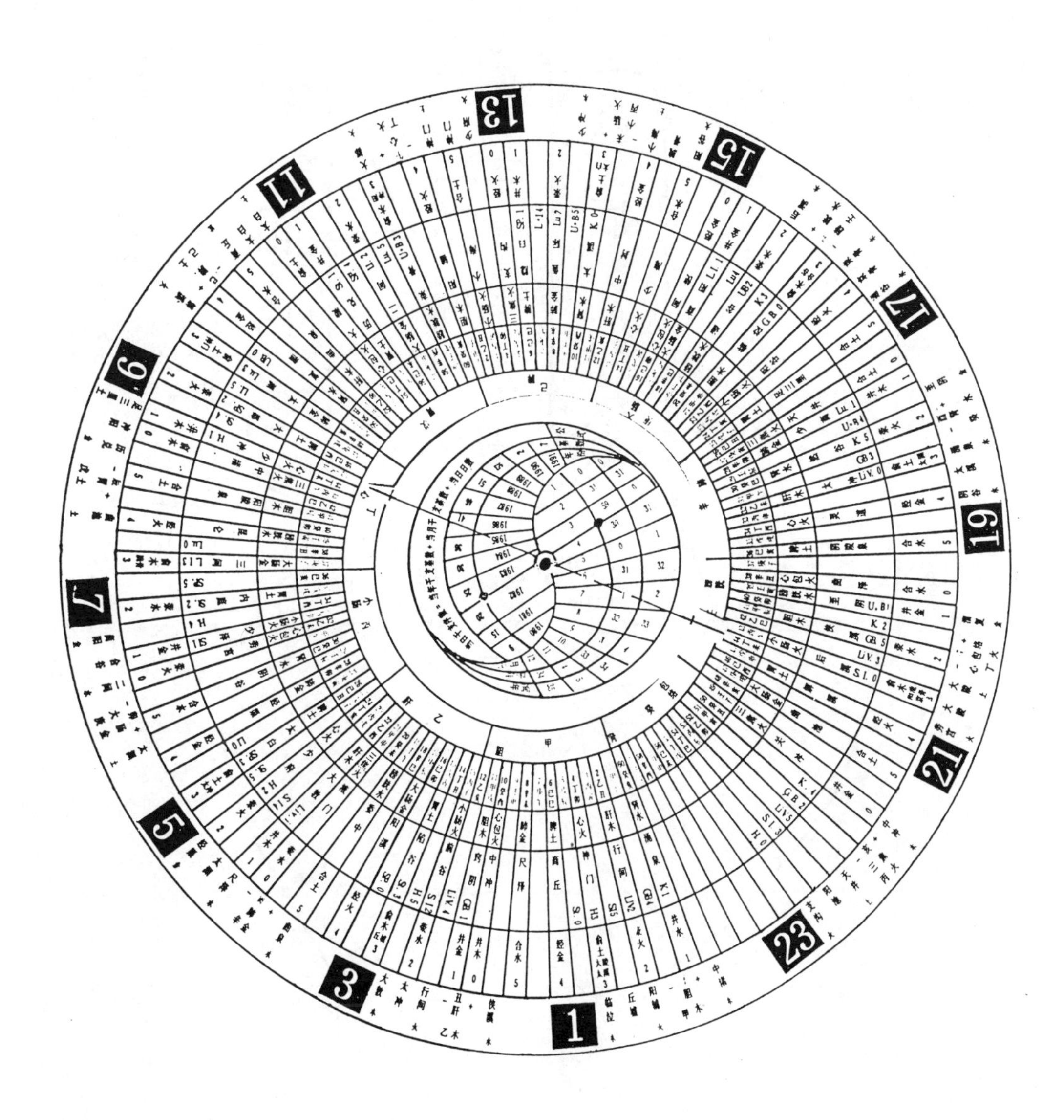

手 图

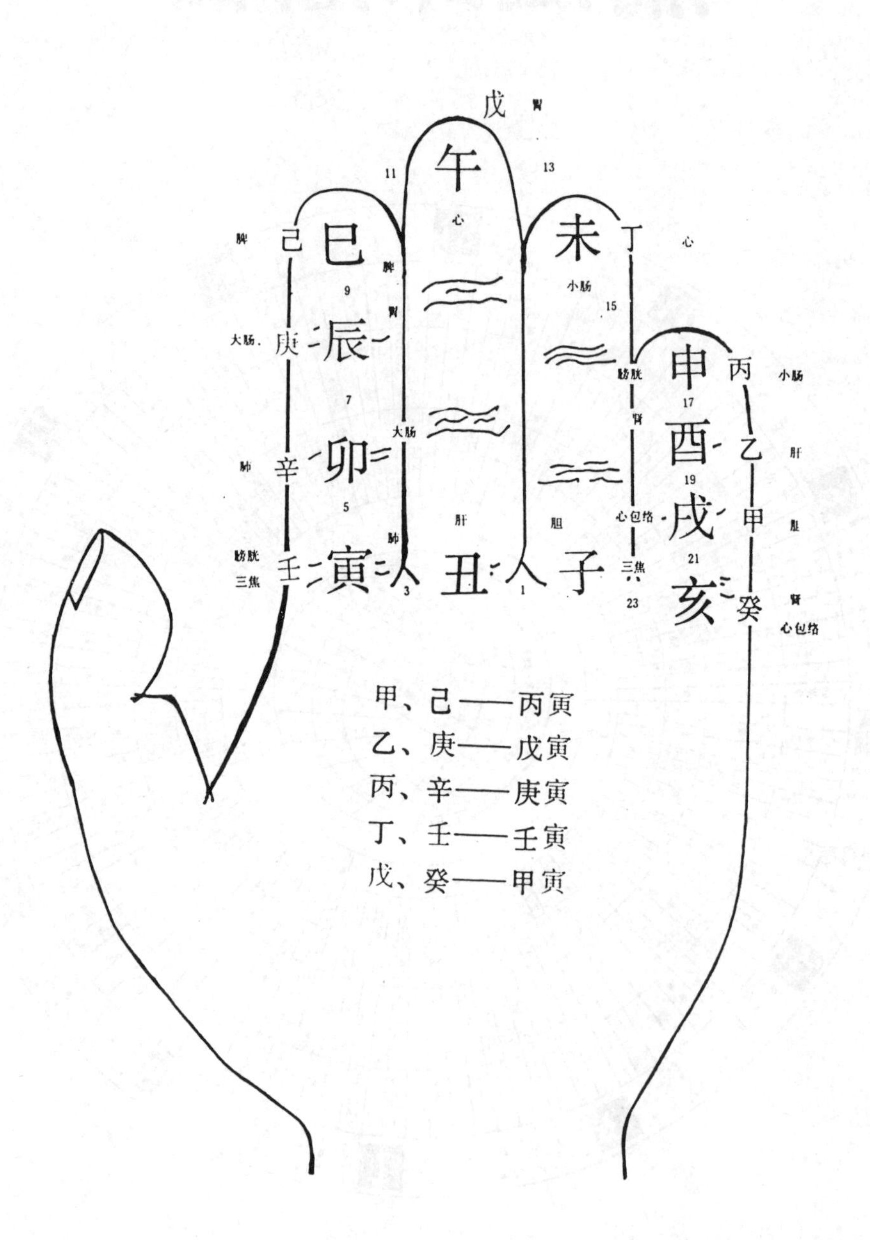

戊 肾
午
11 13
心
脾 己 巳 未 丁 心
脾
9 小肠
肾 15
大肠 庚 辰
膀胱 申 丙 小肠
7 17
大肠 肾
肺 辛 卯 酉 乙 肝
19
5
肝 胆 心包络 戌 甲 胆
肺 21
膀胱 三焦 壬 寅 丑 子 三焦
3 1 23
亥 癸 肾 心包络
甲、己——丙寅
乙、庚——戊寅
丙、辛——庚寅
丁、壬——壬寅
戊、癸——甲寅

LA CRONOACUPUNTURA BASADA EN LA TABLA DE LOS 9 PALACIOS, BIORREGISTROS Y EN EL MAPA DE LOS 5 ELEMENTOS DE LA MANO

La cronoacupuntura es un método (experimental) acupuntural basado en las manifestaciones fisiopatológicas del flujo de energía y de sangre en el organismo humano en un ciclo de 12 2 horas.

El método de cálculo esta basado en el ciclo de los diez Troncos Celestes y (TIAN GAN) y las doce Ramas Terrestres (DI ZI).

El principio que lo rige es el concepto de correspondencia entre el hombre y el Cielo, como se describe en el NEI JING (Su Wen capítulo 26).

Clínicamente se utiliza para seleccionar un punto o puntos de acuerdo con el momento exacto de la consulta por parte del paciente (incluyendo hora, día mes y año).

Lo que siguen son las explicaciones de las tres tablas que abarcan un total de 4 métodos diferentes de cálculo.

En teoría se utilizan para tratar cualquier enfermedad (de acuerdo con el momento de la visita del paciente), aunque en clínica se aplican con más frecuencia de forma selectiva, según los métodos standard de diagnóstico y tratamiento en MTC.

TABLA A: El Biorregistro (Liu Zhu Huan Zou)

Esta tabla se utiliza para seleccionar uno o varios puntos de tratamiento usando las 4 variables del calendario lunar, (hora, día, mes y año) para calcular los Troncos Celestes y Ramas Terrestres pertinentes que se corresponden con el momento del tratamiento. Constituye la base de los 4 métodos de cálculo y es por tanto la más usada de las 4 tablas en clínica.

Incorpora los dos métodos siguientes:

1.—Método NA JIA: El más usado en clínica.

—Primero hay que consultar el centro de la tabla A (parte giratoria) y encontrar los números ordinales correspondientes al año y mes del momento de consulta del paciente y sumarlos.

—Ahora hay que añadir este total al ordinal del día correspondiente, (si el total excede de 60 hay que restar 60).

—Localizar el resultado final en la segunda banda circular contando desde la parte giratoria hacia afuera usando la flecha.

—Busque las letras y numerales correspondientes a este total.

TRONCOS CELESTES: (TIAN GAN)

Letras:	A	B	C	D	E	F	G	H	I	J
	JǏA	YǏ	BǏNG	DĨNG	WÙ	JǏ	GẼNG	XĨN	RẼN	GUĚI

RAMAS TERRESTRES: (DI ZI)

N.º:	I	II	III	IV	V	VI	VII	VIII	IX	X	XI	XII
	ZǏ	CHǑU	YÍN	MǑ	CHÉN	SÌ	WǓ	WÈI	SHẼN	YǑU	XŨ	HÀ

CORTESIA DEL DR. GAO LI SAN

Nota: Las letras A-J representan troncos celestes. Los numerales I-XII representan ramas terrestres.

Ejemplo: El momento de visita del paciente es: 9.30 del 4-febrero-1987.

De esta manera calcular la siguiente ecuación:

46(1987) 31(febrero) 4(día) : 81; 81-60: 21

—Localizar el n.º 21 con la flecha para encontrar el tronco celeste A y rama terrestre IX. 甲

A IX (甲申) es un día Yang (color rojo). Todos los días Yang son números impares en la tabla, todos los días Yin son pares (color negro).

—Luego localizar el tronco celeste arriba calculado (A: 甲 en el ejemplo) en la primera banda circular contando hacia afuera. Este área cubre un total de 12 números, (en el ejemplo el área A 甲 incluye los n.º 1 al 12).

—Ahora de entre estas 12 categorías localizar la rama terrestre correspondiente a la hora precisa de tratamiento: esto se hace desde el círculo más externo de la tabla que muestra las 24h. del biorregistro. En el ejemplo la hora de tratamiento son las 9.30. La rama terrestre correspondiente es VI 巳. De esta manera podemos localizar la rama VI 巳 dentro del área A 甲 bajo categoría 6.

—Después moviéndose hacia afuera dentro de la categoría 6 hacia las bandas 3º y 4º pueden encontrarse respectivamente los canales y puntos de tratamiento.

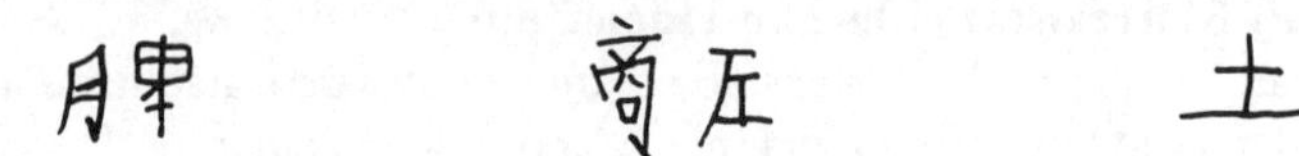

En el ejemplo se corresponden con el canal de Bazo-Tierra y con su punto SHANG-QIU (5B).

—En la banda se nos recuerda que es el punto Metal, del canal de Bazo y que hace el n.º 4 de los n.º de los 5 elementos (JING-River point).

Conclusión: de acuerdo con el método NA JIA, la tabla nos muestra que a las 9.30 del 4-febrero-1987 es en el punto 5B donde la Energía esta más floreciente y que puede administrarse aqui un tratamiento eficaz.

2.—Método NA ZI:

Este método se usa si el método NA JIA fracasa a la hora de mostrar un punto de tratamiento, o si se desea, como método alternativo por derecho propio. Esta basado únicamente en la hora del tratamiento

—En la banda más externa de la tabla localizar la hora de consulta del paciente. En el correspondiente período de 2h. se dan diversas informaciones.

Siguiendo con el ejemplo, a las 9.30 nos da:

—Rama terrestre VI: 巳 巳

—Tronco celeste F: 己 己

—El canal que corresponde es el del Bazo: 月 卑 脾

—El elemento, la tierra: 土 土

—El signo (+) indica el punto usado en este momento para la tonificación:
JIEXI: 41E 解 溪 解溪

—El signo (−) indica el punto para la dispersión en este momento:
SHANGQIU 5B: 商丘 商丘

—Los dos puntos inmediatamente a la izquierda son: YUAN (fuente) y BEN (raiz) respectivamente. Este último es conocido como punto raiz ya que corresponde al mismo elemento que el canal en el que se localiza. En el ejemplo es TAIBAI 3B太白. Punto Tierra del canal de la Tierra.

Jiexi 41E: Es el punto Fuego del canal del Estómago que precede al canal de Bazo de acuerdo con el flujo de energía en los meridianos. De esta manera, ya que el Fuego es la Madre de la Tierra, y el Estómago puede actuar como Madre del Bazo (en términos de flujo de energía), este punto puede usarse para tonificar.

Shangqiu 5B: Es el punto Metal (hijo de la Tierra) en el canal del Bazo, y de esta manera puede ser usado para dispersar.

Conclusión: de acuerdo con el método NA ZI, a las 9.30 de cualquier día, la tabla nos muestra que los puntos JIEXI y SHANGQIU pueden usarse para tonificar y dispersar respectivamente.

TABLA B: TABLA DE LOS 9 PALACIOS o de los 8 METODOS DE LA TORTUGA DIVINA.

(LING GUEI BA FA. Mencionada en el LING SHU).

Se usa en primer lugar como alternativa a los métodos NA JIA o NA ZI y específicamente en el tratamiento de enfermedades que afectan a los 8 VASOS MARAVILLOSOS.

Al igual que el método NA JIA, implica el cálculo del tronco celeste y rama terrestre predominante en el momento exacto de tratamiento

Método:

—Siga exactamente el método NA JIA para calcular el tronco celeste y la rama terrestres. En el ejemplo son A 甲 IX 申 respectivamente, bajo categoría 21.

—Luego, como antes, localice la rama terrestre correspondiente a la hora del tratamiento (a las 9.30, rama VI 巳) en la primera banda del círculo, (categoría 6 en el ejemplo).

—Anote el tronco celeste bajo la categoría 6: en el ejemplo es F.

—Ahora forme la ecuación desde el principio incluyendo los dos troncos celestes y las dos ramas terrestres ya encontradas; (A IX F VI 乙 en el ejemplo). «El orden aqui es esencial: tronco, rama, tronco, rama comenzando desde el primer cálculo.

—Después remitirse a las bandas circulares de la TABLA B.

—Comenzando de dentro a afuera, localizar cada uno de los troncos y ramas en orden, de acuerdo con la ecuación calculada arriba: (A IX F VI en el ejemplo) y anote sus correspondientes números ordinales: (10 9 9 4).

—Finalmente sume estos números (32 en el ejemplo) y localice el total en la banda circular más externa.

—Recordando por el primer cálculo del tronco y la rama (A IX categoría 6) si el día en cuestión es Yang o Yin seleccionar el punto: Rojo Yang, Negro Yin. (en el ejemplo A IX es un día Yang, y de esta manera seleccionamos el punto ZAOHAI: 6R).

Conclusión: de acuerdo con este método, a las 9.30 del 4-febrero-1987, la tabla nos muestra que puede seleccionarse para el tratamiento el punto ZAOHAI 6R.

«Hay que hacer notar que ya que este punto es un punto de confluencia puede usarse en conjunción con el punto LIEQUE 7P para tratar desórdenes que afectan no solo a los mencionados canales principales (Riñón y Pulmón) sino también a sus correspondientes meridianos extraordinarios: YINQIAO y REN MAE respectivamente.

TABLA C: TABLA O MAPA DE LA MANO.

Se usa en principio como alternativa a la tabla A; sin embargo es un método bastante complicado que requiere un conocimiento más minucioso de la teoría de los ZANG-FU, los 12 meridianos principales, los 5 puntos SHU y los 5 elementos. Por esta razón es usado con menos frecuencia que los otros métodos en clínica.

Método:

—Calcular el tronco celeste correspondiente al momento del tratamiento como en el caso del método NA JIA (A en el ejemplo).

—Remitirse a la tabla C y localizar el tronco A 甲 sobre la mano.

—Localizar la rama terrestre correspondiente al momento del tratamiento mostrada en los periodos de 12 2 horas. (VI en el ejemplo) 巳

—Ver si en un momento Yin o Yang. (Yin en el ejemplo, color negro).

—Ahora remitirse al cuadrado del centro de la mano y cotejar el tronco celeste ya calculado con el correspondiente tronco celeste de la columna de la derecha. (C 丙).

—Después encuentre el nuevo tronco sobre la mano y averigüe su correspondiente ZANG-FU, (en el ejemplo es el Intestino Delgado XIAOCHANG)

—Recordando la rama calculada para el momento del tratamiento (VI 巳) comprobar si se corresponde con el ZANG-FU seleccionado en términos de Ying y Yang (en el ejemplo el momento VI es Yin, el órgano I.D. es Yang).

—Si no se corresponden seleccionar el ZANG-FU que se relaciona en el sentido interno-externo con el encontrado previamente, (en el ejemplo es el Corazón). Anote el nuevo tronco y la nueva rama que se corresponden con él, (en el ejemplo son D y VIII) 丁未

—Después, recordando el momento de consulta (VI) contar en el sentido de las agujas del reloj, a partir de la rama obtenida, (VIII 未 en el ejemplo) incluyendo solo cada segunda rama (una de cada dos) de acuerdo con el modelo siguiente: 1 4 2 5 3 0

—De acuerdo con el número ordinal resultante puede obtenerse el punto; «En el ejemplo contando desde la rama VIII 未 hacia la VI 巳 contar 5 ramas Yin.

De acuerdo con la secuencia mencionada anteriormente el 5º número es el 3.

1: JING (pozo); 3: YING (manantial); 3: SHU (arroyo); 4: JING (rio); 5: HE (mar); O: Toda la Energía de los canales Yang fluye o mas bien, se derrama en el canal SAN JIAO. Toda la Sangre de los canales Yin se derrama en el canal de Maestro de Corazón.

—Por tanto en el ejemplo seleccionar el punto SHU (arroyo) (3) del meridiano de corazón (VIII 未) para el tratamiento Este punto es el SHEN MEN: 7C.

肺 = Feì = Pulmón.

大肠 = Dacháng = Intestino Grueso.

胃 = Wei = Estómago.

脾 = Pĭ = Bazo.

心 = Xīn = Corazón.

小肠 = Xĭao Chang = Intestino delgado.

膀胱 = Pángguān = Vejiga.

肾 = Shēn = Riñón.

心包 = Xīnbāo = Maestro Corazón.

三焦 = Sānjiāo = Triple Recalenta.

胆 = Dăn = Vesícula Biliar.

肝 = Gān = Hígado.

督脉 = Dūmài.

任脉 = Rénmài.

VI. GERIATRIA

Y que poco quieren conocerte señor anciano, y que poco quieren escuchar el fuego de llenura que albergas... y que poco señor anciano... te susurran a tu sordo oido las necesidades de escuchar... y que mucho, señor anciano, te ignoran... por ignorancia, torpeza y vulgaridad...
Y que mucho señor anciano te arrinconan con vergüenza... ¿porqué no recuerdan lo que les vendrá?... Pero tu, en tu silencio de afirmación, señor anciano, te cargas de la razón de la constancia, de la próxima llegada permanente... y contemplas con la paz que muy pocos tienen, el suicidio estúpido de la vida que ignora su ritmo, que se adormece en la rutina de lo inexorable...
Por favor, señor anciano, no desesperes, sigue por favor clamando... aún existen seres que escuchan...

VI. GERIATRIA

¿Porqué presentar un capítulo independiente dedicado a la geriatría?.

Sin duda se trata de un artificio. Pero es un artificio necesario. Me explicaré. La contínua parcelación del conocimiento hace que las actitudes médicas también orienten su camino hacia la superespecialización. Esta tendencia se ha individualizado a la hora de catalogar las edades del hombre... Y cuando la edad impone su rigor... la medicina alcanza otra dimensión. La realidad no es esa, pero las connotaciones de estudio y parcelación así lo imponen. Nos dejamos llevar momentáneamente por la fuerza de esta ola artificial... Todo sea por facilitar la labor... Pero no podemos dejar de afirmar que la edad de las personas no deben de marcar el cauce de sus responsabilidades. Ejemplos ilustres tenemos de todos los gustos. Nacionales e internacionales. ¿En qué momento se comienza a ser un paciente geriátrico...? Son la edad, o los síntomas. Quizás en el futuro muchos de los síntomas que ocurren en edades avanzadas sean infrecuentes, entonces se encuadrarán dentro de la patología del adulto. Estas consideraciones son obligadas para aclarar la idea de que *NO POR VIEJO PUEDE NO CURARSE*. La vejez como cualquier otro estado patológico tiene las limitaciones que impone nuestra miopía. Ni más ni menos. Con esa actitud debemos de afrontar los problemas del anciano... Resulta curioso comprobar como no constituye delito la realización de un aborto... o la fácil desidia de dejar hacer a la naturaleza... porque es viejo. Hacinarlos en residencias y esperar... Sin más alternativas... En cambio... si es delito eliminar a una persona joven... Sin duda se trata de una sociedad *enferma de edad*. El delito es una cuestión de tiempo *cronológico*. En nada se tiene en cuenta el tiempo vital.

Se podría escribir una novela «de ciencia ficción», realizada por seres de otros mundos, a propósito de los habitantes de tierra, su título podría ser... «Sobre la especial conducta de los habitantes de tierra ante la vida... matar al principio es justificable, hacerlo después es delito... Hacerlo cuando se piensa que es el final... es razonable». Sin duda no estamos en los mejores momento del respeto por la vida.

El trabajo que presentamos se centro sobre el *estudio de 115* pacientes.

En conjunto creemos que resulta un buen ejemplo de como enfocar la actitud terapeútica ante el paciente anciano. La presentación de este trabajo se realiza en colaboración con mi discípulo el Dr. Jesús Velázquez González.

1º. Introducción.
2º. Sintomatología mas frecuente.
3º. Consideraciones energéticas en relación con los cinco movimientos.
4º. Tratamiento de la sintomatología vista.
5º. Puntos elegidos, descripción de los mismos y técnicas de puntura.
6º. Casuística.

1. INTRODUCCION

Según el Diccionario de la Real Academia de la Lengua Española, la Geriatría es: «parte de la Medicina que estudia las enfermedades y la higiene de la vejez»; podríamos decir que es el estudio del enfermar de las personas mayores, que nace como consecuencia de la parcelación de la Medicina Occidental, que si bien, se focaliza en grupos de edad para su mejor estudio, se pierde la perspectiva del ser humano desde que nace hasta su cambio de dimensión; quizás la Geriatría es la respuesta a una falta de planificación de la vida para vivirla en salud, y así lograr mejor los objetivos últimos de todo ser humano, sean cuales sean los que cada uno después se marque.

Por ello, podemos considerar la Geriatría como una respuesta, ante la demanda, de un grupo de población, de atención médica. También se puede considerar la Geriatría como respuesta a las necesidades de un grupo de población bien definido actualmente, en cierto modo marginado, como consecuencia de no ser rentables, económicamente hablando; se trata de un planteamiento moderno, antes no se concebía así el problema, por una parte porque el hombre trabajaba hasta que podía, sin acotaciones de edad, sintiéndose por tanto importante y útil; y por otra parte al hombre no se le medía o delimitaba por su rentabilidad económica, primer valor en nuestra sociedad.

Por lo tanto, en la actualidad, en Occidente, se considera al anciano bajo dos puntos de vista: por un lado el anciano es una persona con merma de sus funciones físicas, y-o mentales, no siendo así rentable económicamente y con indolencia se le califica de inservible.

Por otro lado en la familia ha perdido su papel de patriarca, (hoy lo es quien aporta más dinero) siendo así claramente marginado, considerándosele como carga familiar o sujeto inútil e inservible, de quienes los insensatos se mofan y menosprecian.

Esta dramática situación hace que dichas personas sufran afectándose su SHEN. Apareciendo la enfermedad como resultado de su condición socio-familiar, siendo de esta manera necesario que aquellos que les hacen enfermar (la sociedad) creen después especialistas para curarlos.

Se habla hoy en día, entre los Geriatras españoles, de la necesidad de crear, además de especialistas, educadores de ancianos; fruto de un Congreso que tuvo lugar en Salamanca en el mes de mayo del 85, durante la «XII REUNION DE LA SOCIEDAD ESPAÑOLA DE GERIATRIA Y GERONTOLOGIA». Realmente parece inaudito que haya que crear educadores de ancianos, cuando ellos deben ser o son los depositarios de la sabiduría, los que más pueden enseñar.

Se puede considerar este dato como indicador de la salud mental de una sociedad.

Pero no sólo aparece la enfermedad en el desprecio social al que están reducidos, sino que esa merma física y mental tiene su origen, según nos dice el SO OUEN, en el descuido, en la observación y seguimiento de las normas de vida que indica la Naturaleza, como regularidad en el sueño vigilia, alimentación y respiración adecuada, calma en el espíritu, etc.

Dice el SO OUEN, Libro 5 Cap. I:

HUAN DI «Se me ha dado a conocer que en la antigüedad se vivía cientos de años, sin que descendiera la actividad. Las gentes del presente se debilitan a los 50 años».

QUI BO «Había moderación en el comer y en el beber. Las horas de levantarse y de retirarse eran regulares, al igual que ordenados en sus actividades. Evitaban el Surmenage y se guardaban de deteriorar su cuerpo y su espíritu, permitiéndose así vivir un siglo».

«Las gentes de ahora no actuan de la misma forma, usan el vino como bebida habitual y adoptan el descuido como comportamiento. La pasión agota sus fuerzas vitales, sus deseos vehementes disipan su verdad (esencia). No saben como encontrar satisfacción en si mismos. No están adiestrados en el control de sus espíritus. Dedican su vida al entretenimiento de sus mentes. Se privan así de los encantos de la larga vida. Levantándose y retirándose sin regularidad. Por esta razón, se fatigan prematuramente y apenas llegan a la cincuentena».

Claro nos deja el NEI JING que la patología de la vejez es el producto de un comportamiento, y no habría que identificar vejez con enfermedad, pues la vejez no es más que el eslabón último de esta vida, es el preámbulo de la Mutación, es el acercamiento al nacimiento, a la niñez, por eso los ancianos necesitan cuidados especiales igual que los niños; están llegando al INN el cual se transformará en YANG al llegar a su máximo, dando lugar a una nueva vida.

2. SINTOMATOLOGIA MAS FRECUENTE.

Como consecuencia de una vida con hábitos poco higiénicos, en general, aparece en los ancianos la enfermedad, con un tipo de patología parecida, situación ilógica, ya que lo normal sería que fuese apareciendo el debilitamiento general del organismo y a continuación el cambio de dimensión sin enfermedad; sin embargo, por desgracia no es así, sino que los excesos se pagan mediante enfermedades, y de todas, las más comunes son las afecciones secundarias a transtornos circulatorios como:

—Disminución de fuerza.
—Desinterés por el entorno.
—Disminución de la potencia sexual.
—Somnolencia.
—Falta de memoria.

Este tipo de transtornos y otros, aparecen cada vez más frecuentemente, lo que indica la necesidad de hacer una prevención en esta sociedad, donde el STRESS, la falta de valores espirituales (buenos sentimientos), rompen la armonía de los ritmos biológicos y por tanto de la salud.

3. CONSIDERACIONES ENERGETICAS EN RELACION CON LOS CINCO MOVIMIENTOS

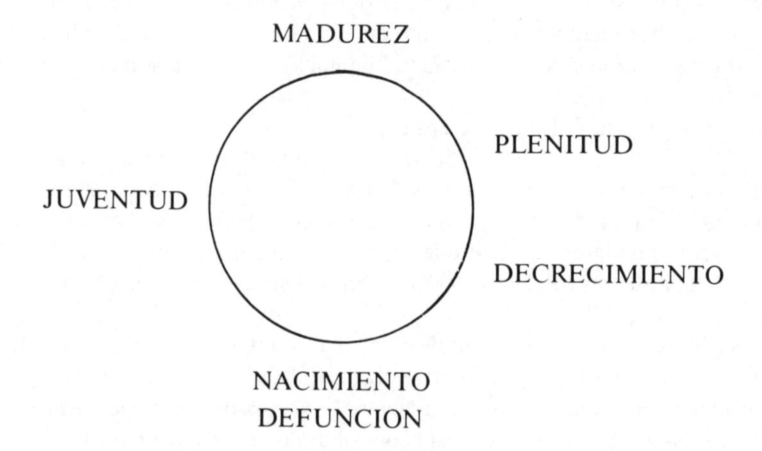

La persona a lo largo de su vida atraviesa por diferentes estadios, el 1º es el de la gestación, este período lo pasa suspendido en Agua (líquido amniótico), situación de quietud, pasividad, obscuridad, de preparación, similar a la noche, al invierno, estación cuya característica principal es el recogimiento, los días son obscuros y lluviosos, situación opuesta al verano durante el cual el tiempo es soleado y seco. Este estadio es el que corresponde en los 5 movimientos al AGUA.

El siguiente estadio corresponde a la niñez, juventud, donde todo es dinamismo y transformación constante, el niño no está un minuto quieto, no puede parar, su energía está en ascenso, se manifiesta en toda su biología, pudiendo verificarse cada mes el aumento de peso y de talla; es como el Viento, rápido en su movimiento; podemos compararlo con el nacimiento del día, donde toda la Naturaleza sale del letargo de la noche y se llena de movimiento; con la Primavera, que manifiesta su fuerza con el nacimiento y crecimiento de las Plantas.

El tercer período corresponde a la madurez, situación que podemos comparar al verano, donde todas las funciones han llegado al máximo y a partir de éste momento, comenzará el descenso.

En los 5 movimientos se le homologa al Fuego, que es la culminación del movimiento, es el elemento transformado por excelencia, fuego que nació, creció y llegó al máximo, y gracias a él se mantiene la vida.

Comparando el Fuego con el Sol, vemos que a partir del verano, las horas de sol y su fuerza disminuyen, pero no desaparecen, ya que si el sol desapareciera, desaparecería la vida, de igual manera, el fuego es el animador de la vida.

En la existencia del ser humano ocurre lo mismo: el fuego llega a su máximo y después declina, pero no desaparece, y cuando esto ocurre, después del Estio (Tierra) y Otoño (metal), llega el invierno (vejez), que es cuando llega la mutación para convertirse todo en Agua, produciéndose el cambio de dimensión de esta vida a la siguiente, que no es ni más ni menos que el cumplimiento inexorable de la ley del TAO, el decrecimiento del YANG lleva implícito el crecimiento del INN.

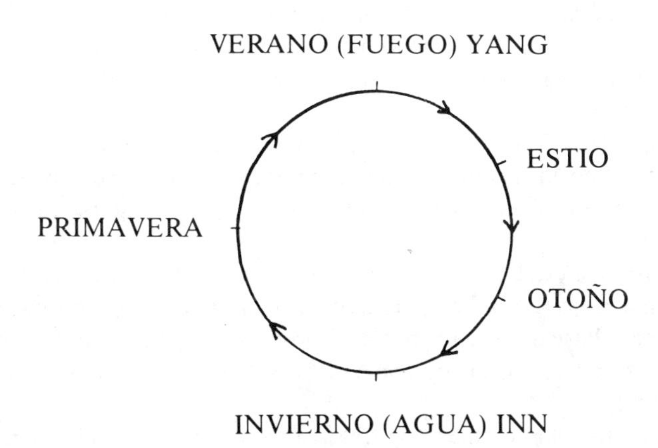

Entonces observamos que la mutación o cambio de dimensión se manifiesta con la desaparición del YANG, del fuego, por lo que la vida de la persona dependerá de la conservación del Fuego; se habrá de tener cuidado que la combustión no sea muy rápida, para que la llama no se agote y sea permanente; así, a la hora de tratar a un anciano, tendremos que buscar el equilibrio entre el INN y el YANG, y teniendo en cuenta que lo que se da de una forma natural es la pérdida del YANG, en los tratamientos que instauremos, tendremos como objetivo mantenerlo o hacer que disminuya lo más lentamente posible.

PUNTOS UTILES PARA CONSERVAR EL YANG, PREVENIR LA VEJEZ Y AYUDAR AL ANCIANO.

Estos puntos, dependiendo de la situación de la persona, pueden utilizarse como curativos o preventivos:

—6ID	YANG GLAO	«Ayuda a los ancianos».
—7TR	HUI ZONG	«Reencuentro con los antepasados».
—3C	SHAO MAI	«Mar Menor».
—2C	QUING LING	«Espíritu joven».
—5ID	YANG XI	«Recobrar la juventud».
—11ID	TIANG ZONG	«Antepasado celestial».
—6V	CHENG GUANG	«Herencia Luminosa».
—16R	HUANGSHU	«Asiento de centros vitales».
—8MC	LAO GONG	«Palacio de las fatigas».
—10VB	TU BAI	«Claridad creciente».
—13VG	TAO DAO	«Vía de la mutación».

4. TRATAMIENTO GENERAL DE LA SINTOMATOLOGIA VISTA

Hacer un tratamiento sintomático es sólo actuar a nivel de las ramas, olvidándonos del tronco y de la raiz; de tal manera que si queremos hacer desaparecer una hierba de un lugar, no basta con cortarla a nivel del suelo, pues con el tiempo volverá a resurgir; sino que es preciso arrancar la raiz y de ésta manera, sino hay otra semilla bajo la tierra, no volverá a salir la planta.

Lo mismo ocurre cuando hacemos un tratamiento sintomático, estamos actuando sobre las ramas, pero no debemos conformarnos con ello, sino que hay que buscar la causa de la enfermedad, como nos dice el NEI JING «hay que remontarse al origen de la enfermedad».

Debe quedar claro, que estos puntos seleccionados no son la panacea de las enfermedades de los ancianos, sino que sirven para ayudar, pero a cada paciente habrá que hacerle una historia, para buscar hasta encontrar el origen de la enfermedad, y una vez instaurado el tratamiento adecuado puede complementarse con los puntos seleccionados.

Por ejemplo si hay:

—Síntomas de pérdida de fuerza, puede tratarse tal vez con cualquier punto que aumente el YANG, o el INN para que este se transforme en YANG, pero por el nombre podemos utilizar el 8MC «PALACIO DE LAS FATIGAS» o el 5ID «RECOBRAR LA JUVENTUD».

Generalizando podemos decir que a cualquier anciano viene bien tonificarle los Riñones, ya que son los depositarios de la Esencia, de la E. Ancestral, la cual va consumiéndose día a día, sin posibilidad de recuperación, y según pasan los años ésta va disminuyendo. Los Riñones, el INN, representan al AGUA y del agua sale todo, como ejemplo tenemos las siguientes citas:

Dice el GENESIS:

«La Tierra era algo caótico
y vacío y tinieblas cubrían
la superficie del abismo, mientras
el Espíritu de Dios aleteaba sobre
la superficie de las Aguas...»

Otra cita, ahora del NEI JING:

«El frío viene del Norte,
el Norte crea el negro,
el negro crea el AGUA
y éste ORIGINA LOS RIÑONES»

Dice LAO TSE:

«El mejor de los hombres es como
el Agua; el Agua beneficia a todas
las cosas y no excluye a ninguna.
Se coloca en los lugares que
otros desdeñan, y se acerca así al TAO»

Como podemos observar, el Agua es un elemento muy especial.

Al Agua podemos tonificarle de múltiples formas: mediante agujas, moxas, cuidando la alimentación, procurando sobre todo que ésta sea la adecuada para tonificar éste Movimiento a base de CEREALES INTEGRALES, ALGAS MARINAS Y ALIMENTOS DEL MAR EN GENERAL, LEGUMBRES, VERDURAS, y disminuyendo en la dieta aquellos alimentos que más energía hacen perder en Metabolización o Transformación, como las Proteínas animales, Azúcares Refinados, las Grasas Animales; otras formas de tonificar los Riñones se consigue tomando baños de mar, en balnearios, en ríos, duchas, etc., o bien contemplándolo. Otra forma, mediante masajes, gimnasia energética, como el TAI CHI, meditación, alegría, buen humor, pensamiento positivos, todo ello ayudará a guardar la Esencia de los Riñones.

5. PUNTOS ELEGIDOS. DESCRIPCION DE LOS MISMOS Y TECNICAS DE PUNTURA

6ID.—Iang Glao «Ayuda a los viejos».

Localización: Cara posterior del antebrazo, a una distancia de la apófisis estiloide cubital, en un hueco.

Función: Punto JGEKI (japonés) o de alarma, útil en el tratamiento de las afecciones agudas dolorosas relacionadas con el Meridiano. En este caso se elige por su nombre; y su función será aumentar el Yang que, como hemos dicho, en los ancianos va disminuyendo.

Forma de puntura: Se puede puntuar en transfisión hasta el 7TR, aprovechando de esta manera una sola puntura para activar dos puntos, evitando así la consiguiente pérdida de E., ya que en los ancianos, ésta, cada vez es más insuficiente.

Se manipula hasta obtener la sensación y transmisión de energía.

7TR.—Hui Zong «Reencuentro con los antepasados»

Localización: A 3 distancias del pliegue posterior de la muñeca, inmediatamente por fuera del punto 6TR (lado cubital).

Función: Punto JGEKI, útil en el tratamiento de afecciones agudas dolorosas relacionadas con el Meridiano de Triple Recalentador.

Este punto se elige en función del nombre, es un volver al origen, lo cual es rejuvenecer, pero remover el pasado puede suponer que aparezcan situaciones poco gratas, o situaciones que en la actualidad resulten difíciles de aceptar, por lo tanto es un punto a emplear, mejor en ancianos con buena salud mental.

Forma de puntura: Oblicua, en dirección al punto 8TR.

3C.—Shao Hai «Mar Menor».

Localización: En la extremidad del pliegue interno del codo, flexionando éste al máximo, a 1 cm. de la Epitroclea.

Función: Se trata de un punto HO, o punto Agua, de esta manera se actua sobre la Energía Ancestral, haciendo rejuvenecer.

Forma de puntura: Perpendicular al brazo. Manipulación en tonificación hasta conseguir transmisión de sensación.

2C.—Qingling «Espíritu joven».

Localización: Cara interna del brazo, a 3 distancias por encima del pliegue del codo.

Función: Por ser un punto del canal del Corazón, tiene acción sobre el C y sobre el SHEN, y por estar en el brazo, en afecciones de brazo y hombro.

Teniendo en cuenta el nombre, se trata de un punto que indica un rejuvenecimiento mental, que es lo que buscamos en los ancianos, lo cual se entiende porque se actua sobre el SHEN, lugar de residencia del Espíritu.

6V.—Cheng Guang «Herencia luminosa».

Localización: A una distancia y media detrás del 5V, y a una y media de la línea media, o sea, a dos y media distancias detrás de la línea de los cabellos.

Función: Por su nombre decimos que puede aumentar la claridad mental, y por su localización, en la cabeza, se comprende que actua sobre la mente, potenciando o movilizando la E. Ancestral en los niveles de claridad mental.

16R.—Huang Shu «Asiento de centros vitales».

Localización: En la horizontal que pasa por el ombligo, a media distancia de la línea media.

Función: Punto del VM. TCHONG-MAI. Su nombre es suficiente para comprender su función, de punto revitalizador, además es un punto del R y en éste se guarda la esencia que servirá para revitalizar los centros vitales.

Puntura: Perpendicular al abdomen y cuidando la profundidad que dependerá de la obesidad de la persona, y en los más delgados evitando sobrepasar un SUN.

5ID.—Yangxi «Recobrar la juventud» «Valle del Yang».

Localización: Borde cubital de la mano, inmediatamente distal de la apófisis estiloidea, a nivel del pliegue de flexión de la muñeca.

Función: Punto KING, es un punto Fuego de una víscera correspondiente al Movimiento Fuego, por tanto capaz de actuar muy directamente sobre el psiquismo y aumentar el Yang, por tratarse del Fuego.

«En el tema que nos ocupa el nombre habla por si solo».

Puntura: Perpendicular.

11ID.—Tiangzong «Antepasado Celestial».

Localización: Debajo de la espina del omoplato. Por dentro y arriba del 9ID.

Función: La misma que el punto anterior, por pertenecer al Fuego, se trata de un punto que actua sobre el SHEN; y su nombre nos lo ratifica. Favorece la comunicación, o la sintonía con el cielo, permite mayor claridad mental en temas relacionados con el Espíritu.

Por la localización, útil en dolores de hombro, brazo y codo.

8MC.—Lao Gong «Palacio de las Fatigas».

Localización: En la mitad del pliegue transversal medio de la palma de la mano: flexionando los dedos al hueco de la mano, el punto se encuentra entre el medio y el anular.

Función: Por tratarse de un punto fuego del Fuego, activa el mismo, que es quien mantiene la vida, tanto a nivel psíquico como orgánico.

Además es un punto IONG, movilizador de E., de fuerza.

Puntura: Perpendicular. Manipular hasta conseguir que la sensación se extienda por la mano. Se debe de punturar profundo, hasta que la aguja se manifieste en la zona dorsal de la mano.

10VB.—Fu Bai «Claridad Creciente».

Localización: A dos distancias detrás del pabellón de la oreja, debajo del 9VB a 1/4 de distancia que va del punto 8 al 12VB; el punto 8VB está a 1 y 1/2 distancia por encima del punto más alto del pabellón de la oreja.

Función: Punto de reunión de los Meridianos de ID y V, ambos son fuego y agua respectivamente, los dos movimientos que animan la vida, uno guardando la esencia, el Agua, y el otro animando la esencia mediante el Fuego.

Por el nombre es útil para agilizar la mente.

13TM.—Tao Dao «Vida de la Mutación».

Localización: Línea media posterior, debajo de la apófisis espinosa de la 1ª vértebra.

Función: Punto de reunión con el Meridiano de V.

Es un punto que lleva principalmente E. Ancestral por pertenecer a un V.M., que además parte de los Riñones, y que vuelve a potenciar su función ancestral al reunirse con el Meridiano de V, víscera del Movimiento Agua.

Teniendo en cuenta el nombre, la Mutación es el cambio de un estado a otro; este punto puede facilitar a los ancianos la preparación para realizar el paso del cambio de dimensión en perfecta armonía con el medio en que se encuentran, viviéndolo como un proceso natural, común a todo lo existente en este mundo.

Forma de puntura: Perpendicular.

Manipulación de la energía hasta conseguir una sensación de descenso-ascenso de la energía.

Todos estos puntos vistos, corresponden al Fuego y Agua, que son los dos movimientos PRINCIPALES, el Yang Supremo y el Inn Supremo, mientras los demás Movimientos son los balancines que aseguran el paso del Inn al Yang y viceversa.

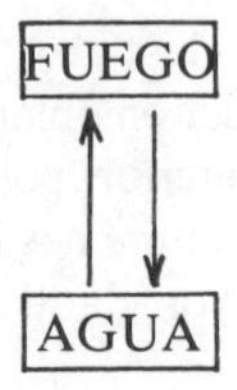

La Madera permite o facilita el paso del Inn al Yang y el Metal del Yang al Inn, siendo la Tierra el Movimiento catalizador o armonizador de todos, apareciendo en ella la Esencia del resto.

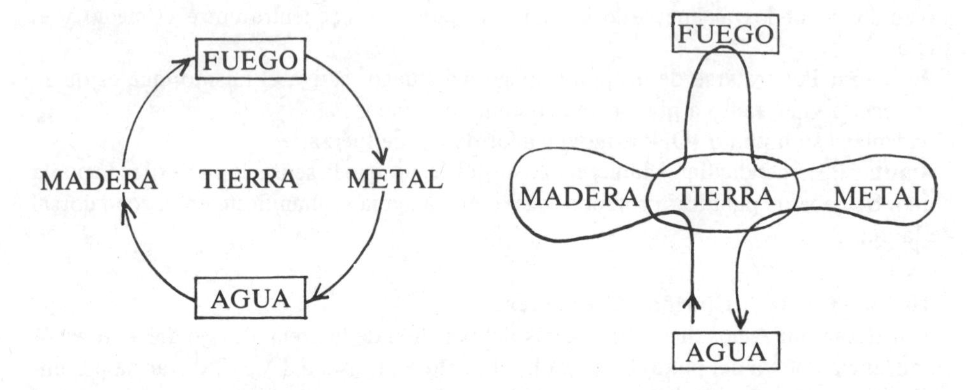

Decíamos que todos estos puntos pertenecen al Fuego o al Agua, algunos son puntos «JGEKI», y otros son Agua del Fuego o Fuego del Fuego, con lo cual se consigue reforzar la acción o equilibrarla con el opuesto.

Excepto un punto que corresponde a la V.B. que si bien no es Fuego ni Agua, es a través de ésta entraña curiosa que se produce el Fuego, y por otra parte, en el punto 10VB se reunen el Fuego y el Agua mediante los Meridianos de ID y V.

El hecho de haber cogido un punto de VB, además de todo lo dicho, es por ser generadora del Fuego; se trata de una víscera especial que tiene características de órgano, en cuanto que recibe del órgano la bilis elaborada por éste, cuando en el resto de los órganos, son ellos quienes reciben el producto ya elaborado por la víscera.

CASUISTICA

El estudio se realizó en Madrid, en la consulta que el doctor PADILLA tiene abierta *con carácter gratuito* para ancianos.

Se trataron 115 pacientes, con una duración media y seguimiento de 2 años y medio; la edad media de los pacientes es de 62 años, oscilando entre los 58 y 86 años.

Las afecciones tratadas fueron: Enfermedades seniles, o consecuencia de enfermedades crónicas prolongadas como:

—Arteriopatías

—Transtornos visuales

—Acúfenos

—Arteriosclerosis

—Transtornos de la circulación periférica

—Dolores generalizados

—Estados depresivos

Los resultados obtenidos fueron buenos en el 87,53%, interpretándose éstos como cambios importantes en el estado de ánimo y aminoramiento de sus síntomas de forma clara y mantenida.

—Los cambios más significativos se observaron en Cuadros Dolorosos, Transtornos Visuales, y Estados de Animo.

—El 12,47% restante presentó resultados inconstantes, o mejoras ocasionales, o recaidas.

—El ritmo de tratamiento fue de 1-2 o 3 sesiones seguidas por semana, con descanso de 7 u 8 días.

—Instaurada la mejoría, el descanso fue de 15 días.

—El tiempo medio de tratamiento fue constante durante ocho meses y medio.

VII. OFTALMOLOGIA

Ver y ver... sin comprender, sin MIRAR, es una traición
a nuestro desafío permamente de la vida...

En los ojos se concentra toda la expresión de lo interno...
de lo constantemente cambiante...

Si quieres conocer la luz de lo interior...
«Atrevete» a mirar la luz intensa de los ojos...
Luego decide.

Si miras más allá de lo que ves, encontrarás la esencia de «TODO».

VII. OFTALMOLOGIA

En el próximo volumen desarrollaremos en toda su extensión esta importante patología oftálmica, ahora nos tendremos que conformar con una sola entidad.

Describiremos la atrofia óptica primaria, el glaucoma, las retinopatia retinitis picmentarias, cataratas, etc, etc... Pedimos al estimado lector un poco de paciencia, volvemos a insistir en la imposibilidad de desarrollar en toda la extensión de esta obra, todas las patologías cotejadas, seria un volumen interminable... Hagámoslo. Poco a poco... GRACIAS.

La energética del ojo en M.T.C. ocupa un lugar preponderante por su privilegiado papel, dadas las especiales confluencias energéticas que posee.

Según los textos tradicionales, las energías *de todos* los meridianos confluyen en los ojos. Esta evidencia se puede apreciar en la figura que presentamos sobre las confluencias de canales y colaterales.

¿Cuál es la causa de estas condiciones especiales? Si pensamos en las condiciones arquitectónicas de nuestras estructuras llegamos a la conclusión de que las funciones que tiene que desarrollar la visión en su relación con el medio, nos proporciona una visión totalizadora de lo que ocurre en nuestro entorno, y esta percepción sólo es posible si se cuenta con todas las energías del organismo. Por tanto, las necesidades de las homeostasis hacen posible que se formen los mecanismos de visión, con la participación de todas las energías. Si así no lo fuera, las informaciones que nos proporcionan la visión no serían totalizadoras. Esta aseveración no quiere decir que no se precisen de los demás órganos de los sentidos. Implica, que la visión, junto con la audición, que más adelante veremos, son los que mejor pueden sintetizar las experiencias del hombre con el entorno. Si bien en el hombre todas las energías vierten parte de su contenido en el mantenimiento de la visión, de igual manera, en los casos en que esta falta, toda la economía energética de los sentidos, se pone al servicio de los demás medios de percepción. Tacto, olfato, oido... Se ponen al servicio de la estructura para garantizar la sintonía con el medio. No son capaces de suplirla, pero si *son capaces de experienciar en profundidad la esencia del perimundo*.

Las especiales estructuras del ojo hacen que a cada parte de él se alinien las fuerzas energéticas de los órganos y entrañas.

Conocemos la equiparación del IRIS CON EL HIGADO.

LA PUPILA CON EL RIÑON.

LA ESCLEROTICA CON EL PULMON.

LOS ANGULOS INTERNO Y EXTERNO CON EL CORAZON-I. DELGADO.

LOS VASOS DE LA ZONA DE LA CONJUNTIVA BASAL CON EL YANG-MING.

Todo se encuentra en perfecta distribución topográfica. *TODO SE REFLEJA EN LOS OJOS*. Terminariamos añadiendo, QUE LA EXPRESION DE LOS OJOS PERTENECE AL CORAZON. LA VISION COMO ORGANO DEPENDE DEL HIGADO. *TODO SE REFLEJA EN LOS OJOS*. ¿COMO OCULTAR LA IDENTIDAD DE UNA PERSONA... TAPANDOLE LOS OJOS. *TODO SE ENCUENTRA EN LOS OJOS.* TODA LA INFORMACION *SE ENCUENTRA EN LOS OJOS... LUEGO... NO ES UNA LOCURA EL DIAGNOSTICO* POR EL ESTUDIO *DEL OJO*. De *todo* el ojo... Asi que... debemos de atrevernos a mirar los ojos de las personas. Podemos, *encontrarlo TODO.*

Con estas consideraciones energéticas podemos ir deduciendo que el diagnóstico iridiológico tiene su origen primitivo en las ideas energéticas de la M.T.C.... Pero quedan algunas preguntas por contestar. Veamos. ¿El hígado florece en los ojos... la visión esta sustentada por el hígado... La expresión pertenece al corazón... Contradicción?... Solo en apariencia.

La *expresión pertenece al espíritu.* A la *energía mental*. La *quinta-esencia*. La visión *pertenece a la energía nutricia*. Todos podríamos distinguir entre la expresión y el mirar. Todos conocemos la mirada alegre de un niño o la mirada nostálgica de un anciano o la mirada lejana de la tristeza... Todo es, expresión del corazón, la virtud *suprema del soberano*. Por eso pertenece al corazón, y éste, es el que controla la energía mental.

Otra cuestión es la facultad de la visión... Esta es función del HIGADO. En la madera se producen las esencias guardadas del agua, del invierno. La facultad de la madera es la expansión, como las raices y las ramas de un árbol... Y en esta expansión se crean LOS OJOS. ... En un recordado congreso de acupuntura de París, unos investigadores presentaron el trabajo que aseguraba que en embriones de pollo se había ensayado el sustituir el incipiente globo ocular por células hepáticas del mismo embrión... Al final del desarrollo... Se *formó el ojo* con todas las condiciones de normalidad. No ocurría lo mismo con células de otros órganos... *¿SE PUEDE PEDIR MAS?* Siempre me sorprendió la escasa repercusión que tuvo este trabajo entre los congresistas. Creo que se trata de una *confirmación excepcional* de la cuestión que estamos debatiendo. Si las modernas investigaciones científicas conocieran en profundidad la tradición estaríamos en el camino de sorprendentes descubrimientos... Pero al parecer, no es el momento... Deberemos de seguir esperando... Asi pues... Expresión y visión son dos fenómenos distintos, que se sustentan e interrelacionan... DE ACUERDO... Pero que pertenecen a distintas etapas de experiencia. Me explico... *Lo primero que acontece es la visión... LUEGO VIENE LA EXPRESION.* Es la creación incesante y perfecta de los cinco movimientos. PRIMERO LA MADERA... DESPUES EL FUEGO. La culminación de la transformación del INN en YAN, es en este lugar donde se manifiesta la energía mental. La ENERGIA ESPIRITUAL.

La clara meditación sobre estas consideraciones nos situa en la esfera de un conocimiento cosmogénico de la formación, función y desarrollo e interdependencia de todas nuestras estructuras. Todo instante en los ritmos de la vida ocurren según unas variables posibles y definibles. Otra cuestión es que desconozcamos estas claves.

El plano de los sentidos y en concreto el de la visión, nos brinda la posibilidad de la impregnación directa del espíritu de las cosas con el nuestro. Posibilita de una forma directa e instantánea la conjunción de las energías espirituales del entorno con nuestra propia energía espiritual, de tal manera que nos situa en la *más amplificadora y completa experiencia de la vida.* La sistemática inconsciencia de los que *ven* no permite esta *sublime experiencia.* En este mundo que quiere verlo TODO, resulta que no VE nada. Se confunde una vez más visión con experiencia de expresión. En ocasiones se es *capaz de ver y describir todo,* pero se es *incapaz de sentir.* Sin duda, *el ciego ve mucho más que esos absurdos mirones descriptivos.* Estos ejemplos los tenemos frecuentemente en nuestra moderna medicina. La inmensa mayoría de nuestras enfermedades son *vistas* incansablemente por microscopios, bisturis, complejas técnicas de teñido, complejos estudios necrópsicos, etc, etc... A todo esto, se dedican libros, páginas, revistas, congresos,... Y un largo etc, etc... ¿Cuánto se dedica a un tratamiento *posible*? MUY POCO. Cójase por curiosidad cualquier libro de patología médica. *Vean* las proporciones, no digamos ya la expresión. La *terrible obsesión descriptiva que vive la medicina actual ensombrece las posibilidades curativas.* Permítaseme una anécdota. En mis años de estudiante... Un día, en una sesión clínica en el hospital clínico, se debatía una historia médica... Pasadas las horas... Toda la mañana, después de brillantes descripciones, acertadas diferenciaciones clínicas y extensísima descripción de los hallazgos biópsicos... A un estudiante se le ocurrió preguntar... ¿qué tratamiento y que posibilidades tiene el enfermo?... Se hizo silencio... Miraron al estudiante... Sonrisas... Quien dirijía la sesión dijo con voz segura y rutinaria... No tiene ninguna posibilidad, por supuesto... No se habló más del tema... Siguió la sesión... El perplejo y desalentado estudiante, era yo.

No podemos dejar de ver las estrellas por que al señalarlas miramos la punta de nuestro dedo...

CONSIDERACIONES ENERGETICAS EN TORNO A LA MIOPIA. FISIOPATOLOGIA Y TRATAMIENTO

INTRODUCCION

La miopía constituye una de las afecciones más frecuente de los transtornos visuales. Tiene su mayor incidencia en los países occidentales y en Japón. Ocupa el lugar más alto dentro de las terapias correctoras por lentes o microlentes.

Es de carácter progresivo y de comienzo en la infancia. En los procesos graves puede desembocar en cegera, desprendimientos de retina, etc, etc. Ocasionalmente, su proceso se detiene y permanece estable durante la edad adulta. Los factores genéticos suelen incidir si bien no son determinantes. Al parecer, los hábitos de lectura, el uso de luz artificial y el excesivo cansancio contribuyen a la aparición de la enfermedad.

GENERALIDADES

Se desconocen con exactitud los mecanismos que originan la enfermedad, lo que si se conoce es el resultado. *La elongación del globo ocular con la consiguiente formación de la imagen en un plano anterior a la retina.* La consecuencia es la pérdida de nitidez y visión borrosa para la visión lejana. La falta de tono en el globo ocular y la imposibilidad de acomodación según las necesidades son las situaciones que perpetuan la enfermedad.

La terapia más usual es la implantación de cristales correctores que se acoplan según la evolución de la enfermedad. La visión mejora al instante, pero no influye sobre la enfermedad. Incluso puede pensarse que la facilitación de la formación de la imagen en el lugar apropiado, dificultaría los mecanismos fisiológicos de adaptación, con lo cual se acrecentaría la pereza ocular.

La implantación de cristales intraoculares (microlentillas), no mejora la situación, amen de los problemas de adaptación...

FISIOPATOLOGIA ENERGETICA

«La energía del hígado florece en los ojos»... «El hígado controla los músculos y tendones»... NEIJING. SOWEN.

La contracción y expansión de todos los sistemas musculares, dependen de las condiciones energéticas del movimiento madera. La *expansión YANG de la VB. La contracción INN del H.* Estas dos manifestaciones energéticas están alteradas en la miopía. Existe una falta de contracción y un exceso de dilatación. En definitiva, la relación INN-YAN no se encuentra en equilibrio. Con independencia de las características individuales que se deben de ajustar en cada paciente, el tratamiento debe de estar encaminado en la regulación de estos dos vectores de la madera.

TRATAMIENTO

La TONIFICACION DEL HIGADO Y LA REGULACION DE LA VB es la base del tratamiento.

—TONIFICACION DEL HIGADO. 8H-14H-Moxibustion del 18V.

—REGULACION DE LA VB. 20VB-31VB-41VB.

TRATAMIENTO LOCAL.

El tratamiento local se debe de individualizar en tres métodos:

—**Tratamiento con masajes**. Aplicación de masajes con presión vibratoria, *sin desplazamiento*, de los puntos 1VB-23TR-IU-IAO-1E-20VB-20IG.

—**Tratamiento con el martillo de siete puntas.** Existen dos modalidades de aplicación: Martillo simple y martillo eléctrico. En este segundo caso, existe una conexión con un electro estimulador. La aplicación se realiza sobre: 20VB— sobre el globo ocular, realizando círculos en el polo externo e interno. 81 aplicaciones en cada polo ocular.

—**Tratamiento con moxibustión.** La aplicación de la moxibustión en la zona ocular requiere la aplicación de un simple pero ocurrente artilugio, idea del profesor Li, del hospital de Guan An men.

—**Preparación de la moxibustión ocular.** Tomamos una montura de alguna gafa en desuso. Le aplicamos un soporte metálico que sobrepase en el plano anterior. Este será el lugar donde aplicaremos el cono de moxa. En lugar de los cristales, se aplica el caparazón de la nuez, colocando la convexidad hacia afuera. Luego, mandamos poner la gafa al enfermo y colocamos su cabeza ligeramente inclinada hacia abajo, para que la corriente calórica de la moxa penetre por el globo ocular. Nos parece una instrumentación simple, pero muy eficaz para la aplicación de la moxa en el ojo. Además, nos será útil para otras muchas enfermedades: glaucoma, retinitis, cataratas...

La aplicación se realizará a razón de una sesión con dos conos por semana. En el caso de otras enfermedades se puede aplicar diariamente, según la necesidad del enfermo.

EVALUACION DE RESULTADOS.

Los resultados del tratamiento de la miopia se pueden catalogar como *buenos*. Pero hagamos las siguientes salvedades:

1.—Es un tratamiento largo. Mínimo de un año.

2.—Una vez establecidos los resultados, otro mínimo de un año para mantener los resultados.

El primer objetivo será el de obtener una *parada* en la evolución progresiva de la enfermedad. Cuando esta se ha instaurado se podrá pensar en reducir el número de dioptrias.

Nuestra experiencia personal constata que la mejora de visión se cifra en 1-2 dioptrias por año, en un porcentaje del 78% de los casos. El 22% restante se estabiliza o remite 0,75 dioptrias por año. Estos resultados nos demuestran que la M.T.C. es un arma eficaz contra esta enfermedad.

Como medidas accesorias, recomendamos que se use lo menos posible las gafas, con el fin de ayudar a la tonificación del globo ocular. Ademas, lectura en posición horizontal. Automasaje diario, mañana y noche.

Presentamos a continuación un trabajo del congreso de BEIJING,79 sobre el empleo de la acupuntura, en este caso el martillo de siete puntas o flor de ciruelo, como estímulo eléctrico.

INTEGRACION DE LA MEDICINA TRADICIONAL CHINA Y LA MEDICINA OCCIDENTAL, ELECTRO-ACUPUNTURA CON AGUJA «FLOR DE CIRUELA» PARA EL TRATAMIENTO DE LA MIOPIA EN ADOLESCENTES.

Mei Tsunchung, Ying Huaniu.

(División de Acupuntura «Flor de Ciruela», Departamento de Acupuntura, Hospital Kman An Men, Academia de Medicina Tradicional China).

Desde 1964 se adoptó la aguja «Flor de Ciruela», en el tratamiento de la miopía entre adolescentes. Siguiendo repetidas pruebas en series de un gran número de casos, se comprobó que el resultado del tratamiento era satisfactorio. Desde 1971, se introdujo el uso de la aguja «flor de ciruela eléctricamente cargada» para labores clínicas, aumentando aún más las mejorías de los efectos terapéuticos.

DATOS CLINICOS.

Este grupo de 1.043 casos consistió de 2.057 ojos. La selección de los enfermos se basó en el siguiente criterio:

(1) Visión a simple vista bajo 1. 0

(2) El examen de refracción se hizo antes de comenzar el tratamiento.

(3) Una examen de visión cercana al ojo antes del tratamiento.

(4) Edad menor de 20 años.

(5) Continuación de siete cursos de tratamiento. Las normas de efecto terapéutico son como sigue: 1. Cura: visión sobre 1. 0 ómas, 2. Efecto notable: aumento de visión a 3 grados, pero aún bajo 1. 0; 3. Mejorados: aumento de visión de 1 a 2 grados y 4. Fracasos: no hubo mejorías en la visión.

Los enfermos se distribuyeron en dos grupos:

(1) Grupo de puntos de acupuntura, Zhengguang, y Zhengguang, Fengchi, Neiguan, Dazhui.

(2) Acupuntura aplicada a distintas regiones. Durante el tratamiento la aguja «Flor de ciruelo» estuvo conectada a una corriente eléctrica débil.

Un curso de acupuntura consiste de 15 aplicaciones, mismas que se administran en días alternados para profilaxis de miopía y para consolidación del efecto terapéutico, los enfermos recibieron instrucciones sobre dos requerimientos y seis prohibiciones para que persistieran en darse masaje en el punto Zhengguang.

RESULTADOS DEL TRATAMIENTO:

Cura 453 ojos, (21%); efectos notables 1.153 ojos (56.1%) mejorados 45 ojos (21.9%) y sin efectos 20 ojos (1%). La práctica clínica revela que, el resultado del tratamiento es mejor para enfermos de miopía baja que para los de miopía alta, aunque para estos el efecto notable se encuentra que es de 50 a 60%. De los resultados del examen de refracción en los 235 casos en los que la visión ha aumentado por dos facetas después del tratamiento, se muestra claramente que la mejoría de la visión esta en proporción directa a la disminución del grado de refracción; entre los 54 casos sometidos a examen de reflección después de dilatar la pupila, 72.2 % mostraron disminución de grado de refracción y en 27.8% de los casos con mejorías de visión, no se observó cambio en el grado de refracción. Estos resultados pueden ser atribuídos a la acomodación funcional de la retina. Para esclarecer la cuestión de si ocurre o no, el restablecimiento espontáneo de la miopía, se efectúo una ininterrumpida observación en 147 ojos de 2 a 5 años. Entre ellos, 117 mostraron atenuación continua de visión (79.6%) y únicamente tres (2.1%) volvieron al estado normal. Esto indica claramente que debe ser tomada una actitud activa en la profilaxis de la miopía. Por lo que se relaciona a la corrección óptica con el efecto terapéutico, el grupo que no usaba anteojos dió mejores resultados que el que si los usaba (P 0. 001) basándose en la observación de 1.144 ojos. Se hicieron observaciones simultáneas tocante a si el usar anteojos impedirá que se desarrolle el grado de miopía y el resultado fue negativo. (P 0. 1). Durante el período de tratamiento se aconsejó a los enfermos no usar anteojos y con esto alcanzaban mejores resultados, en ninguno se observó descenso de visión.

Efecto terapéutico observado en casos de seguimiento de término largo: Entre los casos con efectos notables, un total de 953 ojos se siguieron de tres meses a cinco años desde la conclusión del curso del tratamiento. (1) En 248 ojos (26%) se observó mejoría de la visión; (2) 368 ojos (58.6%) permanecieron sin cambios; (3) Obstrucción de la visión o retrogresión al nivel original, en 270 ojos (28.4%); (4) Una declinación al nivel de pretratamiento es aún peor en 67 ojos (7%). Una continua mejoría de la visión después de concluido el tratamiento está relacionado estrechamente con la práctica de darse masaje continuamente en el punto Zhengguang por el enfermo mismo.

VIII. DERMATOLOGIA

En la piel, asidero de todos los impulsos, anida la fuerza volcánica de todos los deseos... Hasta la de los impensables... No pierdas este rumbo infinito que supone cada vello que inunda el bosque, lleno de la fuerza de todos los vientos, siempre «presentes»... Recógelos con la fuerza del dragón y lánzalos al mar azul, al cielo verde, a la tierra amarilla y al fondo de «tu negro» para que sean la semilla de un continuo renacer.

No dejes profanar tu piel por la intención no consentida, no dejes de darle importancia... Solo acepta lo que se encuentra cargado de la limpieza de la intención que no exige...

Y por el tenue roce del deseo todo tu cuerpo se inundará de aroma... de savia... de fuego... de calor inconfesable... Si esto no ocurre... recuerda, que puedes estar muerto...

Que ningún beso inunde tu piel de selectiva resonancia... No sea que traicionen tu corazón.

VIII. DERMATOLOGIA

La piel es la gran intermediadora entre las estructuras internas del hombre y su medio externo. Se trata de una compleja estructura por la que se establecen las proyecciones de las energías de los diferentes órganos y entrañas. Aun siendo, una extensa superficie sobre la que descansa la responsabilidad de controlar el equilibrio térmico de todo el cuerpo, es una gran desconocida por la medicina moderna. Existe una gran descripción en cuanto a sus detalles morfológicos... Pero... cuando esta se encuentra enferma... Las posibilidades de actuar sobre ella, se ven muy disminuidas. La compleja red de sensores que precisa la piel para sus funciones hace que sus funciones sean de difícil equilibrio. En Medicina Tradicional China, constituye el *gran espejo* en donde se reflejan todas las vicisitudes del medio externo y de las incidencias de los medios internos. Es el lugar donde se manifiestan las energías de los órganos por medio de sus puntos y canales. Esta CONTROLADA POR *EL PULMON*. Consideremos esta afirmación. El pulmón, por sus funciones de intercambiar las energías del cielo con las del hombre, se nos presenta, como dice el NEIJING, como el *maestro de la ENERGIA*. Mejor sería decir, *del SOPLO*. Si trasladamos este concepto a la piel, comprobaremos que la piel TAMBIEN RESPIRA. Por tanto, no es aventurada esta afirmación, de que la piel esta controlada por el pulmón. No podría ser de otra manera, ya que es la estructura que se encuentra en contacto directo con el prana del cielo. Sin duda, estamos ante una de las afirmaciones de la M.T.C. con una coherencia ideológica, en cuanto que el hombre es una consecuencia del cielo que se manifiesta en la tierra, o mejor, sustentada por la tierra. Si el pulmón es el MAESTRO DEL SOPOLO y CONTROLA LA PIEL. Por el estado de esta podremos determinar el estado de las energías, y asi es, en el NEIJING, se describe el método de observación y palpación de la zona interna del antebrazo como método para determinar el estado de energía global del organismo. Se trata justo de las líneas de fuerzas que se forman por la proyección de la energía del canal del pulmón. Se trata de una experiencia interesante, el poder confirmar esta exploración. Es un método exquisito que nos puede proporcionar muy interesantes elementos diagnósticos.

Si bien la piel se encuentra bajo los dominios del pulmón, ESTA SURCADA POR LA.ENERGIA DE TODOS LOS ORGANOS Y ENTRAÑAS. Con esta situación, podemos deducir, que la energía de todos los órganos y entrañas se encuentran bajo la batuta energética del pulmón. CIERTO. Y que la piel se encuentra sujeta a las variaciones energéticas de todos los órganos y entrañas. CIERTO. La idea del todo (TODO) se encuentra, más que nunca, inmersa en las funcionalidades del recubrimiento cutáneo.

Con estas básicas ideas, ya podemos deducir muchas cuestiones de fisiología energética asi como, deducciones terapéuticas, no solo para los problemas de la piel, sino para todos los problemas que se derivan de las alteraciones de la energía... Que son todos...

Si conceptuamos el organismo con las distintas gerarquizaciones de las energías, deberemos de tener en cuenta LOS NIVELES DE ENERGIA. Con esta perspectiva, encontramos que el TAEYANG es el encargado de lo *exterior* y lo más exterior es la piel... Entonces, deberemos de conceptuar a la piel como irrigada PREFERENTEMENTE por el meridiano unitario TAEYANG. Se trata del meridiano que posee *más SANGRE QUE ENERGIA*. Esta situación, permitirá una *suficiente alimentación a la piel*. Todo parece estar debidamente preparado.

En la parte más superficial de la piel se encuentran *LAS PROYECCIONES* DE LAS ENERGIAS DE LOS ORGANOS Y ENTRAÑAS. El subrayado, nos permite una clara advertencia. LA *REALIDAD ENERGETICA DEL PUNTO* no se encuentra en la superficie externa de la piel, SE *ENCUENTRA EN ESTRUCTURAS MAS PROFUNDAS.* En la piel se encuentra *EL SIGNIFICADO, LA FUNCION, LA LOCALIZACION,* LAS CUALIDADES *DE PRESION, TEMPERATURA, ETC. LAS ACTUACIONES* SE PRODUCEN POR *INTERMEDIACION DE LA PIEL;* PERO SU LUGAR DE MAXIMA ACCION *NO SE ENCUENTRA EN LA SUPERFICIE.* Es por ello tan importante las profundidades que se alcancen con las punturas para alcanzar un resultado óptimo. La proyección de la energía hacia la piel se produce de una manera CONAL. En forma de espiral, donde el cono (sección) más pequeña, se *encuentra en la profundidad* y la sección más amplia se encuentra *en la superficie*.

Ahora la piel empieza a sernos menos desconocida, ya estamos en condiciones de ir destacando una serie de datos que pueden ilustrar nuestra actuación terapéutica. Debemos, en un principio, de partir de situaciones MUY AMPLIAS, que nos permitan ir aterrizando en las pequeñas realidades que constituyen la enfermedad. De esta manera podemos ser *INDEPENDIENTES, UNIVERSALES* e *INDIVIDUALES EN LAS DIFERENTES MANERAS DE UN TRATAMIENTO.*

¿Cuál es la exacta patología de la piel? No sería muy aventurado el afirmar que la piel por si misma no enferma, sino que se trata del *retomar* en donde se manifiestan las alteraciones de los demás órganos y entrañas. Asi ocurre en la mayoría de los casos, y en la menor proporción, únicamente en la piel. Por tanto, ante cualquier alteración dérmica, debemos de pensar en alteraciones a distancia producidas por situaciones más profundas. Esta primera medida a la hora de establecer el diagnóstico, es de suma importancia, porque, si bien podemos actuar en la energía del pulmón, la actuación del origen se encuentra en OTRO LUGAR.

ACNE

Se trata de una de las enfermedades más frecuentes con manifestación en la piel. Se trata de una dermopatía que incide con mayor frecuencia en la edad adolescente. Si bien en muchos casos cede expontáneamente, en otros tantos, produce secuelas estéticas, sobre todo en la cara. En menos casos, continua hasta la edad adulta, y se cronifica de manera permanente. En general, produce fuertes alteraciones en el estado emocional, ya que las personas aquejadas, recurren a todo tipo de remedios para paliar la aparición constante de los «granos». Si bien, parece relacionarse con un problema puramente estético, lo que si ocurre es una *desadaptación* entre la dermopatia y la forma de *sentirse* la persona. En definitiva, razón más que suficiente para intentar una terapia de intervención que pueda resolver el problema. Dado el carácter NO grave de la enfermedad, se le suele prestar poca atención... Y en otros casos, una atención desproporcionada... Lo que ocasiona unos tratamientos MUY *AGRESIVOS*, que abarcan desde los antibióticos en grandes dosis, pasando por los antihistamínicos... Y sin olvidar los corticoides... anovulatorios... Y demás tratamientos hormonales... TODOS ELLOS, sin *NINGUN FUNDAMENTO FISIOPATOLOGICO CONTUNDENTE que pueda avalar su aplicación.* Es común la frase... «Vamos a ver que tal le va...»... Pero lo grave en estos casos, es la IATROGENESIS QUE SE PRODUCE... Ustedes pueden añadir todos los demás comentarios que quieran...

Desde el punto de vista de la M.T.C., la aparición del acne puede obedecer a una serie de factores... Todos ellos relacionados con el YANG. Se trata en síntesis de la aparición de *fuego en la piel*. En esta manifestación se pueden encontrar causas *alimenticas, psíquicas y ancestrales*. Todos los factores emocionales ayudan al desencadenamiento y perpetuación de las crisis de acne. Algunos agentes alimenticios son claramente agrevisos de una manera permanente, como por ejemplo el chocolate, o algún otro tipo de productos, lo cual pone de manifiesto la importancia de los factores alimenticios, ligados con el sabor, que actuan como desencadenantes de la enfermedad. Finalmente, en otras ocasiones, se confirma la existencia de varias personas en la familia con afecciones de piel y más concretamente con el acne. Dependiendo de las predominancias de estos factores, determinaremos el tipo de terapia. A la hora de determinar el tratamiento deberemos de tener en cuenta los siguientes principios:

1.—RESTABLECER EL CONTROL DE LA PIEL POR PARTE DEL PULMON.
2.—FORTIFICAR EL NIVEL ENERGETICO SUPERFICIAL DE LOS MERIDIANOS UNITARIOS. TAE YAN.
3.—ACTUACION SOBRE LA TOPOGRAFIA ENERGETICA DONDE PRINCIPALMENTE SE PRESENTA EL ACNE.
4.—ACTUACION SOBRE EL ORIGEN: PSIQUICO-ALIMENTICIO-ANCESTRAL.
5.—DISPERSION DEL FUEGO DE LA PIEL.

Presentamos sesenta y tres casos de acne entre edades comprendidas entre los 14 y 32 años, cuarenta son mujeres y treinta y tres hombres.

El tiempo medio de tratamiento fue de UN AÑO. Los primeros tres meses el ritmo de tratamiento fue de una a dos sesiones semanales. Los siguientes tres meses, el ritmo fue de una sesión cada 15 días. El resto de los seis meses fue de una sesión cada mes. *En todos los casos* se *SUSPENDIO CUALQUIER TRATAMIENTO MEDICO LOCAL Y GENERAL.* Al final de los seis primeros meses de tratamiento, 52 casos se mostraban con claras muestras de mejoría y con una evidente falta de asctividad. Todos los pacientes *habían cambiado sensiblemente su actitud psíquica*. La aparición de «granos» era sensiblemente menor. En los otros 11 casos, la mejoría también era evidente, pero reaparecían los accesos con intensidad, si bien se resolvían antes. Finalizado el año, en *todos los casos* se evidenciaron mejorías notables, y más concretamente en 59 de ellos la respuesta fue definitiva con una completa remisión y con una nueva identificación psíquica por parte del paciente. Ningún caso fue especialmente rebelde, y en el peor de ellos la remisión fue más lenta, pero los accesos fueron paulatinamente perdiendo fuerza. En los casos que ya presentaban, antes del tratamiento, claros signos de señales en la piel, gran parte de ellas consiguieron desaparecer.

Todos los casos tratados que presentamos en este trabajo, habían acudido a la consulta como el «último remedio», después de intentar todo tipo de tratamientos. Esta experiencia demuestra claramente la eficacia de la acupuntura en este tipo de afección. Debe de constituir un arma de primer orden en el tratamiento precoz, con lo cual se conseguirá resolver el problema en un corto período de tiempo.

Otro dato a destacar es que tan solo en UN caso se presentó una recidiva después del año de tratamiento, la cual se resolvió después de un tratamiento de un mes. Pasados TRES años después del tratamiento de estos casos no se ha presentado ningún tipo de retroceso. Por tanto podemos concluir que el problema se encuentra totalmente resuelto...

TRATAMIENTO EMPLEADO.

Con independencia del enfoque individual de cada caso, consecuencia del tratamiento etiológico energético, que se deduce de una correcta toma del pulso, exploración de la lengua y anamnesis, presentamos los puntos más empleados en base a nuestra experiencia. Como ya hemos indicado en la descripción de otras afecciones, nos es imposible describir, los puntos individuales de cada paciente, pero si, podemos realizar un planteamiento global en base a los movimientos y propiedades de los órganos y entrañas.

PUNTOS EMPLEADOS

1.—TRATAMIENTO SEGUN LA TOPOGRAFIA ENERGETICA.

Como las manifestaciones de la afección se localizan preferentemente en la cara, los meridianos más interesados serán *LOS YANG DE LA MANO Y DEL PIE*, que son los que respectivamente empiezan y terminan en la cara, y que en definitiva, corresponden a los tres niveles de energía: TAEYANG, CHAOYANG, YANGMING.

La selección de los puntos se realizará siguiendo los criterios de los de mayor actividad y, para completar el tratamiento de la DISPERSION DEL FUEGO DE LA PIEL, de igual manera, podemos seleccionar los puntos YUANG, con lo que actuaremos sobre los posibles mecanismos ancestrales.

I.Grueso. 4 IG.—Hegu. Fondo del Valle. Se trata de un punto YUAN y por tanto, punto de la energía ancestral YUAN. Se trata de movilizar la energía YANG del meridiano que se corresponde en su acople con la energía del metal, por tanto, cumple una importante función en el control de la cara. Debe de ser uno de los puntos más seleccionados en esta afección.

Técnica de puntura. La puntura se realiza perpendicular, se activa la aguja hasta la llegada del QI. A continuación, se moviliza la energía en tonificación, inclinando la aguja en el sentido ascendente de la energía. Antes de la inserción de la aguja deberemos de masajear activamente el punto, con el fin de dispersarlo de energía superficial. Esta maniobra es importante. Aunque la afección se encuentre con preferencia en un lado de la cara la puntura deberemos de hacerla bilateral.

Estómago. 36E. Tsusanli. Tres Distancias. Se trata del punto tierra del meridiano de estómago, con una gran capacidad energética y grandes posibilidades de movilización de energía. Se trata además, de un punto de recuperador del YANG, por tanto, podemos actuar sobre el YANG perverso que mantiene la enfermedad.

Técnica de puntura. Se realiza perpendicular, se manipula la aguja hasta la llegada de la energía. A continuación, se manipula con técnicas de tonificación. Esta debe de *SER ENERGICA*.

Vejiga. 62V. Shenmae. Vaso de la Hora Shen. Se trata del punto de apertura del YANGKEO, por tanto, nos cumple la doble función de actuar en la vejiga, con la energía YONG y con la energía ancestral. Además, se trata de activar lo alto por lo bajo, y finalmente, se trata de movilizar la sangre hacia la cara.

Técnica de puntura. Se realiza de manera perpendicular, justo en la zona de cambio de color de la planta del pie. La puntura es profunda, debe de pasar por debajo de la zona ósea. No es especialmente doloroso, pero debe de percibirse una sensación de entumecimiento en el pie.

Tres fogones. 2TR. Yemen. Puerta de Líquidos. Se trata del punto agua de los tres fogones, por tanto cumple varias misiones en la enfermedad, por una parte, suministra agua a la zona que se encuentra invadida por el fuego, por otra, actua sobre su zona de influencia, finalmente, actua sobre la ancestralidad.

Técnica de puntura. Debe de punturarse con la mano ligeramente cerrada, y tener cuidado de no lesionar los vasos que irrigan la zona. La puntura se dirige hacia la zona metacarpiana, en dirección hacia la muñeca. Produce sensación de entumecimiento en toda la mano.

Intestino Delgado. 3ID. Houxi. Valle Posterior. Se trata del punto madera, y de apertura del TOUMAI. Por tanto, se maneja energía de la topografía zonal y ancestral, además de actuar sobre el meridiano que contiene mucha sangre, y ser finalmente el punto de tonificación del meridiano. No se puede pedir más...

Técnica de puntura. Se le manda al paciente que cierre la mano y en la zona inmediatamente posterior al pliegue de flexión de la muñeca se localiza el punto. Es importante, realizar un masaje previo sobre el punto, ya que sino la puntura puede ser dolorosa. La puntura es profunda, de tal manera que se dirige hacia la zona palmar, consiguiéndose su mejor efecto cuando se contacta con la energía del maestro del corazón. Se produce una sensación de entumecimiento y ligera parestesia en toda la mano.

Vesícula Biliar. 43VB. Xiaxi. Punto agua del meridiano. Los efectos de este punto, además de su irrigación energética, se centran sobre: tratamiento de lo bajo por lo alto, agua que apaga el fuego, y finalmente, punto de tonificación de la VB.

Técnica de puntura. Situado en la zona interdigital de los dedos del pie, la puntura no puede ser muy profunda, pero si debe de ser dirigida hacia la planta del pie, la sensación se transmite hacia los dedos. Se manipula en tonificación.

Estos *seis puntos* configuran los puntos de topografía local más empleados. Se debe de tener en cuenta que en cada sesión *no se deben de emplear más de dos* empleando el sistema de los meridianos unitarios.

Una pauta podría ser: 1º TAEYANG 3ID 62V. 2º 2 tr 43VB. 3º 4IG-36E.

Otra forma de aplicación consiste en tomar uno de los puntos, indistintamente de que meridiano y aplicarlo en cada sesión.

2. FORTALECER EL NIVEL SUPERFICIAL DE LOS MERIDIANOS UNITARIOS. TAEYANG.

En este apartado deben de ser incluidos, fundamentalmente los puntos citados de los meridianos de ID-V, es decir, 3ID-62V. Estos deben de ser los puntos más empleados, además, forman una cupla de los meridianos curiosos, con lo cual aumentamos su eficacia. La acción de estos puntos puede verse aumentada por el empleo del punto 40V WEIZHONG (54V). La principal indicación de este punto procede de las indicaciones el *DACHENG, que lo recomienda en las afecciones cutáneas.* Se trata del punto tierra del meridiano de vejiga, y lugar de partida de los meridianos distintos de vejiga y riñón. Probablemente la acción del punto se derive de las acciones del punto sobre la sangre, de tal manera que se pueda activar su circulación y de esta manera actuar como depurativo... De cualquier manera nos parece exagerado ser considerado como punto maestro la piel... En los textos tradicionales no aparece como tal, son los autores franceses los que más emplean esta acepción...

3. RESTABLECER EL CONTROL DE LA PIEL POR PARTE DEL PULMON.

En esta función debemos de tonificar el pulmón en sus funciones más Yang, una de las maneras es a través del punto de asentimiento del pulmón. 12V. FEISHU. La puntura se realiza de forma oblicua hacia el centro de la línea media, pero sin perder profundidad, teniendo la suficiente precaución de no lesionar la zona superficial del pulmón que se encuentra más accesible. Después de la puntura se deberá de aplicar la moxibustión indirecta. El siguiente punto que debe de emplearse para la tonificación del pulmón es el 7P. LIEQUE. DESFILADERO. Se trata del punto LO del pulmón que actua como punto de apertura del meridiano de RENMAE, debe de ser un punto a tener en cuenta cuando queremos actuar sobre la energía del pulmón y sobre su esfera.

La técnica de puntura debe de ser en sentido ascendente, como reteniendo la energía en la parte superior de la cabeza. Luego, la puntura es oblicua con técnica de tonificación manipulando la aguja suavemente, haciendo que la sensación de la energía se transmita hacia arriba, o bien en algunos casos hacia el acoplado meridiano de IG.

4. ACTUACIONES SOBRE EL ORIGEN ALIMENTARIO-ANCESTRAL.

Cuando tengamos la sospecha por la anamnesis de que existen factores congénitos que pueden participar en la génesis de la enfermedad, es obligado el uso del punto 9R. ZHUBIN. Se trata del punto XI del meridiano, y punto del INNOE. Es el punto que filtra las influencias congénitas negativas, debe de ser empleado sistemáticamente en estos casos.

La puntura debe de ser profunda y ligeramente en sentido ascendente de la corriente del meridiano. La sensación que produce es la de un ligero entumecimiento con sensación de parestesias en la zona gemelar.

Cuando son los factores psíquicos los que predominan en el mantenimiento del acne debemos de emplear los puntos SHEN, que son los reguladores generales del psiquismo.

Si son los factores alimenticios los causantes del problema, deberemos de regular las actividades del binomio B-E. Para ello, en primer lugar, se debe de punturar el 36E, ya descrito. Por parte del bazo, el mejor punto será el 6B. *SANYINNCHIAO* de tal manera que pueda controlar el almacen y la distribución de la sangre. Se debe de punturar en tonificación.

5. DISPERSION DEL FUEGO DE LA PIEL.

Como ya indicamos en el apartado de los puntos topográficos, podemos emplear todos los puntos agua de los meridianos que empiezan o terminan en la cara, o bien, dispersar los puntos fuego de los meridianos Yang. Todo dependerá del estado energético del paciente. Si su pulso es superficial, amplio y tendido, con plenitud de Yang, podremos dispersar los puntos fuego de los Yang. Si el pulso es profundo, pequeño y escondido, deberemos de tonificar los puntos agua de los Yang.

De la misma manera podemos actuar si queremos hacerlo por medio del meridianos del pulmón, por una parte tonificaremos el 5P (agua) o bien dispersaremos el 1OP (fuego), siguiendo los mismos criterios de diagnóstico energético pulsológico.

Creemos que este amplio repertorio terapéutico es capaz de proporcionar los mejores resultados en el tratamiento del acne. No debemos de olvidar la selección juiciosa de los puntos, dependiendo de su etiología y la sintomatología más frecuente. De todos los puntos dados en cada apartado, se deberá de elegir *uno* de tal manera que la sesión la formen de *cuatro a cinco puntos*. Tampoco se debe de olvidar, aunque sea una insistencia casi viciosa, las particularidades personales de cada enfermo, lo cual, obligará a efectuar los oportunos ajustes a los planteamientos dados, amen de la adición de un nuevo punto, *PROPIO DE LA SITUACION DEL PACIENTE.*

PSORIASIS.

Se trata de una de las enfermedades más rebeldes a cualquier tratamiento. Su incidencia afecta a hombres y mujeres, no suele presentar graves complicaciones, salvo los problemas artropáticos. Tiene claras connotaciones con problemas ancestrales en algunos casos, en otros con energías perversas alimentarias, y esta fuertemente influenciado por los cambios estacionales en algunos casos y sobre todo en los cambios emocionales. Por lo tanto, puede ser influenciada por un sin número de factores. En algunos casos, pocos, suele desaparecer espontáneamente, o por un sencillo tratamiento. En general suele evolucionar por brotes, con ocasionales remisiones, en algunos casos, en alto porcentaje, por la acción del sol, este efecto beneficioso suele ceder, al poco tiempo. De las aplicaciones locales, sin duda, la de efectos mas evidentes es la BREA. Su difícil aplicación, de una manera general, la hace poco utilizable, si bien se han conseguido preparados que poseen brea que han evitado los inconvenientes de esta. Pero parece indicar que estas nuevas presentaciones no ofrecen los beneficios del tratamiento antiguo con brea. Los modernos tratamientos con corticoides ofrecen tantas contraindicaciones, que salvo en momentos algidos de la enfermedad y ocasionalmente, no deben de emplearse. La absorción por la piel de estos preparados ocasiona serios problemas secundarios. Bien, este es un breve panorama de esta enfermedad que presenta serios problemas para el tratamiento.

La acupuntura es un arma eficaz... Pero... se necesita una gran precisión a la hora de elaborar el tratamiento. El difícil psiquismo de estos pacientes, de una manera general, suele complicar la evolución, que en ocasiones parecía excelente.

Desde el punto de vista de la M.T.C., se trata de una enfermedad de la piel que se desarrolla en todos los estadios de los cinco movimientos, ya que en sus diferentes estadios evolutivos de fuego, sequedad, humedad, etc, etc semeja estas situaciones. Esta particularidad nos indica, que si bien en un principio el origen se pudiera encontrar en algún movimiento, a lo largo de la evolución, se convierte en una enfermedad GENERALIZADA. Esta idea debe de ser muy tenida en cuenta a la hora de establecer un tratamiento completo.

UN ACERCAMIENTO ENERGETICO DE LA PSORIASIS.

Dentro de los casos que presentamos, y en general, dentro de las posibles teorias de la enfermedad, destacan los componentes ancestrales de la enfermedad. En numerosos casos se confirma la existencia de factores congénitos de familias que padecen la enfermedad, también, de personas con estos antecedentes que no la padecen de la misma manera, de personas que sin antecedentes la padecen. Bien, lo primero es tener en cuenta los *FACTORES ANCESTRALES COMO DESENCADENANTES DE LA ENFERMEDAD.*

Si la afección la localizamos en el contexto genético, el origen se encuentra en el *AGUA*. Cuando esta evidencia se presente, ya sabemos que toda nuestra atención se centrará en trabajar sobre el RIÑON-VEJIGA y puntos agua de los diferentes meridianos.

El origen alimentario de la enfermedad se deduce en algunas ocasiones ante la historia clínica que nos muestra que después de una intoxicación alimenticia se inicia la enfermedad, y como tal asi lo vive el enfermo. Esta posibilidad no debe de desecharse a la hora de tipificarse la enfermedad. La enfermedad se desarrollaria después del ataque del fuego perverso del alimento contaminado, sobre el ESTOMAGO-BAZO. El fuego se distribuiria por medio del BAZO y por medio de este se generalizaria la enfermedad, pero sobre todo, se extenderia por vía del meridiano unitario TAEINN, de esta manera el fuego apareceria en el pulmón y de allí, en la piel...

El origen psicógeno, puede ser ocasionado por factores emocionales que ocasionan estancamiento y fuego en la piel. Suelen estar ocasionados por alteraciones del carácter, estados neuróticos, situaciones depresivas crónicas, etc, etc. Además de este posible origen, debemos de tener en cuenta el mantenimiento de los síntomas gracias a los síntomas psíquicos, y que los síntomas se agravan cuando se producen alteraciones en el ánimo. Esta situación siempre se tendrá en cuenta en los estados de agravación.

El origen externo de la enfermedad es difícil de explicar, y todo parece indicar que estos factores externos climáticos no pueden ser la consecuencia de la enfermedad. Es cierto que la pueden mejorar, como en algunos casos con el sol, o empeorar con el frío, pero admitir el origen de la enfermedad en factores externos no parece ser posible.

Todas estas consideraciones etiológicas fisiopatológicas son las que nos situarán en la esfera de los tratamientos, individualizados y etiológicamente etiquetados.

Presentamos *cuarenta y nueve casos* de psoriasis con un seguimiento de más de tres años, en un tratamiento mínimo de un año. 30 eran mujeres y 19 hombres. Estan en edades comprendidas entre los 16-68 años.

Todos los casos tenían, al menos, *dos años* de evolución, todos habían sido tratados anteriormente con las medidas ya comentadas al principio.

La distribución de las lesiones, de una manera general, se presentaba en codos, rodillas, espalda, abdomen, cabeza, uñas, ocasionalmente en cara... En dos casos, el cuadro se nos presentó de manera generalizada creando una situación dramática de casi imposibilidad de movimiento, frecuentes infecciones y fuerte artropatia.

En todos los casos se suspendieron las medicaciones agresivas y se prescibieron ocasionalmente pomadas hidratantes o suavizantes, que se aplicaron según el propio criterio del paciente.

El ritmo de tratamiento fue de una sesión semanal, este ritmo se conservó, por termino medio, por el espacio de un año, solo en cinco casos, se espaciaron a 15 días las sesiones después de cuatro meses de tratamiento.

Al final del año, las valoraciones fueron las siguientes. De los 49 casos, en 24 casos se consiguió la desaparición «*casi*» total de las lesiones, decimos «casi», por que «mirados con lupa», se podían apreciar aún ciertas «incipientes lesiones». De todas formas dimos los casos como «temporalmente resueltos». En el año siguiente de control, a razón de *una sesión cada tres meses*, de los 24 casos, *tres* presentaron recaidas importantes, que precisaron una nueva reactivación del tratamiento. Esta situación se resolvió al final de cinco meses. En el siguiente año de control, con una visita cada *seis meses*, ninguno de los casos había sufrido variación negativa.

De los 25 casos restantes, 18 presentaron mejorías importantes en determinadas regiones de la piel, *pero persistían otras sin apenas alteraciones* o modificaciones importantes. Esta es una situación difícil de explicar, pero que se dió de una manera clara. Esta situación permaneció después del segundo año de seguimiento, en el control del tercer año, *cuatro casos* se transformaron en el primer grupo, y los restantes continuaron sin variaciones.

Los *siete casos restantes* presentaron una evolución anárquica, mejoraban por espacio de dos tres meses y bruscamente volvían a empeorar, en ocasiones por los factores de agravación que hablabamos en un principio, pero en otras ocasiones, sin ninguna causa que los justificara. Asi evolucionaron durante los tres años de seguimiento.

Esta síntesis estadística en la forma de evolución de la enfermedad demuestra la *difícil situación que plantea el control de esta enfermedad.* Pensamos por los resultados que es una situación «curable», pero que aún necesitamos más experiencia, y un mayor control en el ritmo y selección de los puntos. Lo que si es una evidencia es la incidencia positiva de la acupuntura sobre la enfermedad, pero necesitamos una mayor precisión si queremos conseguir mejores resultados.

DESCRIPCION DE LAS LESIONES SEGUN LA M.T.C.

La impresión más clara y frecuente de la enfermedad es la de CALOR, pero, como decíamos al principio de la descripción, se suelen presentar otras modalidades y estas son las que se *unen al viento*, entonces tendremos VIENTO-HUMEDAD, VIENTO-SEQUEDAD y VIENTO-FRIO.

En todos los casos la última transformación es el CALOR. En el VIENTO-HUMEDAD, ambos, por mecanismos diferentes se transforman en CALOR. Los pacientes suelen presentar en la exploración una lengua roja con saburra amarilla.

El pulso suele ser rápido, tenso o resbaladizo.

Cuando predomina el *viento-sequedad*, también ocurren las transformaciones en CALOR. Las lesiones apenas presentan descamación, como ocurrían en el caso anterior. La lengua se nos suele presentar pálida y el pulso suele ser ligeramente rápido y flotante. Finalmente, cuando es el *viento-frío*, de igual manera ocurren las transformaciones en calor, pero lo más característico, es la lenta actividad de las lesiones con escasa actividad, poca descamación, ligero enrojecimiento, y lesiones muy localizadas desde el principio de la enfermedad. En la exploración, la lengua se nos presenta con saburra blanca y delgada. El pulso suele ser en ocasiones rápido, pero lo más característico es la presencia de un pulso profundo, pequeño y escondido.

PAPILOMA PLANTAR.

SESION CLINICA. TRATAMIENTO DE UN CASO DIFICIL.

Se trata de una mujer de 73 años que presenta desde aproximadamente un año una formación tumoral de unas 21/2 cm de diámetro de configuración redondeada, de consistencia muy dura, aspecto blanquecino y situado en la región plantar del pie izquierdo.

Sintomatológicamente cursa con intenso dolor cada vez que la enferma apoya el pie en el suelo.

En consulta dermatológica fue enviada al cirujano, este, decidió la estirpación quirúrgica. En una primera ocasión a los dos meses reaparecieron los dolores y volvió a manifestarse el tumor, con sensación de crecimiento interno y clara manifestación externa. Se la reinterviene a los tres meses y medio. Pasado mes y medio vuelven a reaparacer los síntomas, esta vez con mayor intensidad. Los dolores son más intensos, haciendo muy difícil la marcha. Comienza el dolor con el reposo. La enferma vive esta situación con intensa ansiedad y desasosiego. Frecuentes llantos y altas dosis de calmantes. En esta situación se nos hace la consulta.

La situación del tumor es justamente en el 1R. Es duro, prominente y doloroso a una ligera presión.

FISIOPATOLOGIA.

La aparición de un tumor con intenso crecimiento en la piel, duro y prominente, nos sugiere la actividad de la HUMEDAD-FRIO-SEQUEDAD. La humedad esta en relación con la situación de estancamiento. Frio por la consistencia y la situación del tumor. Sequedad por la localización externa en la piel.

En la génesis general de los tumores, la humedad es el factor más importante, ya que esta conduce al estancamiento, la creación de flema → glera → masa. Esta formación nuclear es la base de actividad del INN. La quietud. El núcleo frío desde donde se genera la actividad del YANG.

Los meridianos interesados en la afección son fundamentalmente el riñón, la esfera de la piel: pulmón y la base inicial: la tierra: bazo-estómago.

¿Cómo plantear inicialmente el tratamiento? Desde un principio se determinó la necesidad de combinar el tratamiento sintomático del dolor, con el tratamiento etiológico del papiloma. En esta situación fue preciso añadir un tratamiento tranquilizador de su sistema nervioso, dado su estado de ansiedad.

TRATAMIENTO DEL DOLOR

a) Tratamiento por la similitud. Puesto que la afección se encuentra en la región plantar, tratar la región PALMAR. Por tanto se punturo el *8MC* de la mano simétrica. Puntura profunda que recorre el espesor palmar y aflora en la zona dorsal de la mano. Sin exteriorizarse. Manipulación constante en estimulación.

b) Puntura del 1R del lado opuesto. Profundo.

c) Punto YUAN de VB.—40VB. Puntura oblicua hacia la base del talón, bilateral.

Estos tres puntos *8MC-1R-40VB fueron los puntos antiálgicos.*

TRATAMIENTO DEL ESTADO DE ANSIEDAD Y DEPRESION.

a) Tratamiento de alteración del SHENG reciente. *24TM punto SHENG.* puntura superficial en ligera transfisión en sentido opuesto a la corriente del meridiano.

b) 8H. Punto de tonificación estático. Agua. Este punto regula el desequilibrio de la actividad psíquica que se produce por una deficiente transformación del INN en YANG. Es el punto clave de los trastornos psíquicos que se situan en el eje AGUA-FUEGO.

TRATAMIENTO DE BASE DEL PAPILOMA.

a) Tratamiento de la alteración de la humedad. Se actua sobre la esfera tierra B-E.

Sobre el estómago en el *punto 44E.* Punto agua. Actuamos de esta manera sobre el desequilibrio Tierra-agua, en la esfera del estómago. Además, actuamos sobre la proximidad del tumor. Puntura profunda y ligeramente oblicua hacia la base plantar de los dedos. Bilateral en fuerte tonificación.

Movilización del TCHONGMAI. Esta vaso maravilloso constituye el origen de todos los meridianos. Por ello esta ligado con el centro, con la humedad. Su punto de *apertura es el 4B.* Puntura perpendicular. A una profundidad de 1 1/2 tsun. Fuerte tonificación.

Actuación sobre la energía ancestral.

b) Puesto que debemos de actuar sobre la esfera pulmón y riñón, se elije la *cupla 7P-6R.*

Con el 7P tonificamos la esfera piel y hacemos la apertura del RENMAE.

Con el 6R activamos la energía de los riñones mientras que actuamos en la proximidad de la lesión.

TRATAMIENTO CON EL MARTILLO DE SIETE PUNTAS.

Se aplicó el martillo delimitando la zona de asentamiento del tumor, y se tonificó a su alrededor. Se realizaban 81 vueltas. Máximo de YANG. Al final de la sesión, la delimitación del tumor era perfecta. La superficie de implantación era de unos 2 1/2 cm.

La aplicación del martillo se realizó durante 1 1/2 meses a razón de tres sesiones semanales.

Durante este tiempo se apreciaron *ligeras mejorías*, pero... el *crecimiento tumoral era constante.*

TRATAMIENTO POR MOXIBUSTION

Conservando los presupuestos anteriores, se decició cambiar el tratamiento del martillo por la moxa directa (indirecta).

Al igual que con el martillo, se aplicaron tres sesiones semanales de moxibustión. Se utilizó el cigarro y se aplicó a escasos milímetros del tumor. Se mantenía a esa distancia hasta que la paciente experimentará la sensación de calor. Esta sensación solía tardar en aparecer cerca de un minuto, lo cual habla en torno a la profundidad del tumor.

Mientras se aplicó el martillo y la moxa fue necesario en dos ocasiones el cortar ligeramente la parte más saliente del tumor. De esta forma se elimina el impedimento mecánico.

La aplicación de la moxa se realizó por espacio de dos meses.

Paulatinamente la base del tumor, así como su crecimiento fueron decreciendo, de igual manera la sintomatología decreció, cediendo el dolor, el malestar y mejorando la deambulación. Finalmente, el crecimiento cedió por completo, desapareciendo el tumor y apareciendo una restitución ad integrun de tejido y piel normales. *Desaparición total* de síntomas.

El tiempo total de tratamiento fue de unos 3 1/2 meses. Con un ritmo de tres sesiones semanales. *No se aplicó ningún otro tratamiento.*

Se realizó hasta el día de la fecha un seguimiento hasta completar un total de cinco meses y no se han apreciado ningún signo ni síntoma de actividad.

EXPLICACION DE LA APLICACION DE LA MOXIBUSTION

Cuando una formación tumoral se encuentra en pleno crecimiento se debe a una hiperactividad del YANG, como consecuencia de un estancamiento de la humedad y una INNGINIZACION. Esta hiperconcentración del INN crea la explosión del YANG y como consecuencia el crecimiento tumoral.

Esta claro, que lo que se produce es una deficiencia en las transformaciones del INN-YANG y viceversa.

En estas circunstancias, en el estadio del tumor en pleno crecimiento, debemos de actuar sobre los mecanismos de mutación, de tal manera que, ...al *suministrar un exceso de YANG este se mute en INN y cese asi la actividad, para a continuación restablecer el ritmo natural*.

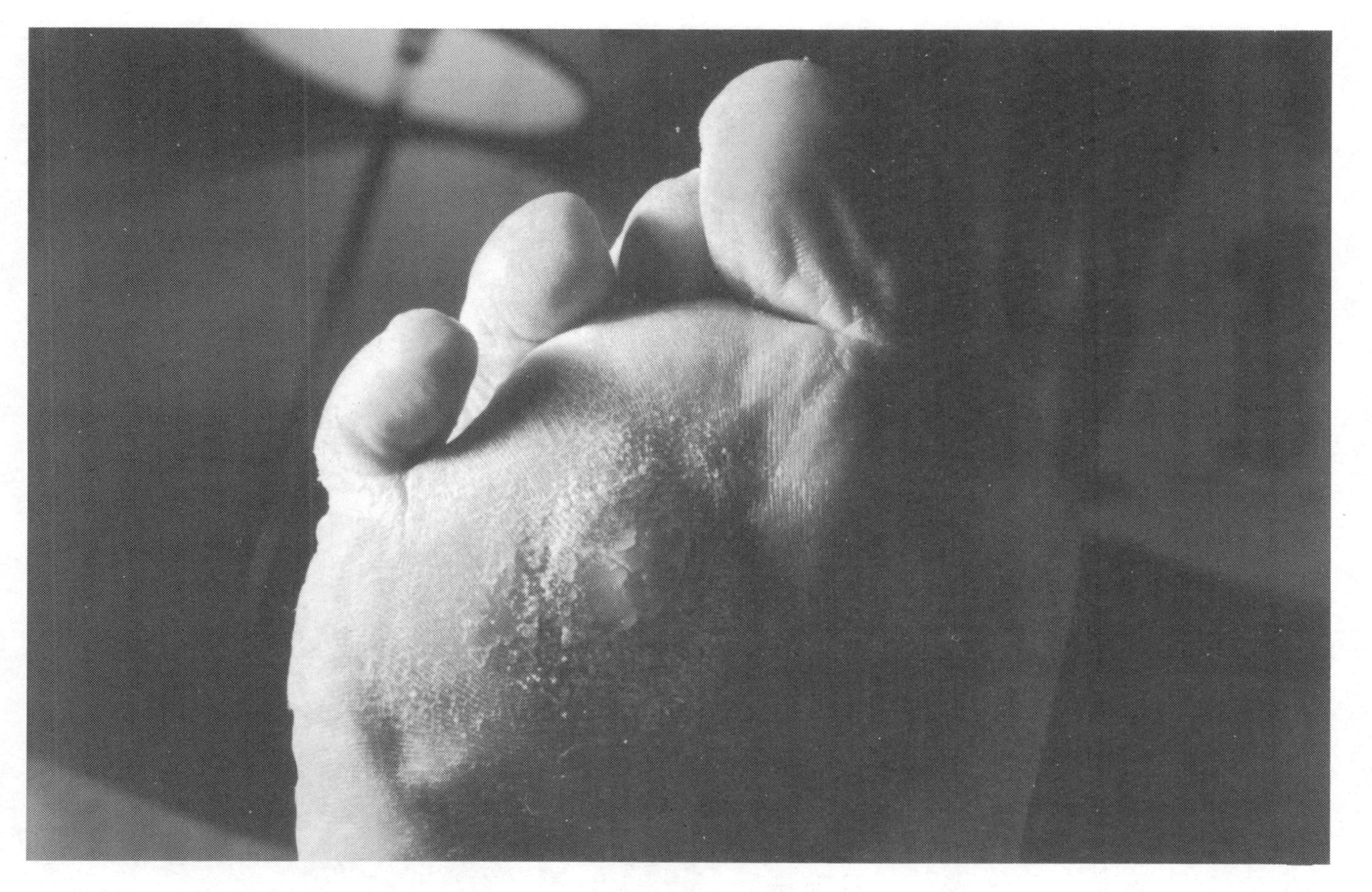

Antes del tratamiento

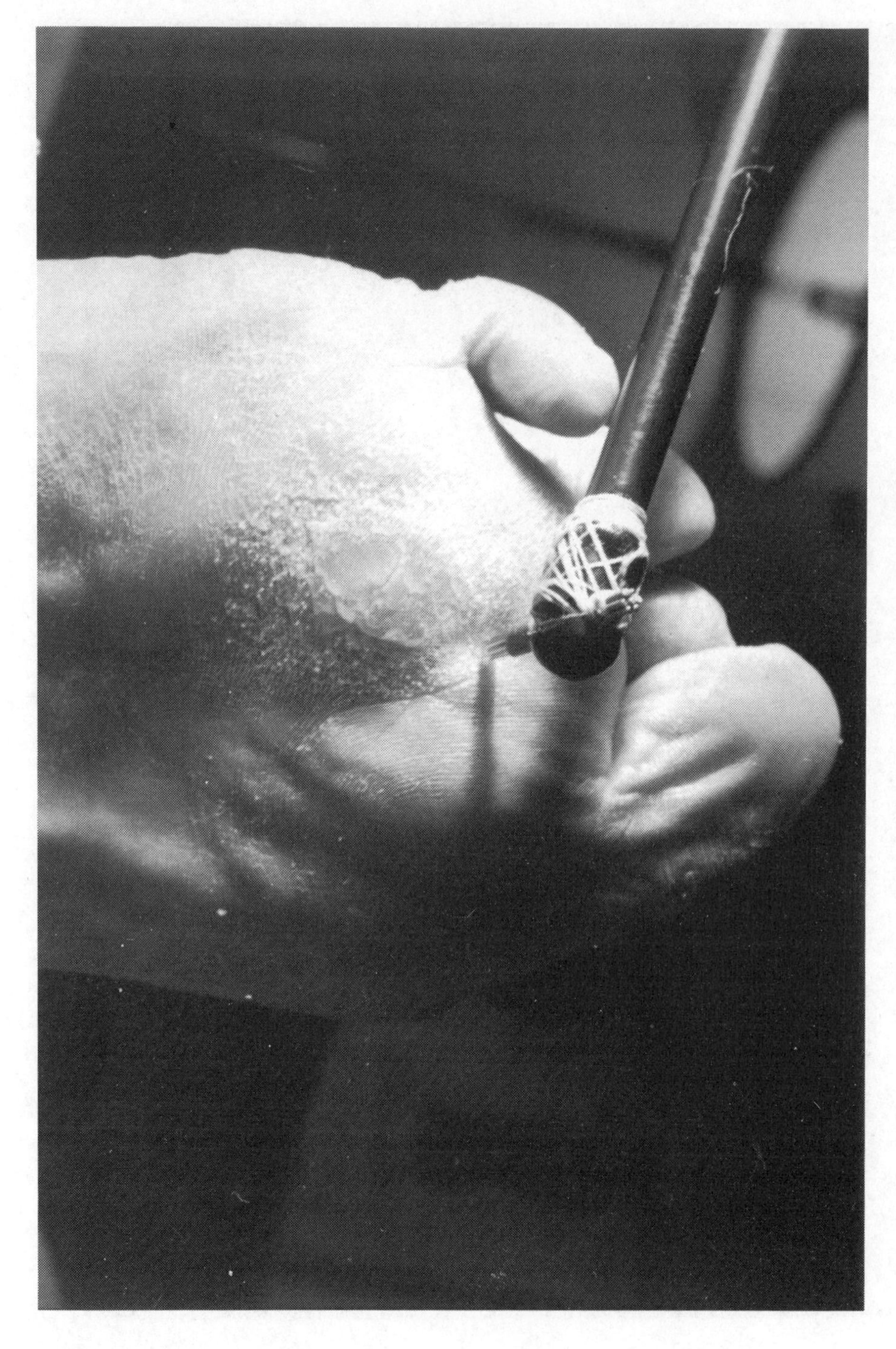

Durante el tratamiento. Aplicación con el martillo.

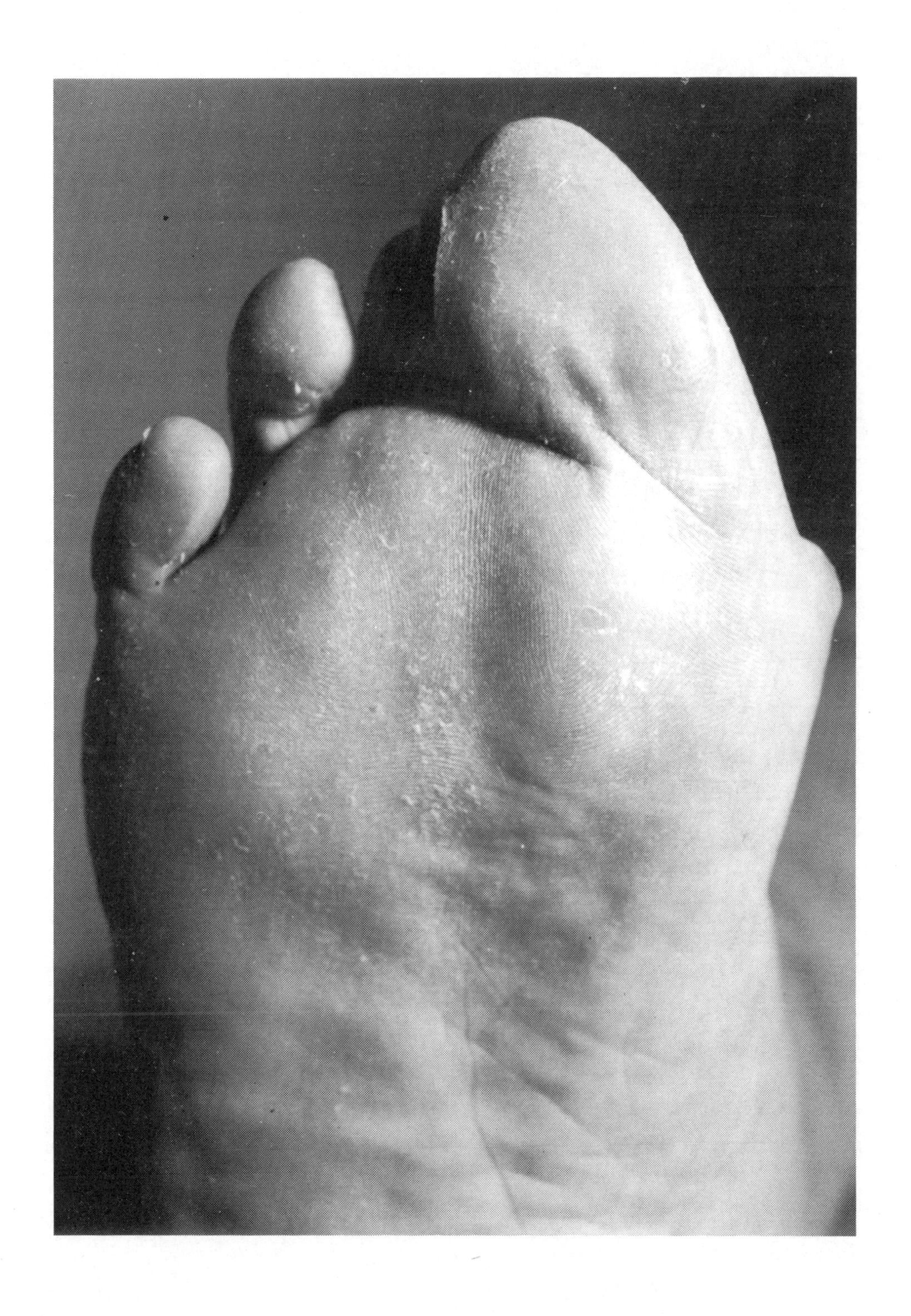

Después del tratamiento

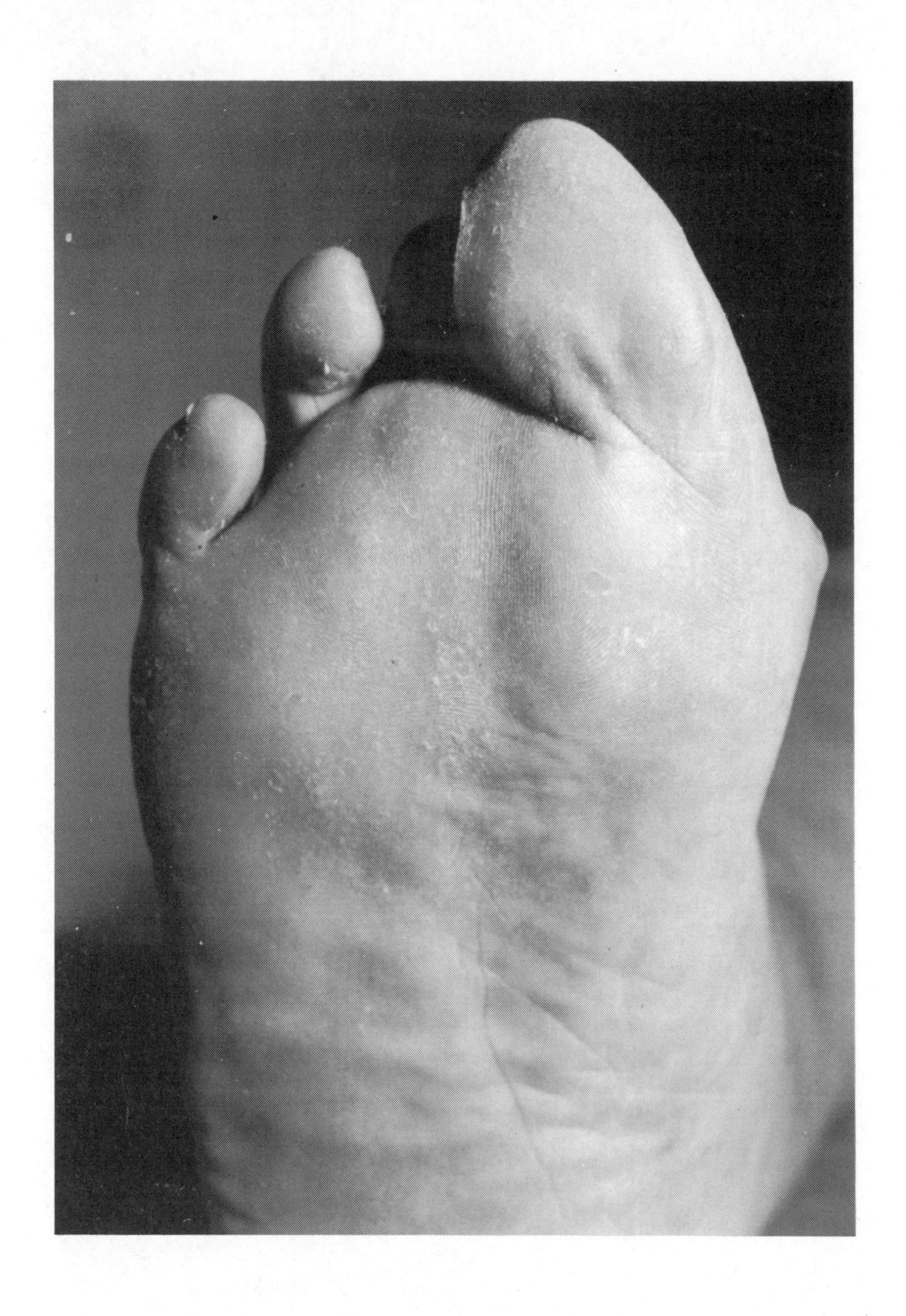

Después del tratamiento.

IX. PATOLOGIA CARDIOVASCULAR

Cuando el espíritu del desconocido llega a nuestro planeta su residencia esta en el corazón... TODO ES SENTIMIENTO.
...Cuida de que tus afectos y los amores que te rodean no marchiten la permanente lozanía de lo que nunca envejece... El espíritu del todo al que perteneces...

...En la llegada de los «amores»...
Puede encontrarse... «Lo que mata»

...Proteje tu espíritu celeste, que esta en tu corazón,
con la nube azul del filtro de lo auténtico...

...Solo lo excepcional debe de anidar en el corazón...
Todo lo demás... solo le contamina... y luego... Lo enferma

...La expansión de lo posible, de lo realizable y de lo inconmensurable reside en el corazón... PERMANENTEMENTE.

IX. PATOLOGIA CARDIOVASCULAR

¿Cuál es el papel del corazón en nuestra economía energética? El emperador que procede del pueblo no precisa de respuesta. El que procede del cielo tiene su sentido en su figura. ¿Cuál de las figuras es la auténtica representante de los hombres pequeños? Del cielo procede el espíritu que en la tierra se encarna. Se naturaliza. Ese es el origen. La real representación se encarna en la tierra gracias a los espíritus celestes. Asi lo entienden los hombres pequeños. Los que se creen grandes, no lo son por creerselo. Solo los pequeños llegan a ser grandes sin tener conciencia de ello. Entonces, el emperador del cielo se vive con normalidad, con la armoniosa sonrisa de una doncella en primavera. El cielo derrama sus atributos sin esperar la reciprocidad de la tierra. Esta se vuelve generosa mecanizando el espíritu. Nada sucede sin el conocimiento tolerante del hombre del cielo. El hombre hará bien en comprender las señales del cielo e intentar seguir la vía. Las señales se encuentran desde siempre. Cuando los hombres necios caigan definitivamente al abismo y los hombres pequeños rodeen el trono, ya no será necesaria la contemplación. La consumación se encuentra próxima. El fuego majestuoso comenzará su ritmo interminable de una danza de estrellas y azules insultantes que solo servirán de deleitosa contemplación.

No pido permiso para comenzar de esta manera las importantes patologías del corazón. Si se pide permiso para coger la libertad se pierde en la pregunta. Si se piden disculpas para conseguir los agrados de la mayoría, la honradez esta en entredicho. Si se pone sin comentarios, el dogmatismo es la sombra... Si la proponemos y la ejercitamos con interminable alegría, sin mirar detrás ni delante, quizás... podamos disfrutarla... Quedémonos aqui...

En el corazón debemos de distinguir dos apartados claramente diferenciados. Por una parte los aspectos dinámicos de mecanizador de la sangre, de propulsor de líquido preciado a toda la economía. De otra, el papel de centralizador de la energía psíquica o espiritual. El receptáculo de los sentimientos. Estas dos funciones se encuentran íntimamente conexionadas y se interaccionan en íntima armonía. Esta es la concepción de la tradición, y sin duda, me atrevería a decir, que es la imagen que más se acopla a la realidad. Veamos. Las alteraciones de ánimo, preocupaciones afectivas, cargas excesivas de responsabilidad... Terminan por dañar al corazón órgano propulsor. Por otra parte... Las alteraciones del órgano... Como determinan una afectación de los sentimientos, es otra realidad. La dualidad aparente se transforma en la unidad indivisible. Así tenemos que contemplar la realidad del corazón. En nuestro anterior libro de introducción a la Medicina Tradicional Oriental comentábamos ciertas actitudes energéticas muy valiosas a la hora de enfocar las afecciones cardiacas. Remitimos al lector a esos párrafos. Los conceptos energéticos aplicados a la dinámica cardiaca en relación con las leyes de la entropia propuestos por Sodi-Pallares son de una importante significación en la óptica de la Medicina Tradicional China. Sigamos ahondado en estos presupuestos.

La arquitectura energética del organismo se centra en la figura del EMPERADOR. Desde este centro se jerarquizarán las demás economías de nuestro organismo siguiendo el modelo social de la época... Pero teniendo MUY EN CUENTA... Que ningún papel es POCO IMPORTANTE. No existe Rey sin vasallos, ni estos sin REY. No es buen REY quien desprecia a sus súbditos, porque es tan ignorante que no percibe que su razón de ser son sus siervos. Esta ley de interrelación mutua interdependiente es una constante si queremos mantener las constantes de nuestra energía. Pero, además, la figura del emperador sintetiza el ANIMA de nuestro organismo. Es el SHEN proyector de nuestros instintos afectivos y posibilitadores de nuestras relaciones con el entorno. Sintetiza en su esencia las experiencias espirituales de los demas organos. Es pues la base de la actividad de los sentimientos, afectos y actitudes. Por ello, al estudiar la dinámica energética del corazón debemos de tener en cuenta la responsabilidad psíquica que recae sobre él.

Existe una corriente tradicional que inicia cualquier tratamiento con la ARMONIZACION DEL ESPIRITU, y por tanto, con el manejo directo o indirecto de la energía del corazón. Después, se atiende a la parte orgánica por la que se consulta. La idea parte de que... Cuando un vasallo no puede pagar impuestos, por que esta enfermo, su afección daña al soberano... Asi, cualquier afección banal de tipo orgánico, que en apariencia no trae ningún componente psíquico, es tan solo un espejismo. Ese trasfondo psíquico existe y debe de ser tenido en cuenta.

En la interrelación de sangre-energía, el corazón ocupa el papel central como animador de la sangre. Es su movilizador. Mejor sería decir el impulsor, pero piénsese que no solo se refiere al papel de bomba cardiaca, también esta en relación con las funciones de formación y equilibrio en su relación con la energía.

Todas las funciones sintetizadas que hemos reseñado son las esferas de acción del soberano.

La contemplación de este basto panorama nos sobrecoge por su casi imposibilidad de poseerlo. Sin duda, si tenemos una visión totalizadora, asi es. Por tanto, no tenemos más remedio que aterrizar en los aspectos concretos de la patología, primero cardiaca y luego cardiovascular.

La patología cardiaca que hemos tenido ocasión de tratar y la que presentamos, es de suficiente amplitud, que permite asegurar desde este momento, que la M.T.C. es un arma eficaz en la mayor parte de la patología cardiaca. Tanto en afecciones congénitas como adquiridas, y dentro de las adquiridas en las patologías antiguas conocidas, y también en las recientes que han surgido como consecuencia de la dinámica del hombre actual. Con esta primera aproximación estamos en situación de ofrecer la M.T.C. como un instrumento futuro en el tratamiento de las afecciones cardiacas y en su prevención. No podemos olvidar que las afecciones cardiacas ocupan los primeros lugares en los paises desarrollados del mundo occidental. Todo lo que se realice en contra de esta terrible cizaña resulta poco. Debemos además contar, con las incapacidades que generan las afecciones cardiacas, tanto reales como en lo concierniente a la calidad de vida. Sin duda, el corazón sigue siendo el EMPERADOR.

Entraremos en materia sobre las posibilidades de la M.T.C. en sus posibilidades de prevención.

¿Cuándo y por qué enferma el corazón? Si examinamos con detenimiento la fisiología conocida del corazón nos sorprenden algunos datos; por ejemplo, en una persona normal, las capacidades energéticas de RESERVA del corazón son del 2/3 del total. Si profundizamos más en las íntimas implicaciones de los fenómenos de bomba cardiaca descubrimos que NO TODO EL PAPEL DE BOMBEO LO REALIZA EL CORAZON. El estudio termodinámico de las capacidades de bomba del corazón demuestran que su capacidad de bombeo es incapaz de soportar el volumen de sangre que normalmente se moviliza... Es gracias a la actividad de la capa muscular de todos los vasos de nuestra economía, los que hacen posibles los millones de microayudas y microbombas para que todo el torrente circulatorio pueda moverse. El concepto de Bomba cardiaca no es totalmente cierto. Un pequeño inciso... Véase como la madera crea el fuego... Como la actividad de los músculos-hígado-madera, es capaz de vitalizar y dar su auténtica expresión al soberano-fuego-corazón. Pero aún tenemos otro pequeño detalle. En todo este juego de bombeos y movimientos de sangre es necesario el concurso de unas variaciones de presiones y un mantenimiento de la misma, para que los fluidos puedan moverse.

Recientemente se ha descubierto que las actividades de cierta flora habitual del intestino DELGADO, tiene importantes funciones y participación en el mantenimiento de la presión arterial... SE PUEDE PEDIR MAS... Este pequeño detalle nos ha resultado UN GRAN DETALLE. La víscera acoplada del corazón, el INTESTINO DELGADO tiene una *correlación DEMOSTRABLE con el CORAZON*. El pastel esta completo... Casi... De momento lo dejaremos asi. Continuamos con el inicio del tema de la PREVENCION. ¿Cómo es posible que con este margen de seguridad el índice de morbilidad sea tan alto?

Si aceptamos como buenas las argumentaciones dinámicas expuestas, es casi imposible que causas orgánicas... desmostrables puedan desencadenar tanta patología. Pero, si recapacitamos sobre lo escrito en torno a las interrelaciones de energía mental-energía de bombo, podemos fácilmente comprender que la flecha que penetra en el impresionante valuarte del corazón, son *las agresiones psíquicas*. LOS IMPACTOS AFECTIVOS. En otro lugar hemos hablado extensamente sobre la génesis, desarrollo y materialización patológica de los impactos emocionales. Pero volvamos sobre alguna de las ideas, y veamos que ocurre. En condiciones de relación aceptables, las posibilidades de daño emocional son casi insignificantes. En las colonias primitivas del hombre en estado de ordenamiento racional con el medio, las incidencias de las afecciones cardiacas son prácticamente nulas, si exceptuamos las afecciones provocadas por epidemias o agentes infecciosos que se desencadenan por mala alimentación. La patología común de afecciones cardiacas de componente psicógeno no existen. La reserva energética del corazón es suficiente para garantizar el buen estado. La sucesión de acontecimientos sería la siguiente. Los impactos emocionales dañarían la energía del corazón, alterando el SHEN. Esta alteración, al no poder ser canalizada, proyecta su acción sobre las energías nutricias, que son las responsables de las funciones de impulsión del corazón... Después... vendrían los acontecimientos patológicos. Esto explicaría la APARENTEMENTE súbita aparición de desfallecimientos cardiacos. ¿En qué lugar se encuentran las energías de reserva?... Se han consumido lentamente como consecuencia de las alteraciones de la energía mental... Por tanto, si bien la aparición es o puede ser súbita.. Los acontecimientos han ido desarrollándose en el curso, por lo general, largo, debido al estancamiento de la energía mental. En excepcionales ocasiones, el impacto emocional es tan intenso, que puede ocasionar por si mismo todo el fracaso cardiaco ¿qué hacer ante esta situación real de nuestro acontecer diario? La respuesta nos la dan las posibilidades energéticas de *los puntos SHEN.* Son en estas zonas donde podemos intentar realizar nuestra *labor profiláctica.* ¿Cuándo se inicia la profilaxis? La prevención dentro de la sociedad en que vivimos comienza desde el momento en que debemos desenvolvernos en ella. Si hablas de las etapas infantiles y juveniles, debemos de señalar que en el adulto, las medidas preventivas encaminadas a la prevención de los accidentes cardiacos, y más, de las enfermedades cardiacas crónicas, debe de comenzar desde el momento de realizar la primera terapia, aunque esta no tenga un componente cardiaco. Lo ideal sería comenzar este trabajo, en la población adulta que no presenta ninguna patología y ratificar asi las posibilidades reales de riesgo, entre los grupos testigo y los grupos de tratamiento, esto sería definitivo... Pero... Esto pertenece aún a la ilusión. Dejamos la idea con la esperanza de que un día fructifique. En la actualidad debemos de ser más realistas, y a los pacientes que puedan presentar un riesgo potencial por su forma de incrustarse en nuestra sociedad, prevenirles y teorizarles sobre la necesidad de una prevención desde el punto de vista energético. El tratamiento ideal será la *actuación sobre los puntos SHEN.* En los meridianos de Vejiga-Tm-R-C-RM. Se encuentran los puntos SHEN.

¿Cómo y de qué manera y a que ritmo actuar sobre ellos? De inicio, si no existe una razón energética que aconseje otra alternativa, debemos de comenzar por las raices SHEN más antiguas. 8RM. En este punto encontramos las posibilidades más antiguas de nuestro psiquismo. Son las primeras y más tempranas experiencias de la consciencia preancestral y de los ancestros más inmediatos la que queda concentrada en este foco de energía. Con la ruptura del cordón umbilical, y comenzar la vida independiente, se almacenan en el recuerdo inconsciente las experiencias uterinas que se han desarrollado por las vivencias de la madre... Sin contar... Las experiencias de reencarnaciones anteriores... Tan solo dejamos la idea... De cualquier manera... No es una casualidad que en este foco de energía se concentre una denominación SHEN. Es demasiado importante para pasar desapercibida. Nosotros tampoco debemos de dejarla pasar. ¿Cómo manipular la energía a este nivel? Desde la óptica de la tradición que nosotros trabajamos, todas las manipulaciones son posibles, excepto la aguja*. Es un punto prohibido para la puntura. Nuestras actividades se centran en la moxa indirecta, moxa directa, imposición energética, movimientos de energía y activación propia por parte del paciente. De todos los procedimientos el más simple es el de la *moxibustión indirecta.* La interposición de sal y ajo o gengibre suelen ser los elementos más usuales.

¿Porqué la sal? La sal es el elemento de relación con el agua... LA SAL DE LA VIDA... Se trata de uno de los elementos esenciales que se encuentran presentes en las actividades de los elementos más simples de la complicidad de todo ser vivo. Esta es una realidad científica, y también es una realidad simbólica. Todo confluye en la sal. Sin duda se trata del elemento intermediario por excelencia. Con él es suficiente para la aplicación de la moxa. Sobre la sal se van depositando pequeños conos de moxa que se consumen uno tras otro hasta completar suficiente calor que provoque una reacción de calor perceptible. En ese momento se suspende la moxa. El ritmo de aplicación preventivo debe de ser de al menos una sesión cada 18 días hasta completar 9 sesiones al final de un año. Esta proposición *se hace en base a trabajar sólo en este punto y para este objetivo*. Mantener este ritmo, en tanto en cuanto las condiciones posibiliten la aparición de los factores psicógenos del impacto afectivo puedan producirse. *NO SE TRATA DE UNA MISION IMPOSIBLE*. Es una medida más simple que las prevenciones rutinarias de prevención bucal o las periódicas revisiones médicas empresariales.

Sin duda, muchos pensarán que las auténticas prevenciones no se encuentran en la actuación directa sobre las personas que puedan sufrir la agresión... Si no que se encuentran en las condiciones que favorecen la aparición de estas agresiones del hombre sobre el hombre y sobre el entorno que le rodea. *CIERTO*. Pero en esta tribuna... Nos toca ahora, una misión menos ambiciosa... Estamos en el estadio de actuar sobre las consecuencias... No sobre las causas... En las intensas y penetrantes comunicaciones de corazón a corazón, se puede indagar en las auténticas causas de nuestro posible enfermar... Y poco a poco... ir cambiando las condiciones de nuestro entorno hasta conseguir en el largo camino... resultados apreciables... Hasta que... ¿porqué no?... Podamos hacer bueno el slogan político. *PROHIBIDO PROHIBIR*. No por decreto. Sino por interna convicción personal. Se aceptan todos los comentarios posibles...

Si las condiciones del paciente aconsejan una mayor intervención, debemos de emplear los restantes puntos SHEN. El siguiente lo forman los puntos del *riñón*. 23-25 R. Son los que albergan más ancestralidad después del RM. ¿cómo emplear estos dos puntos? Se deben de usar en puntura perpendicular, *no profunda*, dadas las estructuras que se encuentran en profundidad. La manipulación se realiza en tonificación hasta conseguir que la sensación *se expanda en torno al punto*. Se utilizan *los dos puntos bilaterales*. Después de la puntura, se realiza moxibustión indirecta hasta conseguir el enrojecimiento de la zona (en la moderna terapia neural se inyecta en este punto con buenos resultados. Asi nos lo comunica nuestro colega el Dr. Escalante).

Se pueden emplear en conjunción con el 8RM. En ese caso las sesiones se deben de emplear cada mes hasta completar 9. Descansar tres meses y comenzar una nueva serie de nueve, asi hasta completar tres ciclos de tratamiento. Los casos que más se benefician de esta modalidad de tratamiento son los que poseen antecedentes personales que nos pueden haer sospechar una incidencia de predisposición más acentuada que en la población sin antecedentes.

El siguiente punto de empleo lo constituye el punto de vejiga 44V. Se trata de la proyección energética de la energía mental del agua en su vertiente más YANG. Su empleo debe de reservarse para *la moxibustión indirecta.* Su empleo *suele ser en solitario*. Se debe de aplicar en los casos en que ya se ha constatado la evidencia de la influencia de factores psíquicos en la dinámica cardiaca, no de una forma ocasional, sino de causa-efecto comprobada, *sin existir, AUN, una patología evidenciable*. En estos casos se debe de aplicar la moxa indirecta en este punto hasta conseguir un enrojecimiento evidente de la zona. *INSISTIR EN NUEVE OCASIONES DESPUES DE CONSEGUIR LA PRIMERA SENSACION DE CALOR.* Realizar *DIEZ sesiones* a un ritmo de *DOS sesiones semanales.* Después, descansar *TREINTA DIAS*. Comenzar otra serie, igual descanso y otra nueva serie. A continuación... Si no existen causas que lo justifiquen *DESCANSAR UN AÑO* y si todo continua normal... Iniciar una terapia con el 23-25 R.

Empleo de los puntos TM. Su empleo se refiere y tiene su principal indicación en los casos en que el paciente, sin haber sufrido ninguna problemática cardiaca, vive su situación de stress de como una posible causa de una probable patología cardiaca. Se trata de una *vivencia de anticipación.* El empleo de estos puntos se debe de realizar en SOLITARIO. En el primero se realizan maniobras de *DISPERSION-TONIFICACION*. En el (24 TM) se realizan maniobras de *TONIFICACION-MOXIBUSTION.* La prevención en estos casos se realiza a un ritmo de *UNA SESION SEMANAL HASTA COMPLETAR NUEVE.* Se descansa *DURANTE TRES MESES Y A CONTINUACION SE REALIZA UNA NUEVA SERIE*. Si ha desaparecido ese tipo de vivencias se pasa a la combinación de 23-25R-8RM. Si persisten las sensaciones de eminente problema, se pasa al ritmo del punto de vejiga.

Finalmente tenemos el 7C. Su empleo se afianza cuando se ha consumado el problema. Si es posible debe de ser aplicado en los inicios con el fin de evitar las secuelas psíquicas de miedo que engendra este tipo de patología.

Su empleo debe de ser las punturas. Se manipula en sentido de *DISPERSION-TONIFICACION*. Después de la llegada del QI se dispersa ligeramente y a continuación se tonifica hasta conseguir que la sensación se transmita en el sentido ascendente del meridiano.

CONSIDERACIONES ENERGETICAS EN TORNO AL ANGOR PECTORIS

Se trata de un síntoma causado por la súbita falta de oxígeno en el músculo cardiaco.

Se caracteriza por el súbito dolor retroesternal que se suele propagar hacia el hombro y brazo izquierdo. Se suele desencadenar con el esfuerzo y mejora con el reposo.

ETIOLOGIA SEGUN LA M.T.C.

En la M.T.C. se trata del «*DOLOR VERDADERO DE CORAZON*». La causa se encuentra en:

1.—DISFUNCION DEL YANG TORACICO.
2.—OBSTRUCCION DE LA FLEMA.
3.—ESTANCAMIENTO DE LA ENERGIA Y EXTASIS DE SANGRE.

EXPLICACION Y COMENTARIOS

DISFUNCION DEL YANG TORACICO.

La energía CENTRAL o *YONG QI* es un *TIPO DE ENERGIA YANG* que tiene como función la *DINAMICA CARDIACA* Y LA DINAMICA RESPIRATORIA. Esta actividad es de carácter YANG. Lo define asi su función. Este YANG TORACICO esta regulado por las energías del *FOGON SUPERIOR*, las cuales son una consecuencia de las conjunciones de las energías del cielo y de la tierra. Cuando la energía se forma, tiende hacia la *ascensio*, por las facultades de *volatilización*, producto de la combustión de los cereales. Esta manifestación sutil es la *ENERGIA YONG (ZHONG) QI.*

Las disfunciones de esta energía se producen cuando existen manifestaciones que *exacerban la actividad YANG del tórax,* tales como *EXCITABILIDAD-TERROR-COLERA.* En general todas las manifestaciones psíquicas que supongan un aumento del Yang o una detención en la libre circulación del sistema energético del tórax.

Todas las alteraciones que supongan un aumento brusco del Yang, como un ejercicio violento o fuerzas mantenidas en prolongados esfuerzos, hacen posible el *estancamiento del Yang en le pecho*. Finalmente, la incrementación del INN, en forma de estancamiento de sangre, pueden ocasionar una disminución *paulatina del YANG,* circunstancia que se prodce en el *sedentarismo*, es otra de las más frecuentes causas de la disfunción del Yang torácico.

OBSTRUCCION DE LA FLEMA.

La formación de HUMEDAD-FLEMA, como una consecuencia de la *disfunción del bazo-estómago* es una de las consecuencias de que la tierra se REVELE contra su madre y... en términos tradicionales, «*obstruir los orificios cardiacos*». La situación de la humedad-flema es de doble significado. Por una parte, dificulta la libre circulación de la sangre-energia, y por otra, se convierte en fuego cuando la situación se cronifica.

Se produce en los pacientes con *obesidad*, o en las personas que abusan de *comidos grasas y copiosas*. También, en personas con aumento de preocupaciones o grandes reflexiones. Se produce asi, la *flema endógena* que tiende a convertirse en fuego endógeno que termina creando una situación de *HIPERYANG* que termina por dañar el corazón.

ESTANCAMIENTO DE LA ENERGIA Y EXTASIS DE SANGRE.

Los bloqueos de energía y éxtasis de sangre se desarrollan como consecuencia de factores psíquicos en la mayoría de los casos. Se trata de *factores emocionales-afectivos*, que terminan por dificultar la libre circulación de la energía. Es de todos conocido, la importancia del *STRESS* como *factor desencadenante* en la génesis de las crisis de angor. Los «*espasmos coronarios*» suelen ser desencadenados por *la actividad vegetativa* del sistema nervioso autónomo, y esta actividad es una consecuencia de los *sistemas de frustración* que desarrolla el individuo ante su medio.

TRATAMIENTO

PRINCIPIO:

RECUPERAR LA FUNCION DEL YANG.
REGULAR LA CIRCULACION DE ENERGIA Y SANGRE.
CALMAR EL DOLOR.

Neiguan. 6MC.—Barrera Interna. Se trata del punto de mayor acción sobre los trastornos del miocardio. Su acción se basa en los siguientes principios:

1.—Se trata de un punto del canal del MC, por tanto, controla el fuego ministerial, que es el fuego responsable del dolor.

2.—La topografía del meridiano esta en concordancia con la situación de la enfermedad.

3.—Se trata del punto *LO*, lugar de donde emerge el vaso ascendente que termina en el corazón, que junto con el meridiano principal, garantiza la *homeostasia del Yang del corazón.*

4.—Es un punto de apertura del vaso curioso. Por tanto, tiene conexiones con las energías del agua, por tanto, ACTUA COMO *ELEMENTO ESTABILIZADOR*.

5.—El significado del nombre.

Se trata de un *PUNTO BARRERA*, por tanto se trata de un punto *PROTECTOR*, en este caso de lo *INTERNO*, y también en este caso... DEL *FUEGO INTERNO*. Por tanto, es un medio de comunicación con el exterior de que dispone el meridiano para estabilizarse con el exterior.

6.—La puntura del 6MC según los textos tradicionales. *PURIFICA LA SANGRE,* por tanto, actua como elemento LIMPIADOR de las paredes arterioesclerosadas del sistema coronario.

7.—Experimentalmente, tanto en animales como en el hombre, la puntura; del 6MC, produce *UNA VASODILATACION CORONARIA Y... EN CONSECUENCIA UNA DISMINUCION O DESAPARICION DEL DOLOR.* (trabajos presentados en los Symposium de 79-84, en BEIJING. China) . (Ver revista NEIJING).

8.—También a nivel experimental, se evidencia una mejora en la contractibilidad cardiaca y en la velocidad de conducción del impulso de la dinámica cardiaca.

9.—Aumento del poder de contracción de la fuerza ventricular.

10.—Actuación evidente sobre el psiquismo, en la medida, no solo de la calma del dolor, sino de la *armonización del SHEN*. Por tratarse de un punto que pertenece al fuego, actua sobre el EMPERADOR, a través de su ministro.

Todas estas características, situan a este punto, como el de MEJOR *ACCION SOBRE LA DINAMICA CARDIACA.*

METODO DE PUNTURA

La puntura se realiza *PERPENDICULAR. PROFUNDA*, sintiendo el paso de la aguja entre los dos tendones, y llegando hasta la proximidad del punto 5TR (WEIGUAN).

Manipulaciones. Las manipulaciones sobre este punto representan una de las *claves de su eficacia*. Durante la *CRISIS* se debe de manipular la aguja en *DISPERSION*, es decir, puntura, hasta que se manifieste la sensación de llegada de la energía. Posteriormente, realizar las maniobras de *DISPERSION*, con el objeto de DISPERSAR EL ESTANCAMIENTO-PLENITUD que se encuentra en el tórax y que produce el DOLOR. Una vez conseguido este resultado, se procede a realizar maniobras de *tonificación* con el fin de *MOVER EL ESTANCAMIENTO*. Las dos maniobras se realizan en intervalos de cada *CINCO MINUTOS.* El éxito de la puntura de este punto reside en estas *pautas de manipulación.*

Prevención. En los enfermos angoroides, con *angor persistente*, o *angor INESTABLE*, o en *pleno VERANO*. Y en definitiva, ante enfermos con grandes *dosis de riesgo*, debemos de actuar de una manera *persistente y permanente.* La mejor manera es asegurando una *ESTIMULACION PERMANENTE.*

Esta situación la podemos conseguir con *LA ESTIMULACION PERMANENTE DEL PUNTO, CON LA IMPLANTACION DE UN PUNTO DE CAGUT.* Podemos mantener este estímulo por espacio de *UN MES*, si pasado este tiempo el resultado es permanente podemos retirar el estímulo y pasar a la terapia de ritmo, según la evolución del paciente.

EXPERIENCIA DE LA SENSACION ACUPUNTURAL.

Las manipulaciones del 6MC deben de proporcionar la sensación del movimiento del QI en *sentido ascendente* hacia la región torácica. Se deberá de manipular la aguja hasta conseguir que la *sensación ASCIENDA*. Si en ocasiones la sensación se transmite hacia los dedos, se deberá de modificar el sentido de la aguja, hasta conseguir que la sensación ascienda. En muchas ocasiones, será suficiente con modificar, en una ligera inclinación, el ángulo de la aguja, ligeramente hacia arriba, para obtener el efecto deseado.

En la República Popular China, se han realizado miles de experiencias con la *sensación de propagación* en este punto, y todos los trabajos confirman *QUE LA EFICACIA TERAPEUTICA ESTA EN RELACION CON LA INTENSIDAD DE LA PROPAGACION DE LA SENSACION A LO LARGO DEL CANAL.* (Actas del Congreso Internacional de Acupuntura, Beijing,79, Beijing,84). (Revista Escuela NEIJING. Madrid. España).

Jianshi. 5MC. «Fiebre recurrente». Se situa a tres distancias del pliegue de flexión de la muñeca.

Se trata del punto KING-Metal.

Se trata de un *PUNTO ESPECIFICO DE TODAS LAS ENFERMEDADES REBELDES.* Su aplicación se extiende a todas las *AFECCIONES FEBRILES.* De donde deducimos *SU NOMBRE.*

Los textos tradicionales lo recomiendan en todos los casos de *esquizofrenia*, demencia precoz, paranoide, etc.

Su explicación en la aplicación en esta afección se debe a su poder de *REGULAR EL FUEGO DEL CORAZON.* Al ser un punto *METAL*, la potenciación de este elemento nos proporciona UN *FRENO A LA ACCION DEL FUEGO.*

Manipulación. Estas se realizan de la misma manera que en el punto precedente. Se debe de utilizar, DESPUES, del 6MC.

PUNTOS DE LA ESPALDA.

Xhinshu. 15V. IU de Corazón. Se trata del punto específico de *LA DISPERSION DEL YANG DEL CORAZON.*

Se localiza a una distancia y media de la apofisis espinosa de la 5 *DORSAL.* En el SOWEN, cap. 32, nos advierte sobre los RIESGOS DE LA PUNTURA DE ESTE PUNTO, que en condiciones normales, no se debe de DISPERSAR LA ENERGIA YANG DEL CORAZON, por eso, su empleo debe de ser muy preciso.

La puntura se realiza oblicua, hacia el centro de la línea media. La manipulación de la aguja se realiza en el sentido de *ARMONIZAR LAS ENERGIAS DEL TOUMAI Y VEJIGA.*

Jueyinshu. 14V. Iu del MC. Se situa a distancia y media de la 4º dorsal. *PUNTO ESPECIFICO DE DISPERSION DE LA ENERGIA YANG DEL MC.* Esta significación fisiológica justifica su empleo en el angor.

Las técnicas de manipulación son las mismas que en el caso del punto anterior.

FINALMENTE, se pueden emplear los puntos *JIAJIA* que corresponden a los puntos comprendidos desde los 3º-7º torácica. El empleo de estos puntos, refuerza las acciones de los puntos 14-15V. Pensamos que deben de ser empleados *SISTEMATICAMENTE EN LOS EPISODIOS DE ANGOR DE CARACTER AGUDO.* No somos partidarios del *empleo del cagut* en estos puntos, ya que pueden dispersar en exceso la energía YANG DEL CORAZON, y por tanto, poder crear graves problemas,... Y como dice el SOWEN... Se dañará el corazón y la muerte sobrevendrá en las 24 horas... presentando el enfermo *intensas naúseas* antes de la muerte.

OTRAS ALTERNATIVAS TERAPEUTICAS

Si la situación angoroide la contemplamos desde el punto de vista de tener en cuenta la situación anímica del paciente y la frecuente y concomitante situación de debilidad de los riñones, y en consecuencia, la plenitud de la humedad, los planteamientos terapéuticos seran diferentes. Veamos...

Control del Shen. SHENDAO. 11TM. SHENDAN. 44V.

Regulación de la energía del corazon. SHANZHONG. 17RM. XIMEN 4MC.

Tonificación de los riñones. 4TM. MINGMEN.

Contra el estancamiento de sangre. 17V-19V (GHESHU-DANSHU). Se denomina las *4FLORES.* Su función, excitar la energía para entretener la sangre.

Dispersión de la humedad-flema. 4oE. FENGLONG. -36E. ZUSANLI. Se regula la energía del centro y se produce *el descenso de la humedad-flema.*

«ESTOS *NUEVE* PUNTOS CONSTITUYEN UNA ALTERNATIVA TERAPEUTICA DE PRIMER ORDEN EN LOS MOMENTOS DE CRISIS».

X. ENDOCRINOLOGIA

X. ENDOCRINOLOGIA

El conjunto de enfermedades metabólicas que son susceptibles de ser tratadas por la Medicina Tradicional China son de un espectro muy amplio. Su espectro de acción se amplifica desde la diabetes pancreática hasta las enfermedades derivadas directamente del hipotálamo. Las finísimas alteraciones en los frágiles equilibrios hormonales que hacen posible la aparición de la enfermedad se han comparado en ocasiones con las sútiles variaciones de energía de los canales y colaterales. Tampoco faltan, las hipótesis de las teorías hormonales sobre el mecanismo de acción de la acupuntura. Toda la incesante, aún, literatura sobre endorfinas y derivados, que pretenden explicar una parte de acción de la acupuntura, como sería la analgesia, dan una buena muestra de todas las implicaciones en que han estado envueltas la acupuntura y los mecanismos hormonales del funcionamiento orgánico.

Pero debemos de preguntarnos: Primero, ¿dónde se encuentran, si los hay, los núcleos de unión entre los mecanismos de acupuntura y los ritmos hormonales? Segundo, ¿en qué medida se interaccionan, ya sea en complemento o en oposición, las acciones de la acupuntura y la esfera de acción de las hormonas? Tercero... Cuarto... Muchas más preguntas, sobre las «reales» posibilidades de acción de la acupuntura sobre los rotos equilibrios hormonales que provocan la enfermedad.

Los ritmos de acción de las hormonas y los mecanismos de acción de la acupuntura son *momentos de actividad diferente*. Las complejas interacciones de retroalimentación a que se encuentran sujetas las hormonas pertenecen a los diferentes aflujos de energía. Pero... En todo caso... Son una consecuencia de ella, no al relvés. Lo primero son los influjos energéticos, con su batuta, se inician las acciones hormonales. El control central que desempeña el hipotálamo se genera por los «releasing factors» de naturaleza neurohormonal. Son antes, las intrincadas interconexiones generadoras de energía de naturaleza eléctrica o electromagnética... las que hacen posible la liberación de los mediadores químicos contenidos en las vesículas psinápticas. Todo parece coincidir, que estos estímulos se generan como consecuencia de las relaciones conscientes o inconscientes que el individuo establece con su medio... Y estas relaciones, por otra parte, no se entiende, sino se utilizan *los conceptos de emanaciones energéticas de los seres vivos*... Sin duda estamos tocando fondo... Y llegando al origen... Al menos aparente... Y no por ello cierto...

Todas estas correlaciones que se establecen en torno a las interacciones de las hormonas y los mecanismos de acción de la acupuntura son los atributos suficientes para determinar la eficaz acción que puede desempeñar la M.T.C. en estas afecciones.

Las manipulaciones convenientes de la energía provocan la armonización de las interacciones hormonales. Pero antes de adentrarnos en materia sería importante determinar las diferentes correspondencias que se establecen en las diferentes glándulas de secreción interna. Todas las glándulas de secreción interna, a excepción del páncreas, tienen su *origen y control en LOS RIÑONES.* Es el elemento agua el magistrado supremo de la actividad de todas las glándulas. Pero a este origen y control general, se añaden o superponen los controles parciales de los demás órganos. Los autores Japoneses citados por el Dr. Borsarelo, clasifican las interrelaciones de los órganos con las distintas glándulas, así como las concomitancias con los vasos curiosos. Dentro de las pautas de la tradición y en razón a las cualidades que adornan a las funciones del agua... Todo queda claro en la relación... AGUA... SISTEMAS HORMONALES.

Veamos algunas razones. Las actividades glandulares determinan los ritmos de los procesos vitales... FUNCIONES ATRIBUIDAS A LOS RIÑONES. La acción de las hormonas determinan el crecimiento y los procesos de asimilación... FUNCIONES QUE SE SUPERPONEN A LOS RIÑONES. Las hormonas estipulan los momentos de maduración y las condiciones de fecundación... ATRIBUTO DE LOS RIÑONES. El reloj microcósmico del hombre con su medio se encuentra sustentado por las tasas hormonales... ES EN EL AGUA DONDE SE GESTAN LOS BASICOS PRINCIPIOS DE SIMBIOSIS CON EL MEDIO. Los dos polos del eje hormonal lo constituyen las cápsulas suprerrenales y el hipotálamo... EL PRIMERO ES CLARAMENTE PATRIMONIO DE LOS RIÑONES. EL SEGUNDO SE ENCUADRA DENTRO DE LOS PROCESOS DE MADURACION DEL SISTEMA NERVIOSO... Y ESTE, ES UNA CONSECUENCIA DE LA ACTIVIDAD DE LOS RIÑONES. La espermatogénesis y la maduración ovular son... FUNCIONES PROPIAS DE LOS RIÑONES Y DE SUS VASOS CURIOSOS. Todos los procesos que conllevan los equilibrios hídricos son mecanismos regulados por las hormonas adrenales... LOS PROCESOS DE REGULACION DEL AGUA DEPENDEN DEL RIÑON... Y sin ahondar en más ejemplos significativos... Vemos que la actividad del BAZO-PANCREAS... DEPENDE DE LAS CONDICIONES DEL AGUA... SEGUN LA LEY DE LOS CINCO MOVIMIENTOS. Quede claro, que cuando nos referimos al riñón-agua... nos estamos REFIRIENDO A SUS FUNCIONES, SEGUN LA M.T.C.

Dentro de la responsabilidad de los demás órganos y entrañas destacan las siguientes correlaciones.

—**Paratiroides.** FUNCIONES DE EXPANSION.

—**Tiroides**. FUNCIONES DE CRECIMIENTO Y EXPANSION DEL *HIGADO MADERA.*

—**Hipofisis.** FUNCIONES DE REGULACION... RIÑON-AGUA.

—**Hipotálamo.** FUNCIONES DE CONTROL... RIÑON-AGUA.

—**Timo.** FUNCIONES INMUNOLOGICAS... RIÑON-AGUA-PULMON-METAL.

—**Pineal.** FUNCIONES DE REGULACION DE ENERGIA MENTAL... RIÑON-AGUA. CORAZON-FUEGO.

—**Cápsula suprarrenal.** FUNCIONES DE MANTENIMIENTO HIDRICO-

FUNCIONES DE CONTROL SEXUAL-FUNCIONES DE ALERTA... RIÑON-AGUA.

—**Gonadas-ovarios.** MANTENIMIENTO DE LA ESPECIE... AGUA-RIÑON.

—**Páncreas endocrino.** DISTRIBUCION-ABSORCION DE ENERGIA YONG... BAZO-ESTOMAGO-TIERRA.

Estas diferentes correlaciones de las glándulas con los órganos movimientos, aunque en esencia todas dependan de los riñones-AGUA, son evidencias energéticas. Si en la actividad del agua se inician las funciones glandulares, en su mantenimiento se encargan los demás órganos. Estos diferentes momento de actuación nos aclaran las diferentes actitudes terapéuticas que se deben aplicar en cada momento. La participación de las entrañas se aplican en relación con el órgano que le corresponde y con los territorios energéticos que se correspondan.

Las diferentes afecciones que son tratables por acupuntura y moxibustión, en lo que implica la eficacia terapéutica, están en relación directa con los momentos de la consulta. El inicio del tratamiento lo más precoz posible hace más viable la eficacia y el mantenimiento de los resultados.

De una manera global, se puede decir que el tratamiento de las enfermedades hormonales implica largo tiempo de evolución y tratamiento. También minuciosas comprobaciones en los diferentes estadios de la enfermedad. Control durante los períodos asintomáticos y apoyo alimenticio en cuanto a sabor y calidad de los alimentos. Si queremos mantener un resultado estable debemos de guardar estos precauciones.

Otra cuestión cotidiana permanente que surge a lo largo del tratamiento, son los tratamientos, casi siempre sustitutivos, hormonales. En la actualidad, la dosificación correcta de tasas hormonales *es una misión imposible*. Las dosificaciones standar son un fracaso... Que en muchas ocasiones conducen a las atrofias glandulares con anulación de secreción endógena propia debido a las elevadas dosis exógenas de sangre. La increible concepción de que en todas las personas se precisan iguales cantidades de tratamiento, constituye un defecto grave de incompetencia científica... En estas afecciones se pone más de manifiesto la frase de que... No existen enfermedades sino enfermos... S bien las modernas determinaciones de fármaco en sangre comienzan a ser casi rutinarias, como ocurre con las determinaciones de fármacos en el control de la epilepsia, no deja de ser una observación puntual, que NADA TIENE QUE VER CON EL RITMO DE ABSORCION Y ACCION DEL FARMACO A LO LARGO DE LOS DIAS Y DEPENDIENDO DE LAS ACTIVIDADES-ACTITUDES, MANERA DE ENFRENTARSE A LA ENFERMEDAD, etc, etc... Todas estas variables, *no CONTROLADAS*, son los condicionantes que anulan los *criterios ESTATICOS* por los que se prescriben los fármacos sustitutivos. La farmacodinamia, especialidad aún en proyecto, al menos terapéutico, debería de prestar más atención a todos los factores, que en el caso de las hormonas, se han demostrado más palpablemente las interdependencias con el macrocosmos. Volvamos al problema de origen. Los enfermos vienen la mayoría de las veces *MUY MEDICADOS*, en general *MAL DOSIFICADOS*... Y también, debemos decirlo, con más frecuencia de la debida, mal diagnosticados... Las cosas se complican... Pero volvamos al problema de las dosis,... Sin olvidar los comentarios anteriores. Ante un enfermo que presenta una medicación mantenida de tipo hormonal e inicia un tratamiento por M.T.C. se debe de ser extremadamente prudente. Durante las primeras sesiones se deben de continuar con las mismas pautas de dosificación, a menos que observemos manifestaciones de signos de exceso de medicación. Cuando las manifestaciones diagnósticas del pulso-color-lengua-saburra... pongan en evidencia cambios energéticos evidentes, aunque aún no sean clínicos, debemos de comenzar a reducir la dosificación. *ESTA REDUCCION DEBE DE SER PEQUEÑA-RITMICA Y ESPACIADA.* Debemos de proporcionar al organismo los suficientes elementos *Y TIEMPO* con el fin de que realice los ajustes precisos. NO POR MUCHO MADRUGAR AMANECE MAS TEMPRANO... PERO NO PODEMOS OLVIDAR QUE EL AMANECER OCURRE EN DIFERENTES MOMENTOS... SEGUN EL AÑO... Y LA EPOCA. Pensamos que esta segunda consideración es extremadamente importante: Las precipitaciones... que suelen provenir, en la mayoría de los casos por parte del enfermo... y también en ocasiones por la osadía del terapeuta, proporcionan recaidas innecesarias y frustrantes, que en muchas ocasiones conducen al abandono del tratamiento con la consiguiente pérdida de oportunidad de resolver la enfermedad... esto sin contar las complicaciones que pueden entrañar las recaidas... Y no olvidar... lo difícil... QUE SUELE SER REMONTAR A ENFERMOS CON TRASTORNOS HORMONALES QUE HAN SUFRIDO UN TRATAMIENTO INCORRECTO DE ACUPUNTURA... TENERLO EN CUENTA.

AFECCIONES TIROIDEAS.

Como adelantamos en los prolegómenos del capítulo, las glándulas tiroideas, con independencia de su origen en AGUA-RIÑON, se encuentran sometidas a las influencias de la *MADERA-HIGADO-VESICULA BILIAR.* ¿Cuáles son exactamente estas concomitancias? Si nos paramos en el estudio de las funciones de las hormonas tiroideas comprobamos, además de otras multiples funciones, que son las encargadas del *crecimiento, de la expansión*. Justo las funciones que son atribuidas a la acción de la madera. Las posibilidades genéticas que se encuentran depositadas en el agua alcanzan su manifestación en las funciones de la madera a través de los vectores del hígado-VB... Si la actividad tiroidea no es suficiente... La maduración del S.N.C. no se produce o se hace deficiente. De nuevo encontramos dos conexiones importantes, por una parte las relaciones de AGUA... SISTEMA NERVIOSO... MADERA... SISTEMA NERVIOSO... PROYECCION CEFALICA DEL HIGADO-VESICULA BILIAR. Todo se encuentra concatenado. Las funciones de las interrelaciones del AGUA-MADERA se encuentran muy evidentes en las funciones de esta glándula.

HIPERTIROIDISMO.

La enfermedad de BASEDOW es una de las afecciones tiroideas más frecuentes que se suelen presentar en esta glándula, en la edad media de la vida. Afecta a hombres y mujeres. Además de los síntomas comunes en ambos sexos, en el caso de la mujer se añaden síntomas de afectación de las glándulas de los mecanismos hormonales de la mujer. Básicamente se caracteriza por EXOFTALMOS, MISATENIA, TAQUICARDIA, TRASTORNOS DEL ANIMO, TRASTORNOS DIGESTIVOS. A nivel del cuello se aprecia aumento de la masa glandular de una manera homogénea y de carácter pastoso. El curso de la enfermedad es de carácter crónico y de no mediar terapia suele producir complicaciones cardiacas graves.

El tratamiento habitual de esta afección se centra en la prescripción de fármacos que frenan la actividad glandular, como por ejemplo la Carbimazona. En estos tratamientos se persigue una reducción de la actividad de la glándula pero en ningún caso se marcha contra las causas que han producido este grave desequilibrio. Dentro de las posibles etiologías que se han barajeado como origen de la enfermedad destacan todas las posibilidades infecciosas, virales, tóxicas... dietas carenciales y finalmente *las emocionales*. Estas causas, las emocionales son las que según nuestro entender y el de otros autores son las razones más frecuentes en la génesis de la enfermedad. No queremos decir con eso que las otras causas no sean posibles, lo son, ...pero pensamos que el primer paso en la aparición de la enfermedad *se da en los impactos afectivos*.

La Escuela de Medicina Tradicional China de Shanghai insiste sobre esta etiología cuando afirma que por medio de las alteraciones del ánimo, sobre todo la melancolía, se producen alteraciones en la circulación de las energías del hígado y del bazo, dando como consecuencia la aparición de la enfermedad. La alteración del bazo como una de las causas añadidas en torno a la génesis del hipertiroidismo creemos que procede del exceso de dominancia que efectua la madera sobre la tierra, por tanto, se trata de una manifestación y no de una génesis de la enfermedad.

En una de nuestras visitas a la República Popular China tuvimos la ocasión de visitar un departamento de acupuntura en la ciudad de Shanghai en donde se especializaban en el tratamiento de enfermedades tiroideas. Pudimos participar en el tratamientos de numerosos casos, sobre todo de hipertiroidismo. En los comentarios sobre las causas de la afección siempre se manipuló el concepto de agentes psíquicos como responsables de la aparición de la enfermedad. Los resultados que presentaban eran muy alentadores, sobre una eficacia del 74% en porcentaje bruto de curación completa, si esta no se conseguía en pocos meses se abandonaba el tratamiento. En el tratamiento se empleaban numerosos puntos con fuertes manipulaciones de energía. Cuando trabajemos específicamente en el tratamiento estableceremos los diferentes criterios en cuanto a las manipulaciones y pautas de tratamiento. Debemos de decir, que en los controles efectuados de la enfermedad tan solo se aplicaban criterios clínicos, no criterios de laboratorio. Debemos de establecer algunas diferenciaciones entre los enfoques *actuales* Chinos y los enfoques de la tradición que se manifiestan en los textos tradicionales.

Si realizamos algunas consideraciones en torno a los síntomas de la enfermedad, descubriremos un cúmulo de pruebas en el sentido de su relación con el movimiento madera.

Exoftalmos. Las manifestaciones de la energía en los ojos dependen de la energía del hígado y de las proyecciones YANG de la VB. Esta situación explicaría exoftalmos.

Mistenia. El hígado controla los músculos, la tonicidad muscular y los sistemas posturales.

Agitación-irritación. Las alteraciones de la energía de la madera son las responsables de la aparición de la cólera.

Alteraciones en el tránsito intestinal. Son las consecuencias del dominio excesivo de la madera sobre la tierra.

Taquicardia. Son las consecuencias del YANG del hígado en exceso y del aumento del fuego que se origina como consecuencia del exceso de la MADRE MADERA.

Como se puede apreciar, todos los síntomas cardinales derivan de las condiciones de plenitud de la MADERA. Las relaciones con el fuego, su formación del agua, su control sobre la tierra, y el propio autodaño, configuran el panorama energético de los cinco movimientos para explicar la fisiología y fisiopatología que generan los síntomas. Como vemos, las implicaciones de energía hormonal, son una simbiosis en las que los movimientos de energía son los claros responsables de las actividades hormonales. Debemos ahora, tratar de explicar la genealogía de acción de los impactos afectivos en la génesis de la enfermedad. ¿Cómo ocurren los acontecimientos? Los shocks emocionales que se generan en torno a la vida de la persona inciden sistemáticamente sobre la *naturaleza de su respuesta*. Si la economía energética atacada se encuentra en perfecta armonía, la respuesta se encuentra en concordancia con las condiciones del ambiente que debe de recibir la respuesta. Si existen distonías energéticas, la respuesta suele culminar en dos actitudes generales. Por una parte la quietud espectante, propia de la energía de proyección psíquica del AGUA, por otra, con una actitud de respuesta *tumultuosa*. Colérica, muy propia del desequilibrio energético *del HIGADO MADERA*. Entre estas dos posturas, en apariencia antagónicas, se desarrollan una serie de posibilidades de interacciones energéticas. Pero lo importante ahora, es ver de que manera se identifican ciertas alteraciones del individuo con el medio a través de modificaciones energéticas de los órganos determinados... ¿Qué ocurre después? Bien es cierto que todas las personas que experimentan determinadas situaciones ante el medio no terminan con alteraciones tiroideas. Cierto. Pero en otros casos, ... Sobre todo cuando los sistemas de defensa del organismo, y el estado de las energías mentales no se encuentran en armonía... entonces puede acontecer la aparición de la enfermedad. Podríamos establecer la comparación entre los gérmenes patógenos, los no patógenos, huéspedes habituales en nuestro organismo, y todo el dinamismo que se establece con toda la organización energética del organismo. Si la energía defensiva WEI y la energía YONG (nutricia) se encuentran en armonía y equilibrio, la *convivencia con agentes patógenos no representan problemas...* Por que los agentes en *si no son patógenos* (salvo en especiales condiciones de epidemias, en que los gérmenes se vuelven especialmente virulentos, o su proporción habitual excede a las proporciones normales). Se trata de que el hombre tenga bien dispuestas sus energías de defensa. NO SERA ATACADO POR LA ENFERMEDAD.

Si por el contrario, el organismo se encuentra debilitado, es fácil presa de los agentes externos. Pero hay más... Los agentes saprófitos que conviven normalmente y son indispensables para el desarrollo de las funciones, se vuelven temibles cuando se alteran los equilibrios de energía. En las enfermedades graves que cursan con gran debilidad de la energía estos agentes saprófitos se vuelven muy agresivos y se convierten en actividades patógenas difíciles de tratar... En definitiva, salvo en condiciones excepcionales, y aun, en algunas personas tampoco, el problema no es del medio, sino de las condiciones en que se encuentre nuestra energía. Por tanto, salvando algunas consideraciones, con los factores psíquicos ocurre lo mismo. Los impactos del entorno y las vivencias con él, obran de diferente manera en cada persona. Su impacto en la economía energética dependerá de su historia personal, de las experiencias de la infancia, del grupo social al que pertenezca, de su raza, del lugar telúrico de nacimiento, del momento cultural en que viva... etc, etc. Por tanto, no se pueden estandarizar las evoluciones que se seguirán a una falta de adaptación de respuesta a los estímulos del medio.

PRESENTACION DE CASOS

Presentamos *siete* casos de hipertiroidismo en personas adultas en edades comprendidas entre los 29-46 años, cinco mujeres y dos hombres.

Todos los casos venían previamente diagnosticados de centros hospitalarios. De los siete casos *cinco estaban con tratamiento, dos se encontraban* en los momentos incipientes de la enfermedad y no habían iniciado el tratamiento. De los casos con inicio de *tratamiento ninguno superaba los cinco meses.*

En todos los casos se apreciaban los síntomas típicos del hipertiroidismo.

En los casos de mujeres se añadían, además de los síntomas tiroideos, síntomas de alteraciones en los ciclos menstruales.

En todos los casos se establecieron medios de control, no sólo clínicos sino de laboratorio. Se determinaron cifras hormonales con el fin de establecer las correlaciones entre los cambios clínicos y de laboratorio. Los controles analíticos y clínicos, aparte de nuestras impresiones, se realizaron en los centros donde habían sido diagnosticados.

El tiempo de tratamiento fue de *nueve meses*. Los ritmos de tratamiento fueron de *tres sesiones en el inicio* del tratamiento. Se descansó cinco días y se reinició el tratamiento de dos a tres sesiones semanales. Los casos más intensos recibieron tres sesiones semanales. En todos los casos se trataron y controlaron los nueve meses.

Al final de la experiencia de los siete casos controlados en cinco de ellos se consiguió suprimir la medicación y una remisión total de los síntomas. Las cifras de laboratorio se nos presentaron normales. El seguimiento continuo cuatro meses más sin que se experimentará ninguna recaida. Dentro de estos cinco casos se encuentran los dos casos que no habían iniciado la medicación. Los otros dos casos evolucionaron de diferente forma. Uno de ellos cesó en síntomas clínicos, pero necesito la mitad de la dosis inicial de medicación para mantener una mejoría clínica. El otro mejoró su cuadro clínico, persistiendo los síntomas fuego, con taquicardia, rubicundez, ansiedad, etc, etc. Además, precisó mantener la medicación en las pautas habituales. Uno era hombre y otro mujer.

Estas experiencias nos parecen definitivas y muy demostrativas sobre la eficacia de la acupuntura en las afecciones tiroideas. Como decíamos al principio del capítulo en Shanghai los porcentajes de tratamiento con éxito son igualmente significativos, con cifras de enfermos tratados de cientos de casos. Los tratamientos realizados en China son de mayor intensidad en cuanto al ritmo de sesiones. No parece preocuparles la cuestión ritmo. Los tratamientos se inician y se prosiguen durante todos los días hasta establecer un resultado. Si bien diez sesiones configuran un tratamiento, no nos parece una medida que se pueda generalizar. Como siempre, entramos en los problemas de control de calidad e individualización del tratamiento. Estas cuestiones son difíciles de plantear y en muy pocas ocasiones se controlan. Siempre existen disculpas... de, masificación, falta de tiempo... etc, etc.

TRATAMIENTO EMPLEADO.

9E. Renyin. Reencuentro Humano. Acogida Humana. Se trata de un punto ventana del cielo. En este lugar se detecta el pulso revelador que determina el estado de la energía YANG de todo el organismo.

Es un lugar de conexión con el meridiano de VB. Se localiza en el borde superior del cartilago tiroideo, sobre la latido de la carótica.

La localización especial de este punto lo hace especialmente delicado en su puntura. Se debe ser extremadamente cuidadoso con la profundidad. Una lesión de esta voluminosa arteria puede tener consecuencias peligrosas. Es uno de los puntos más importantes de empleo en estas afecciones. Son dos fundamentalmente las razones. Por una parte, es el lugar de reunión con la energía de la VB, que como sabemos tiene un lugar de acción en la enfermedad importante, por tratarse del elemento madera, de otro lado las interacciones de la madera con la tierra y la aparición de trastornos relacionados con la esfera del estómago, permiten que la puntura de este punto sea especialmente sensible. Otra consideración importante se refiere a la topografía energética del punto. Su área de influencia le situa sobre la actividad exagerada de la glándula. Estas tres razones son un buen contingente para el empleo del 9E. Se podría añadir una cuarta en lo que se refiere a ser punto ventana del cielo. Esta característica le confiere una actividad en cuanto a ser un punto de empleo en situaciones de alarma, y se trata de una alarma, la situación hormonal que se crea en un hipertiroidismo.

La puntura se realiza en una primera intención sobre el plano perpendicular, luego se dirige oblicuamente hacia abajo a un pouce de profundidad, penetrando en le estruma de la glándula. La dirección es tangencial hacia el plano de la traquea. La aguja queda fuertemente prendada y suele provocar una sensación histaminoide intensa en algunas ocasiones. La manipulación de la aguja es ligera. La extracción se realiza por planos, y cuando se extrae la aguja se masajea la zona.

10E. Shuitu. Erupción del agua. En el borde exterior del Esternocleidomastoideo en la mitad de camino entre el 9-11 E.

La razón de su empleo se centra en las posibilidades de su localización energética. Se trata de un punto local de acción directa específica sobre la glándula.

La manipulación y empleo es semejante al 9E. La puntura no es profunda y la aguja se dirige al plano sagital de la traquea. La manipulación de la aguja no es muy intensa. Al igual que en el punto anterior, se suelen producir fuertes reacciones de enrojecimiento del punto.

17-18 IG. Se trata de dos puntos locales de aplicación con igual significado que en el caso anterior. Su acción se muestra eficaz por su condición energética de cara a la glándula. El empleo de los puntos se debe de realizar en tonificación, pero esta no debe de ser muy intensa.

Por tanto, podemos decir, que sobre la zona glandular se puntura en cuatro puntos de manera tangencial y perpendicular al plano medio del cuello. Volvemos a insistir sobre la necesidad de extremar los cuidados de cara a la profundidad de las punturas, dado el importante compromiso vascular que subyace.

20.TR. Jiaosun. Angulo descendente. Se localiza justo sobre la zona más prominente que se proyecta en el cráneo del pabellón auricular.

Se trata de un punto de reunión con las energías de los meridianos de VB-ID.

En el LINGSHU se especifica claramente las uniones del TR con la VB en este punto.

Esta especial condición de reunión de energía de la *madera y del fuego* y la proximidad topográfica con la glándula, le confieren al punto una especial actuación. Además de actuar sobre el conjunto general de la enfermedad, tiene la cualidad de ser específico para la manifestación exoftalmos.

La puntura se realiza de manera oblicua *hacia la zona del ojo*. La energía se manipula hasta conseguir que la sensación se transmita hacia el ojo. La profundidad de la puntura debe de ser de pouce y medio. Se debe de tener precaución sobre la manipulación de este punto, ya que se pueden dañar las arterias temporales. Se debe de evitar al máximo la producción de hematomas, ya que de producirse se inutilizaría el punto por un tiempo.

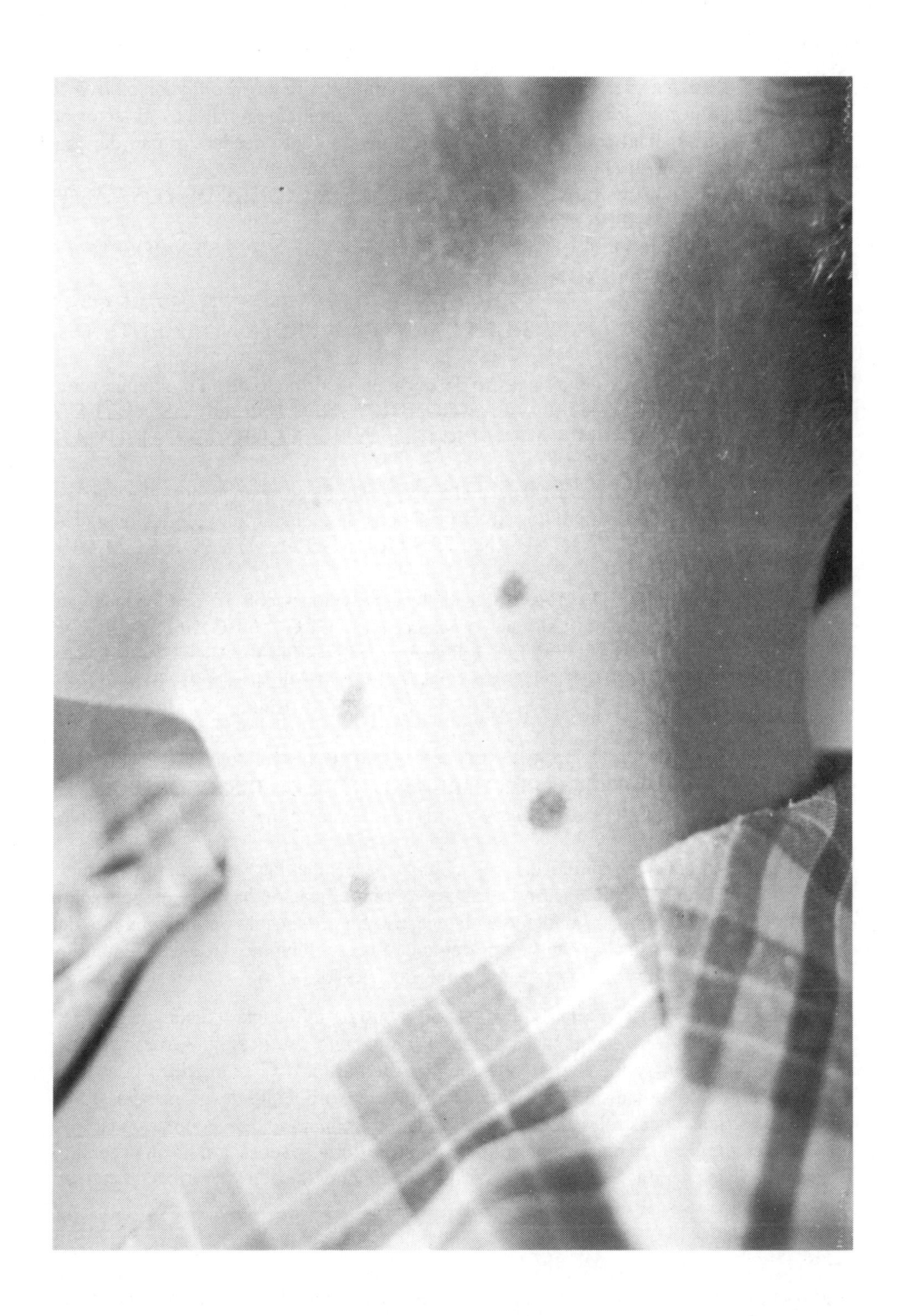

6MC. Neikoan. Barrera interna. Se trata del punto barrera ya descrito con motivo de las afecciones ginecológicas. Sobre las características generales remitimos al lector en ese capítulo. La especial condición en que se situa este punto desde el punto de vista energético, aconsejan su empleo. Veamos.

1.—Pertenencia a la apertura de un vaso curioso. RELACIONES DE LOS VASOS CURIOSOS CON EL TIROIDES = INN OE.

2.—Punto específico en el tratamiento de afecciones crónicas. ESTAMOS ANTE UNA ENFERMEDAD CRONICA.

3.—Regulador del medio interno. LAS CONDICIONES INTERNAS CREADAS POR EL HIPERTIROIDISMO SE ENCUENTRAN PROFUNDAMENTE DAÑAS.

4.—Se trata de un punto de un maestro del corazón y por tanto de un punto que actua específicamente sobre el psiquismo. LAS CONDICIONES PSIQUICAS ANTES Y DESPUES DEL DEBUT DE LA ENFERMEDAD SE ENCUENTRAN MUY ALTERADAS.

5.—Se trata de un punto que pertenece al fuego y este fuego se encuentra alterado por su plenitud y por la evidencia de los síntomas físicos de taquicardia, palpitaciones. LA ALTERACION DEL FUEGO SE ENCUENTRA REGULADA POR EL MAESTRO DEL CORAZON.

6.—Se trata del punto LO y como tal, establece conexiones con los tres fogones, que son los encargados del reparto del fuego orgánico. EL FUEGO ORGANICO SE ENCUENTRA PROFUNDAMENTE ALTERADO EN ESTA AFECCION GRACIAS A LA ACCION SOBRE EL VASO *LO* SE PUEDEN EQUILIBRAR LAS FUNCIONES DEL FUEGO. LOS TRES FOGONES SE ENCUENTRAN ALTERADOS EN ESTA AFECCION, YA QUE TODAS LAS FUNCIONES SE ENCUENTRAN EXACERBADAS. LA TRANSFORMACION EXAGERADA DE LAS ENERGIAS EN FUEGO PERTURBAN LOS EQUILIBRIOS HIDRICOS.

Se localiza a dos pouces del pliegue de flexión de la muñeca, entre los dos tendones.

La puntura se realiza en tonificación. Se puntura perpendicular, y se manipula la energía hasta su llegada. A continuación, se maniobra en tonificación hasta que la sensación se transmita hacia la parte ascendente de la energía. Se produce un entumecimiento del brazo. No olvidar colocar la mano en posición que no se deba mover, asi se evitan los cambios de posición de la aguja que suelen producir dolor.

4IG. Hegu. Fondo del Valle. Se trata de un punto de influencia a distancia sobre la zona del cuello donde se encuentra la glándula. La energía del Intestino Grueso recorre la zona de influencia donde se pretende actuar. Además, el 4IG se moviliza la energía del YANG total del organismo. Por tratarse de un punto YUANG de las entrañas actua sobre las energías ancestrales que pueden influir en la aparición de la enfermedad. Se manipula en tonificación con aguja profunda que transmita la sensación hacia el sentido de ascenso de la energía. Se produce una sensación de tumefacción y adormecimiento en la mano y en el trayecto del canal.

Se trataría del punto a distancia en relación con los anteriores citados como locales.

8H. Ququan. Se trata del punto agua del canal del hígado. Es el punto mar del meridiano. Se trata del punto de regulación de *las transferencias energéticas del agua hacia* *la madera.* Es también el punto de tonificación del hígado. Regula la ascensión del Yang del hígado y tonifica las facciones INN del órgano. Todas estas condiciones le situan como uno de los puntos en el tratamiento etiológico. Como explicabamos al principio del capítulo, las influencias del tiroides son patrimonio del eje AGUA-MADERA. Estamos entonces en medio del eje del problema.

Su puntura se realiza profunda y se manipula la energía en sentido ascendente, hasta conseguir que la energía se propague a lo largo del canal.

Tiene además, este punto, las posibilidades de actuar sobre el psiquismo alterado que es una de las consecuencias de la enfermedad.

3H. Taichong. Asalto Supremo. Se trata del punto tierra IU del canal del hígado. Lugar donde desemboca la energía de la VB. La punción de este punto determina que las relaciones de la MADERA-TIERRA se verifiquen correctamente. Actua también como elemento purificador del fuego, ya que la tierra dispersa el fuego. Su empleo también se puede también diseñar como tratamiento de lo alto por lo bajo.

La puntura se realiza de manera perpendicular, con manipulación de la energía hasta que la sensación se propague de manera profunda en el sentido ascendente del pie.

POSIBILIDADES TERAPEUTICAS

Dentro de las posibles combinaciones empleadas tendremos las siguientes:

1. 9E-4IG-8H.
2. 9-10E-17-18IG-20-TR-6MC.
3. 9E-6MC-3H.
4. 9-10E-17-18E-4IG-8H.
5. 9E-6MC-4IG-3-8H.
6. 20TR-17-18-IG-6MC.
7. 20TR-9E-4IG-3-8H.
8. 9E-4IG-3H.
9. 18IG-4IG-3H.
10. 9E-20TR-3H.

Estos diez tratamientos pueden constituir un tratamiento y se pueden ajustar a los ritmos de terapia que se empleen en la enfermedad. Nosotros empleamos esta secuencia aplicada en los siete casos que presentamos.

EVOLUCION DIAGNOSTICA

PULSOLOGIA.

El pulso en todos los casos se presentaba *rápido-tenso y superficial*. Durante el transcurso del tratamiento, lo *primero que cambio fue la rapidez*. El pulso se fue haciendo paulatinamente más lento. En segundo lugar, se modificó la superficialidad, el pulso se fue transformando en intermediario y paso a percibirse con mayor intensidad en los niveles medios del pulso.

Finalmente las modificaciones de las cualidades DE TENSO A=...... Fueron más lentas en desaparecer y amoldarse a la situación estacional. De los siete casos, en dos de ellos el pulso se normalizó completamente. En los demás persistieron las características de tenso, propias de las variaciones de energía del hígado.

LENGUA-SABURRA

En los casos más crónicos, la saburra se presentaba ausente y la lengua se nos mostraba *brillante y seca.* En el transcurso del tratamiento la lengua fue cambiando paulatinamente de color y de humedad. Lo primero que se apreció fue la aparición de una ligera saburra blanquecina. El intenso color rojo desapareció y se hizo más suave. En dos casos la saburra se transformó en *amarillenta humeda*, para más adelante transformarse en normal.

TEZ

Los colores de la tez fueron evidentes en sus cambios desde el rojo-verdoso hacia el amarillo-sonrosado. Uno de los casos se transformó en un tinte claramente amarillo, solo al final del tratamiento se normalizó.

Todos los parámetros, salvo detalles de especial evolución, se desarrollaron de acorde con los cambios clínicos que experimentaban los pacientes. En dos casos, los resultados de laboratorio no se encontraban en concordancia con la situación clínica del paciente, posteriores controles se hicieron concordantes.

La significación de los hallazgos diagnósticos con los métodos tradicionales se nos han mostrado una vez más, de absoluta fiabilidad. Confirmaron el diagnóstico y se utilizaron como control de la evolución de la enfermedad. Nos queda por comentar en este sentido, las características de tres casos en los que la mejoría diagnóstica del pulso y saburra, se adelantaron en más de tres semanas a la mejoría clínica evidente. Esta situación nos situa en la *escala de la evolución pronóstica*, con lo cual podemos anticipar al paciente el curso de su enfermedad y las perspectivas que se dan en torno al tratamiento.

ALGUNAS CONSIDERACIONES ENERGETICAS EN TORNO A LA DIABETES

Se trata de una enfermedad crónica de carácter grave, sobre todo en las formas juveniles, que cursa con numerosas complicaciones, sobre todo de tipo vascular. Estamos pues, ante LOS *ATAQUES DEL FUEGO.* La raiz INN del Páncreas ha sido dañada gravemente, razón por la cual, se *HIPERACTIVA LA RAIZ YANG*, que determina la *consumación del órgano.*

Si bien existen diferentes formas de diabetes, *en todos los casos* la *APARICION DEL FUEGO ES UNA CONSTANTE.*

Según la M.T.C. la etiología de la Diabetes se debe a tres factores fundamentales:

1.—Por la acción de las energías perversas externas de origen celeste. Se trata de la actividad de las seis energías.

2.—Por la alteración de las energías terrestres, que se encuentran representadas por los *CINCO SABORES.*

3.—Finalmente, las etiologías psíquicas, que podríamos llamar de origen humano, y que esta relacionada con los siete sentimientos.

En resumen, ORIGEN *CELESTE, TERRESTRE, HUMANO.*

Analicemos ahora las formas de actuación de las diferentes etiologías:

A) LAS ENERGIAS PERVERSAS EXTERNAS.

En esencia la PEOR energía perversa es la *HUMEDAD*. La exposición mantenida a la humedad hace posible la penetración de la energía en el organismo y su *DEFINITIVO TROPISMO HACIA EL PANCREAS.*

Otras energías perversas también puede terminar por dañar el B-P, como por ejemplo el *VIENTO*. Después de la afinidad por la madera, LA PLENITUD DE ESTA, determina el ataque SOBRE LA TIERRA y el daño subsiguiente. En el FRIO, ocurre otro tanto, la plenitud del frio determina un VOLVERSE HACIA LA TIERRA, produciéndose un detrimento del B-E. En el CALOR, es la *MADRE LA QUE FUNDE AL HIJO*. En todos los casos ES LA *RAIZ INN LA QUE ESTA AFECTADA.* Hagamos un inciso:

El BAZO-PANCREAS-ESTOMAGO, posee dos actividades. Una YANG y otra INN. La actividad YANG esta determinada por la *actividad EXOCRINA*. Esta función esta representada por la función exocrina del páncreas y las *actividades secretoras del estómago.* Estas son las funciones YANG. Las funciones INN estan representadas por *la SECRECION DE INSULINA*, y por las *funciones DE ASIMILACION DEL ESTOMAGO.* Estas funciones se refieren a las cualidades del estómago de absorver las sustancias puras de los cereales y el agua. Cuando las funciones YANG *estan florecientes, LAS FUNCIONES INN SE DEPRIMEN.* Esta es la causa de la enfermedad. Se trataría de un proceso *de AUTODIGESTION*, o AUTODAÑO. Como resultado final. No confundir con algunos casos, de efectivo autodaño psíquico por factores emocionales.

B) LAS ENERGIAS ALIMENTARIAS.

Los diferentes sabores son capaces de atacar al B-E, ya sea directa o indirectamente. La primera causa *CUANTITATIVA* será el ABUSO EN LAS *COMIDAS*. Este aumento determina un trabajo muy alto en el bazo-estómago con el objeto de poder distribuir las esencias de los sabores. Si en la dieta la ingesta es en exceso de los H.C es decir una transgresión *CUALITATIVA*, ocurrirá una *HIPERCONCENTRACION DEL INN.* Ya que el exceso de sabor dulce (INN) se sumaría al INN natural del Bazo. Esta situación determina una *INHIBICION DEL YANG.* De la misma manera, aunque por otro mecanismo, los sabores ACIDO Y SALADO determinan la misma patología al atacar a la tierra.

C) LAS ENERGIAS PSIQUICAS.

Cada energía psíquica en exceso daña a la actividad del órgano al que se corresponde produciendo una *INHIBICION DEL INN Y UN ESCAPE DEL YANG.* Estas situaciones se producen fundamentalmente en las PREOCUPACIONES-MIEDO-COLERA. Estas tres situaciones son las que más frecuentemente determinan el daño en el B-E.

FISIOPATOGENIA

Si nos atenemos a las determinaciones que imponen los conceptos INN-YANG. Podemos hablar de *DIABETES YANG Y DIABETES INN.* Veamos las diferentes formas más frecuentes de diabetes y su posible tratamiento *DIABETES INN DE ORIGEN PLENITUD DE RIÑON.*

La enfermedad es una consecuencia de una *agresión RENAL* que ocasiona una *PLENITUD DEL RIÑON INN.* La causa más frecuente de esta situación es el ataque de una energía perversa. FRIO. En esta situación, en los riñones el equilibrio INN-YANG de los riñones se altera, ocasionando una plenitud de INN y un VACIO DE YANG... La consecuencia es que el INN del riñón *ATACA AL YANG DEL BAZO*. Esta situación hace que el bazo, ataque al HIGADO, creando en este un aumento del INN y una disminución del YANG. Al mismo tiempo, el YANG de los riñones no puede nutrir al Yang del hígado, acentuando *asi la PLENITUD INN DEL HIGADO*. ES LO QUE SE PUEDE LLAMAR DIABETES REUMATICA.

En la clínica, se manifesta por las alteraciones de la disminución del YANG DEL BAZO.

1) Dolores de cuerpo. 2) Heces pastosas o diarrea. 3) Miembros frios. 4) Astenia general. 5) Plenitud abdominal y borborismo. 6) Lengua amarilla y húmeda. 7) Pulso superficial, débil y lento. O bien, vacío y retardado.

A estos signos del bazo, se deberán de añadir los de los otros dos elementos dañados:

Insuficiencia del riñón Yang. 1) Impotencia. 2) Sensación de frío. 3) Inflamación abdominal. 4) Disnea. 5) Lengua negra. 6) Edema cutáneo generalizado. 7) Diarrea nocturna. 8) Pulso profundo, lento y débil.

Insuficiencia del Yang del hígado. 1) Vértigos y acufenos. 2) Contractura muscular. 3) Parestesias. 4) Migrañas. 5) Tendencia al sueño. 6) Uñas secas y verdosas. 7) Pulso tendido, fino y rápido.

Signos de plenitud del riñón INN. 1) Polaquiuria. 2) Cólicos nefríticos.

TRATAMIENTO

En principio, TONIFICAR EL RIÑON YANG, EL BAZO Y EL HIGADO.

-2-3 R-23V.

-2-3-H.

-2B.

-12H.

-14H.

En este tipo de etiología pueden encuadrarse las diabetes *JUVENILES* Y *SENILES.* Sobre todo en el sentido de las alteraciones de las energías ancestrales. Si bien, deberemos de realizar algunas consideraciones en torno a las manifestaciones de alteraciones congénitas en los paises industrializados, ya que las ingerencias de las comidas y el stress emocional, actuan con frecuencia como mecanismos desencadenadores de la enfermedad.

DIABETES DE ORIGEN ALIMENTARIO.

Es en general el origen terrestre con las divergencias de los cinco sabores las causas que las crean. *SE TRATA DE UNA CAUSA ALIMENTARIA INN.* Las consecuencias de un *DEBILITAMIENTO DEL INN DEL BAZO* OCASIONA UNA PLENITUD DEL YANG. Esta situación ocasiona una disminución del *YANG DE LOS RIÑONES,* lo que secundariamente ocasiona una disminución DEL YANG DEL HI-

GADO, y esta situación, a su vez, crea, *UN NUEVO AUMENTO DEL YANG DEL BAZO EN DEFINITIVA, SE CREA UNA DESTRUCCION DEL YANG DEL HIGADO-RIÑON.*

CLINICA

1.—Plenitud epigástrica.
2.—Dolores y fatiga muscular.
3.—Sensación de cuerpo pesado.
4.—Plenitud y dolor de vientre.
5.—Opresión torácica.
6.—Constipación.
7.—Lengua amarilla y seca.
8.—Pulso profundo-intermedio, ligeramente tenso y amplio.

Insuficiencia del riñón Yang.

1.—Impotencia.
2.—Sensación de frío en la espalda.

TRATAMIENTO

1.—DISPERSAR LA PLENITUD DEL BAZO POR LA TECNICA IU-MU. 20V (T). 13H (D).
2.—TONIFICACION DEL YANG DE LA TIERRA. 36E y 41E. 15-16B Hacen circular la energía en el órgano bazo.
3.—TONIFICAR EL YANG DEL HIGADO. 2H-3H.
4.—TONIFICAR EL RIÑON YANG. 3R-7R-23V-10P.

DIABETES DE ORIGEN PSIQUICO

Además de las diferentes improntas de los siete sentimientos, si nos regimos en exclusiva por la ley de los cinco movimientos...

La insuficiencia del RIÑON INN entraña un exceso relativo del riñón YANG, lo que engendra un exceso del YANG DEL HIGADO... FUEGO MINISTERIAL... Lo que ocasiona un DAÑO SOBRE EL BAZO. El INN del bazo resulta atacado, disminuido, y obliga al YANG DEL BAZO actuar sobre el INN del riñón. Esta progresiva deficiencia del riñón DETERIORA RAPIDAMENTE LA SITUACION DEL DIABETICO.

SIGNOS CLINICOS

Riñón.—Espermatorrea, dolores en la región lumbar, sordera, contractura de miembros, lengua roja. Pulso débil, fino y rápido.

Hígado.— Cólera, Plenitud de tórax, gastralgia, aturdimiento, contracturas musculares generalizadas.

Bazo.—Labios secos. Edema cutáneo, miembros frios, astenia generalizada, tinte amarillo, indigestión, diarrea, HAMBRE, SED.

TRATAMIENTO

ES NECESARIO HACER CIRCULAR LA ENERGIA DE LOS RIÑONES.

a) 5R Punto Xie.

b) 8H Punto HE.
c) 9B Punto HE.

ESTADOS DIABETICOS. PRESENTACION DE CASOS

Dentro de los estados diabéticos que se presentan distinguimos claramente dos situaciones, los estados de antidiabéticos orales y los insulino dependientes.

DIABETES NO INSULINO DEPENDIENTES.

Presentamos 150 casos tratados por un período no inferior a un año y con un seguimiento no mínimo de dos años. Las edades estaban comprendidas entre los 36-78 años. De los cuales 78 eran mujeres y 72 eran hombres. Las variaciones de glucemia oscilaban entre 1,78-2,87. Todos los casos venían tomando antidiabéticos orales derivados de las sulfonilureas. En todos los casos, las cifras de glucemia no lograban normalizarse, dentro de los límites que hemos expuesto. Ningún paciente presentaba alteraciones graves como consecuencia de su estado. Tenían alteracioes de peso, variaciones de la presión arterial, insuficiencia venosa en miembros inferiores e incipientes alteraciones oculares. El número mínimo de sesiones fue de 37, el máximo fue de 59. De los 150 casos, en 97 se consiguió eliminar la medicación y en los restantes se redujo a la mitad de dosis.

PUNTOS EMPLEADOS

Se planteó el tratamiento como una alteración del TAE INN. En este sentido, se empleó el canal de pulmón-bazo.

Pulmón.—Se emplearon sucesivamente y de manera escalonada. 7P-9P-8R.

Bazo.—Se empleó el 2-6-5-Bazo y 21-20 V.

En todos los puntos se emplearon las técnicas de tonificación y en el caso del canal de vejiga, además de emplear la aguja se empleó la moxa.

El ritmo de las sesiones fue de una o dos por semana. Los controles de glucemia se realizaron, al menos una vez por mes.

A todos los enfermos se les sometió a dieta vegetario-macrobiótica.

Sin duda, el empleo de la acupuntura en los procesos de diabetes incipiente, no dependiente de insulina es un instrumento de primer orden en dos sentidos, en la eliminación de la enfermedad y en la prevención de las complicaciones que genera la enfermedad.

La constancia en el tratamiento es un factor importante en la resolución de la enfermedad. Cuando este ritmo se altera las cifras de glucemia son más difíciles de controlar.

Las cifras definitivas en los pacientes que suprimieron la medicción oscilaron entre 0,87-1,10. En los pacientes a los que se pudo reducir la medicación en la mitad, las cifras oscilaron entre 1,12-1887.

Insistimos, como en otros capítulos, que a cada paciente se le añadieron puntos individuales que precisaron por su especial estado energético. TODO TRATAMIENTO EN ACUPUNTURA ES INDIVIDUAL, SI BIEN LA JUICIOSA COMBINACION DE DETERMINADOS PUNTOS DEMUESTRAN SU EFICACIA EN PATOLOGIAS YA ESTABLECIDAS.

DIABETES INSULINO-DEPENDIENTES.

Presentamos 35 casos de diabetes insulino-dependientes. Los enfermos oscilan entre los 7-48 años de edad. Todos los pacientes provenían de centros hospitalarios, y al menos, el tiempo de evolución de su enfermedad era de tres años, hasta un máximo de 18. En todos los casos, la aplicación de insulina era de DOS veces por día. De todos los casos, en siete de ellos se trataron en primer lugar las complicaciones de la enfermedad-cardiopatia isquémica-retinopatia diabetica-insuficiencia venosa, en miembros inferiores. De los treinta y cinco casos en *siete* se consiguió la eliminación total de la insulina. Los 21 casos restantes, disminuyeron la dosis en un 45% de una manera global. De los casos tratados por complicaciones todas ellas se resolvieron de una manera total y permanente. Los controles de glucemia se realizaron al menos dos veces al mes y en 12 casos se realizaron controles diarias. De los siete casos resueltos, dos eran niños y cinco adultos. En estos siete casos todos ellos eran los que menos tiempo de evolución de la enfermedad presentaban. El tiempo medio de tratamiento fue de un año y medio. El seguimiento total fue de tres años. El número mínimo de sesiones fue de 47 y el máximo de 79. El ritmo medio de sesiones fue de dos por semana, con un máximo de cuatro y un mínimo de una cada 15 días.

PUNTOS EMPLEADOS.

20-21V. Los puntos Iu de B-E son de vital importancia en el tratamiento de la diabetes. Se trata de los puntos que podrán ARMONIZAR las funciones de la TIERRA. Se puntura en sentido ligeramente oblicuo hacia la línea media y posteriormente se realiza MOXIBUSTION con una serie de tres moxas directas del tamaño de un grano de arroz. De producirse una pequeña ampolla se dejará descansar el punto, para volver a utilizarlo cuando este se restablezca.

6B. Saninnjiao, es el punto de cruce de los tres INN de las piernas. Su tonificación: se manipula a la aguja de la manera de la tierra hasta obtener una llegada del QI sin que este sea violento. Se manipula por dos ocasiones durante la sesión.

13H.—El MO del Bazo. Fortalece la raiz INN de las actividades del Bazo, como son las secreciones de insulina. Se puntura de manera perpendicular y ligeramente oblicua hacia el 12RM.

Tonificar los riñones. 8 en los casos de claro componente hereditario se deberá de proceder a tonificar los riñones en:

1.—5R. Punto XI.

2.—9R. Punto XI del Inn Keo.

3.—23V. Punto de asentimiento de la energía de los riñones.

Se deberá de aplicar Moxa a la manera del empleo de los Iu de B-E.

Para terminar, queremos presentar el seguimiento completo de un caso de diabetes insulino dependiente resuelto por acupuntura. Lo presenta el Dr. Manuel Sánchez, discípulo de la escuela NEIJING.

SESION CLINICA

MOTIVO DE LA CONSULTA

Varón de 34 años de edad, acude a la consulta para ser tratado de su crónica enfermedad: Diabetes Mellitus.

Refiere el enfermo que en el año 74 después de practicar deporte, sentía una imperiosa necesidad de ingerir alimentos y líquidos, posteriormente aparecen una serie de alteraciones musculares: lumbalgías, dersalgías...etc. de evolución aguda, que llevan al despacho de diversos especialistas, hasta llegar el año 82 en el que consulta también su persistente polifagia y polidipsia. El facultativo prescribe la determinación de elementos hematológicos, entre ellos la cifra de glucemia, la cual presenta la cantidad de 1,35 mg. por ciento, por este motivo se sugiere a este enfermo la necesidad de controlar su alimentación.

Varios meses después y en análisis posteriores las cifras de glucosa eran bastante más elevadas, 3,40 mg. por ciento.

Inicia un tratamiento con antidiabéticos orales y una estricta dieta, para que poco después y por recomendación de otro endocrinólogo, comenzar por administrarse 8 U.I. de Insulina.

Ha sufrido varias crisis hipoglucémicas que soluciona con la ingestión de azúcar.

Actualmente, las cifras de glucosa son de 1,94 mg. por ciento y la de Insulina 12 U.I. diarias.

ANTECEDENTES FAMILIARES

Madre: de joven padeció Pleuritis.

Padre: es miope y ha padecido Pleuritis y Disenteria Amebiana.

ANTECEDENTES MEDICOS

Junto a las enfermedades propias de la infancia, padeció a los 8 años episodios febriles de etiología desconocida, por esta época y en revisión escolar se le practicó el test de tuberculina, resultando positivo.

Años más tarde fue intervenido quirúrgicamente para desbridarle una herida infectada en la rodilla, causada por la caida sobre unos matorrales con abundantes espinas.

A los 16 años derrame de líquido sinovial en ambas rodillas.

Intervenido de Menisco con 23 años, más tarde sufre una luxación de clavícula debido a un accidente de tráfico.

A lo largo del verano del 84, ha padecido una Neuritis Intercostal Herpética y en diversas ocasiones Erupciones en los dedos de las manos que cedían con Fenergan, volviendo a brotar tras el cese de la administración de dicha crema.

A.R. Obstrucción nasal casi permanente.

A.C. Palpitaciones cuando toma 3-4 cafés al día.

A.D. Acidez, a veces Digestiones Pesadas.

Metabolismo: Buen Apetito, a veces Polidipsia.

A.L. A veces molestias en tobillos, muñecas y rodilla derecha.

S.N. Ansiedad, Astenia y refiere tener buen Humor.

Sentidos: Miopía-Astigmatismo. Zumbidos de oídos.

Color de la Tez. Blanquecina-Rojiza.

Aspecto de la Lengua: Roja, sobre todo la punta que a veces pica. Ligera Saburra.

Pulsos: Rápidos, Amplios, Superficiales y Duros.

5 Movimientos: Prefiere el Otoño, el frío, el color verde y el sabor salado. No le gusta la Sequedad.

COMENTARIO

Probablemente haya sido el deporte el desencadenante del problema actual, pues este produce Yang y de ahí la polifagia y polidipsia que presentaba esta persona después del ejercicio brusco. Por tanto lo que ocurre es una Perturbación de los 3 Recalentadores y sobre todo del Recalentador Medio que es el más afectado.

Como consecuencia de la polifagia se produce plenitud de la raiz Inn-BP, que explica las alteraciones de Asimilación, en consonancia con inhibición de la raiz Yang-H (ley de Menosprecio) que aclara las lumbalgías y demás dolores musculares de la espalda que periódicamente viene padeciendo.

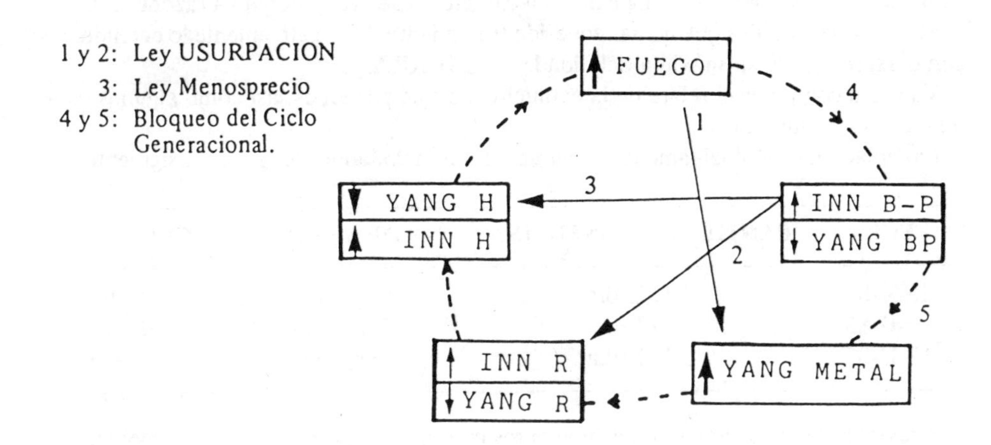

Asi mismo, la propia plenitud B-P origina según el ciclo de Usurpación, la inhibición de la Yang del Riñón, ocasionando las perturbaciones en tobillos, muñecas, rodillas y zumbidos en los oidos.

Por otro lado vemos el padecimiento ansioso, asténico, de obstrucción nasal casi permanente, erupciones en los dedos, que sería aclarado por el hecho de que La Tierra, no Generase a su hijo, Metal.

Las palpitaciones las entendemos como un exceso de Fuego, y el desbordamiento de este (usurpación) en el Metal, junto a la insuficiencia de la raiz Yang del Riñón nos aclara finalmente la reciente Neuritis padecida.

EVOLUCION Y TRATAMIENTO

Ejercicio Moderado: andar 30-60 minutos diarios.

Dieta: La prescrita en cada estación de la Escuela Neijing.

Acupuntura: Tonificar la raiz Yang de los órganos más afectados y para ello, lo mejor son los puntos Iu de la espalda. Concretamente los puntos siguientes:

18V (IU del H5)
20V (IU de B)
21V (IU de E)
22V (IU de TR)
23V (IU de R)

Partiendo con una glucemia de 1,94 mg. por ciento y 12 U.I. de Insulina Novo Lente, comenzamos el tratamiento el día 26-XI-84 con una sesión diaria durante 5 días; determinación de Glucosa: 1,30 mg. por ciento, reducimos la Insulina en 2 U.I.

4-XII-84: comenzamos otra tanda de 5 sesiones en días alternos; Glucosa: 1,40 mg. por ciento volvemos a disminuir otras 2 U.I. y el día 22-XII-84 comenzamos otra serie en días alternos que finaliza con 1,60 mg. por ciento.

El día 14-I-85 utilizaba sólo 6 U.I. de Insulina y tras la última serie de 5 sesiones en días alternos, la glucosa es de 1,38 mg. por ciento.

Su estado general es bueno, actualmente no tiene ninguna sintomatología ni ha sufrido crisis hipoglucemias durante el tratamiento; tan solo y de manera aislada, ha sufrido alguna Reacción Marginal de Angustia, con carácter obsesivo, y debido a razones estresogenas socio-personales que no ha requerido tratamiento. Energéticamente lo entendemos como expresión de su máxima debilidad: LA TIERRA.

Vamos a continuar el relato de la evolución de este pacientes, así como algunos cambios en el tratamiento.

La situación cronológicamente se ha venido desarrollando de la forma siguiente:

FECHA	CANTIDAD DE INSULINA	N.º DE SESIONES	GLUCEMIA
25- I-85	4 U.I./día	5 alternas	1,39
6-II-85	2 U.I./día	5 alternas	1,47
18-II-85	1 U.I./día	3 seguidas	—

Y ahora nos encontramos en los momentos más críticos de esta evolución; hay que cesar la administración de Insulina, pero para ello tomamos una serie de medidas encaminadas a reforzar energéticamente los órganos y las vísceras. Para administrar Energía a los fu y los zang, la Medicina Tradicional dispone de otra técnica, la Moxibustión.

Pues bien, nuestro paciente decíamos que tenía calor en el exterior, tez roja, que la raiz Yang de Bazo, Riñón e Hígado estaban disminuidas... etc..., por todo esto pensábamos que existía frío interno, es decir, exceso de Inn, y con la utilización de los puntos Shu de la espalda tonificábamos el Yang directamente, ahora vamos a administrar Energía pero esta vez ayudados por la Artemisa, que entre otras cualidades tiene el poder de extraer la energía Yang del Inn. Precisamente los textos antiguos dicen que es mejor moxar que punturar los puntos Shu. Por esto nosotros vamos a moxar y a punturar.

Pero bien, antes de realizar ambas técnicas, hemos seleccionado una serie de puntos con unos fines. Veamos:

12RM Zhongwan «Estómago Central». Para Chanfrault «Mar de los alimentos». Punto MU del estómago, que va directamente a la raiz Inn, por tanto estamos equilibrando o tratando de equilibrar las raices Inn-Yang del Estómago, esta última con el punto 21 V (Shu de la espalda).

Otra cualidad de este punto es que aumenta la síntesis global de energía en el individuo, obviamente nos va a ser muy útil.

También es punto MU de las Vísceras, y punto Maestros del Recalentador Medio, el más debilitado de los recalentadores.

Hay algo que no podemos olvidar y es el gran componente hereditario de la Diabetes; a través del canal de Rm fluye la energía Ancestral, lugar donde estamos actuando para purificar este caudal, ya que va a influir en el desarrollo y funcionalismo celular. Por esta razón junto a Zhongwan elegimos LIEQUE «Desfiladero», punto de apertura de este Vaso Maravilloso.

13H Zhangmen «Puerta Grande». Punto MU de Bazo-Páncreas, va directamente a la raiz Inn, y equilibramos el Inn-Yang. También este es punto Mu de los órganos.

2B DADU «Gran Ciudad». Punto Iong. Es un punto Fuego que va a generar a su hijo, La Tierra.

4TR YANGCHI «Estanque del Yang». Punto Yuan correspondiente al movimiento Madera que recoge la energía del Maestro del Corazón y que nos sirve para tratar la labilidad psíquica, así como para coordinar el metabolismo-estabolismo global del individuo. Punto muy importante en el tratamiento de la Diabetes.

FECHA	INSULINA	GLUCEMIA	OBSERVACION
27- II-85	1 U.I./día	—	
28- II-85	1 U.I./día	—	
1-III-85	NO SE INYECTO	—	
2-III-85	” ” ”	—	
3-III-85	” ” ”	—	
4-III-85	” ” ”	—	
5-III-85	” ” ”	—	
6-III-85	” ” ”	1,53	
7-III-85	” ” ”	—	
8-III-85	” ” ”	—	Se encontraba cansado
11-III-85	” ” ”	1,49	
13-III-85	” ” ”	1,92	
19-III-85	” ” ”	1,43	
25-III-85	” ” ”	1,31	
4-IV-85	” ” ”	—	
5-IV-85	” ” ”	—	
6-IV-85	” ” ”	1,86	En dos ocasiones sintió sudoración leve
12-13-14 de abril-85		1,65	
20-21-22 de abril-85		1,53	

SINTESIS DEL TRATAMIENTO

Acupuntura: 12 Rm, 7P, 13H, 2B, 4TR, durante 10 minutos. El hecho de que sean 10 minutos se debe a que este enfermo habita en un lugar donde el sol pasa gran parte del año, y por esto la Energía se encuentra más superficial, por lo cual con este tiempo es suficiente; si nuestro enfermo viviera en un lugar frío habría que dejar más tiempo las agujas para contactar de manera eficiente con Qi.

Pasado este tiempo punturamos 18V, 20V, 21V, 22V, 23V, también durante 10 minutos y procedemos a moxar estos últimos puntos.

Oligoelementos: Ampollas de Cinc, Niquel y Cobalto, una antes del desayuno tres días en semana.

Ejercicio físico: Caminar de 30-60 minutos/día.

Dieta: Cuando comenzamos el tratamiento era Otoño por tanto se prescribió la alimentación correspondiente a esta estación que consiste:

Verduras: Coliflor, Repollo, Ajos, Acelgas, Cebollas, Rábanos, Endivias, Puerros, Espárragos, Calabacín, Berenjena, Lombarda, Lechuga. Cocidas o crudas, con poca sal y poco aceite.

Cereales: Arroz Integral, 3 veces por semana.

Legumbres: Cocidas sin grasa, 1 vez por semana.

Carnes: Pollo, cocido o a la plancha, 1 vez por semana.

Pescados: Blancos cocidos o a la plancha una vez por semana.

Pan: Pan integral en poca cantidad.

Lácteos: Leche descremada, yogourt, kefir, quesos frescos (Burgos y Villalón), Roquefort y Cabrales.

Aceite: De Maiz en poca cantidad.

Frutas: Melón, Manzana, Pera. Una pieza por cada comida principal.

Agua fuera de las comidas. No Alcohol ni Dulces. Utilizar Sal Marina.

Posteriormente, llegó el Invierno y viendo la evolución positiva consideramos oportuno ampliar cualitativamente la dieta.

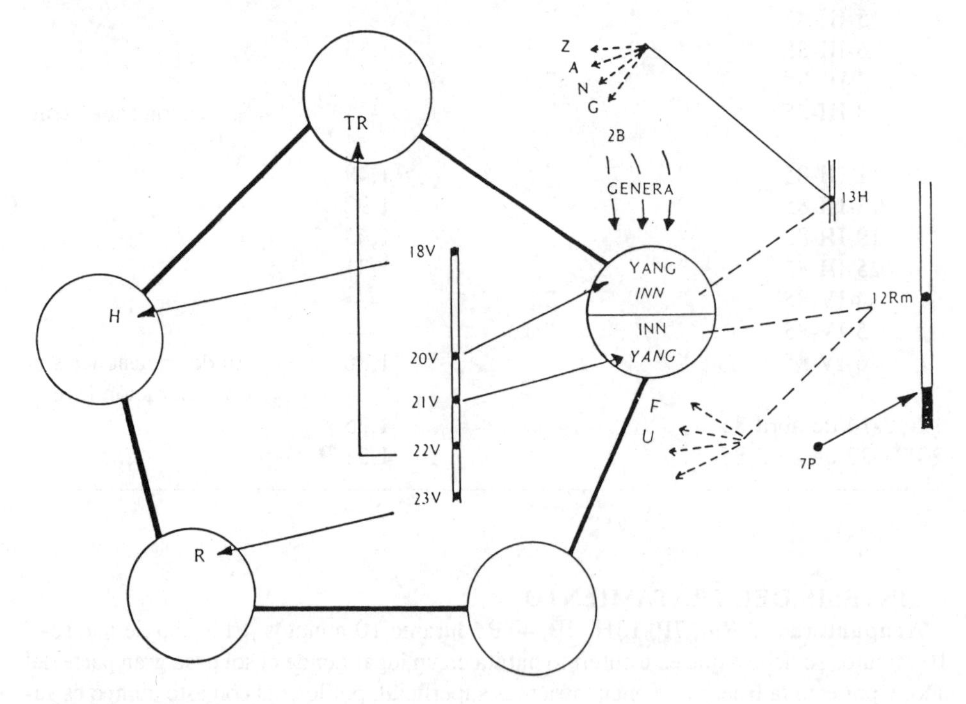

Carnes: Caballo o Cerdo.

Verduras: Todas.

Pescados: Gambas, Cigalas.

Frutas: Las propias de la estación.

RECORDEMOS

Se trataba de un enfermo con 34 años de edad que comenzó padeciendo dolores en columna vertebral, más tarde polifagia y polidipsia y en el transcurrir del tiempo su glucemia llegó a 3,40 mg.

En el año 82 inicia tratamiento, primero con antidiabéticos orales y después con Insulina. Cuando inició la terapia acupuntural el día 26-XI-84, se inyectaba 12 U.I. de Insulina y su Glucemia era de 1,94 mg.

¿COMO SE ENCUENTRA?

Antes de cada sesión acostumbro a formular esta pregunta al protagonista de esta historia y la respuesta repetida desde hace tiempo es: «Muy bien y muy contento». Desde que iniciamos el tratamiento los aspectos laborales, familiares y sociales se han desarrollado dentro de la normalidad. No ha habido problemas importantes, salvo pequeños contratiempos, reseñados en líneas anteriores, y que a continuación detallamos.

Cuando iniciamos las 10 sesiones seguidas con el fin de abandonar definitivamente la Insulina, durante los últimos días reflejaba astenia, algo lógico si tenemos en cuenta la gran movilización energética que supone este tratamiento.

También en un par de ocasiones y recientemente ha sentido mareos y leve sudoración que han remitido inmediatamente con la ingestión de una rebanada de pan integral: hipoglucemia consecuencia de la funcionalidad del Páncreas, en su intento de restablecer el equilibrio perdido.

Pérdida ponderal de 8 Kg.

En definitiva se puede afirmar que su estado es satisfactorio.

COMENTARIO GLOBAL.

Sabemos que la persona diabética esta condenada con el paso del tiempo, a la atrofia progresiva de sus células pancreáticas y a lesiones tisulares en los diversos sistemas y que esto ocasionará un acortamiento de su longevidad, así como disminución en la calidad de vida.

Los tratamientos químicos estan enfocados para paliar síntomas y signos, pero este es un objetivo erróneo, ya que existen distintos medios capaces de restaurar la salud.

Las aportaciones de la M.T.C. en el tratamiento de la Diabetes es de un valor incalculable, y a la vista estan los numerosos estudios que sobre el tema existen.

PRONOSTICO

Cualquier proceso morboso necesita un tiempo para pasar desde el exterior al interior del organismo; igual sucede cuando se produce la evolución hacia la curación, que la Energía va haciendo al mismo recorrido, pero a la inversa. Pues bien, esto creemos que esta sucediendo; estos aumentos y disminuciones leves de glucemia, se deben a que la energía y la sangre están tratando de restablecer el equilibrio perturbado de órganos y entrañas. Y digo tratando porque en su intento unas veces trabajan más y otras menos, pero en definitiva y es lo importante sabemos que este páncreas esta trabajando, y ahora se trata de ayudarle a restablecer su normal funcionalidád.

Esperamos que muy pronto la glucemia disminuya por debajo de 1 gr. y podamos alargar el tiempo entre sesiones con miras a finalizar el tratamiento en el próximo Otoño.

SEGUIMIENTO DE UN CASO DE DIABETES MELLITUS TRATADO POR ACUPUNTURA

La evolución de nuestro paciente en cuanto a cifras de glucemia y ritmo de sesiones se refiere es la siguiente:

SIN INSULINA	
Día de la sesión	**Glucemia en mg%**
28-29-30-IV-85	
6-7-8-V-85	1,53
14-15-16-V-85	1,39
22-23-24-V-85	1,43
29-30-31-V-85	1,34
15-16-17-18-19-20-21-VI-85	1,32
4-5-6-VII-85	1,18
17-18-19-VII-85	2,03
24-25-26-VII-85	1,18
1-2-3-VIII-85	1,43
14-15-16-VIII-85	1,55
4-5-6-IX-85	—
11-12-13-IX-85	1,69
1-2-3-X-85	2,03
9-11-15-17-X-85	1,48
19-21-23-25-27-29-X-85	1,43
1-2-3-XII-85	—
29-30-31-XII-85	—
21-22-23-I-86	1,30

Tratamiento: Puntura.

12RM, Zhongwan, Estómago Central.
13H, Zhangmen, Puerta Grande.
4TR, Yangchi, Estanque del Yang.
2B, Dadu, Gran Ciudad.
7P, Lieque, Desfiladero.

Puntura y moxibustión de:

18V, Ganshu.
20V, Pishu.
21V, Weishu.
22V, Sanjiaoshu.
23V, Shensu.
Oligoelementos:
Zinc, Niquel y Cobalto, días alternos.

Alimentación:

La cualidad de la dieta es libremente elegida por el paciente desde agosto, en contra de nuestro parecer, ocasionalmente fritos, alcohol y dulces, aunque predominan los cereales, las verduras y el pescado. Dice el Neijing que en el sur hay que comer pescado.

La cantidad también es regulada por el enfermo manteniendo los 8 kg. de pérdida ponderal, pero a cambio posee una vitalidad excelente.

Clínica:

El aspecto clínico es envidiable, ningún síntoma, buen humor, ganas de trabajar, duerme bien, etc...

El aspecto de la lengua es normal, el color de la tez es rosado, el pulso ha ido variando su cualidad durante las distintas estaciones y también ha respondido al cambio brusco del clima. La exploración del Samli (10IG) y del Chong Yang (42E) nos da la idea de que la energía global del individuo es buena.

El ritmo de tratamiento que vamos a seguir con este paciente será de tres sesiones mensuales, a la espera de la total normalización de las cifras de glucemia.

Con este artículo damos por finalizada esta historia clínica, que nos muestra claramente la acción de la Medicina Tradicional China en el tratamiento de la Diabetes Insulino Dependiente.

XI. PATOLOGIA PULMONAR

Y se respira a la vida o se respira a tristeza o se respira añoranza... O se respira... armonía... las pocas veces... no obstante... no sólo se respira aire... eso, eso, es lo de menos...
Y lo mejor de todo, es que nadie puede hacerlo por ti... aunque... en la excepción del amor puede suceder

XI. PATOLOGIA PULMONAR

INTRODUCCION A LA PATOLOGIA PULMONAR. SIGNIFICADO Y FUNCION DEL PULMON.

Las afecciones pulmonares son en nuestras ciudades industrializadas una de las lacras sociales más importantes. Debemos expander nuestro criterio y añadir que a partir de las afecciones pulmonares en ocasiones banales, se expande la incapacidad de oxigenación de todo el organismo, que con el paso del tiempo se convierte en un sin número de enfermedades graves, muchas de ellas de carácter degenerativo. Detengámonos un instante en el significado del pulmón-sequedad-metal en la M.T.C. Según los textos tradicionales, el pulmón es *EL MAESTRO DE LA ENERGIA.* ¿De dónde procede esta afirmación? De todas las energías que precisa nuestra estructura para culminar su proyecto de vida, dos son las más centralizadoras. Las energías de los alimentos, de la tierra y la energía del cielo, el oxígeno. De las dos, si pretendemos establecer una escala de valores, sin duda la energía del cielo es una energía más *PERENTORIAMENTE NECESITADA.* Una persona puede permanecer muchos días sin comer, pero puede permanecer muy pocos minutos sin respirar. Los procesos de asimilación alimenticia son lentos y prolongados, los procesos de oxigenación son *RAPIDOS-INTENSOS E INCESANTES.* Sin duda se trata de procesos diferentes en cuanto a la funcionalidad dentro del organismo. Con estas comparaciones entre los dos procesos de asimilación de energía queda claro que la energía más *volátil e imperceptible* es la energía absolutamente imprescindible en los procesos de elaboración de la vida. El maestro de la energía es sin duda un atributo bien asignado... Sigamos... ¿dónde se realizan exactamente los procesos de respiración? Sin duda, no solo en el pulmón, este es el primer filtro imprescindible... *LA RESPIRACION SE REALIZA EN CADA UNA DE LAS CELULAS DE NUESTRO ORGANISMO.* El pulmón es el proporcionador de esa materia prima que es el oxígeno igualmente es el propulsor de la energía de intercambio que está constituida por el anhídrido carbónico. Sin duda, la responsabilidad de ser el surtidor de la energía del cielo a cada una de las unidades vivas de nuestro organismo se eleva a la categoría de MAESTRO. Pienso que estas explicaciones son suficientemente claras en el sentido de aclarar la frase... Maestro de la energía... Pero fíjense en la cantidad de implicaciones que se deducen.

La ordenación de todos los procesos de oxigenación-anhídrido carbónico son guiados por la sabiduría del maestro PULMON. Con este básico elemento podemos deducir una infinidad de procesos en los que se encuentra comprometida la oxigenación celular. Si nos fijamos en la constitución de los meridianos unitarios nos encontramos con la más completa armonización de los sistemas de alimentación. El *TAEINN* reune en un solo meridiano las necesarias condiciones de mantenimiento del sistema. Uno aporta la sustancia y el otro se encarga de la distribución asimilación. No se puede pedir más. La aparente ensambladura energética se hace compleja y a la vez tremendamente enriquecedora y más... Se nos presenta con unos conocimientos del desarrollo energético incomparables.

La sequedad es el soporte generador que surge como consecuencia de lo inmaterial, de la orientación OESTE. ¿Cómo conceptuar el significado y función de la sequedad en la dinámica de los cinco movimientos; en la interacción del INN-Yang? Se trata de una pregunta muchas veces formulada en ningún texto contestada y siempre huida por los maestros Chinos. El fuego-viento-humedad-frío, tienen multitud de atributos y caracterizaciones. En torno a la sequedad se guarda un respetuoso silencio. Vamos a intentar esclarecer el papel de la sequedad.

Todos los procesos de nacimiento-desarrollo y transformación que se suceden en nuestro organismo precisan de la presencia de las intertransformaciones del binomio AGUA-HUMEDAD.

Las transformaciones de humedad... Agua... Agua... Humedad según las necesidades del organismo son un elemento de importancia capital. Si no se cumplen los procesos de lubricación proporcionados por la humedad, nuestro organismo sería una ruidosa maquinaria incapaz de soportarse asi misma... Pero es necesario un *TERCER VECTOR QUE CATALICE LAS INTERTRANSFORMACIONES DEL AGUA-HUMEDAD-AGUA. ESTE TERCER VECTOR ES LA SEQUEDAD.* El maestro de la energía es capaz de MOVILIZAR LOS LIQUIDOS, y en ese acto de movilización se incluyen también las acciones de SECADO de los procesos de combustión que se generan en las reacciones. Mantiene esta *sequedad* los líquidos en los lugares correspondientes. Dentro del papel impulsor de los líquidos que desempeña la energía y que por tanto implica movimiento, *la sequedad se caracteriza por su estatismo* y la posibilidad de DEJAR *QUE ANDEN EN SU LUGAR*, el espacio que se genera en torno a su acción puede ser ocupado por las demás energías. Para mejor comprender estos mecanismos, recordemos las cualidades de las materializaciones de cada movimiento.

El frío. Tiende hacia la contracción y descenso.

El viento. Es el movimiento por excelencia. Se trata del propulsor de todas las demás energías. Tiene su propio sentido y el que les posibilita como transportador del frío-humedad-calor-sequedad. Es el centro dentro de la dinámica de las seis energías, tanto exógenas como endógenas.

El calor-fuego. Se manifiesta en la expansión y en el ascenso. Su función se completa en la consumación.

Humedad. Sus acciones son sinónimo de PENETRACION. Se trata de un elemento omnipresente que en todos los acontecimientos aparece.

Sequedad. Como decíamos antes, su virtud es la quietud y la posibilidad de ser ocupada por otras energías.

La acción de la sequedad posibilita que el agua y la humedad no invadan todas las estructuras, posibilita igualmente que el fuego no sea destructor. Finalmente, controla las intemperancias del viento.

La sequedad proporciona las cualidades indispensables para que se garantice la calma-quietud de los sitios adyacentes de la HUMEDAD-FRIO.

Siendo el aire que posibilita la combustión, ésta *es controlada,* actua como *INDUCTOR-INHIBIDOR.* Esta doble función de la sequedad nos demuestra la capacidad de la energía del cielo en su papel de *CREADOR-TRANSFORMADOR-MUTACION.* Si la sequedad es excesiva, las funciones del fuego son exuberantes, la materia se deseca, las superficies se cuartean. Este puede ser el principio del fin. Curiosamente, en este doble papel del PULMON-METAL-SEQUEDAD, se da la ambivalencia más evidente. Por una parte en el pulmón se determina el comienzo de la vida. La respiración marca la independencia del nuevo ser... Pero también... La pérdida de control por parte de la sequedad hace posible la consumación por el fuego. Esta doble vertiente de la dinamicidad del pulmón le confiere la facultad de la independencia biológica y mutación cósmica.

Resaltemos una vez más, aunque de otra manera, la importancia que tiene la sequedad como factor de equilibrio entre la humedad y el fuego. Las alteraciones de más o menos de la sequedad irritan al fuego, el cual tarde o temprano termina por activarse y provocar la combustión. Fíjense, entonces, la importancia que desarrolla la sequedad en el sentido de tener que permanecer en equilibrio constante si se quiere mantener la humedad-fuego en su lugar. Con los otros agentes este equilibrio resulta menos impositivo. Los efectos son más tardios en aparecer. En el caso de la sequedad son inmediatos. Toda variación en los gradientes de sequedad son motivo para modificar los ritmos respiratorios, los volúmenes de aire manejados, los valores de intercambios gaseosos, etc, etc.

La patología respiratoria es la patología de la energía, por tanto es como decir, toda la patología del organismo.

En toda afección se presenta un trastorno de energía, en un principio, en el medio o al final, la energía del pulmón se encuentra presente. El binomio sangre-energía es subsidiario en último término de los dominios o influjos de la energía. Podemos incluso llegar más allá, afirmando que en todas las afecciones se *pueden y deben* de emplear los puntos del canal del pulmón. Esta consideración energética nos debe de hacer recapacitar sobre la importancia del empleo de los puntos del canal del pulmón. No son de acción exclusiva del órgano pulmón. Si se efectua un detallado examen de los puntos del meridiano, nos percatamos que en sus significados, funciones y conexiones, encontramos muchas posibilidades de acción. En un estudio publicado en nuestra revista sobre las irrigaciones energéticas del pulmón se pueden deducir importantes consideraciones terapéuticas. Insistiremos sobre ello al hablar de otras patologías.

En la configuración energética de los tres fogones, el pulmón ocupa el lugar de privilegio del calentador superior. Sobre la formación de este fogón se han barajeado una serie de posibilidades. Para algunos autores el fogón superior es competencia exclusiva del pulmón, otros piensan que se compone del pulmón-corazón, y finalmente otros incluyen, además, el maestro del corazón. Nuestras reflexiones, en razón a las funciones de los fogones nos hacen pensar, que, aunque el corazón y la función de su maestro se encuentran en territorio del fogón superior, se deben de encuadrar en otro significado. Si reparamos en las representaciones energéticas del fogón, nos percatamos de que su representación se trata de un caldero que se encuentra sometido a las influencias del fuego. En este simbolismo la combustión del calor sería patrimonio de la activación del aire... En todo caso, como un elemento más de combustión se debería incluir el maestro de corazón... Pero esta situación no es del todo clara, por otra parte la función de propulsión de la sangre por parte del corazón nos podría hacer pensar en situaciones de fuego... No es asi... El órgano en definitiva que mejor se acerca a los fenómenos de combustión propuesto por los tres fogones, es sin duda el PULMON.

XII. CEFALEAS

XII. CEFALEAS

La denominación de los dolores de cabeza dentro del cuadro general de las cefáleas es una generalización útil en la descripción de estas entidades que tanto invalidan la vida de los que la padecen.

Jaquecas-migrañas-hemicráneas. Todas estas entidades las encuadraremos dentro de las cefáleas. Haremos los incisos precisos cuando las necesidades lo obliguen, con el fin de aclarar alguna explicación oscura.

Esta generalización procede la diferente concepción que tiene la M.T.C. sobre los diferentes dolores de cabeza.

Sin duda se trata de un cuadro que obedece al desajuste de múltiples factores, todos ellos de aparente desconexión, pero que se encuentran íntimamente unidos en razón a los desequilibrios energéticos.

Desde el punto de vista de la M.T.C., las cefaleas, jaquecas, migrañas... No constituyen entidades aisladas, sino que son la consecuencia del desequilibrio de los órganos y entrañas. El sentido «idiopático» de las afecciones no existe. Es producto de la miopía del terapeuta.

En el presente estudio excluimos las cefáleas de origen o sustrato orgánico que le daría inmediatamente la razón del síntoma. Véase dolores de cabeza por tumor cerebral, por hidrocefalia, por compresiones traumáticas, etc, etc. En todos los casos que incluimos no existe ninguno con este tipo de patología que justifique el síntoma. En todos los casos se habían exceptuado estas posibilidades. Todos los pacientes habían sido cuidadosamente estudiados y en el diagnóstico se constato la independencia de los síntomas con cualquier afección grave.

En todos los casos se habían agotado todos los medios en el mercado farmacológico para aliviar el dolor.

¿Cuáles son en síntesis las causas de las cefaleas?

1.—Trastornos en la circulación del QI.
2.—Estancamientos de sangre.
3.—Bloqueos de energía.
4.—Ascensión de la flema con bloqueo de los orificios.
5.—Ascensión del yang del hígado.
6.—Movilización del viento endógeno.

7.—Bloqueo parcial del yang de la cabeza.

8.—Insuficiencia de sangre energía.

Esas suelen ser el sustratato más frecuente en donde asienten este tipo de síntomas.

Las múltiples posibilidades en que se pueden desarrollar las cefáleas queda vista en la importancia que le conceden los textos tradicionales, al consagrar el LINGSHU (cap. XXIV) un capítulo a esta afección. Este detallado estudio * esclarece frecuentes causas de cefáleas que suelen ser refractarias al tratamiento. Se trata sin duda de una manera elegante de plantear este problema. Reproducimos estos planteamientos por considerarlos muy importantes a la hora de diferenciar y catalogar el tipo de cefáleas que vamos a tratar.

En el capítulo XXIV del Nei King. Ling Shu, leemos:

PERTURBACION DE LA CIRCULACION DE LA ENERGIA

(Energía que no circula, que se estanca y energía contra corriente).

«Las perturbaciones de la circulación de la energía provocan los males de cabeza, la cara parece hinchada y el enfermo tiene la sensación de que la energía sube, hay malestar en el corazón; en este caso es preciso punturar los meridianos Tsou Yang Ming (estómago) y Tsou Tae Inn (bazo)».

Analizamos este párrafo y vemos:

Etiología:

a) Energía que no circula.

b) Energía que va contra corriente.

Sintomatología:

a) Rostro hinchado.

b) Sensación de que la energía sube hacia arriba.

c) Malestar en el corazón.

Tratamiento:

Punturar el Estómago y el Bazo.

Explicación: Si la energía no circula, o bien, va contra corriente aparece hinchazón del rostro, puesto que la energía al no circular, se estanca. La sensación de que la energía se remonta hacia arriba es demostrativo de que va contra corriente. Y el malestar en el corazón se refiere a que existen trastornos a nivel del TR Superior (bloqueo).

Se eligen los MP de E y de RT:

—Por la topografía energética.

—Porque tanto el E como el Rt son Receptores y transformadores de la energía, y sabiendo que hay trastornos en la circulación de la energía, es lógico actuar en estos dos meridianos.

ESTOMAGO .... RECEPTOR
BAZO .... TRANSFORMADOR

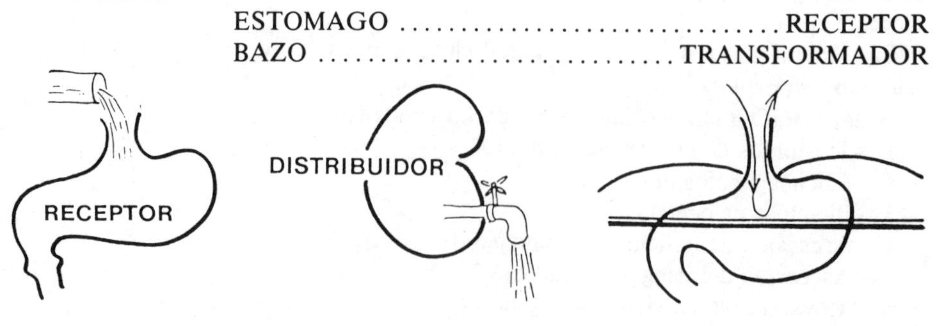

En el MP de E podemos actuar:

Localmente: en los puntos Sing lap (1 E Vaso de las lágrimas), Sen Po (2 E, Cuatro blancos) Tchre Liou (3 E, Hueso grande), Ta Ying (5 E, Gran acogida).

A distancia: En el Tsou Sann Li (36 E, tres distancias). Es el punto Ho del MP de E. Participa en la transformación de los alimentos a nivel del estómago.

En el MP de Rt podemos actuar:

A distancia: en los puntos Inn Po (1 Rt, Blanco escondido) para atraer a su sitio a la energía. En el Tae Tou (2 Rt, Gran ciudad) que es el punto de tonificación del Rt.

Y también a nivel del 17 Rt (Tche Teou, Apertura alimentaria o Recipiente para comer). Este punto favorece la asimilación de los alimentos y los transforma correctamente en energía.

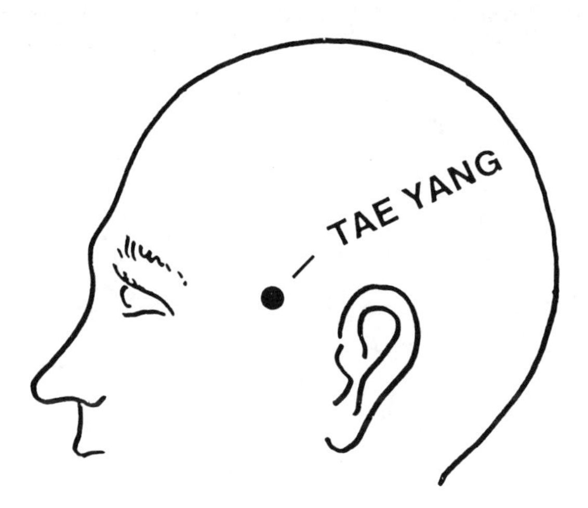

El llanto y los quejidos con características del movimiento MADERA. Además del MP hace un recorrido topográfico - energético cefálico. El dolor es temporal con estancamiento de sangre y el hígado distribuye la sangre.

Actuamos en el MP de F:

«En las migrañas con dolores a nivel de las arterias temporales, con llantos y quejidos, se puntura sobre la arteria en plenitud y se hace sangrar, después regular la energía con el punto del meridiano Tsou Tsiue Inn (hígado)».

Analizamos este párrafo:

Sintomatología: Son migrañas con dolor temporal, llantos y quejidos.

Tratamiento: Sangrar arteria temporal y regular en el MP de F.

Explicación: El hecho de sangrar la arteria temporal después de haber punturado es realizar una dispersión de la energía a ese nivel. El lugar en el que se realiza la puntura y sangría es en el punto curioso: TAE YANG (Yang Superior), que se localiza en medio de una línea trazada entre el final de la cola de la ceja y el nacimiento temporal de los cabellos.

A distancia: En el punto 3 (Tae Tchrong, Asalto supremo). Es el punto Source. Se puntuará en dispersión.

«En las migrañas con sensación de cabeza muy pesada, con dolor localizado en un punto fijo, se punturan los cinco puntos de la cabeza del meridiano de Tsou Tae Yang (vejiga), Wou Tchu (5 V, Cinco regiones): Sing Koang (6 V, Gran Herencia); Tong Tienn (7 V, Hacia el cielo); Loc Kneoc (8 V, Fin de los vasos), Iou Tcham (9 V, Almohadon de jade) y después los puntos del meridiano Cheou Chao Inn (corazón) y Tsou Chao Inn (riñón).

Analizamos el párrafo:

Sintomatología: Cabeza muy pesada. Dolor en punto fijo.

Tratamiento: Punturar 5, 6, 7, 8 y 9 de V y puntos del MP de C y de R.

Explicación: El síntoma de cabeza muy pesada es un síntoma típico de Corazón. El dolor en punto fijo es un «stop» de energía que suele producir calor y se combate con frio. De tal manera que se busca un equilibrio entre el C y el R (movimientos Fuego y Agua). Los puntos de V son locales y deben de punturarse en dispersión.

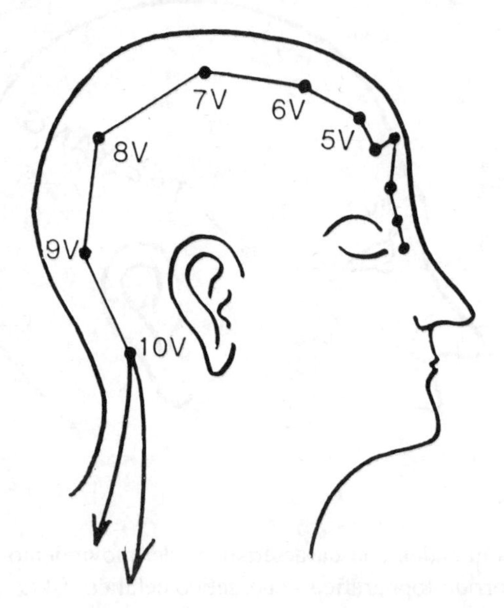

«En las migrañas con pérdida de memoria, sin localización fija del dolor es necesario punturar los puntos sobre la arteria de la cabeza de los dos lados (sobre el meridiano de estómago (*), y a continuación los puntos del meridiano de Tsou Tae Inn (bazo)».

Analizamos este párrafo:

Sintomatología: Pérdida de memoria, dolor sin localización fija.

Tratamiento: Punturar puntos sobre la arteria de la cabeza de ambos lados. Y a continuación el MP de Rt.

Explicación: La pérdida de memoria es un síntoma muy significativo de afección del movimiento Tierra (Rt-E).

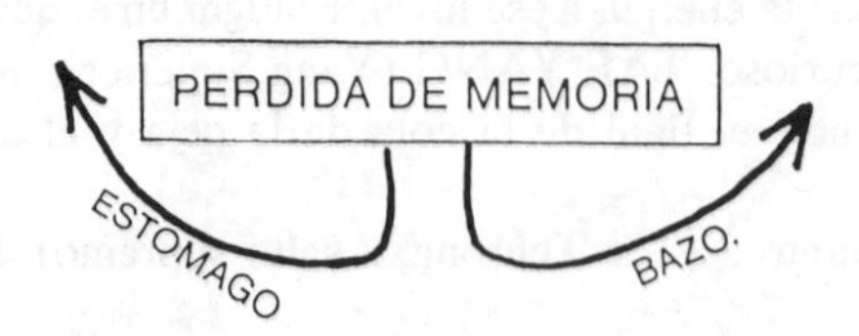

El punto 9 E recibe el nombre de «Acogida humana» (Jen Inn). Se encuentra en el cuello, sobre el borde anterior del esternocleidomastoideo, sobre la carótida externa, a una distancia 1/2 del punto 23 JM.

El 9 E es un punto llamado «Ventana del cielo». Estos puntos son capaces de restablecer ciertos trastornos circulatorios cerebrales atribuidos a fallos en la circulación de la Energía Inn y Yang. Son puntos que permiten un equilibrio entre la sangre y la energía. Restablecen el equilibrio (Inn-Yang = Sangre-Energía) en la circulación cerebral.

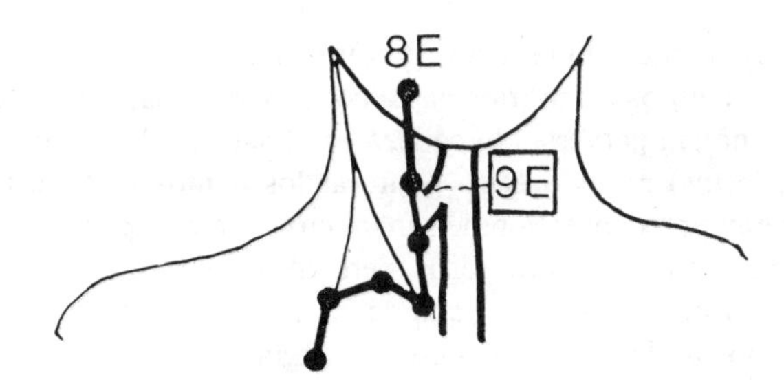

Estos puntos son los siguientes:
9 E - 10 V - 3 P - 18 GI - 16 TR
Son puntos de urgencia.

La puntura del 9 E se debe de hacer hasta la capa superficial de la carótida, y observando que la aguja comienza a latir.

El punto del MP de Rt sería el punto de tonificación del MP de Rt, que es el 2 Rt (Tae Tou, Gran ciudad).

«En las migrañas precedidas de dolores en la nuca, la crisis comienza por los dolores en la nuca, para descender a continuación por la columna vertebral y riñones, en este caso es preciso punturar el punto Tienn Tchu, 10 V (Columna celeste), para regularizar la energía sobre este mismo meridiano».

Analizamos el párrafo:

Sintomatología: Pródromos: Dolores de nuca.

A continuación: dolor que se irradia por la columna vertebral hasta los riñones.

Tratamiento: Consistente en punturar el 10 V y regular la energía de la vejiga.

Explicación: El dolor que se describe en el párrafo va siguiendo al MP de Tsou Tae Yang (V) pero contra-corriente. El tratamiento es lógico puesto que el 10 V es un punto que se encuentra localizado a ese nivel donde el dolor comienza. Y a continuación se trata de armonizar el Inn y el Yang de la energía de la Vejiga. Se intenta purificar su cualidad. Para ello se empleará el punto 64 V (Tong Kou, Hueso capital). Este punto es el punto Fuente del MP de V. Los puntos fuente son puntos reguladores.

«En las migrañas con dolores atroces, las arterias situadas delante y detrás de las orejas muy tensas; es preciso dispersar y hacer sangrar, a continuación se punturan los puntos del meridiano Tsou Chao Yang (VB)».

Analizamos el párrafo:

Sintomatología: Dolores muy fuertes, atroces.

Tratamiento: Arterias periauriculares muy tensas. Se deben de dispersar y hacerlas sangrar. Se eligen puntos del MP de VB.

Explicación: Debemos de explorar las zonas periauriculares (pre y retroauriculares) buscando las arterias congestivas en esa zona de VB.

La VB se caracteriza por ser la depositaria del dolor. Por ello ante cuadros dolorosos atroces, muy fuertes debemos de pensar en VB.

Elegimos el 20 VB (Fong Tcheu, estanque del viento) como punto local.

33 VB (lang Koann, Barrera del Yang). Por ser un punto barrera, desbloqueador.

38 VB (lang Fou, Apoyo del Yang), por ser el punto de dispersión (King) de VB. Así dispersamos la energía pletórica de VB en la zona de la cabeza.

En las migrañas realmente debidas a una perturbación grave de la energía, todo el cuello es doloroso, los miembros están fríos hasta codos y rodillas, esta afección es mortal. (Hay un ataque de energía perversa, la cabeza es el asiento del Yang supremo).

En las migrañas (estas) no es preciso punturar los puntos Iu de los órganos. Es lo mismo que cuando hay una congestión de sangre en una cierta parte del cuerpo: se puntura y se hace sangrar a los puntos dolorosos, pero no se punturan los puntos Iu de los órganos, pues estos trastornos no tienen nada de común con los trastornos orgánicos, no son más que trastornos de la circulación de la energía».

Analizamos el párrafo:

Sintomatología: Cabeza dolorosa. Miembros helados. Alteración **mortal**.

Tratamiento: No viene descrito en el Nei King, precisamente porque es un disturbio mortal.

«Si las migrañas son debidas a una atonía persistente de la circulación de la energía, no se puede aplicar el mismo tratamiento. No se podrá obtener una curación completa si existen crisis diarias, no se podrá obtener más que un alivio, pues el Pei, atonía crónica, es la consecuencia de un ataque de la energía perversa del Viento (Fong), frio, etc..., que penetra en los músculos».

Analizamos el párrafo:

Sintomatología: Dolores persistentes. Dolores diarios.

Explicación: Cuando hay una energía perversa (frío, viento, etc) instalada en el organismo ocurre un enlentecimiento de la energía esencial. Y las mejorías son ligeras, porque la energía perversa es muy violenta y ha perturbado a la energía esencial.

«En la hemicránea dolorosa, es preciso punturar en principio el Cheou Chao Yang (TR) y el Cheou Yang Ming (Gl), después el Tsou Chao Yang (VB) y Tsou Yang Ming (E)».

Analizamos el párrafo:

Tratamiento: Punturar. TR - Gl y VB - E.

Explicación: Está describiendo un tratamiento topográfico de la hemicránea en general. Como puntos locales elegiremos:

23 TR - 20 Gl - 20 VB -5 E

Como puntos a distancia:

3 TR - 4 Gl - 34 VB - 36 E

CUADRO DIAGNOSTICO - DIFERENCIAL DE LAS CEFALEAS

(Según el capítulo XXIV del N. K. Ling Shu)

Sintomatología	Diagnóstico	Tratamiento
Rostro hinchado Molestias cardiacas Sensación de que sube la energía	Alt. de Rt-E	Local: 1, 2, 3 y 5 E Distancia: 36 E 1,2 y 17 RT
Dolor temporal Llantos, quejidos	Alt. de H	Distancia: 3H
Cabeza muy pesada Dolor punto fijo	Alt. C y R	
Perdida memoria Dolor sin localización fija	Alt. Rt-E	Distancia: 2 RT - 9 E
Pródromos: Dolor en nuca. A continuación: Dolor columna hasta riñones	Alt. de V	Local: 10 V Distancia: 64 V
Migraña con dolor atroz	Alt. de VB	Local: 20 VB (Disp) Distancia: 33 VB (D), 38 VB (D)
Hemicránea	Alt. local de VB-E; TR-GI	Local: 23 TR-20 GI 20 VB-5 E Distancia: 3 TR-4 GI 34 VB-36 E

PRESENTACION DE CASOS.

Presentamos una casuística de 253 casos de «DOLORES DE CABEZA» que hemos podido seguir durante más de dos años y medio de evolución.

Agotadas todas las medidas habituales de calmantes, TODOS recurrieron a la acupuntura como ULTIMA MEDIDA ante la persistencia del síntoma.

En todos los casos pudimos descubrir que los factores atmosféricos, afectivos y digestivos actuaban como factores agravantes o desencadenantes de la enfermedad. Dentro de las patologías etiológicas más frecuentes se encuentra las de *HIGADO-VESICULA BILIAR*. ¿Ocupan más del 45% de toda la casuística? En todas ellas no se evidenció ninguna patología demostrable dentro de los cánones de la medicina occidental. Los dolores se localizaban de manera lateral, de un solo lado y solían durar de una manera intermitente, pero de carácter paroxístico. Cursaban con un mal estar general y tendencia clara hacia la irritabilidad y la cólera. En la mayoría de los casos las contradicciones emocionales o las inconveniencias laborales-sociales desencadenaban la crisis.

La madera es el elemento MAS INESTABLE DENTRO DE LA DINAMICA DE LOS CINCO MOVIMIENTOS. Su papel, además de conservar, es el de EXPANDIRSE («SU EXPANSION LE LLEVA LEJOS Y SU LEJANIA LE HACE RETORNAR». TAOTEJIN). Se trata del intermediario coherente desde el máximo de INN hacia el camino de la culminación del YANG. Cuando el hígado-vesícula biliar, no cumplen la función de regular este paso, la energía se expande en exceso hacia lo más alto... Y ocasiona los dolores de cabeza. Para su tratamiento, necesitaremos la regulación del MOVIMIENTO MADERA, de tal manera que evitamos la excesiva expansión del HIGADO-VB. La correcta distribución de la energía del hígado en su ascensión hacia lo alto la realizaremos con el 3H. TAICHONG. ASALTO SUPREMO. Por tratarse de un punto TIERRA, conseguiremos una DISTRIBUCION MAS RITMADA Y ARMONIOSA DE LA ENERGIA VIENTO DE LA MADERA. LA PUNTURA SE REALIZA CON TECNICA DE MADERA-TIERRA, de tal manera que se pueda mover el viento, pero que a la vez se pueda distribuir de manera homogénea. En la técnica viento HAREMOS VIBRAR LA AGUJA, «COMO SI SOPLARA EL VIENTO», para a continuación... Realizar la técnica ya comentada de los cinco dedos... El ajuste de las manipulaciones de la aguja en relación con las manifestaciones de la naturaleza es de vital importancia para conseguir la sintonía en el UNIVERSO. Además de este punto a distancia se actuará localmente en el *20VB*. FENGJI, punto viento... EN DISPERSION, con objeto de expandir la energía concentrada en la zona dolorosa. Como, además, la expansión del YANG DEL HIGADO-VB, arrastra la sangre almacenada en el hígado, será necesario efectuar sangria. El alivio de los síntomas en fase aguda puede ser instantáneo. El siguiente punto empleado en este tipo de hemicráneas es el *8H*. Se trata del punto agua del hígado. La función principal es la de aceptar la energía INN de los riñones y evitar asi la expansión excesiva de la madera en su culminación hacia el fuego.

Un 20% de este cuadro los integran los trastornos del BAZO-ESTOMAGO. En estos casos, la aparición del dolor tiene unas connotaciones claras con la ingesta. El dolor suele ser generalizado y cursa con sensación de estupo y pérdida de las percepciones más finas, así como alteraciones en la memoria durante las fases agudas. La función del estómago es DESCENDER. LA FUNCION DEL BAZO ES ASCENDER, cuando estas condiciones no se cumplen, la energía remonta hacia la cabeza y produce el dolor. Para el tratamiento, necesitaremos restablecer las dos corrientes de energía, con puntos locales y puntos de distancia. En el caso del E. empleamos el 36E, Punto Tierra. La acción de este punto en esta patología consiste en la distribución de la energía del estómago y facilitar el descenso del acumulo de humedad en lo alto. La puntura se realiza de manera perpendicular, o ligeramente oblicua hacia abajo, hasta conseguir que la sensación se transmita hacia los dedos del pie. Se manipula la aguja en tres ocasiones durante la sesión. Como puntos locales se emplean el 1-2-3-5 E con una manipulación suave y en punturas no muy profundas. Se elije un punto en cada sesión. En cuanto a la energía de bazo, se empleara el punto 17 B. *SHIDOU. «RECIPIENTE ALIMENTARIO»* a seis distancias de la línea medio esternal, en el quinto espacio intercostal activa la ascensión de la energía del bazo, desbloquea la humedad y activa su circulación... La puntura es superficial y oblicua en dirección ascendente. La manipulación es ligera y en una sola intención.

Como punto a distancia se empleo el *2B*, punto de tonificación estático de la energía de la tierra. Se trata del punto fuego que activa la circulación de la humedad y mejora los estados de memoria. La puntura es perpendicular y no muy profunda.

Las ocasionadas por las alteraciones de la vejiga ocupan el 15% de la casuística. Se trata de dolores que aparecen en la nuca y que se extienden hacia la zona del entrecejo o bien en forma de casco, también suele irradiarse hacia la columna cervico-dorsal. En estos casos es la sangre de la vejiga (el canal que más la posee) el que se estanca. Como punto local se emplea el *2V*. Se hace la puntura perpendicular, y se la manipula a manera de martilleo hasta tocar la zona ósea. La sensación se transmite hacia la zona ocular y hacia la zona de expansión del meridiano... Se realizan dos manipulaciones a lo largo de la sesión. En ocasiones, al extraer la aguja, se produce una sangria, la cual se dejará evolucionar, para cuando esta termine realizar un fuerte masaje en el punto. Se deberá de retirar la aguja en dispersión mientras que se la manipula en tonificación con la técnica del golpeteo, como anteriormente hemos dicho... También como punto local, se aplicó el *10V*. Se punturó en una sola intención, hasta obtener la llegada del QI y posteriormente, de manera inmediata, se la retira en DISPERSION. Como punto a distancia se emplearan el *64V*. JINGGUO. GRAN HUESO, localizado por debajo y por delante de la tuberosidad del quinto METATARSIANO, se trata del punto YUAN. Se manipula en tonificación de manera que la sensación se transmita hacia todo el pie. La acción de la puntura pretende descongestionar el estancamiento de la sangre en lo alto.

Las cefáleas provocadas por la alteración de la energía del TR ocuparon el 10% de todos los casos. Se trata de hemicráneas, de carácter cambiante, que cursan de manera intermitente, pero de poco tiempo de pausa entre los accesos. Suelen producir sensación de calor profundo, y en ocasiones sensación de cabeza embotada, con accesos de dolor agudo que se suele irradiar hacia las zonas mastoideas. Los puntos que se aplicaron, como en las patologías anteriores, fueron los puntos locales y los de distancia. El punto local más empleado fue el *23TR*. Pero de una manera especial la puntura. Esta es de forma oblicua, en sentido DEL TAEYANG, hasta conseguir que la sensación se propague hacia el interior. Se deberá de tener la precaución de evitar los hematomas post-tratamiento, cosa que ocurre con frecuencia, dada la vascularización de la zona. Como punto a distancia se aplicó el *2-3-TR*. La técnica de aplicación fue en UNA SOLA AGUJA. Se punturó el 2TR y se manipuló hasta la llegada del QI prosiguiendo la manipulación hacia el 3TR. Se puntura con la mano cerrada. La sensación se transmite en toda la mano y con sensación de ascenso de la energía a lo largo del canal.

El 10% restante, lo forman una compleja y abigarrada interacción de varios canales, entre los que se encuentran el PULMON-CORAZON-RIÑON-IG. En estos casos la sintomatología es muy anárquica, tan pronto el dolor es local como difuso, aparece y desaparece sin ningún ritmo, y ocasionalmente desaparece por temporadas. Generalmente el dolor suele ser en la mayoría de los casos, al menos cuando culmina la crisis de carácter generalizado. El paciente tiene la sensación de cabeza pesada y suele presentar distimias en el ánimo, que generalmente suelen ser de tristeza y ligera euforia, cuando el dolor desaparece. En su tratamiento se emplearon *7P.* Se realizó la puntura en tonificación en sentido ascendente o bien perpendicular. *4 IG* puntura perpendicular, hasta conseguir que la sensación se transmita hacia toda la mano. El punto de corazón empleado fue el *7C*. Se aplicó en tonificación, pero cogiendo la energía desde el canal de ID, en transfisión. Como punto de riñón se empleo el *3R*. Se aplicó en tonificación con dirección hacia el 60V.

La valoración global de resultados nos indicó que en el 87% de los casos los dolores cesaron de una manera permanente después de dos años en observación. Cesaron todos los calmantes y no se presentaron recaidas. El tiempo medio de tratamiento fue de *seis meses*. El 13% restante, después del mismo período de tratamiento presentó recaidas ocasionales, pero que se resolvieron con sesiones adicionales o con calmantes sencillos, tipo aspirina-cibalgina.

En conclusión, podemos decir, que los «dolores de cabeza, son extremadamente sensibles al tratamiento por acupuntura. Si se consiguen individualizar los órganos y entrañas afectados, en un corto período de tiempo obtenemos resultados muy evidentes, que se verán definitivamente reconfirmados con las sesiones de mantenimiento.

XIII. PEDIATRIA

La única y auténtica recompensa del niño es su sonrisa.

Y cuando el nenufar se encuentra en su remojo
de agua su esplendor es ansioso...
se prepara para su culminación...
su belleza no es su florecer... es la calma marchita de su silencio.

...Cuando tu corazón no sepa jugar con el gesto dulce y torpe de la pequeña semilla que se mueve, sin duda «su» «interior» no esta en armonía... Casi esta muerto... Aun le queda la oportunidad de resucitar...

...El mejor termómetro de nuestra sensibilidad
se encuentra en la caricia ausente del niño.

XIII. PEDIATRIA

La patología y la forma de enfermar del niño reviste ciertas consideraciones de desarrollo de la energía y de la forma de manipulación y ejercicios con la aguja, que obliga a establecer algunos cambios en cuanto a los planteamientos energéticos de la enfermedad. Igualmente, la serie de enfermedades que con mayor frecuencia inciden sobre los niños, también obliga a un apartado especial...

¿Hasta qué tiempo —momento-ritmo— se puede decir que se establece la infancia? Las consideraciones de las diferentes alternativas en cuanto al establecimiento de los cambios en el hombre-mujer, difieren en buena parte de las consideraciones que se realizan en la medicina moderna. Los planteamientos energéticos son de diferente consideración. En el niño, el cambio sucede cuando se tiene *la capacidad* de fecundación 2x8: 16. En la mujer, en el 2x7: 14. Hasta la edad de 14-16 años no se puede considerar por terminada la edad energética de la infancia. Esta consideración es lógico que así sea. El verdadero cambio del hombre se produce cuando este adquiere la capacidad para regenerarse. Si bien estas edades no son rígidas, sí nos dan la pauta general en las consideraciones que estamos realizando. Durante este período, las energías esenciales y primitivas, se preparan para su desarrollo armonioso del crecimiento y de las manifestaciones. Son las energías nutricias las que tienen su mayor actividad. Son las que van a constituir el ropaje del devenir de las energías ancestrales. Son por tanto los vectores del TAEINN, con sus manifestaciones del BAZO-PULMON, los que desarrollan la labor más intensa del organismo. Todas las funciones durante este período depende de su influencia. Quizás, más correcto sería decir BAZO-ESTOMAGO-PULMON. Es decir son las funciones de asimilación de las energías del cielo y de la tierra las que hacen posible el advenimiento del futuro hombre. Nuestra fijación se centra pues, en estas funciones. Son las más importantes en estos momentos del ritmo energético.

Las funciones del BAZO-ESTOMAGO son las encargadas de obtener los nutrientes de la tierra a través de los alimentos. El estómago es el mar de los granos, el receptáculo de los alimentos. El bazo es el distribuidor de los mismos, una vez elaborados. Además, es el que facilitará la asimilación de los mismos. Las funciones del estómago son descender, las del bazo de ascender. Ambos vectores se compensan en sus acciones. Cuando las actividades de la TIERRA no son correctas, ya sea porque los alimentos no son los apropiados, por la escasez de los mismos o por alteraciones en las asimilaciones. La necesaria humedad que debe de mantener la Tierra se ve modificada. Se produce humedad en exceso provocando estancamiento y formación de flemas. Estas formaciones serán luego las responsables de los problemas de pulmón, estómago y aparato digestivo. Véase bronquitis, inapetencia, estreñimiento-diarrea...

Si la respiración no es adecuada, ya sea por los fenómenos contaminantes o por las situaciones estresantes que modifican los ritmos respiratorios y las capacidades de absorción.

En definitiva... Recapitulamos estableciendo que las especiales condiciones del niño, aconsejan un especial cuidado a los vectores de asimilación de las energías nutricias. Son las que más actividad y más morbilidad presentan.

PATOLOGIA INFANTIL MAS FRECUENTE

AMIGDALITIS AGUDAS.

Se trata de unas de las afecciones más frecuentes que se presentan en los niños desde el nacimiento hasta entrada la edad adulta. La inflamación y consecuente infección de los procesos amigdalares, constituye, además, uno de los focos de diseminación por medio del cual se pueden presentar alteraciones cardiacas y oseoarticulares que pueden constituir importante patología de difícil, en ocasiones, solución. Por tanto, es de vital importancia que en esta patología, que en apariencia se presenta inocente, prestemos la máxima atención en su tratamiento. Haciendo cumplir la máxima del SOWEN. «Las enfermedades agudas se tratan violentamente. Las enfermedades crónicas lentamente». Debemos evitar cualquier tipo de complicación o cronicidad de la enfermedad. Y de presentarse nuevos brotes estos deben de ser tratados con la misma intensidad que en los casos anteriores.

Presentamos 76 casos de amigdalitis agudas tratadas en niños entre edades comprendidas entre los 18 meses y 15 años. Los casos que presentamos acudieron a la consulta como consecuencia, unos de alergias medicamentosas, otros por fracasos en tratamientos anteriores, otros por el deseo de no medicarse, y finalmente otros, por la información de los buenos resultados con la M.T.C.

Todos los casos que se seleccionan ahora, se presentaron con el cuadro agudo de *fiebre, malestar general, inflamación amigdalar*, tanto en la exploración externa como en la visualización de la amigdala, *vómitos, postración e irritabilidad, inapetencia y a menudo estados diarreicos.*

El síntoma que más preocupaba a los padres lo constituía la FIEBRE y las posibles complicaciones que esta podía desencadenar (véanse crisis convulsivas febriles, posible complicación meningea, etc, etc). Todos los demás síntomas eran considerados como secundarios.

El tratamiento fue iniciado en el mismo día de la consulta. Se insistió en el tratamiento hasta la remisón completa de los síntomas.

Los casos que presentamos *no ESTABAN EN TRATAMIENTO CON ANTIBIOTICOS. En 28* casos se administraron, casi siempre por exigencias familiares, *fármacos antitérmicos* en dosis bajas y como *máximo en tres días en 15 casos*. En algunas ocasiones se administraron medidas naturales para combatir los síntomas, como miel con limón, u otras plantas medicinales.

¿Cuál es la aproximación energética de una amigdalitis aguda?. En esta afección la manifestación clínica más llamativa, LA FIEBRE, nos situa en el contexto de las *afecciones por calor*. ¿Pero se trata verdaderamente del calor el agente que origina la afección, o *se trata de una MANIFESTACION*?. No se puede negar la evidencia del calor. Debe de ser tratado. Se nos presenta el fuego en *el territorio del PULMON-ESTOMAGO*. ¿Dónde encontrar un vector suficiente para dispersar el calor y purificar la sangre, de tal manera que pueda asumir las posibilidades de afección en los dos vectores de PULMON-ESTOMAGO? Lo encontramos *dentro del INTESTINO GRUESO.* El órgano-canal del intestino grueso, reune las condiciones necesarias para atender estas dos posibilidades. Por una parte se constituye un meridiano unitario con el estómago, y por otra, se encuentra en pareja acoplada con el pulmón, formando el sistema interior exterior, INN YANG. Ya hemos realizado la determinación del canal donde debemos de actuar. Ahora ¿en qué punto? Si bien el calor se encuentra expandido por todo el territorio orgánico, el núcleo de producción se encuentra en la zona de la garganta, que es territorio del PULMON-ESTOMAGO-INTESTINO GRUESO. ¿Dónde se encuentra la zona más distal de la afección del meridiano que hemos elegido para el tratamiento? Sin duda *en el 1 IG. Punto TING (JING)* del meridiano de IG. Se trata del punto METAL. Por tanto sus funciones serán las siguientes. Por una parte se defenderá de las agresiones del fuego... y por otro... estimulará la creación endógena de su hijo. AGUA... Lo cual determinará el control definitivo del fuego. Finalmente... controlará las influencias del viento... Y dependiendo del tipo de manipulaciones... dispersará la humedad... Ya tenemos las funciones ¿cómo manipularlo? Se trata de un acúmulo de sangre-calor que se genera en la zona de la garganta por la afectación amigdalar... Luego... El proceder más acertado *sera LA SANGRIA.* Con la sangría conseguiremos varios objetivos.

1. Dispersión del calor general y del generador de la zona de afección.
2. Purifica la sangre, evitando los estancamientos.
3. Por tratarse de un punto JING se encargará de acelerar y favorecer los intercambios de INN-YANG. Activa la circulación y los intercambios de energía.

MANIPULACION

Ya sea con una lanceta o con una aguja gruesa o fina, según la edad del paciente, se procede en primer lugar a una ligera congestión del índice. Cuando se ha conseguido se procede a la puntura en el ángulo ungueal. Puntura rápida con ligera manipulación y retirada rápida de la aguja. Con una ligera presión comienza enseguida la sangría. En un principio el color de la sangre es muy oscuro. Se continuan las presiones hasta conseguir que la sangría sea clara y abundante. Se continua la sangría hasta que apenas se consiga sangría, en ese momento se da por finalizado el tratamiento. Se aconseja el empleo de los dos puntos 1 IG. ¿Además de los efectos fisiologicos propios del puntos, que otras acciones conseguimos? La primera manifestación es la *tolerancia al calor-fiebre.* Si bien en un principio no se produce una reducción cuantitativa de la temperatura, el paciente se encuentra en un índice de atención y bienestar general muy apreciable, pero... la temperatura aún no ha descendido... En general... Pasados unos 45 minutos, la temperatura comienza su descenso gradual que suele permitir al paciente ingerir alimentos, dormir y sentirse sedado. El segundo efecto manifiesto es *la acción antiinflamatoria* de la sangría. La inflamación aparente y real se encuentran sensiblemente disminuidas. Lo cual permite al paciente *tragar con mayor facilidad y suprimir el dolor.*

Realicemos una ligera pausa sobre la entidad de la fiebre. Este síntoma representa una de las causas más frecuentemente estudiadas en la M.T.C. Los textos tradicionales confieren al síntoma de la fiebre una gran importancia. Vamos a tratar de especificar de una forma tradicional las distintas fases de evolución de los procesos febriles. Nos servirá como base para los sucesivos análisis que se presenten en las distintas afecciones en que presente la fiebre.

Realizaremos un análisis de diferenciación de las enfermedades febriles de acuerdo con la teoría del WEI, QI, YIN, XUE... Se trata de un método de aplicación para las *enfermedades FEBRILES EPIDEMICAS.*

En general la enfermedad se encuentra en el sistema *WEI. SISTEMAS DE DEFENSA SUPERFICIAL.* Se trata de la etapa superficial e inicial. De continuar la enfermedad se llega al sistema QI. Se trata de la energía nutricia. *ES EL SEGUNDO SISTEMA DE DEFENSA.* De continuar el proceso se llega al sistema *del ying.* ES EL SISTEMA DE NUTRIENTES, lo cual quiere decir que la afección se encuentra en profundidad y que es de carácter grave. Si continua el proceso... llega al sistema XUE. SISTEMA DE *LA SANGRE.* La afección es muy grave.

LA PRIMERA ETAPA. Aparece la fiebre, aversión al frío y viento, dolor de cabeza, *dolorimiento* general de los miembros. Excaso o poco sudor. Poca sed, lengua con saburra delgada y blanca. Pulso *superficial y amplio, rápido.* Obstrucción nasal, etc, etc.

El síndrome del sistema QI (sistema de segunda defensa), es el momento en que los factores patógenos *se convierten en calor,* con las consiguientes manifestaciones de fiebre, aversión al frío, sudoración, sequedad de boca, cara roja, respiración ruidosa, orina escasa y roja, costipación, saburra amarilla, pulso lleno, grande o resbaladizo... Y rápido.

En la práctica clínica existe UNA COMBINACION DE HUMEDAD CALOR.

El sistema QI esta compuesto por el JIAO MEDIO y el pulmón, además, los intestinos, bazo, VB, etc, por lo tanto la afección suele durar relativamente más tiempo que en el estadio anterior.

Síndrome del sistema YING. Se trata de una etapa de serio desarrollo de la enfermedad febril. Puede ser transmitida desde el sistema QI o directamente desde el WEI. Aparece fiebre elevada, más acentuada por la noche, irritabilidad, insomnio, lengua de color rojo oscuro, con la saburra amarilla y seca, o bien, gris y seca. El pulso es filiforme y rápido.

El sistema YING se encuentra entre el sistema QI y el sistema SUE. El YING es *la esencia de la sangre que se conduce al corazón.* La llegada de los factores al sistema YING indica la debilidad de los factores antipatógenos, que amenazan al pericardio y perjudican la mente, como consecuencia de la profundización de los factores patógenos. Si la afección se transmite al sistema XUE es síntoma de gravedad de la enfermedad, si lo hace al sistema QI, es síntoma de mejoría.

El síndrome del sistema YING es el de los sistemas nutrientes, se trata de la etapa más severa de las enfermedades febriles y lo más característico es el consumo de los líquidos corporales y la sangre. Suele aparecer erupción de color rojo punteado, lengua roja y purpúrea, pulso filiforme y rápido, en los casos graves, puede aparecer perdida de consciencia, delirio, manías o convulsiones...

El síndrome del sistema XUE abarca las afecciones del corazón-hígado y riñón.

Finalmente, podemos hacer una diferenciación y análisis de las enfermedades febriles de acuerdo con la teoría del SANJIAO.

JIAO SUPERIOR. CORAZON-PULMON.
JIAO MEDIO. BAZO-ESTOMAGO.
JIAO INFERIOR. HIGADO-RIÑON.

Los síntomas de los canales del JIAO son:

Jiao superior. Pulmón. Fiebre, aversión al frío, sudoración expontánea, dolor de cabeza y tos.

MC. Lengua de color rojo oscuro, desmayo con delirio, lengua inactiva y miembros fríos.

Jiao medio. Síndrome del Yangming del pie. Fiebre sin aversión al frío, sudoración, pulso grande, síndrome del canal del bazo. Calor, dolor y pesadez de cuerpo, presión torácica, naúseas y vómitos. Saburra pegajosa y pulso moderado de carácter intermediario.

Jiao inferior. Síndrome del riñón. Calor en el cuerpo, rubor, calor en las plantas de las manos, y de los pies, agitación e insomnio, labios secos y agrietados y lengua seca.

Síndrome del hígado. Miembros fríos con alta fiebre, desórdenes mentales, tics de las manos y pies y en casos graves convulsiones.

Todas estas consideraciones en torno a la fiebre, nos han parecido de especial interés, si tenemos en cuenta, que se trata de uno de los síntomas más frecuentes que se suelen presentar en las afecciones infantiles, y en general en una gran parte de las enfermedades de los adultos. Una mayor profundización la encontraremos en el NEIJIN, el cual consagra una serie de capítulos al estudio de la fiebre.

Pero debemos de continuar con el estudio del tratamiento de las afecciones agudas de garganta. Estábamos con las consideraciones energéticas de la eficacia del 1 IG. Pero, anteriormente, planteábamos la cuestión del origen de la fiebre. Nos planteábamos la causa de su desencadenamiento. Esa era la pregunta, retomémosla... En una gran parte de los casos, la causa del desencadenamiento de la fiebre la tiene la *AGRESION DEL FRIO-HUMEDAD-VIENTO.* Ese es el ataque inicial... Luego, esas energías patógenas desencadenan una reacción en el organismo que desarrolla dos importantes reacciones. 1. Por una parte, una reacción de CALOR que es una consecuencia del ataque de los factores patógenos, en un intento del organismo de contrarrestar el ataque. SE TRATA DE UN FUEGO ENDOGENO, o MEJOR SERIA DECIR, *CALOR INTERNO*, esta sería una primera reacción. Si es suficiente, la enfermedad será *vencida por el calor interno* y el problema será resuelto. Si esto no ocurre, el calor interno se transforma en FUEGO INTERNO, se trata de una nueva reacción en este caso más violenta, dado que la enfermedad ha progresado y no se ha resuelto en la primera fase. Se trata de una *HIPERFUNCION DEL YANG.* Puede ocurrir, como en el caso anterior que el problema se resuelva, Y EL FUEGO SE TRANSFORME PAULATINAMENTE EN CALOR Y... FINALMENTE SE RESUELVA EL PROBLEMA. Pero puede ocurrir que esta situación no se produzca, y el progresivo estancamiento de las fuerzas externas se trasmuten por el largo período de la enfermedad, y se *CONVIERTAN EN FUEGO-CALOR.*

Esta última circunstancia constituye una de las etapas de empeoramiento de la enfermedad. SE TRATA DE LA SUMACION DEL YANG o BIEN PODRIAMOS DECIR... LA CONSUMACION DEL YANG. Se produciría una sumación de fuego-calor, de los factores externos y de los internos... La consecuencia sería *UNA PLENITUD DEL CALOR-FUEGO.* Lo importante de estas consideraciones son las diferentes etapas que se pueden desarrollar en el curso de la enfermedad, y como en un momento determinado pueden SUMARSE los factores patógenos externos con los internos... *CON LA CONSIGUIENTE DESECACION DE LOS LIQUIDOS CORPORALES Y LA CONSUMACION DE LAS ESENCIAS...* Es por ello que en los tratamientos debemos de tener en cuenta los fenómenos de dispersión de calor patógeno y de *tonificación del calor endógeno...* En la dispersión del calor patógeno externo, que en general es una consecuencia de las energías, frío-humedad-viento, y ... en menor proporción el calor... DEBEMOS DE ACTUAR PROVOCANDO SANGRIAS... CON EL FIN DE PURIFICAR LA SANGRE... DRENAR LA HUMEDAD... Y DISPERSAR EL CALOR EXTERNO. El siguiente paso... es *canalizar el fuego interno* y tonificarlo con *el fin de AUMENTAR LA ENERGIA DEFENSIVA*. Esta segunda maniobra, supone una terapia y manipulación del punto que requiere una especial sutileza. Se deberá de realizar en la manipulación de la aguja maniobras suaves de salida y entrada la aguja, con suaves movimientos de rotación de tal manera que la sensación sea transmitida de una forma moderada y en dirección al sentido de energía del canal elegido. A continuación, se deberá de impedir una mayor profundización a la puntura hasta llegar a la *TRASCENDENCIA TERRESTRE*, el nivel más profundo, e imprimir maniobras de tonificación teniendo en cuenta, principalmente, los ritmos respiratorios. Se seguirá la manipulación con la retirada de la aguja hasta la zona de TRASCENDENCIA HUMANA, lugar donde se manipulará la aguja para *MOVILIZAR Y PURIFICAR EL CALOR DE LA SANGRE*. Esta actividad se dirigirá fundamentalmente para PERMEABILIZAR LOS MERIDIANOS DE FUEGO-CALOR, EN ESPECIAL, LOS QUE TIENEN MAYOR PARTICIPACION CEFALICA. La razón es fácil de comprender... El mayor riesgo de fuego calor FIEBRE, se centra en su efecto sobre *la ENTRAÑA CURIOSA CEREBRO.* El poder de ascender del fuego, produce UNA *DESECACION DE LAS MEDULAS Y DEBILITAMIENTO DE LA ESENCIA SUPREMA DE LOS RIÑONES QUE ES EL CEREBRO*. Esta grave y posible circunstancia, puede provocar los peores acontecimientos de la fiebre, como son, la pérdida de consciencia, las convulsiones, el delirio, los trastornos de conciencia... etc, etc. TODO ELLO PRODUCTO DE LA DESECACION DE LOS LIQUIDOS A NIVEL DE LAS MEDULAS... Pensemos un INSTANTE... Las médulas y el cerebro dependen del agua riñón... Las médulas y cerebro se encuentran ricamente irrigadas (es el territorio que precisa mayor volumen sanguíneo)... tiene además un líquido especial que lubrifica CONSTANTEMENTE ESTAS ESTRUCTURAS; ES DECIR, EL LIQUIDO CEFALORAQUIDEO... AGUA-AGUA-AGUA... ¿esta claro? Todo el territorio del agua MAS SUBLIME, es el que principalmente es atacado y desecado por LAS ACCIONES DEL CALOR FUEGO.

Es calor, LA SUBVERSION DEL FUEGO HACIA EL AGUA PRODUCE LA CONSUMACION, LA EMACIACION PROGRESIVA... Y EN ALGUNOS CASOS IRREVERSIBLE... Es *LA CULMINACION DE LA LEY DE MENOSPRECIO.*

Esta *nueva propuesta* sobre la fisiología del fuego calor en el organismo debe de hacernos recapacitar sobre los planteamientos simplistas que solo atienden a las manifestaciones. El planteamiento del ORIGEN y sus posteriores consecuencias terapéuticas... *NOS DAN LA RAZON EN LOS RESULTADOS*. POR UNA PARTE INMEDIATOS, PERO *TAMBIEN; POR OTRA PARTE PREVENTIVOS Y CON EXCASAS O NULAS RECAIDAS.*

PUNTOS LOCALES

Se trata de la aplicación de los puntos de FUERA DE MERIDIANO que se encuentran situados en los ángulos mandibulares, justo debajo del reborde óseo. La puntura se realiza perpendicular al plano de la piel de tal manera que, a poca profundidad se perciba la llegada de la energía, y se enrojezca la zona de punción. La acción sobre el punto debe ser de excasa manipulación.

El objetivo de esta puntura es la de concentrar la energía defensiva en la zona de proyección dc la zona afectada. La aplicación debe de ser bilateral.

11P.— Shaoshang. Se trata del punto JING del meridiano de pulmón. Estamos de nuevo ante uno de los puntos que tienen una acción especial sobre estas afecciones. Su función es similar a los mecanismos que desencadenaban el empleo del 1IG. La acción principal es la de *EXPULSAR EL CALOR CONTENIDO EN EL PULMON.* Se debe de punturar y posteriormente sangrar.

Purificación del YANGMING. El exceso del calor en el yang ming se realiza con la puntura de:

4IG. Se trata del punto YUAN y por tanto se trata del punto de empleo tanto, en las necesidades de tonificación como en las de dispersión. Refuerza las acciones del meridiano, activa su circulación y purifica la sangre. La puntura se debe de realizar profunda, hasta que el paciente note la sensación de la llegada de la energía. Se deben de emplear las agujas finas en el caso de niños de corta edad. A ser posible las Japonesas. No se debe de realizar una fuerte manipulación.

43 E.— Xiangu. Fosa del Valle. Se trata del punto IU (madera) del meridiano de E. Su función como punto IU es la de activar la circulación de la energía del meridiano hasta conseguir la expulsión de la energía perversa. Es un punto recomendado en el Da TCHENG en el empleo de las enfermedades febriles que cursan con escalofrios y sudores. La puntura se realiza vertical. La manipulación se realiza de forma POCO intensa y solo hasta la llegada del QI.

1 TR.—Guangchong. Se trata del punto JING del meridiano del TR. Será el punto de elección en el tratamiento de los síndromes febriles y su empleo será el más apropiado cuando queramos actuar sobre los *TRES FOGONES*. También su función es la de purificar el calor de los TR. Su acción se pone más de manifiesto al actuar *sobre el dolor* y *combatir la inflamación*. La puntura se realiza en perpendicular y como en los casos anteriores se *realiza SANGRIA.*

6R.—Zhaohai. «Mar luminoso». Se trata del punto de partida del INN KEO. El empleo es importante por varias razones. Por una parte la topografía energética del meridiano curioso asi lo aconseja. En segundo lugar, se aplica el tratamiento de lo bajo por lo alto, en tercer lugar, se tonifica el agua para combatir el fuego. En cuarto lugar, se tonifica el agua endógena para combatir el frío perverso externo. Todas estas razones son suficientes para aconsejar su sistemático empleo en los casos, como son los más frecuentes del ataque del viento frío.

La puntura se realiza perpendicular, a poca profundidad y se moviliza hasta conseguir la llegada del QI y la ligera propagación hacia el pie.

14TM.—Tazhui. Gran Vértebra. Se trata del punto de reunión de la energía YANG, es esta razón la que le hace que sea aplicado en estos casos... Ya que el exceso de YANG que constituye la fiebre, le coloca como un punto de primer orden. *SU INMEDIATA APLICACION ES LA FIEBRE.*

Su localización debajo de la 7ª vértebra cervical nos obliga a realizar la puntura sentado, y posteriormente, después de la puntura, acostar al niño. ¿Pero el problema que presenta este punto es su manipulación? ¿Dispersamos el Yang? ¿Es suficiente? ¿No existirá peligro de dispersar también la energía esencial? Veamos estas preguntas.

La puntura se realiza oblicua en el sentido de la contracorriente del meridiano.

1.—Se manipula hasta la llegada del QI.

2.—Se manipula la aguja hasta conseguir que la sensación descienda ligeramente.

3.—Se extrae ligeramente hasta la TRANSCENDENCIA HUMANA y *se manipula en DISPERSION*. De esta manera conseguiremos *DISPERSAR EL FUEGO EXCESIVO EN LA CABEZA, Y SUS CONSECUENCIAS SOBRE LAS MEDULAS.*

4.—Se deja la aguja, con el paciente ya acostado, durante unos 20-30 minutos.

5.—En el momento de la retirada, profundizaremos la aguja hacia la zona de *influencia TERRESTRE*. LA *TRANSCENDENCIA TERRESTRE*, y manipularemos la aguja en TONIFICACION; hasta conseguir una rápida expansión de la energía en el derredor del punto. Rápidamente retiraremos la aguja siguiendo los planos de tierra hombre-cielo, *sin* obturar el orificio de punción.

Todas esta maniobras son de vital importancia si queremos conseguir un inmediato resultado.

POSIBILIDADES COMBINATORIAS DE PUNTOS

En los tratamientos empleados de los casos presentados, se siguieron una serie de pautas diferentes, según la forma de presentarse la patología, no obstante, las variables más frecuentes fueron las siguientes:

1. SI LA FIEBRE ES ELEVADA, EL PRIMER PUNTO ES EL 14TM.
2. SE PUNTURA EN SOLITARIO... DESPUES...
3. SE PUNTURA Y SANGRA 1IG-11P.
4. 1TR-43E-11P.
5. 1TR-43E-1IG.
6. 4IG-11P-43E.
7. 4IG-1TR-6R.
8. 6R-4IG-14TM.
9. 1IG-14TM-43E-6R.
10. 11P-1TR-4IG-6R.

En las diferentes combinaciones de estos puntos y en las posibilidades que ofrecemos, podemos encontrar las mejores alternativas en el tratamiento de esta importante y frecuente afección.

De los casos que presentamos los resultados que se produjeron fueron los siguientes:

1. De los 76 casos tratados, 68 fueron *resueltos* en el espacio de *nueve sesiones.*
2. El tiempo medio de tratamiento fue de *12 días.*
3. La respuesta terapéutica se produjo en las 24 horas.
4. La resolución de la fiebre en no más de 48 horas.
5. El período de seguimiento mínimo fue de 35 días, y el máximo de 12 meses.
6. Después de resuelta la crisis de consulta no se presentaron recaidas.
7. De los *ocho casos restantes,* en *seis de ellos* se presentaron recaidas de igual inten-

sidad que en el comienzo, y si bien fueron también resueltas, en el espacio de un año, al menos se presentaron en *cuatro ocasiones*.

8. Los otros dos casos permanecieron con recaidas, de menor intensidad, pero, sin presentar francas recaidas. Los accesos de fiebre se sucedieron, y fue preciso la instauración de antipiréticos antiinflamatorios.

9. En todos los casos tratados no se presentaron *NINGUNA COMPLICACION*, de tipo cardiaco o reumático.

Estas conclusiones terapéuticas colocan a la M.T.C. en los terrenos de un arma terapéutica de primer orden en el tratamiento de esta afección que tantos problemas cotidianos presenta y que tantas complicaciones suele desarrollar.

ASMA INFANTIL

Presentamos treinta y cinco casos de asma infantil de catalogación de carácter alérgico. Las edades estan comprendidas entre los nueve meses y los nueve años. En todos los casos, se acudió a consulta ante la ineficacia de las medidas de la medicina moderna. Ningún caso fue atendido de primera intención. En todos los casos se había instaurado una terapia con corticoides... intal, becotide, solufilinas... etc, etc... En todos los casos se habían precisado, al menos un ingreso, y en todos los casos se habían presentado recaidas importantes.

El tiempo de seguimiento, en el menor de los casos, fue de nueve meses, con un máximo de tres años. En todos los casos se consiguió ELIMINAR LA TERAPIA CON CORTICOIDES. Después de iniciado el tratamiento NINGUN paciente durante el tiempo de seguimiento necesitó ingreso hospitalario. La terapia acupuntural fue aceptada por todos los niños sin ninguna sensación de miedo o temor. El ritmo medio de la terapia fue de dos sesiones semanales durante los dos meses y medio primeros, para pasar a una sesión semanal. En los períodos de agravamiento se intensificó la terapia en más de dos sesiones semanales hasta llegar en un caso a siete sesiones continuadas. Todos los pacientes provenían de centros hospitalarios de la S.S. En todos ellos se habían realizado los protocolos de la enfermedad y se habían instaurado los oportunos y escalonados tratamientos.

En todos los casos hemos podido constatar factores EMOCIONALES-AFECTIVOS COMO DESENCADENANTES O GENERADORES DE LA ENFERMEDAD. En la mayoría de los casos el entorno familiar NO ACEPTABA PLENAMENTE ESTA CIRCUNSTANCIA... creo que podemos hablar de familias ASMOGENAS...

El diagnóstico oriental se realizó a través del diagnóstico del índice, pulso, color, anamnesis, y examen de la lengua. Los criterios de tratamiento fueron elaborados en base a las deducciones anteriores. Amén de los puntos individualizados en cada caso los puntos más empleados y las manipulaciones empleadas fueron las siguientes:

PUNTOS EMPLEADOS

40E. Se trata del punto que nos permite el descenso de la flema que se acumula en el TAEINN. Punto LO del canal de estómago, permite la disminución de la humedad-flema que tiende a acumularse en el BAZO-PULMON.

La puntura se realiza profunda, con aguja fina japonesa. Se manipula hasta la llegada del QI y... Lentamente, con manipulaciones del movimiento TIERRA, es decir, ROTANDO LA AGUJA EN EL SENTIDO ANTIHORARIO, CON LOS CINCO DEDOS. Dos manipulaciones durante el tiempo de la sesión. La estimulación no deberá de ser muy intensa.

7P. El objetivo de este punto es la DESOBSTRUCCION DEL RENMAE. La puntura se realiza en el sentido de la contracorriente, produciendo una sensación de ascenso, descenso de la energía hacia el brazo y hacia la mano. También se emplea la aguja fina y la estimulación es en una sola vez.

17RM. Se trata del punto en el que se concentra la energía del ZHONGQI que hace posible la dinámica del corazón-pulmón. La dinámica de esta energía central se encuentra bloqueada en el asma. Además, se trata del punto MU del MC, con lo cual la esfera de los sentimientos y relaciones con el entorno se verán ampliamente beneficiadas. La puntura se realiza de manera oblicua en el sentido de la contracorriente, con el fin de provocar un posterior ascenso de la energía y generar los mecanismos de desostrucción... Después de la puntura con la llegada del QI, se manipula lentamente con maniobras del movimiento fuego, es decir, con rotaciones en los dos sentidos sin completar ninguna vuelta, hasta conseguir que la energía se expanda hacia la zona corazón-pulmón. Se realiza una manipulación inicial y otra antes de la retirada de la aguja.

6B. Como punto de reunión de los tres INN de las piernas, por ser el RIÑON-HIGADO, responsable de la expiración y por estar el bazo íntimamente implicado, es un punto que no debe de exceptuarse en el tratamiento del asma infantil. La puntura es profunda, hasta la llegada del QI, y se manipula con maniobras TIERRA como hemos explicado anteriormente, hasta conseguir que la sensación se expanda en el territorio del punto, la acción del punto pretende estimular los mecanismos de la inspiración y activar el movimiento de la humedad.

13V. IU de Pulmón. Se realiza una puntura muy superficial de sentido de la corriente del canal de vejiga. Se realiza una sola manipulación sin apenas rotaciones. DE UNA SOLA VEZ. Se obtiene la llegada del QI y se deja la aguja el resto de la sesión. Después... Se aplicará moxa de manera indirecta un tenue calor que no deberá de ser muy intenso.

Empleo del rodillo. El empleo del rodillo en los puntos de asentimiento de todos los IU de la espalda es una terapia importante en los casos de asma infantil. Se trata de estimular los puntos de todos los órganos y entrañas con el fin de regularizar. También se deberá de aplicar en todos los puntos del psiquismo (PRO-HUM-ZHE-SHEN-YI). Se aplica esta técnica hasta obtener un enrojecimiento evidente de la piel.

VALORACION DE RESULTADOS

De todos los casos tratados se pueden considerar como resueltos 29 casos. En estos casos, cesaron por completo los síntomas y los niños se reinsertaron de una manera completa a sus actividades sin ninguna limitación... SIN PRECISAR NINGUNA MEDICACION.

Tres casos precisaron del empleo de solufilina en pequeñas dosis en los períodos de catarros, faringitis, sinusitis, etc, pero en ningún caso, cursaron con crisis asmáticas. Los tres casos restantes evolucionaron de manera inestable, y si bien no precisaron de terapia con corticoides, si necesitaron el empleo de soluflina, mucolíticos y expectorantes como terapia de apoyo. Además, presentaron recaídas de disnea moderada, que fue controlada con tratamiento acupuntural de urgencia. Estos tres últimos casos han seguido evolucionando de una manera anárquica, con periodos de agravación en los tiempos de infecciones respiratorias, cambios de tiempo, y situaciones de intensa polinización.

La terapia con M.T.C., se ha demostrado como un arma eficaz en los estados de asma bronquial infantil. Deberá de ser una de las ALTERNATIVAS MAS EFICACES CONTRA ESTA ENFERMEDAD, sobre todo cuando tengamos la ocasión de poder tratar a los pacientes en los períodos iniciales de la enfermedad. El empleo de la corticoterapia debe de ser evitado al máximo, pues son ya de sobra conocidos los grandes deterioros iatrogénicos que producen, debido fundamentalmente a los daños que a nivel de la energía de los riñones (agua) se genera de una manera sistemática.

La patología pediátrica es tan extensa como la del adulto, salvando una gran cantidad de variables. En los libros siguientes describiremos el tratamiento de las afecciones psíquicas. Autismo, trastornos del comportamiento, déficit rendimiento escolar, incompetencia matemática. Los trastornos digestivos de intolerancia al gluten, las dispepsias y hepatitis. Los trastornos neurológicos, en especial la epilepsia. Y finalmente los trastornos ligados a la neurología, como las parálisis cerebrales. No olvidaremos el tratamiento de las enfermedades ligadas a los trastornos congénitos, como el sturgewber, cardiopatias y enzimopatias.

XIV. ENFERMEDADES METABOLICAS

XIV. ENFERMEDADES METABOLICAS

INTRODUCCION AL ESTUDIO DE LAS ENFERMEDADES METABOLICAS

Las afecciones ligadas a las glándulas de secreción interna se encuentran íntimamente ligadas a la ENERGIA DE LOS RIÑONES. El reloj biológico. El elemento AGUA es el encargado de generar todas las actividades de las dinámicas hormonales... Tenemos, por tanto, un *nuevo centro* de características similares al centro de las demás afecciones. No obstante, debemos de reintegrar los demás movimientos a la actividad de cada una de las glándulas. Según el orden secuencial en que se encuentran estratificados los sistemas de inducción las correspondencias serían las siguientes:

HIPOTALAMO.—Es el centro... RIÑON.

HIPOFISIS.—... RIÑON... Y RAIZ INN DEL HIGADO.

PINEAL.—... MING MEN.

TIROIDES.—... RIÑON Y RAIZ YAN DEL HIGADO.

PARATIROIDES.—... HIGADO-VESICULA BILIAR.

TIMO.—...ENERGIA ANCESTRAL... ZHONG QI (ENERGIA HEREDITARIA)... PULMON.

OUARIO... RIÑON... BAZO.

PANCREAS EXOCRINO... RIÑO... BAZO.

GLANDULAS SEMINALES... RIÑON.

GLANDULAS SUPRERRENALES... RIÑON... FUEGO (SANJIAO).

Estas distribuciones nos situan dentro de la esfera terapéutica de una forma inmediata.

Todas las enfermedades metabólicas se encuentran en difícil situación de tratamiento, dada la circunstancia, de que a pesar de las sustancias de síntesis no se contemplan en estos postulados las situaciones energéticas que se acumulan en estas sustancias... No debemos de irnos muy lejos en estas consideraciones cuando contemplamos la DIABETES... Apesar del empleo de insulina EXOGENA... La evolución de la enfermedad es inexorable. EL ORGANISMO ES UNA ENTIDAD CERRADA, QUE SOLO SE ESTABLECE EN EL EXTERIOR POR MEDIO DE LOS SISTEMAS DE ALI-

MENTACION TERRESTRE Y CELESTE. TODOS LOS SISTEMAS EXTERNOS, DE CUALQUIER NATURALEZA, SE ENCUENTRAN EN HOMEOSTASIS... NO EN *INTERFERENCIA*. EN LA MEDIDA EN QUE SE ENCUENTRAN EN EL INTERIOR SE TRANSFORMAN EN SUSTANCIAS O SISTEMAS AGRESIVOS... NUNCA SUSTITUTIVOS.

AFECCIONES HORMONALES

HIPOTIROIDISMO PRIMARIO

Se trata de una afección de carácter congénito que en la actualidad puede detectarse por un sencillo procedimiento en una muestra de sangre. La detección se realiza durante los primeros días del nacimiento.

Presentamos un caso en la persona de una niña que fue detectada por este método, y que posteriormente fue analizada por sucesivas determinaciones hormonales como un HIPOTIROIDISMO CLARO, por ausencia de glándula. En las exploraciones complementarias, se detectó un RESTO de glándula tiroidea SUBLINGUAL. En estas circunstancias, se estableció un tratamiento hormonal sustitutivo COMPLETO. Las posibilidades evolutivas de por vida en estas circunstancias eran de claras dificultades... Se decidió un tratamiento, en base a la consideración de un tiroides sublingual. Retrasamos al máximo la administración de hormona sustitutiva, con el fin de aquilatar al máximo las posibilidades de el resto sublingual de tiroides, y establecer asi la dosis mínima que precisaría para su normal desarrollo. Se realizaron controles periódicos cada corto período, con el fin de determinar las evoluciones hormonales en virtud de las necesidades metabólicas de la niña. Se comenzaron las punturas, con agujas muy finas en los siguientes puntos.

24RM. Se elije este punto, por encontrarse sobre la zona de restos glandulares, para estimular su función. Por pertenecer al RM y ser por tanto portador de energía de los riñones. Por ser un canal que transporta energía hereditaria, y tratarse la afección de un proceso de embriogénesis incompleta.

La puntura no es muy profunda, se manipula suavemente, hasta conseguir la llegada del QI y se deja durante cinco minutos.

4IG. Hegu. Se elije como portador de energía hacia la zona de la cabeza y por ser punto YUAN, es decir punto ORIGEN, por tanto, será un punto que actue sobre las manifestaciones de los trastornos hereditarios después del nacimiento. Por estar ligado a la energía del pulmón, y ser este órgano el que en los primeros días del nacimiento rige los movimientos de energía. También Hegu rige las actividades de eliminación.

La puntura se realiza con movimientos de rotación en ambos sentidos hasta la llegada del QI, y cada 2-3 minutos, se realizan maniobras de estimulación, hasta completar diez minutos de sesión.

6B. Saninnjiao es el punto de cruce de todos los canales INN de las pierana, esta situación energética permite la manipulación de todas las energías de la tierra, la cual se traducirá en una movilización de los sistemas de AGUA-MADERA-TIERRA.

La puntura es profunda, con manipulaciones de rotación en ambos sentidos hasta conseguir la llegada del QI. También como en el caso anterior se manipula cada 2-3 minutos hasta conseguir un tiempo total de unos diez minutos.

3H.—Taizhong, la puerta de asalto. Es el punto que nos va a permitir actuar sobre el movimiento madera, con el fin de realizar un trasvase adecuado de la esencia INN de los riñones hasta su consecución del YANG. Es además la madera, el movimiento que nos regulará la actividad de sistema tiroideo.

Se realiza una técnica de estimulación, con técnica de TONIFICACION. A la llegada del QI, se profundiza hasta el nivel tierra. De nuevo se vuelve a estimular hasta conseguir una nueva llegada del QI. Enseguida, se retira la aguja hasta el nivel Hombre, y se vuelve a estimular, dejando la aguja unos diez minutos.

Con esta técnica y estos puntos se trató esta pequeña, que en la actualidad cuenta con cuatro años. Con una perfecta situación; con una evolución analítica que mostraremos a continuación, con un desarrollo estatu-ponderal de acuerdo con su edad, con una constitución ósea correcta con un grado de madurez psicológica excelente (lenguaje, aprendizaje, relación, etc, etc).

La dosis sustitutiva hormonal prevista en un principio, de dos comprimidos diarios, esta reducida a uno diario. (50 mcg/día).

En el inicio del tratamiento, las sesiones se realizaron de dos a tres semanales, durante el primer año, para pasar en los siguientes seis meses, a una sesión semanal, al completarse los dos años, se pasó a una sesión cada quince días; en los dos años siguientes, se realiza una sesión mensual.

INSTITUTO NACIONAL DE LA SALUD

Centro Especial «Ramón y Cajal»

–2 derecha

N.º Historia Clínica ....

APELLIDOS

NOMBRE

DIRECCION

POBLACION

Fecha nacimiento 1 mes ..... Sexo .....

Departamento ....
Servicio ... Pediatría ... 1529
Ambulante ☒ Cama ....
Fecha ... 15/X/84 ... Hora ....

Servicio al que se solicita: ... MEDICINA NUCLEAR
Motivo de la consulta (razonado): ... Hipotiroidismo detectado (en screening)

Diagnóstico previo: ....
Informes solicitados: ... Tc 99 y TSH. Técnica
Informe solicitado por el Dr. ... [illegible] ... Firma

15.10.84 [illegible]

I N F O R M E

Se realiza la exploración en gamma cámara con colimador pin-hole.
No se objetiva tiroides en su situación habitual.
Existen 2 áreas redondeadas en línea media captadoras del Tc99m pertenecientes a nivel sublingual y submandibular, en el trayecto embrionario del tiroides.
Hipotiroidismo primario congénito.

Madrid, 23 de 10 de 1984
Firmado,

Diagnóstico con TC-99

	T4	(UGR %)	T3	NGR/ 100 ml)	TS4	(UUI/M1)	
15-10-84	6,2	”	198	”	200	”	Antes del tratamiento
20-10-84	4,63	”	85	”	60,6	”	Comienzo de la acupuntura
8-12-84	3,83	”	69,2	”	58,6	”	
7-12-04	3,53	”	67,6	”	98,6	”	Comienzo de medicación 1 comprimido 25 mlg. (L. TIROXINA 16.10.84).
29- 1-85	6,89	”	140,6	”	9,24	”	
19- 2-85	7,25	”	146,2	”	18,9	”	
27- 3-85	6,79	”	138,5	”	7,26	”	
10- 6-85	3,89	”	68,14	”	45,6	”	
15- 6-85	5,04	”	106,5	”	15	”	
21- 8-85	4,6	”	125	”	99,8	”	
30-10-85	7,1	”	145	”	210	”	
20-11-85	8,9	”	145	”	90,05	”	
8- 1-86	8,1	”	140	”	48,9	”	
27- 2-86	7	”	137	”	74	”	
2- 4-86	6,5	”	125	”	43,1	”	
13- 5-86	6,5	”	140	”	132,64	”	
11- 6-86	8	”	150	”	56	”	
2- 9-86	9,1	”	175	”	48,80	”	
10-10-86	8,4	”	168	”	31,6	”	
10-12-86	9,1	”	90	”	85,3	”	
10-12-86	10,48	”	109	”	87,8		
27- 1-87	9,2	”	196	”	148		
24- 3-87	8,5	”	148	”	42,04		
23- 4-87	9,1	”	132	”	21,3		
2- 9-87	8,1	”	128	”	15,12		
8-11-87	9,2	”	123	”	42,2		
13-11-88							

XV. PUNTOS DE CRUCE

XV. PUNTOS DE CRUCE

Nos parece importante recordar el significado
y función de los Puntos de Cruce...
sus posibilidades terapéuticas...

SIGNIFICADO-FUNCION Y DESCRIPCION DE LOS PUNTOS CRUCE

En la economía energética de los canales y colaterales existen confluencias energéticas que permiten manejar las energías YANG-INN de los canales de las manos y de las piernas. Esta especial característica de dichos puntos, permite establecer las diferentes maneras de modificar los aspectos cualitativos y cuantitativos de la energía de los meridianos.

En el terreno de los YANG del miembro superior, el receptor de estas confluencias lo establece el SANJIAO. Si consideramos la filogénesia de los desarrollos de los canales, descubrimos que el TR es el primer canal en formarse; su constitución, a partir del módulo de HENSEN y su posterior expansión por la actividad de la línea primitiva, determinará la acción del fuego en la constitución de toda la actividad YANG, que constituirá la vida; por esta razón, no podía ser otro, que un punto del SANJIAO el que regulará la actividad de todo lo yang del miembro superior.

La responsabilidad de esta actividad recae en el *SANYANGGLUO. 8 TR.* por su nombre, nos indica que se trata de el punto de reunión de los tres YANG, de los tres *YANG CELESTES*, o lo que también podríamos llamar, el *YANG CELESTE NO CONTAMINADO.* Esta concepción parte de la idea de que los canales YANG del miembro superior no comienzan en el terreno humano que se forma con el tronco (tórax y abdomen). En el DACHENG, se especifica que es el punto que se encarga de controlar los orificios de los cincos sentidos, es decir, de toda la actividad YANG de lo exterior, que se manifiesta por medio de la actividad de los cinco órganos. Esta especial función, determina, que según el clásico MING TANG se recomiende que su puntura este prohibida.

La trascripción exacta de la ideografía de este punto nos indica que:

San. TRES, YANG, la cupla YANG-INN.

Gluo (LO). Punto de LO, es decir punto de contacto y desagüe... Un nombre *SECUNDARIO*, lo denomina TONG GUAN. Con las significaciones de:

Tong. Penetrar, comunicar, transmitir, comprender a fondo, en profundidad, todo universal, comprender la realidad profunda de los 10.000 seres...

Guan. Barrera, vía de comunicación, frontera, llave...

Esta segunda significación amplifica y determina con exactitud la función-información que se deposita en este punto. Pero aún existe una tercera opción de este punto: TONG MEN.

Men. Puerta exterior, vía de acceso de entrada o de salida... Estas tres acepciones del punto se complementan de una manera precisa, veamos...

Lo Yang-Inn...

Los tres.

Comprender la realidad profunda...

La vía de comunicación...

La puerta de entrada o de salida...

Si sintonizamos estas tres formas de determinar el punto según la tradición, la concatenación de simbolismo y significados podría ser... *LUGAR DE COMUNICACION DE LO EXTERIOR-INTERIOR POR MEDIO DE LA PUERTA QUE DEJA EN LO EXTERIOR LA REALIDAD PROFUNDA DEL SIGNIFICADO DEL TRES.*

En vista de todo el significado que encierra este punto no es difícil establecer porque el MING TANG establece la no puntura. Si retomamos todas las posibilidades del mismo, estaremos en condiciones de establecer las diferentes maniobras que podemos realizar sobre él para restablecer el equilibrio perturbado por una patología. La sintonía del punto por medio de la aguja, supone una armonización sobre las funciones YANG de todo el organismo, supone, además, un mejoramiento de los mecanismos de homeostasis del hombre ante su medio, restablece la comunicación con lo celeste y activa todas las funciones internas del FUEGO INTERIOR... Pero para que esta realidad sea posible, es imprescindible actuar con la debida *INTENCION*. La intencionalidad terapéutica que proporciona el conocimiento profundo de los significados concéntricos de la energía hace posible que estas funciones se restablezcan. Las manipulaciones que se efectuen sobre este punto deberán de dirigirse en este sentido. La activación de la aguja, *NUNCA SERA BRUSCA*, deberá de manipularse en uno y otro sentido, sin llegar a producir rotaciones bruscas y sin provocar excesiva expansión de la energía a lo largo del canal, sino más bien una sensación de adormecimiento, acorchamiento a lo largo del brazo, y sobre todo una sensación de marcha de la energía hacia su homónimo INN, el 5MC. La puntura deberá de ser profunda y el empleo de la aguja china de 2 1/2 pouces es la más aconsejable.

Si al principio de esta introducción decíamos que el canal primario de los 12 principales era el SANCHIAO, el último en aparecer es el XINBAO (MC). Recientes excavaciones en tumbas antiguas asi lo atestiguan, cuando en un principio, no existía como tal gradiente de energía, posteriormente, aparecen una serie de puntos, pero sin conexión de canal... y finalmente, se determina claramente la existencia del canal... Si partimos, además de la idea de filogenesia energética, de que el XINBAO es el encargado de establecer la *sintonía homeostática del individuo* con el medio por medio de la comunicación estaremos en disposición de entender, como el canal y la función del MC se desarrolla de una manera paulatina, hasta completarse probablemente a la edad de la configuración de carácter, es decir, a los siete para la mujer y a los ocho para el hombre... Este control del INN de miembros superiores, sería el control *de lo INN CONTAMINADO*, ya que el desarrollo de su energía pasa por la estructura central del tronco (hombre)... Es el INN de la tierra, que en su ascensión se hace impuro por la interacción de la estructura humana, y que emerge en los meridianos INN del miembro superior. La concretización energética de estas funciones INN del miembro superior recaen sobre el punto *JIANSHI. 5 MC.* Analicemos el significado de su nombre.

—**Jian.** Puerta de doble batida que permite el paso de los rayos del sol y de la luna de una manera alternativa. Dejar un intervalo. Intermitente...

—**Shi.** Dirigir, gobernar, conducir. Servir. Mensajero, Emisario...
«EL EMISARIO QUE CONDUCE LAS INFLUENCIAS CELESTES BAJO LA FORMA DEL SOL-LUNA».

Un nombre secundario establece, *GUI LUI.*

—**Gui.** Espíritu inferior...

—**Lui (Lou)**. Ruta, camino, vía, itinerario, dirección, proceder:

«LA RUTA DEL ESPIRITU INFERIOR»...(DEL HOMBRE)...

El pensamiento simbólico global si encuadramos los dos nombres, sería:

«EL EMISARIO QUE CONDUCE LAS INFLUENCIAS DEL ESPIRITU INFERIOR (del hombre) POR MEDIO DEL INTERVALO DE LAS INFLUENCIAS CELESTES DEL SOL Y LA LUNA».

El control que establece este punto sobre lo INN del miembro superior sería de índole CUANTITATIVO, CUALITATIVO y DINAMICO. Todas esas cualidades nos permiten afirmar que todos los componentes del espíritu (inferior del hombre) se encuentran filtrados por la actividad de este punto... Todas estas consideraciones explican el porque este punto tiene sus principales indicaciones en los trastornos de la personalidad... Ligados a la *disociación INTERMITENTE del hombre ante su medio*, especialmente ante sus semejantes.

La actividad de la puntura sobre este acumulo de energía se deberá de hacer de una forma suave, lenta, *NO BRUSCA, BUSCANDO, PAULATINAMENTE LA LLEGADA DE LA ENERGIA.* Cuando sentimos la llegada del QI, es el momento de detenerse, esperar, y comenzar lentamente a manipular la aguja, con ligeros movimientos de ascenso y descenso de la aguja, de manera *INTERMITENTE*, como nos dice el significado del punto, realizando maniobras de movimientos de energía de una forma pausada, pero teniendo en cuenta que si la puntura es durante el día, las manipulaciones serán más rápidas, y si se realizan durante la noche, las manipulaciones se realizarían de una manera más lenta, para de esta manera acoplarnos a los ritmos celestes.

La puntura se hace perpendicular, de manera que se dirija hacia el SANJIAO...

La confluencia del INN del miembro inferior recae sobre el canal del BAZO en su punto SANINNCHIAO. Se trata del *punto cruce del INN TERRESTRE. NO CONTAMINADO.* Las influencias de la energía del hígado-riñón-bazo, se hacen una sola en este punto. Analicemos el significado del punto:

—**San.** Tres.

—**Inn.** ...Sentido de cupla INN-YANG.

—**Jiao.** Cruce, entablar relaciones, intercambiar...

«LOS TRES CRUCES DE INTERRELACION ENTRE LA CUPLA INN-YANG».

Veamos otros nombres que le han sido asignados a este punto.

Cheng Ming.

—**Cheng.** Soporte, herencia, recibir.

—**Ming.** Destino. Decreto del cielo...

«EL SOPORTE DE LOS DECRETOS DEL CIELOS».

Tai Yin.

—**Tai.** Supremo, el más grande.

—**Yin.** De la cupla INN-YANG.

«LA SUPREMA CULMINACION DE LA CUPLA INN-YANG».

Xia Zhi San Li.

—**Xia.** Descender. En lo bajo. Lo inferior.

—**Zhi.** DE.

—**San.** TRS.

—**Li.** Camino. Unidad de medida. Idea de organización.

Si sintetizamos la idea de los tres secundarios y el primario, el sentido final sería.

«LOS TRES CRUCES DE LA INTERRELACION INN-YANG SON EL SOPORTE DE LOS DECRETOS DEL CIELO. LA SUPREMA CULMINACION DEL INN-YANG. EL DESCENSO DE TRES EN LA ORGANIZACION DEL CAMINO».

Todas las consideraciones que se han realizado con el significado del nombre hablan por si solas. La intencionalidad terapéutica avalada por este significado nos situa en la esfera de todas las posibilidades de armonización, solo con la activación de este punto.

Las técnicas de aplicación se realizaran con manipulaciones profundas y rápidas, de tal manera que rotaremos la aguja en las dos direcciones hasta conseguir la llegada del QI.

La aplicación de la moxibustión en este punto es de gran utilidad cuando entendemos una mayor eficacia del ascenso del INN de la tierra.

El último punto de cruce, es un punto controvertido. En la mayoría de los textos se aplica esta función de cruce de los *YANG CONTAMINADOS DEL MIEMBRO INFERIOR* se le concede al *39VB.* Este punto, maestro de las médulas ya posee su propia especificidad, razón por la cual pensamos que el auténtico punto de cruce de los YANG INFERIOR se trataría del *35 VB. YANGJIAO*; su principal traducción, *ENTRECRUZAMIENTO DE LOS YANG*, ya habla por si solo, cosa que no ocurre con el 39 VB, que en ningún momento hace referencia a esta función. Se trata, además, del punto XI del meridiano curioso YANG OE...

Analicemos el significado del nombre.

—**Yang.** De la cupla INN-YANG.

—**Jiao.** Cruce. Intercambio. Entrar en contacto.

«CRUCE DEL INTERCAMBIO DE LOS YANG».

Un segundo nombre nos habla de *BIE YANG:*

—**Bie.** Separar, quitar, diferente.

—**Yang.** De la cupla INN-YANG.

«LUGAR DE SEPARACION DE LO INN-YANG».

El significado completo si tenemos en cuenta los dos nombres, sería:

«CRUCE DEL INTERCAMBIO DE LOS YANG. LUGAR DE SEPARACION DE LO INN-YANG».

Situado a siete pouces por encima del maleolo externo deberá de ser punturado de manera perpendicular y ligeramente oblicua ascendente. La puntura es profunda, provocando una sensación de ascenso y descenso de la energía a lo largo del canal. La manipulación deberá de ser *RAPIDA*, como el VIENTO Y DE UNA SOLA VEZ. LA *PRECISION EN LA INTENCIONALIDAD DE ESTE PUNTO ES FUNDAMENTAL PARA QUE CUMPLA SU PAPEL ENERGETICO.*

XVI. SEXOLOGIA

En la X se encuentra la lírica de los dioses.
En X se culmina la fragancia de lo siempre inesperado.
En X se descubre el instante de auténtico silencio.
En X se entrecruza la esencia sublime de la permanencia.
Con la X del exclusivo idilio, se alcanza la fragancia de la única fragancia... nadie más puede estar presente... nunca...
En la vivencia de X confluyen los aromas del perfume nunca creado.
En la vivencia de la auténtica X desaparecen todas las incógnitas... todo se vuelve trasparente y nada puede alcanzar el secreto...
No dejes que ni un solo resquicio de X pertenezca a quien no te posee ni es poseido. Si asi no lo haces, perderás para siempre la fragancia de lo constatemente excepcional. Una entrega a destiempo, una simple caricia... puede romper el encanto. En X no existen concesiones ocasionales, ni furtivas. Cuando encuentres y vivas la auténtica X cuida de que cualquier vulgaridad o concesión no arruine tu espíritu... porque se irá, como el viento, el cruce perfecto, y ni siquiera el suspiro. Lo detendrá.

XVI. SEXOLOGIA

La patología ligada a la sexualidad es la constante más frecuente, por no decir PERMANENTE, que se presenta en toda forma de enfermar... Pero, entendámonos... No se trata de una sexualidad genitalizada, UNICAMENTE, se trata de un concepto de sexualidad, que es obligado redefinir. La idea pansexualista de que Freud fue tachado sistemáticamente, era genital, pero, sin duda, en él, no estaba esa permanente obsesión. La sociedad victoriana de su época... No daba más de si. Si entendemos la sexualidad *como la interrelación afectiva de todos los seres animados e inanimados,* estaremos en condiciones de ser TODOS, pansexualistas. Si nos ligamos a la sexualidad, a la genitalidad y a la idea permanente de tipo religioso, en occidente, de la procreación, estaremos fuera de lugar. No negamos esa genitalidad. La afirmamos, pero no la tomamos como exclusiva manifestación del sexo. Es un elemento, y sin duda, de escasa vigencia a lo largo de la vida de los seres. Deberá de ocupar un espacio, que nunca será permanente. Por él, de él y junto a él, se desarrolla una intensa actividad que ocupa un espacio mucho mayor... inconmensurablemente mayor.

¿Es genitalidad la ternura que despierta la alegría de un niño? ¿Es genitalidad la sonrisa complaciente de un anciano? ¿Es genitalidad la caricia intencionada de un amigo? ¿Es genitalidad el abrazo de un encuentro? ¿Es genitalidad la dulzura de un atardecer? ¿Es genitalidad la pasión de un verso? ¿Es genitalidad las manos cerca en la búsqueda de ayuda? ¿Es genitalidad el canto absorvente de una melodía? ¿Es genitalidad la palabra cálida en el momento oportuno? ¿Es genitalidad el juego sin trabas, lleno de sonrisas? ¿Es genitalidad el recuerdo apasionado del primer beso? ¿Es genitalidad la caricia de la mano que todo comprende? ¿Es genitalidad la mano prieta del padre que siente? ¿Es genitalidad la complicidad permanente del hermano? ¿Es genitalidad el gesto complaciente de un secreto compartido?... Sin duda no lo es, pero si, si es una manifestación sexual. Aqui están las diferencias... Pero además, como decíamos más arriba, todo ello, debería de acompañar a la genitalidad, para que esta se desbordará de su habitáculo, de la esclavitud del lugar y se convirtiera en un océano de sensaciones.

Esta amplificada redefinición de la sexualidad nos situa en la investigación de las alteraciones en este sentido, de tal manera que las encontraremos en las muy diversas patologías. No deberemos de dejar de indagar, con preguntas o sin ellas, con la observación del silencio, cual es la situación sexual de nuestro paciente. Pero no deberemos de realizarlo como hábiles sabuesos o como inquisidores confesores, lo haremos desde el prisma del conocimiento, de la NATURALIDAD, y, sobre todo, del intento de transmitir la necesidad de integrar estas sensaciones en la patología que pueda presentar. El sentimiento totalitario que representa la totalidad puede ser el elemento sintetizador que ponga en marcha las energías en su afán de equilibrio.

Todas estas consideraciones deberán de hacer reflexionar sobre la necesidad de realizar un tratamiento TOTALIZADOR, y en este sentido, la SEXUALIDAD, es el elemento que mejor sintetiza la actividad espiritual del ser humano.

La realidad, es, que de entrada, los pacientes no suelen confiar en el médico este tipo de consideraciones, como causa de sus problemas, y si en cambio, los aspectos genitalizados. En el hombre la impotencia y la eyaculación precoz y en la mujer (en mucha menor medida) la frigidez.

IMPOTENCIA SEXUAL MASCULINA

Se trata de un cuadro multifactorial, que se amplifica más allá de la mera potencia sexual, que asume al hombre en una auténtica sensación de *minusvalía*. Esta sensación de frustración, es la consecuencia de dejar de cumplir el rol que la sociedad, de carácter MASCULINO, le ha impuesto, como *imprescindible* para poder considerarse UN HOMBRE. La pérdida del prototipo exigido, tanto por el hombre, como por la mujer, como condición sine quenon para ser un ser realizado, coloca al hombre en un ser minusválido. Sin duda se trata de un juicio fariseico de lo que realmente es la sexualidad. Triste, muy triste... Pero no nos desesperemos... Si comenzamos por enseñar a nuestro varón frustrado la amplificación de su sexualidad, y por añadidura, también, a su desilusionada mujer... Las cosas pueden empezar a cambiar.

Es una realidad admitida por todos los sexólogos que la impotencia es una problemática ligada al campo estrictamente psicológico. Salvo en casos muy excepcionales, de carácter físico, donde, además la impotencia juega un papel secundario, en todos los demás, el componente psicógeno ocupa el primer orden en la etiología de esta enfermedad.

Si situamos a la actividad sexual genitalizada del varón dentro de los cánones estrictamente energéticos, descubriremos que esta actividad pasa por diferentes fases de evolución. Esta actividad comienza con la fase hedonista de la autosatisfación infantil, para ir progresivamente desplazando la satisfación hacia el entorno, en este caso, hacia la mujer. Una vez identificada esta nueva realidad, o más bien sería decir DESCUBRIMIENTO, comienza para el hombre un nuevo ritmo... Y aqui incide poderosamente la cultura, que le impedirá realizar una sexualidad amplificada y que tenderá de una manera cruel a fijarse en una nueva etapa hedonista de *posesión* desplazada. Es en este tiempo donde la actividad sexual se hace muy activa... Y progresivamente se agota... y... la desilución se hace patente... si no hubiera ocurrido ese desplazamiento del deseo hedonista a otro deseo IGUALMENTE HEDONISTA, este agotamiento no se hubiera producido... Asi de sencillo y simple... El lector puede llenar de propios comentarios esta trampa. Pero... Esto es lo que ocurre... Ya tenemos pues los primeros elementos terapéuticos para reeducar a nuestro paciente... Tengámoslo muy en cuenta. Cuando descubrimos la amplificación de la sexualidad la realidad para nuestro sufrido varón, se hace más llevadera.

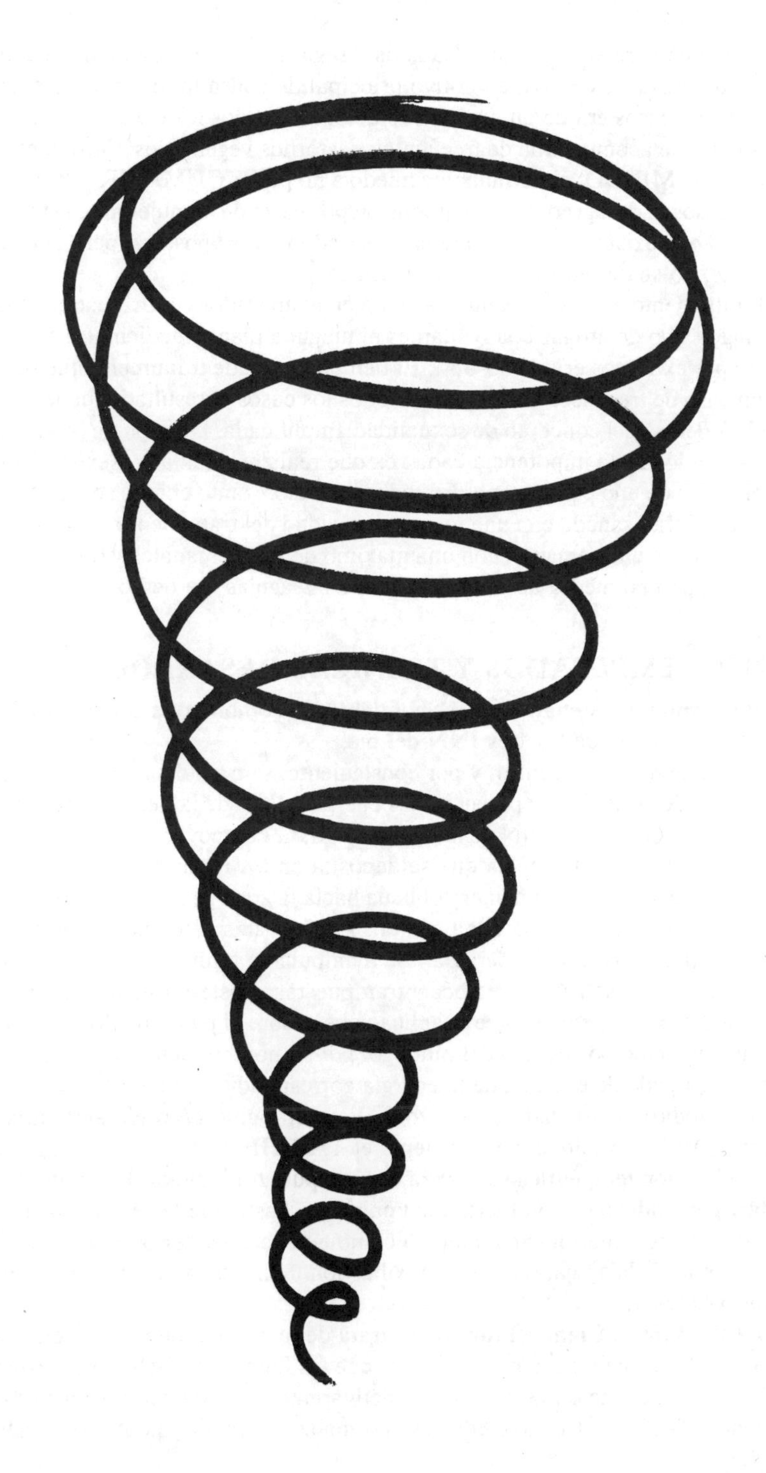

Presentamos treinta pacientes tratados y seguidos en su evolución por espacio de tres años. En todos estos casos, el motivo principal de consulta fue la impotencia, que en el mejor de los casos era de un año de evolución. En todos los casos existía una fuerte depresión que se acompañaba de frecuentes trastornos vegetativos. Otro punto cardinal intenso, era el MIEDO, el permanente miedo a no poder CUMPLIR... Y también... en todos los casos el desagrado e incomprensión por parte de la mujer ante esta situación (por su puesto que existen casos en que la mujer adopta otra postura, pero además de ser infrecuente, no se dió en estos casos estudiados).

El tratamiento consistió exclusivamente en acupuntura y moxibustión. No se emplearon ningún tipo de drogas coadyudantes ni ninguna planta medicinal. La edad de los pacientes por extremos era de 33-68... El tiempo medio de tratamiento fue de ocho meses, con un caso de tres meses resuelto. En todos los casos el resultado fue la vuelta a la normalidad, dentro del concepto de sexualidad amplificada. Dejaron de producirse los fenómenos propios de la impotencia cada vez que realizaron un acto sexual. El ritmo medio de coitos fue de uno por semana. En todos los casos, tanto en uno se registro una recaida que pudo ser subsanada con una mayor intensidad del tratamiento. El ritmo medio de las sesiones fue de una semanal, con una máximo de tres semanales y un mínimo de una semanal. El tiempo medio de permanencia de las agujas fue de 15 minutos.

PUNTOS EMPLEADOS Y TECNICAS DESARROLLADAS

3 RM. Shongji. A cuatro pouces por debajo del ombligo, es el punto MO de la Vejiga y punto de reunión de los tres INN del pie.

Se trata de un punto centro, y por consiguiente, se trata de un punto que desarrolla la posibilidad de armonizar y potenciar las energías INN de la tierra. Por ser punto MO de V activará las funciones INN de la facción YANG del movimiento agua, de esta manera activará el ritmo de la esencia que se deposita en los riñones.

La puntura se realiza de manera oblicua hacia la zona genital de tal manera que la sensación se transmita hacia la zona genital. Produce una sensación de hormigeo y calor, que se irradia hacia la zona perineal. Se manipula en tonificación y se realizan tres maniobras mientras las agujas se encuentran puestas. Posteriormente, se aplicó moxibustión indirecta, con al menos nueve aplicaciones sobre el punto 6 RM. QIHAI. Situado a un pouce y medio por debajo del ombligo, por su nombre determinamos que se trata de un punto cargado de energía, de la energía correspondiente al TAMTIEN INFERIOR. Controla toda la actividad de esta zona, y es un punto de preferente utilización en el hombre, (así lo especifica expresamente el TA CHENG).

Su aplicación terapéutica se realiza con acupuntura y moxa. La puntura se hace profunda y perpendicular, con fuerte manipulación, hasta que la sensación se expanda por todo el abdomen inferior. Se manipula como en el caso anterior en tres ocasiones. Después de retirada la aguja, se aplica moxibustión indirecta, al menos con 18 movimientos de aproximación.

20 TM. Baihui. Cien reuniones. Se trata del punto de reunión de todos los meridianos YANG, del pie y de la mano. Puesto que las funciones YANG se encuentran disminuidas con la activación de este punto, activaremos las funciones Yang de la tierra y las funciones YANG del cielo. Además, normalizaremos el psiquismo y calmaremos el espíritu.

La puntura se realiza de manera oblicua hacia la base del cráneo. Se manipula en una sola ocasión, en el momento de la puntura, hasta conseguir que la sensación se transmita a lo largo de la zona adyacente, y descienda hacia el trayecto del TM. Después de la puntura se aplicará la moxibustión, con el cigarro de manera indirecta, con nueve aplicaciones, consiguiendo una sensación de calor que se expande a lo largo de toda la cabeza.

11 TM. Schendao. El camino del espíritu. Se trata de un punto SHEN, y por tanto su función fundamental se central en recuperar la esencia espiritual del hombre con referencia a su entorno y a sus raices celestes. Este punto, además, posee una conexión importante con el canal del BAZO, lo cual le situa en una acción privilegiada, ya que maneja la esencia de la tierra y la sintoniza con la fuerza del espíritu.

Se puntura en dirección ascendente. La manipulación se realiza de manera que la energía se propague a lo largo del canal, hasta que el paciente experimente una sensación de ascenso de la energía. Se realiza una sola manipulación. Después se aplica moxibustión con cono del tamaño de un grano de arroz, hasta cinco. Producirá una pequeña quemadura, después de lo cual se obtendrá de realizar maniobras sobre este punto, hasta que su recuperación sea total.

Existen otras variedades de tratamiento para esta afección. No se pueden agotar todas. Consideramos que estos puntos son los que mejor pueden ayudar a resolver el problema...

No debemos de olvidar, que gracias a la iatrogénesis médica de ciertos medicamentos, sobre todo los que actuan sobre el s.n.c., producen con suma frecuencia este cuadro. En estos casos la supresión de la medicación con el tratamiento oportuno de la afección resolverá la situación. Otra mención importante la constituyen los cuadros de diabetes insulino-dependiente que con frecuencia presentan cuadros de impotencia. En estos casos se deben de emplear, además de los puntos citados el 6B en tonificación. En pocas sesiones, además del tratamiento contra la diabetes, pondrá al paciente en unas condiciones aceptables para que esta situación deje de constituir un problema.

FRIGIDEZ

La frigidez femenina, igual que la del varón, presenta en su trasfondo claros síntomas de alteración psicógena que justifica en la mayoría de los cuadros la etiología del cuadro, pero... en estos casos, las relaciones de rechazo hacia su pareja sexual, suelen ser la causa más frecuente. Si exceptuamos síndromes de alteraciones hormonales profundas, todos los casos tratados deben de fundamentarse en una clara investigación sobre las relaciones de la infancia, pubertad y adulto por las que ha pasado la paciente para la total claridad de la etiología del cuadro.

Los traumas infantiles en la mujer, relacionadas con la sexualidad, suelen configurar una sensación de miedo y de fracaso que determina su comportamiento sexual anómalo.

Presentamos 10 casos de mujeres que consultaron por frigidez todas ellas de más de cinco años de evolución. Las edades oscilaban entre los 27-47 en todos los casos, menos en uno, la pareja sexual era estable. En todos los casos es preciso de una psicoterapia de apoyo, a nivel de reconocimiento del origen de la afección. El tiempo medio de tratamiento fue de 6 meses. El tiempo de seguimiento después de cesar el tratamiento fue de un año, de los 10 casos tratados, 7 se resolvieron en su totalidad, y los dos restantes, evolucionaron de forma anárquica e irregular, considerándose los resultados mediocres.

PUNTOS EMPLEADOS

4RM. Guanyuan. Barrera de la fuente. A tres pouces por debajo del ombligo, se trata del punto MO del intestino delgado, y también, punto de reunión de los tres INN del pie.

Si decíamos con motivo del 6RM que se aplicaba fundamentalmente al hombre, en el caso del 4RM, es de aplicación preferente en la mujer. Todos los trastornos ligados con la fisiología del aparato genital femenino deben de considerarse desde el prisma de este punto...

Su empleo en esta afección se fundamenta fundamentalmente en su confluencia de reunión con los tres INN de la tierra. Esta acción provocará un mayor aflujo y circulación de sangre en las zonas genitales, desarrollando en consecuencia una mayor sensibilidad y un mejor movimiento de las energías que suelen estar estancadas en esta patología...

Se realiza la puntura perpendicular, hasta conseguir que la sensación descienda hacia la zona genital. Se realiza una sola manipulación en tonificación en el momento de la puntura. Después de esta se realiza moxibustión indirecta de seis conos indirectos.

6B. Saninnchiao. Cruce de los tres INN. Se trata del punto maestro del bazo que tiene como función el ascenso de la energía de la tierra (sangre) hacia la zona abdominal, fundamentalmente. Por una parte activa la esencia de los riñones, y por otra moviliza la energía, sangre del hígado, para finalmente favorecer la distribución por la acción del bazo.

La puntura se realiza profunda, con aguja larga, y se manipula hasta conseguir que la sensación comience a ascender y producir una sensación de tumefacción en la zona del punto... Después de tonificar el punto tres veces durante la sesión se pasará a realizar la moxibustión, con cigarro de forma indirecta.

6MC. Neikoang. Barrera interna. Se trata de estimular el maestro del corazón con el fin de favorecer las relaciones psíquicas con el exterior que se encuentran perturbadas en estas pacientes. La función del MC es la de favorecer las relaciones del espíritu con el exterior, de tal manera que las informaciones del exterior sean purificadas por el MC para que no puedan perturbar al corazón, y para que finalmente las informaciones del fuego imperial (C) puedan ser expandidas al exterior sin presentar interferencias.

La puntura se realiza de manera perpendicular en dirección hacia el TR. Se manipula la aguja en tonificación hasta conseguir que la sensación se transforme en una sensación de entumecimiento en la zona del punto y hasta que, además, se trasmita hacia la zona distal de los dedos.

XVII. PATOLOGIA ABDOMINAL

Y con que facilidad comemos, y con que futilidad se traga... constantemente... cotidianamente... ¿y si nos paráramos por un momento a valorar lo que supone comer?... háganlo al menos una vez al día...
La tierra se nos ofrece en holocausto para que podamos subsistir en nuestra búsqueda del azul celeste... y en este holocausto planetario... ¿cómo es posible qué no se alcance a ver la necesidad de santificar los alimentos? ¿es tan difícil darse cuenta de ello?... Unos segundos por favor... y antes de abrir la boca... entornen los ojos... y al menos digan...; gracias.

XVII. PATOLOGIA ABDOMINAL

En el abdomen se conserva la esencia INN de la tierra. En este desprotejido lugar, si la comparamos con el tórax, se culmina la ascensión del INN de la tierra. Es el receptáculo del único canal del organismo que posee forma CIRCULAR. El TAE MO. Es en este canal extraordinario donde se sintetiza la materialización de las influencias celestes. Corresponde a las tres líneas enteras del cielo, al primer trigrama del octograma de FUSHI. Esta circularidad nos recuerda la redondez de todas las estructuras cósmicas con su falta de líneas oblicuas o ángulos, que impiden el movimiento. Es en este canal donde se sintetizan todas las influencias del cielo con la tierra. Es el gran controlador de abdomen, con su punto 26 VB. Su permanente actividad es el reflejo de la verticalidad del hombre, y su recuerdo de ascensión hacia lo celeste.

En el abdomen se albergan los órganos de la esencia, los de la expansión y los de la regulación, y ...La entraña curiosa que hace posible la formación del córtex o cerebro superior. Es la concretización de la esencia en su proceso de acumulación, preparada para el gran asalto de la evolución.

De nuevo en el abdomen, gracias a la acción del TAEMO se genera el DIAFRAGMA, la cúpula del cielo que nos contempla. No es una casualidad que su forma sea la de una cúpula con su concavidad hacia la tierra. Es la estructura muscular (no por azar. Madera), que permite una clara diferenciación entre lo terrestre y lo celeste. Gracias a su permanente movimiento, tampoco es causal (como el movimiento incesante de los procesos cósmicos) es posible el movimiento de ascenso y de descenso de las energías INN-YANG. Se trata del vetriculador de la esencia de los riñones, por medio de la madera para poder alcanzar el máximo de Yang en el fuego del corazón... No en valde en la tradición China se le llama el pequeño corazón. Su actividad permitirá el movimiento de almacenamiento de la sangre en el hígado, actuará sobre la distribución y la asimilación de la sangre por medio de bazo... Movilizará, por medio de la respiración de metal... la secuencia rítmica de la esencia de los riñones, para de esta manera nutrir de energía hereditaria a todo el organismo.

Nunca será suficiente la insistencia sobre la importancia de la respiración en los procesos de sublimación de la esencia en su búsqueda desesperada del cielo. En todas las tradiciones se da especial énfasis en las diferentes técnicas de respiración, como una manera, más de elaborar las diferentes energías y hacerlas más sutiles.

El abombamiento abdominal que presentan la mayoría de los BUDAS, tampoco es casual, de nuevo aparece la respiración como el proceso básico en busca de satori.

La materialidad de las estructuras abdominales esta inmersa bajo la protección del cielo.

En el hígado se sintetizan la acumulación de la esencia INN de los riñones, su mutación y ascenso de esta energía en YANG la realiza por medio de canal de su órgano que culmina en el 20 TM. Parte de la esencia YANG de los riñones se canalizará a través de la VB, y otra parte de la energía INN del hígado se transformará en energía YANG que será depositada en la VB.

En el bazo se localiza el centro de la tierra del INN. En el confluyen las funciones de información de todos los órganos, y a partir de ella la distribución hacia todas las estructuras, con la información precisa para poder ser utilizada.

Los riñones son la esencia INN de la tierra. Representan la alarma permanente de lo terreno en su supervivencia hacia la contemplación de lo celeste. Son el reloj biológico que consume su actividad de una manera paulatina, y de una manera constante y permanente, se sumerje en la debilidad, que es precisamente su fortaleza, «lo más debil siempre vencerá a lo más fuerte» (TAOTEJING)... La constante debilidad de los riñones es solo el espejismo de una deficiencia cuantitativa. La cualidad de su esencia en la medida en que se consume el tiempo de vivencias, es la plenitud de la mutación del espíritu. Si esto no se entiende, consumiremos, sin mutar, todas las posibilidades de la tierra. Si lo entendemos, estaremos en condiciones de preservar esta esencia de manera tal de que sea el YAN CONSERVADO y No el yan que se expande sin orden en la búsqueda anhelante de su fuente celeste.

XVIII. ENFERMEDADES DE LA SANGRE

Y dicen que la sangre tira. Lo que tira es nuestro egoismo de la intransigencia... lo que realmente debe de tirar es la esencia de la sangre... Nuestros sentimientos. En la sangre se culminan las posibilidades de la energía. Con la sangre cedemos la corporeidad de lo terrestre para lanzarnos a la expansión de lo imposible.

XVIII. ENFERMEDADES DE LA SANGRE

La patología de la sangre esta íntimamente ligada en M.T.C. con las alteraciones de la energía. Se trata de un binomio no divisible, que se encuentra de una manera permanente en todas las patologías. Cuando hablamos de sangre, debemos de referirnos a la situación de la energía, y cuando hablamos de energía debemos de referirnos a la situación de la sangre. Es el INN-YANG de las interacciones de todo el organismo.

En occidente se han tipificado con todo lujo de detalles todas las situaciones que puede presentar las alteraciones hematológicas... Pero... Nunca se las relaciona con alteraciones de energía.

En principio, deberemos de establecer, según la tradición, las características que posee la sangre desde el punto de vista de los órganos y entrañas y los cinco movimientos...

La sangre se produce en el seno de los riñones... En las médulas...

Es dirigida por el Corazón... Fuego...

Es conservada por el Hígado... Madera...

Es distribuida y asimilada por el Bazo... La energía del pulmón... Mueve la sangre...

Es regulada y dinamizada por el SANJIAO...

Con estas consideraciones podemos establecer las diferentes relaciones e interacciones en que se puede encontrar la sangre.

Todos los movimientos participan de una manera u otra en la dinámica de la sangre, según queramos actuar a uno u otro nivel, actuaremos sobre uno u otro movimiento. Por ejemplo... Cuando se produce un estancamiento de sangre... Podemos destruirlo... con la acción de la energía del pulmón... Además de dispersarla con microsangrías... Cuando existe una alteración en la distribución y asimilación de sus principios... Como ocurre en la diabetes... deberemos de actuar sobre el bazo-estómago... Cuando se establece una disminución... Actuaremos sobre el hígado... Cuando sus movimientos no son correctos actuaremos sobre el corazón... Cuando su nivel de producción es deficitario... Sobre el SANJIAO... Cuando el trastorno es más profundo... Se actuará sobre los riñones,... Debemos de estar atentos a la situación que presente el paciente para atender de una manera precisa a sus necesidades.

Las manifestaciones más sencillas en la patología de sangre se refiere a un estado cuantitativo... LAS ANEMIAS...

ANEMIAS

Podemos decir sin ningún género de discusión, que las anemias simples que no obedecen a una patología profunda y que estan provocadas por fatiga, agotamiento... o déficits en los mecanismos de asimilación... Son tratadas por eficacia incuestionable por medio de la acupuntura y moxibustión.

Presentamos veinticinco casos tratados ...veinte mujeres y cinco hombres que fueron tratados por acupuntura y moxibustión. En todos los casos las cifras de hematíes estaba por debajo de los 3 millones y medio... En todos los casos las terapias tradicionales de la medicina occidental habían fracasado. En todos los casos la respuesta fue satisfactoria y no se presentaron recaidas después de un año de seguimiento.

En todos los casos seguimos el principio de tratamiento según las cualidades de los puntos y según el principio de que la sangre se almacena en el HIGADO.

Los puntos claves que se emplearon en el tratamiento fueron los siguientes...

3H. Punto tierra del hígado... Se consigue por una parte que movilice la sangre... y que además, se produzcan los mecanismos de utilización.

38V. (Koangroang)... Se trata de un punto de provada eficacia en los estados anémicos. En este caso la eficacia reside en dos aspectos. Por una parte se trata de estimular el movimiento agua, lugar donde reside la esencia de la sangre, y por otra parte, en que el meridiano de TAE YANG es el meridiano unitario que tiene más sangre del organismo... Sin olvidar... que el punto se encuentra bajo la esfera energética del corazón... Son razones suficientes para su empleo.

10B. (Xuehai)... Mar de la sangre. Su nombre ya nos indica sus posibles aplicaciones en la esfera de la sangre, además, por ser un punto de bazo se encargará de la distribución.

18V. IU de diafragma. Se trata de un punto, que según los chinos... Es un pequeño corazón. Favorecería en su dinámica los movimientos de la sangre, actuaría como sifón de los órganos de la cavidad abdominal para movilizar la sangre del hígado, para actuar como el corazón... dirigiéndola.

Estos cuatro puntos constituyeron la base del tratamiento, sin olvidar los puntos individuales de cada paciente según su estado de energía. El número de sesiones media en todo el grupo tratado fue de 15. El ritmo del tratamiento fue de tres sesiones seguidas con sesiones intermedias cada cinco o siete días. Se realizaron controles al principio del tratamiento y al final... hasta conseguir que en el caso de menor incidencia se consiguió una cifra de 3.880.000 hematíes, y en el caso más positivo de 4.500.000... Se realizaron sucesivos controles después de tres meses de tratamiento y en todos los casos las cifras no experimentaron descensos. Dentro de los casos presentados cinco eran mujeres embarazadas, con importantes cifras de anemia, consideradas fisiológicas durante el embarazo. Ni que decir tiene que las condiciones de estas mujeres en este período fueron excelentes en cuanto a su estado general... Y no digamos en cuanto a la hemodinámica energética en cuanto a sus relaciones fetales...

Pensamos que toda anemia del embarazo debe de ser tratada con eficacia, ya que estas pueden repercutir sobre la alimentación fetal.

POLIGLOBULIA VERA RUBRA DE VAZQUEZ OSLER

Hemos tenido ocasión de tratar tres casos de esta difícil enfermedad, en que la situación sanguínea es la inversa de la situación anterior, si bien, no de igual pronóstico.

En el primero de los casos se trataba de un hombre de 60 años, que comenzó su enfermedad con alteraciones importantes de carácter neurológico a nivel central, más las habituales alteraciones de sueño, apatía, alteraciones del ánimo, etc. Los tratamientos habituales, así como las sangrías repetidas, no dieron resultado, además de provocar importantes reacciones después de las extracciones. En estas circunstancias se inició el tratamiento, por medio del meridiano de vejiga, se trataba *de dispersar la sangre.*

En estas circunstancias cualquier punto del meridiano puede resultar útil, pero el de mayor utilidad será 18V-23V, sobre los órganos que producen y *almacenan la sangre* SE DEBE DE ACTUAR CON TECNICAS DE DISPERSION. En este primer caso, después de tres meses de tratamiento, conseguimos espaciar las sangrías en frecuencia e intensidad, llegando a cifras máximas de 6.000.000. Con este paciente, pudimos trabajar durante tres años, a un ritmo de dos sesiones cada 15 días y conseguir una calidad de vida en perfectas condiciones, con sangrías cada dos meses o tres. La sintomatología ceso y su adaptación al medio fue buena. Después de este tiempo, como consecuencia de una trombosis repentina falleció.

Un segundo caso se trataba de otro hombre de 46 años de edad que presentaba la enfermedad desde hace tres años, con una sintomatología de hipersomne de una manera continuada y con igual tratamiento de sangrías. En este caso, tan solo pudimos tratarlo durante seis meses y abandono el tratamiento. Durante este período, presentó dos meses de mejoría notable, para después recaer en los síntomas. Desconocemos la evolución actual del paciente.

El tercer caso, se trata de otro hombre de 67 años de edad, con el mismo diagnóstico que evolucionó de manera semejante al primer caso. Se le trató durante tres años y durante este tiempo su actividad fue normal, con apenas sintomatología si exceptuamos un cansancio de piernas que se desencadenaba a los veinte minutos de andar y que le obligaba a detenerse, para poder de nuevo reiniciar la marcha. También falleció como consecuencia de una trombosis cerebral repentina.

En estos tres casos la eficacia de la acupuntura, durante un período de tiempo fue determinante en cuanto a la calidad de vida del paciente, pero no fue posible detener la marcha de la enfermedad necesitaremos más tiempo de tratamiento en esta afección y poder atender a los pacientes con mayor premura, sin esperar a las manifestaciones floridas de la enfermedad. Esta situación nos permitirá una mayor acción sobre la enfermedad y no siempre actuar contra corriente.

APLASIA MEDULAR

Se trata de una afección grave de carácter crónico de evolución tórpida que termina con las suficientes complicaciones que limitan gravemente la vida de los pacientes. Presentamos tres casos en la persona de un hombre, una mujer y un niño. Presentaremos en extensión la evolución de un caso, que después de 11 años de seguimiento y seis de alta, se encuentra en perfecto estado.

En el caso del niño, se trataba de una persona de cinco años de edad diagnosticado de aplasia medular idiopática con el que tan solo pudimos trabajar durante cinco meses, ya que como consecuencia de un derrame cerebral falleció. Durante el tiempo de tratamiento, que se efectuó druante dos sesiones semanales, se consiguió retrasar las trasfusiones, de una cada 15 días a una al mes con un buen estado general del niño. Su diagnóstico se realizó dos años atrás y presentaba un cuerpo equimótico y muy mal estado general.

El segundo caso, se encuentra aún en tratamiento. Se trata de una mujer de veinte seis años de edad que tras todos los tratamientos posibles, a excepción de trasplante medular, los efectuó todos... Suero de caballo, hormonas, corticoides, etc, etc... Precisaba trasfusiones repetidas e infecciones recurrentes de una manera continuada, por lo que se precisaba antibióticos en altas dosis sin que por ello se resolvieran los problemas infecciosos. A esta situación se añadían las permanentes y continuas trasfusiones que solían ser cada 15-20 días, con cifras de hemoglobina 5-6 que obligaban las continuas transfusiones. En esta situación general se instaló el tratamiento que después de aproximadamente dos años ha conseguido una reinserción plena en todas las actividades de la paciente, una ausencia casi total de infecciones con el cese de la antibioticoterapia y un ritmo de transfusiones que esta en la actualidad de cada 40-45 días. Las complicaciones surgidas en este período han sido resueltas por la acupuntura y el límite de tolerancia a la falta de sangre ha llegado a ser en ocasiones de 2 de Hb. En la confianza que el caso se resolverá de la misma manera que en el paciente que reseñamos a continuación trabajamos. No es una tarea fácil, pero la constante evolución de pequeños logros a lo largo de este tiempo nos dan razones suficientes para pensar en una total solución del problema.

El paciente que reseñamos a continuación fue visto por nosotros en el año 77, el 14-4, de veinte años de edad, comenzó su enfermedad dos años y medio atrás, con un cuadro de hematomas, agotamiento y palidez. Entonces se diagnosticó de anemia simple y fue tratada por tres meses con reticulogen. Ante la persistencia del cuadro ingresa para su estudio completo y es entonces diagnosticado de APLASIA MEDULAR IDIOPATICA. Durante su estancia se hacen necesarias trasfusiones y el empleo de corticoides, (siempre nos preguntaremos el uso sistemático de corticoides cuando no se conoce el origen de las enfermedades. La inconsciencia de la ignorancia es perseverante en sus postulados. Sin contar, con todos los efectos secundarios, y en ocasiones agravamiento de la enfermedad, en muchas ocasiones)... Los efectos secundarios del tratamiento, obligan a una suspensión del tratamiento y se decide, ante la circunstancia de tener un gemelo univitelino, realizar un trasplante de médula en noviembre del 76, con trasfusión de leucocitos de su hermano gemelo. Contrae durante su estancia hospitalaria una hepatitis tóxica y es tratado con oxitosona. Cólicos nefríticos repetidos en tres ocasiones en el riñón izquierdo, con expulsión de cálculos de oxalato cálcico. Finalmente se presentan dolores articulares desde el comienzo de la enfermedad... Esta es la reseña de la historia clínica en el comienzo del tratamiento. Presentamos a continuación la evolución analítica hasta el año 82, fecha del último análisis y alta en el tratamiento. A continuación presentaremos un breve resumen de los conocimientos en medicina occidental sobre dicha enfermedad, para finalmente ofrecer la discusión terapéutica, la deducción de puntos, el ritmo de tratamiento y comentarios finales. Debemos de añadir, que además de este primer trasplante que hemos reseñando, se realizó un segundo trasplante, que como figura en la historia clínica hospitalaria, también fracaso. Ante esta situación se le propuso al paciente una radiación total y un nuevo trasplante, como el último camino para su recuperación. El paciente rechazó tal oferta y continuó nuestro tratamiento de forma exclusiva. Durante este período de tiempo no se empleo ningún medicación ni ninguna planta medicinal. Tan solo acupuntura y moxibustion. Nuestra felicitación a esta ejemplar persona que supo vivir su enfermedad con suma dignidad. Gracias por su fidelidad que se vió compensada por el éxito. No podemos tampoco ocultar nuestra angustia en muchos momentos del tratamiento. Nunca nuestro desánimo. Fue un largo camino lleno de paciencia y perseverancia. Gracias.

En total se realizaron 114 sesiones de acupuntura y moxibustión. Lo cual REPRESENTA una media de 23 sesiones anuales, que equivale a una media de dos sesiones mensuales... Durante el transcurso de este tiempo se realizaron sesiones muy seguidas para luego pasar a intervalos de tiempo más prolongados sin tratamiento, observando la evolución energética de la enfermedad.

APLASIA MEDULAR. ESTUDIO OCCIDENTAL

CLINICA.

Aunque la instauración puede ser más o menos brusca, lo habitual es que se instaure de una manera insidiosa, por el espacio de semanas o meses. Suele ser evidente el grado del síndrome anémico: palpitaciones, acufenos, disneas de esfuerzo, lipotimias, etc. Generalmente, esta anemia se tolera bien, y en ocasiones con poca sintomatología, aunque presenten cifras hemoglobina extraordinariamente bajas, de 6-7 gr. 100.

La leucopenia es a costa fundamentalmente de los granulocitos, lo que genera fenómenos infecciosos diversos.

La trombopenia genera una clínica de diatesis hemorrágica. La coincidencia con la menstruación puede conllevar hipermenorrea.

Estos tres tipos de fenómenos, anémico, infeccioso y hemorrágicos suelen combinarse de forma variada, para constituir el síndrome pancitopénico.

DATOS DE LABORATORIO Y EXAMENES COMPLEMENTARIOS

Sangre periférica. La anemia es de intensidad variable, pero siempre importante del orden de 6-7 gr. de Hb es normocroma y normocítica.

La reticulopenia es un hecho esencial que nos permite hablar de anemia arregenerativa y que evidencia la insuficiencia eritropoyética de la médula ósea. Cifras absolutas inferiores a 20.000-15.000, son la regla pudiendo registrar cifras de 0.

La leucopenia cifras de 500 a 2.000 leucocitos totales.

La trombopenia oscila entre 5.000-100.000 plaquetas.

La sideremia se encuentra aumentada, superiores a 150 gammas por ml, no siendo infrecuentes cifras de 300.

APRECIACION DE LA RIQUEZA MEDULAR.

Se realiza por cuatro exploraciones fundamentalmente, *el mielograma aspirativo, la biopsia medular, la ferrocinética y la gammagrafía de médula ósea.*

Los principales datos obtenidos con estas técnicas nos proporcionan los siguientes datos de diagnóstico positivo de aplasia medular:

— Pancitopenia.

— Reticulocitopenia.
— Hipersideremia.
— Mielograma pobre.
— Biopsia medular pobre (tres grados de intensidad).
— Ferrocinética (patrón de eritrobastopenia).
— Gammagrafía medular. Captación disminuida en mayor o menor extensión.

EVOLUCION Y PRONOSTICO

La aplasia medular es una enfermedad grave, puesto que la supervivencia media de los pacientes no llega al 50% bajo tratamiento convencional. El exito ligado principalmente a los problemas de diatesis hemorrágicas ocurre en más de la mitad de los casos antes del tercer mes, de forma que puede decirse, que los enfermos tiene más posibilidad de vivir si superan los tres primeros meses de la evolución.

Se pueden distinguir dos tipos de aplasia medular:

1.—Aplasia medular grave o de alto riesgo, lo cual implica una mortandad hacia los tres meses de aparición de la enfermedad.

2.—Aplasia medular de bajo riesgo o menos grave.

Los criterios de gravedad universalmente aceptados, son los siguientes:

— Granulocitos iguales o inferiores a $500/mm^3$.
— Plaquetas iguales o inferiores a $20.000mm^3$.
— Reticulocitos iguales o inferiores a 1%.
— Presencia de una o más biopsias medulares con médula desértica.
— Presencia en el mielograma de más de un 75% de células no mieloides.

La evolución de las aplasias medulares, si no se produce la muerte a los tres meses, es generalmente torpida, salpicada de innumerables complicaciones, bien sean inherentes a la pancitopenia, a la sobrecarga marcial (hepatomegalia, pigmentación cutánea) o bien al tratamiento utilizado, rico en posibilidades iatrogénicas. Hay un 20% de aplasias medulares que se recuperan expontáneamente, y aproximadamente un 25% que lo hace gracias al tratamiento. En estos casos recuperados es rara la normalización absoluta, quedando frecuentemente como estigma de la insuficiencia medular global pasada una trombopenia discreta, sin traducción hemorrágica, o bien una clara andrógeno dependencia, de forma que los pacientes precisan volver periodicamente al tratamiento anabolizante que contribuyó a su recuperación (extracto de la escuela profesional de hematología «Farreras Valenti»... Hospital Clínico. Fac. de M. Barcelona.

TRATAMIENTO

Cuatro tipos de medidas van a tener cabida en la terapéutica:

1.—Medidas de soporte.
2.—Androgenoterapia.
3.—Trasplante de médula ósea.
4.—Tratamiento inmunosupresor.

1.—MEDIDAS DE SOPORTE.

Tratamiento transfusional. Se utilizan concentrados de hematíes.

Lucha contra la infección. Tratamiento de antibióticos.

Lucha contra la hemorragia. Se tratará específicamente con trasfusiones de plaquetas.

2.—ANDROGENOS.

Su eficacia en la misma ha sido enormemente debatida, con todo, existen argumentos incontestables que hacen que su utilización sea obligada en todas las fases de inicio de la enfermedad.

3.—TRASPLANTES DE MEDULA OSEA.

En cuanto a la eficacia de esta medida *aún teniendo en cuenta la simplicidad inmunológica en el caso poco frecuente de que exista un gemelo univitelino y pueda realizarse el trasplante singénico, este no tiene éxito en el 100% de los casos pues, si bien no es difícil que el ingerto tenga lugar, es posible que exista un agotamiento de la capacidad eritropoyética del mismo en virtud probablemente, de los trastornos de microambiente que puedan existir en muchos casos de aplasia medular.*

4.—TRATAMIENTO INMUNOSUPRESOR.

Esta modalidad terapéutica pertenece al terreno de la investigación... Se basa en los posibles mecanismos autoinmunes de la aparición de la enfermedad. Se estudio la eficacia de los agentes inmunosupresores clásicos, ciclofosfamida, azatioprina, o suero antilinfocitario. En el momento actual no es posible, establecer unas bases clínicas para su utilización, que queda restringida a centros especializados y desde luego teniendo como candidatos únicamente a las formas graves de aplasia. (Tomado y resumido de «terapéutica en medicina interna». M. Foz, S. Erill, C. Soler. 1983. Doyma, S.A.).

TERAPEUTICA EN M.T.C. EN LA APLASIA MEDULAR

Las determinaciones de los puntos se hará siguiendo los presupuestos que se plantearon en principio sobre los diferentes órganos que intervienen en la génesis de la sangre.

El concepto de médulas, según la tradición se encuentra en relación con la esencia de los riñones. Implica la actividad sobre todo lo «oculto» lo escondido, lo esencial. En este sentido, se encuentra incluida la médula ósea, la médula espinal, el globo ocular, etc. Desde este punto de vista, es esencial determinar, que estructura de punto, o puntos, pueden regir la actividad de estas entidades. Encontraremos en primer lugar, unos de los puntos claves para este tipo de afecciones, 39VB.

39VB.—Xuanzhong. Situado a tres distancias del maleolo externo, por debajo, o por arriba del perone. La exacta determinación de este punto no es una situación del todo aclarada. Nosotros seguimos las ideas del TACHRENG, según el cual, se encuentra por encima del perone. De esta manera podremos realizar una técnica de transfisión que más adelante explicaremos.

Se trata del punto de reunión de las MEDULAS y los huesos. También según la mayoría de los autores, se trata del punto LO de los Yang del pie. En otro apartado veremos que esta afirmación deberá de someterse a una revisión más profunda en relación con la ideografía de otros puntos de la VB. Pensamos que el LO de los Yang del miembro inferior es el 35VB.

Si analizamos la traducción de este punto veremos que el significado más común es el de *cloche suspendido*. También podemos llamarle *péndulo separado, elongado*. Un nombre secundario es JUEGU, que significa *estructura separada*. La *parte más cerrada del cuerpo separada*. Esta última acción nos situa en una nueva perspectiva dentro del significado de este punto. Se trata del punto que controla lo más *cerrado*, pero de una manera *separada*, es como si se tratara de la regulación de un sistema que se encuentra con independencia de las demás estructuras, en el sentido de que la sangre es el fluido vital que precisa para su desarrollo poseer su esencia en las partes más ocultas. Sin dudas estas consideraciones no representan una exactitud precisa en cuanto a todas las posibilidades de este significado, tan solo se trata de una aproximación en cuanto a las relaciones del 39VB con el control y desarrollo de la sangre. La actividad de este punto estaría, también, en relación con las funciones Yang de la VB, de tal, manera que el Yang superficial, desciende para penetrar en la profundidad, y de esta manera poder movilizar el INN de la profundidad, y de esta manera generar el INN-SANGRE. Este sería el mecanismo según la simbología del nombre.

En el NANJING, también se cita la especificidad de este punto. Se trata del lugar de «*REUNION DE LAS MEDULAS*

El TACHRENG lo define como punto de reunión de los huesos; punto de consolidación de las articulaciones.

En el NEIJING, también se menciona las actividades de este punto. «En las afecciones del viento, cuando las piernas se encuentran doloridas, se deberá de punturar hasta el hueso, en el punto XUANZHONG».

Si analizamos la función de la VB según la actividad de los cinco movimientos, deducimos que una de ellas es la de mover la esencia INN de los riñones para que esta pueda culminar en su máxima manifestación... el YANG, en el movimiento fuego. En este sentido, si la VB se encarga de movilizar la esencia INN de los riñones y hacerla ascender, en la medida en que en los riñones se deposita el control de lo más profundo. Hueso-INN-sangre, es esta medida la actividad del, VB activará la producción de sangre, inducirá a la médula ósea en sus procesos de formación de sangre.

TECNICA DE PUNTURA

Como habíamos indicado al principio de la descripción de este punto, la técnica de puntura en esta afección se deberá de realizar con la técnica de transfisión, de tal manera que la aguja se profundiza hacia la dirección del 6B de esta manera a la acción anteriormente descrita de este punto, se añade la activación de los tres INNde las piernas, de tal manera que actuamos sobre la esencia (R), sobre el almacenamiento (H), y sobre la distribución (B). La puntura de esta manera produce un gran movimiento de energía y de sangre hacia el exterior y hacia arriba. En este caso nos interesa la*producción de lo interior hacia el exterior.* Esta es la clave de la actividad de este punto en esta afección. La puntura se realiza con la aguja larga y con una manipulación de rotación en las dos direcciones de manera que este estímulo se transmita en la profundidad. El paciente experimenta una sensación de profunda movilización de energía en la zona del punto que se extiende hacia todo el pie, pero sobre todo, es la sensación de un movimiento interior de entumecimiento y acorchamiento de la zona, el que nos indica que la estimulación se ha realizado de una manera correcta. En ocasiones el estímulo llega hasta la zona plantar del 1R. En otras indicaciones del punto, como por ejemplo en la atrofia ótica primaria, la estimulación prolongada, además de exteriorizar lo interior, asciende hasta lo más alto, y el paciente experimenta una sensación de calor en los ojos.

43V. Gaohuangshu. Iu de los centros vitales. Situado a tres pouces de apófisis espinosa de la cuarta dorsal. En el borde interno del omoplato, justo en la línea media de su eje. Se deberá de colocar al paciente o bien boca abajo, con los brazos colgando, con el fin de que la escapula se encuentre distendida, o bien sentado con los pies relajados...

Según el NANJING este punto se relaciona directamente con la sangre, porque *responde a la energía del diafragma y del corazón.*

Esta transcripción de los fonemas Huang y GAO nos situa en las acciones sobre la sangre. Sus acciones se desarrollan en el campo de la moxibustión. Fundamentalmente deberá de moxarse en base a conos de moxa directa. Al principio con la intermediación del gengibre, después de una manera directa. Se deberá de emplear cono del tamaño de un grano de arroz, en base a NUEVE conos por sesión. Cuando se termina por producir la quemadura, se dejará de emplear el punto hasta que recupere de nuevo su actividad.

10B. Xuehai. Mar de la sangre. Situado a dos pouces por la parte supero-interna de la rótula, coincide con la posición del pulgar cuando tomamos la rotula en el fondo de la mano. Como su nombre indica se trata de un punto regulador de la sangre, elimina el calor y refresca la sangre. Por tratarse de un punto de bazo, tiene como función específica el movilizar la sangre y de esta manera promover su distribución y asimilación. Es un punto que no debe faltar en el tratamiento de las afecciones de la sangre. Tiene también importantes participaciones en las regulaciones de la regla.

La técnica de manipulación es de manera perpendicular y ligeramente oblicua hacia arriba. Se realiza fuerte manipulación hasta conseguir una propagación de la sensación en la profundidad del muslo. Después de la puntura se deberá de realizar moxibustión, en base a moxa indirecta, con aproximaciones de nueve veces.

6H. Zhongou. Se trata de un punto centro, y, además, del punto XI del meridiano. Su acción se desprende de la oportunidad de promover la salida de sangre en el almacenamiento del hígado. Se deberá de punturar de manera perpendicular, hasta conseguir una fuerte estimulación que se propaga en el sentido ascendente del meridiano. Se manipula la aguja hasta conseguir la transmisión de la sensación a lo largo de toda la pierna. Se produce una sensación de entumecimiento general. Se manipula la aguja en tres ocasiones durante la sesión. Después de la sesión se aplicará moxa indirecta. Si el paciente se encuentra en estado agudo, con poco contenido de hemoglobina y pobre hematocrito, se deberá de aplicar moxa directa, en base a conos de arroz con el intermedio de una fina capa de ajo. Se aplicaran nueve conos de moxa por sesión, hasta conseguir una pequeña quemadura. A partir de este momento se dejará de actuar sobre el punto, hasta la resolución total de la quemadura.

HOSPITAL CLINICO Y PROVINCIAL — Servicio de Hematología Clínica

FACULTAD DE MEDICINA

Casanova, 143 — BARCELONA-11

Barcelona, 4 Diciembre de 1976

INFORME

El paciente Sr. XXXX XXXXXXX XXXXX de 19 años de edad, diagnosticado hace dos años de Aplasia Medular de etiología no determinada en fase de remisión parcial tras tratamiento convencional, ingresó en nuestro servicio para practicar transplante medular. Dicha intervención se practicó el día 20 de noviembre siguiéndose en la actualidad control diario del estado hematológico. La biología de ingreso demostraba:

Hematíes: 2,18 . $10^{12}/1$	Hemoglobina: 7,6 gr/dl.
Reticulocitos: 21 . 10^5	Leucocitos: 3,3 . 10^9/l.
Segmentados: 50%	No segmentados:1%
Linfocitos: 45%	Monocitos: 4%
Plaquetas 47 . 500/mm^3	Sideremia: 156
Saturación: 32%.	

Funcionalismo hepático y renales normales. Retención de B.S.F. 20% en presunta relación con la medicación por los esteroides anabolizantes.

En el mielograma practicado en esternón se observaba abundante grano medular de pequeño tamaño. Escasos megacariocitos.

Serie eritropoyética de predominio poli-ortocromático que importaba el 60% de la celularidad total.

Serie granuloproyética presente en todos los estadios madurativos importando el 40%.

Sistema mononuclear-fogocítico normal.

Células plasmáticas normales.

Hierro reticular normal.

Sideroblastos 30%.

Así mismo se practicó cariotipo, dermatoglifo y resto de exploraciones encaminadas a comprobar la naturaleza univitelina del donante.

La biopsia medular demostró signos de aplasia grado II - III.

En los controles practicados tras la intervención se demuestra tanto en sangre periférica como en médula signos de hiperregeneración.

El último control evidencia:

Hematíes: 2,97 . 10^{12}	Segmentados: 41%
Hemoglobina: 10g/dl	No segmentados: 2%
Leucocitos: 5,4 . 10^9/l.	Eosinófilos: 2%
Linfocitos: 45%.	Monocitos: 7%
Basófilos: 3%.	Reticulocitos: 101,5 . 10^9/l.
Plaquetas: 77.500	

En el mielograma se observa celularidad global abundante.

Algunos megacariocitos.

Hiperplasia de la serie eritrocitaria suponiendo un 60% de la totalidad celular con predominio poli-ortocromático, megaloblastesis, mitosis, deploeritroplastosis y nidos de eritroblastos.

Serie granulocítica presente normal, supone un 75% de la totalidad celular con signos de desviación a la izquierda y un 15% de promielocitos, resto normal.

En estos momentos el enfermo es controlado en régimen ambulatorio. Atentamente.

MEDICO RESIDENTE

41661

HOSPITAL CLINICO DE SAN CARLOS

NOMBRE DEL ENFERMO . . . . . [illegible] [illegible] GONZALEZ
NUMERO . . . 0203370022 EDAD . . . 74 NUMERO CARTILLA . . . 0603331
AMBULATORIO . . . PEÑA PRIETA MEDICO REMITENTE . .CTERC
INGRESO CLINICA ... PATOLOGIA MEDICA.- PROF. GILSANZ
TIPO . . . URGENTE CLAVE . . . 4 FECHA . . . 10-08-76

INFORME CLINICO

RESUMEN HISTORIA CLINICA .-

Enfermo diagnosticado en abril 1975 de Aplasia Medular Idiopática siguiendo desde entonces tratamiento con oxitosona 50. Aproximadamente a los 2 meses del diagnóstico, se observó una buena respuesta clínica con recuperación de las cifras o hematíes y de leucocitos, no necesitando de transfusiones ni presentando fenómenos infecciosos. Las plaquetas no obstante, se mantuvieron en todo momento en cifras inferiores a 20.000, no presentando sin embargo fenómenos hemorrágicos. En ésta situación y con medulogramas en los que se evidenciaba una buena recuperación funcional de la S. Roja y Granulocítica, pero con S. Megacariocítica disminuida y escasamente funcional.
A finales del mes julio 76, el enfermo presenta hematomas a mínimos traumatismos e intensa epixtasis, razón por la cual ingresa de Urgencia.
Necesitó de transfusiones sanguíneas de concentrado de plaquetas y taponamientos anterior y posterior con lo cual se lograron cohibir las hemorragias.
La exploración física, a parte de la palidez y hematomas, continuaba inmodificada. En el transcurso de ésta última hospitalización, el enfermo presentó marcada ictericia, 10,8 mgr. de Colemia con Transaminasas elevadas. p. de floculación afectas y antígeno australia negativo, juzgándose el cuadro como hepatitis medicamentosa por los esteroides anabolizantes. Se suspendió la Oxitosona, desapareciendo la ictericia y normalizándose lastransaminasas , en un plazo de 15 días.
Hematologicamente el enfermo, presenta discreta anemia, S. Granulocítica dentro de los límites normalidad, con fórmula leucocitaria normal e intensa Trombopenia de entre 5-15.000 plaquetas.
El enfermo continuará tratamiento con Oxitosona y controles hematologicos periodicos en el Laboratorio Hematología Pf. Espinós.

JUICIO DIAGNOSTICO .-
CODIGO

----- APLASIA MEDULAR IDIOPATICA.
----- HEPATITIS MEDICAMENTOSA.

TRATAMIENTO .-

- OXITOCONA 50, 3 comp. diarios
- SELECTREN de 16 mgr. 3 comp. en ayunas.
- ACUDIRA QUINCENALMENTE A REVISION AMBULATORIA.

ALTA POR 2 SE RECOMIENDA DEBE VOLVER DENTRO DE MESES 15 DIAS
FECHA 27.9.76 COLEGIADO NUM . . . .

EL CATEDRATICO DIRECTOR EL MEDICO Abaín.

HOSPITAL CLINICO Y PROVINCIAL
FACULTAD DE MEDICINA

Casanova, 143 — BARCELONA-11

Servicio de Hematología Clínica

Barcelona, 1 Abril de 1.977

El paciente [illegible] afecto de Aplasia Medular, se le practicó infusión de médula ósea de su hermano gemelo el día 20 de noviembre de 1.976; desde entonces la evolución hematológica del paciente es como sigue:

a) Un primer momento que corresponde desde la primera semana después de la infusión hasta aproximadamente el día 80 en que se aprecia:

1.- Un aumento progresivo de Hb alcanzando cifras máximas de 12gr./dl.

2.- Un aumento progresivo de reticulocitos alcanzando a primeros de Enero cifras superiores a 100.000.

3.- Un aumento progresivo de plaquetas llegando a finales de Enero a cifras próximas a 100.000 mm^3.

4.- No modificación significativa de la cifra de leucocitos totales y de fagocitos.

5.- Descenso de las FAG hasta su normalización en la primera semana de la infusión y permaneciendo así en la actualidad.

b) A partir de aproximadamente el día 80 después de la infusión se aprecia un descenso progresivo de las cifras de Hb, reticulocitos y plaquetas, siendo el último control, de fecha 28 Marzo de 1.977: Hb 9,7gr./dl, Reticulocitos 0,6% ó16,8 . 10^9/l., plaquetas 20.000.

Actualmente se están practicando infusiones de leucocitos procedentes de su hermano en un intento de reactivación del injerto.

PO

Fdo.: Dr. A. [illegible]

Médico Adjunto

publimedo 5 mil 11-76

Fecha	Leucocitos	G. Rojos	Plaquetas	HCT	HB	VSG
19.X.77	3.600	2.700.000	20.000	27%	9	—
25.X.77	3.500	3.480.000	33.000	30%	10,7	—
2.V.77	4.200	2.700.000	70.000	29,9%	8,1	20-1º
14.V.77	3.500	3.300.000	39.000	27,5%	—	—
1.6.77	4.100	2.200.000	15.000	23,1%	—	30-1º.
19.IV.77	3.400	3.400.000	33.000	30%	6,7	19-1º-44-2º
19.V.77	3.500	3.300.000	39.000	27,5%	9,1	28-1º-64-2º
18.V.77	3.900	2.600.000	20.000	28,8%	9,1	——
30.V.77	3.700	3.000.000	24.000	23,2%	7,7	22-1.º-51-2º
7.VI.77	—	—	10.000	—	—	—
29.VI.77	4.400	3.000.000	10.000	29,7%	10	—
5.VII.77	4.000	3.000.000	32.000	29%	9,8	—
20.VII.77	4.000	2.600.000	50.000	25%	9	13-1.º
13.VII.77	4.000	2.600.000	50.000	26%	12,5%	20-1º
27.VII.77	3.800	2.300.000	61.000	24%	8	17-1º
22.IX.77	3.600	2.500.000	40.000	26'4%	8,6	LDH-1432 GOT-1735 Hepatitis
23.XII.77	2.400	3.400.000	60.000	29,6%	6,4	GPT-4.109
9.I.78	2.650	3.700.000	75.000	33'6%	7,5	—
23.I.78	3.025	4.150.00	55.0000	37,2%	13,3%	7-1º-17-2º
6.II.78	2.525	4.350.000	55.000	40,1%	14,03	5-1º-14-2º
6.III.78	3.750	4.500.000	50.000	40,7%	14,8%	7-1º-20-2º
27.III.78	3.125	4.150.000	65.000	37,1%	13,4	6-1º-16-2º
25.IV.78	3.200	4.300.000	70.000	37,1%	14,4	12-1-28-2º
8.VI.78	4.100	3.950.000	75.000	36,1%	12,5	9-1º-22-2º
12.XI.78	3.500	3.900.000	85.000	37,5%	7,1	9-1.º-26-2.º
27.II.79	4.500	3.950.000	60.000	37,2%	12,2	7-1º-20-2º
9.III.79	5.500	4.250.000	—	40%	13	—
14.V.79	4.300	3.890.000	55.000	36,6%	12,4	7-1º-20-2º
24-IX.79	3.000	3.900.000	85.000	33,6%	11,8	8-1º-20-2º
26.XII.79	3.700	3.950.000	75.000	35%	13,2	6-1º-16-2º
29.IV.80	4.000	4.790.000	90.000	42,1%	14,2	2-1º-6-2º
30.X.80	4.000	4.520.000	105.000	42,3%	14,4	—
7.V.81	3.700	4.580.000	105.000	42,2%	14,7	—
14.I.82	4.350	4.930.000	110.000	97,3%	15,3	
7.II.82	4.600	4.950.000	125.000	40,7%	14,5	—
24.X.82	6.000	4.950.000	105.000	48,1%	15,5	—

XIX. ENFERMEDADES PSQIUIATRICAS

o sobre las enfermerdades del espíritu o
sobre las incomidades del espíritu en nuestra cultura...

¿De verdad qué nunca se ha encontrado como loco? Si su afirmación es sí nunca ha estado «vivo». ¿Por qué ya a nadie le gusta la palabra loco? ¿o a casi nadie?... es mejor... esquizofrenia, depresión, histeria...
Sin duda estas mierdas de palabras ya no nos dejan de estar, ni siquiera... un poquito locos... ¿usted no ha estado nunca loco de amor?... Si no es asi dese prisa por estarlo... sino... dificilmente llegará al cielo... que por cierto... solo es de los locos... ¿pero es que no se han dado cuenta aún... que todos los «dioses» debieron y deben de estar locos para permitir que existamos?
Déjense invadir por la locura de la ternura, por la locura del grito, por la locura del abrazo tantas veces esperado, por la locura de la sonrisa sin concesiones... por la locura interminable de un beso sin fin... por la consumación de los cuerpos en el frenesi apoteósico de un instante eterno... les aseguro... que verán el cielo... que existe...

XIX. ENFERMEDADES PSIQUIATRICAS

En las ancestrales reminiscencias, cuando aún no existía el tiempo, habitaban los seres supremos en paraisos de fábulas y ensoñaciones.
En su empeño de buscar y crear nuevas dimensiones, aunaron «soplos».
Al más débil llamaron «Tristeza», al más bravo, llamaron colera, al más desconocido, «Miedo».
Al más inquieto «Alegría». Al más turbulento «Reflexión».
Todos ellos juntos, formaban un nuevo ser, que les fascinó.
Pasaban el día revoloteando en su entorno, contemplándolo y admirándose de lo bello de su obra.
Pero no todo fue regocijo. Los supremos, comenzaron a tener envidia de su belleza, y en un acto de cruel arrogancia les condenaron a vivir.
A los nuevos seres se les dotaron de todos los recursos, pero los supremos les privaron de «La armonía de las soplos», que retuvieron para sí.
En su devenir fuera de los paraisos se ahogaban en sus tristezas, enloquecían con sus cóleras, se perdían en sus miedos, se desbordaban en sus alegrías y no acertaban en sus reflexiones, y... enfermaron...
Poco o nada podían hacer sus creadores, les habían privado de lo esencial.
Desesperados, ¡¡¡Imploraron!!!. En vano fue el intento, y decidieron entonces, sustraerles algo de su «magía». Aun hoy, los supremos se preguntan como viven los condenados.
No saben que en una larga noche, mientras ello se perdían en algarabías de ambrosia, alguien, ahogado en su tristeza enloquecido en su cólera, perdido en su miedo, desbordado en su alegría y en la incertidumbre de la reflexión, les robó una fina aguja que celosamente custodiaban.
Y aún hoy se preguntan como sobreviven...

Viernes, 19 de febrero de 1988. (4 y media de la madrugada).
Sin poder dormir, y lo que es peor... Sin poder soñar. *LUCI.*

INTRODUCCION

El ser vivo, hombre, constituye una de las especies más extendidas en el planeta Tierra. Se trata de un vivíparo y mamífero que se encuentra difuminado por todo el planeta. Sistemáticamente conviven y establecen reglas de relación según el lugar del planeta que habiten. En general suele sobrevivir por espacio de más de 100 años si bien esta cifra se ve considerablemente reducida según los diferentes territorios y los hábitos que se encuentran implantados. Suelen ser seres pacíficos y ocasionalmente violentos. Establecen sus ritmos de acción según las variaciones que les ofrece una estrella llamada Sol y un satélite llamado Luna. Su relación con los demás seres vivos que les circundan suele ser de equilibrio. La depredación es frecuente, en general por motivos de alimentación. Los sistemas de reproducción que poseen son semejantes a los de los demás seres vivos, si bien suelen ser más sofisticados en cuanto a los rituales, normas y costumbres, las cuales son muy variables de una región a otra. Lo que es considerado bueno en unas partes es considerado malo en otras. Todas estas situaciones daban en el comienzo de la existencia de esta clase de seres, con el paso del tiempo las cosas fueron cambiando y tanto ha sido asi que ya queda poco de lo que describimos al principio.

Ahora, es un ser constantemente agresivo, su vida social está en continua competencia. Sus sistemas de reproducción y de alimentación no se amoldan al entorno. La vida de relación es muy inestable. El Sol y la Luna ya no son considerados como una consecuencia de ellos; todo parece presentarse como caótico y duramente tenso. Las demás especies han dejado de convivir en armonía con ellos y por sistema les despiertan miedo. La convivencia es difícil. Hace miles de millones de años, según su manera especial de contar el tiempo, los sistemas que regulaban sus necesidades sociales y las necesidades de relación estaban en perfecta armonía, no existían reacciones inesperadas, se ajustaban a sus procesos biológicos cósmicos. En la actualidad las cosas no son asi: sus sistemas de relación se encuentran modificados por pautas de conducta dirigidas que hacen posible que unos dominen a otros; no por su condición innata de liderazgo sino por su poder en los medios de producción. Ahora sus reacciones son inesperadas, su energía ya no es pura.

Se habla de enfermedades mentales como aquellas afecciones que imposibilitan al ser identificarse con su propia realidad. Todas las hipótesis son admitidas en estas enfermedades y todos parecen contentos con sus hipótesis, pero las cosas no mejoran; por el contrario los sistemas críticos con manipulados por el poder y en consecuencia todas las alternativas que se acomoden a sus postulados son admitidas como buenas. La metodología que emplean se llama Ciencia, no se pone nunca sobre la crítica, resulta ser una faceta más del poder de los medios de producción.

El camino que tenían marcado las estrellas parece definitivamente perdido.

Esta es la pitácora de vuelo en el año del dragón camino de Orión sobre el tema «Comportamiento Terrestre».

Informan los seres de la dimensión quinta de la nebulosa de Andrómeda, en el camino definitivo de su consumación.

RELACION PACIENTE-TERAPEUTA

Si tenemos en cuenta las leyes universales, la relacción paciente-terapeuta es una relación universal. Supone una transformación del terapeuta para poder comprender mejor lo que esta sucediendo.

Si el paciente tiene un dolor hepático, nosotros nos sentiremos, es la etapa de la autoescucha, es la fase de la interpretación de las energías del paciente.

A continuación se produce una etapa en la que percibimos lo psíquico del paciente; si es colérica, reflexiva, responsable, etc... eso lo percibiremos mirando la expresión de los ojos, pues la expresión del Corazón.

La siguiente fase es la de compromiso y se produce en el momento en que el terapeuta decide tratar al paciente, ese compromiso supone no abandonar al paciente en ningún momento, pues nosotros nos convertimos en un instrumento de liberación, pues él nos ha elegido.

Al terapeuta le tienen que gustar los altos, los feos, las guapas, etc... tiene que estar por encima de juzgar la situación de su enfermo, si juzga, pierde la perspectiva universal, y se convierte en elemento de poder y alienador.

A la consulta acuden personas encantadoras, ricos, pobre mafiosos, etc... acuden a pedir ayuda para su cuerpo y su espíritu, yo no puedo juzgar.

No debemos de dar consejos, en todo caso hablar de cosas, pues somos elementos de liberación.

Tenemos que estar por encima de que el paciente sea budista, socialista, católico, etc. si algo de esto le da problemas se lo decimos, pero no interferimos en su fe.

El compromiso del terapeuta es hasta las últimas consecuencias. En la antigua China un famoso médico fue llamado a la corte del Emperador, éste padecía una depresión profunda, el médico le dijo a los príncipes que si lo curaba le iba a costar la vida. El emperador se encontraba postrado en la cama, no hablaba, no comía, etc. El médico entró en su habitación sin saludar, se subió de pies en la cama, comenzó a dar saltos, a gritar, etc. El emperador se levantó de la cama y dijo: «Quién es este sinvergüenza». Ordenó detenerle, cuando le cojió le dijo: «Tú no sabes que yo soy el Emperador, que lo metan ahora en una cuba de aceite hirbiendo».

Los principes le rogaban que no lo matara, pero éste no cedió. Evidentemente el Emperador se curó.

Los Emperadores antiguos eran muy crueles y cogían a los acupuntures, les quitaban los ojos para que desarrollaran más la sensibilidad.

Hay pacientes que en el primer día sabemos que llegarán a irse de la consulta hablando mal de nosotros, pero se irán curandos. También algunos llegan muy agresivos pero con paciencia se irán transformando. En cualquiera de los casos hay que aceptar el compromiso.

Otra característica es tratar de descubir los *ritmos de la enfermedad*. Trabajamos con la energía y salvando las distancias, es lo mismo que hace un chamán. Procurar que las condiciones de vida de la tribu sean las adecuadas para la salud ¿Qué significa ésto en la función del chaman?... Significa un conocimiento profundo de la naturaleza; el chamán sabe cultivar la tierra, conoce los ritmos del tiempo, el territorio de los animales, los sentimientos de las gentes, las plantas buenas y malas, el arte de la música, preguntar a espíritus superiores e inferiores, cocinar, recolectar flores... La tribus gracias a eso viven felices. El terapeuta debe recuperar todas esas funciones. No se trata de ser especialista en todas las cosas, sino un profundo conocedor.

«El médico que sólo sabe medicina, no sabe medicina», dice un refrán español. Un día llegó una paciente para consultarme por su depresión. La miré, ví sus vestidos y pinturas, cuando me contó lo que quería, le quité las gafas, la peiné de otra manera, le recomende pintarse un poco menos las cejas, etc. «así la veo mejor», a los 15 ó 20 minutos la paciente sonrió y dijo: «Ud sabe mucho de moda», si le conteste, conozco los colores y le puedo hacer un vestido, la paciente me miraba asustada yo seguia hablando de colores. Ella empezó a entrar en la conversación y al final hablábamos de que necesitaba unos pendientes más largos. Cuando pasó largo tiempo me preguntó: Ya no me puntura? Le dije que no, que mañana y al día siguiente alguna aguja para regular y no hizo falta más. A veces viene y charlamos pero nada mas. Con esto quitamos la fijación y distraemos la atención a la enfermedad. Por tanto no debemos descuidar ningún aspecto de nuestro conocimiento.

Un día vino un señor muy serio que sus respuestas eran: sí, no, sí, no, etc, era ingeniero de una importante empresa de carreteras y padecía del estomago, lo normal. Siempre discutía profesionalmente y no tenía con quien hablar pues «sabía demasiado» de su profesión.

Le dije: «Soy aficionado a las matemáticas, pero hay una teoría que me preocupa y es la teoría del cálculo según Timochenko. «Se levantó de la camilla y dijo: ¿Vd. conoce a Timochenko?» Le dije que sí y quedo confundido. Al día siguiente vino y quería hablar de otras cosas; lo que ocurrió es que yo sintonicé con su mundo cerrado, cogí un hilo y se sentió comprendido. Por eso las cosas más insospechadas nos pueden ayudar en un momento determinado.

Todo esto parece muy serio, pero sólo en el sentido de que es real, y a todo esto tan serio le añadimos una buena dosis de alegría, una gota grande de esperanza, y otro de que siempre puede ocurrir lo imposible, estos elementos nos ayudan a aceptar cualquier tipo compromiso, nos pueden llevar a la fantasia, son la raiz de la creatividad y la separación de la vulgaridad, después de esto las cosas no pueden ser como antes, las cosas deben de cambiar, a poco que se den cuenta de lo que ocurre alrededor, las cosas van mal. El planeta va mal, hay muchos problemas entre los hombres y nuestro planeta azul se está convirtiendo en oscuro.

En esta situación, el terapeuta como elemento liberador, lo es a nivel universal, no tratamos al enfermo para que se le pase el dolor, sino para que sea también un elemento liberador en su entorno, y así podemos colaborar para que las cosas cambien de verdad. Asi el hombre llegará a ser hombre, dejará de colonizar y de usar a los demás hombres como esclavos. Deberá respetar el territorio de sus semejantes y sobre todo descubrir la vida en sí misma, que es una fuente inagotable de placer, y que este planeta que nos ha tocado vivir es algo tan hermoso que no podemos destruirlo, y no me refiero a ruidos y a centrales nucleares, sino a destruirlo con el pensamiento.

El terapeuta debe impregnarse y así podrá transmitir al enfermo que es un elemento importante en el universo y que si él está enfermo los demás también se encontrarán mal, y demostrarle que lo que ocurre aquí, repercute en los Angeles o en Nueva York, aunque no se vea. Somos, por ser de la misma especie, seres vivos comunitarios y por habitar el mismo planeta, planetarios, y vamos hacia un lugar por la expansión de la energía y somos parte de esa expansión. Si la utilizamos mal, la expansión se verá entorpecida.

Habrá que recurrir a la responsabilidad cósmica de cada persona, para que cada uno se de cuenta que es importante, que todos somos parte de esa energía y sobre todo en la medida en que esos pensamiento no son buenos, destruimos la posibilidad de que nuestro viaje sea placentero.

Todo esto no puede quedar en palabras bellas, debemos de sentirlas y experimentarlas para poder decirlo, como ahora, y así quien lo escuche también lo sienta.

Por eso ahora en este tiempo cósmico, que es un tiempo de meditación, necesitábamos experimentar esas fuerzas; la cundalini está dormida porque la cultura, el dogmatismo, la tiene en la represión. Cuando sintamos el cosmos, la cundalini se despertará; habrá que convertir la tristez en alegría.

Exigimos al paciente que sea elemento activo en su curación, no puede ser un sujeto que recibe el comprimido o la aguja, sino que tiene que cambiar una serie de cosas para que cambie su enfermedad, tiene que cambiar su forma de comer, de amar, de sexualidad, etc. Tenemos que mostrar al paciente esa carta sideral para que sepa donde está y sepa que él tiene que funcionar para que funcione todo. Eso es verdad, aunque no lo vemos ni tocamos, es el caso de la radio-actividad, que no se ve pero se siente; esto es un ejemplo de que el hombre no sabe que hacer con esas energías.

Otro aspecto que el terapeuta debe tener en cuenta es el de la *autocrítica*, el constante replanteamiento de los enfermos. Cada día ocurre algo distinto, luego ningún día es igual, ningún tratamiento es igual, hay que revisarlo constantemente, el paciente es distinto cada día.

Existen otros mundos que son los del color, el tacto, el olor, el de las piedras, etc... cada caso de esto es un punto de goce y recreación, ese darse cuenta del detalle diario, nos hace darnos cuenta de que estamos vivos, hasta que descubrimos que toda está vivo, no sólo están vivos las plantas y animales, sino también las piedras, los volcanes, ríos, etc, lo que hay que hacer es escuchar el lenguaje de esas formas de vida.

Estamos todos en el mismo lugar, no podemos separar un lugar de otro, somos un poco de calor, viento, frío, piedra, etc. y hay que sentirlo; por eso cuando el paciente nos diga lo que siente en su brazo, sepamos de qué se trata. Y asi si nos dice que siente calor y algo que le corre por el brazo y va hacia los dedos, sabemos que es un fuego y un viento, lo que tiene dentro y que es algo de su C, por el recorrido del brazo y la zona cardiaca; entonces habrá que localizar dónde le duele y en ese lugar se dispersará el calor y el viento. Habremos ayudado a un infarto o a un angor.

De nada sirve saber científicamente lo que es un «angor» si no se comprende de verdad lo que está ocurriendo; será muy difícil curarlo aunque le demos nitroglicerina, será insuficiente. Si no sabemos calmar su espíritu, su C desfallecerá definitivamente. Y hoy en la medicina científica, se admite que lo más importante ante un ataque del C es que el paciente esté tranquilo y para ello lo 1º que hacen es darle Valium, y eso esta bien, pero hay otras cosas que hacer. El objetivo es el mismo, «calmar el espíritu» y el C estará en calma; por eso el espíritu reside en el C.

El conocimiento de los movimientos de la energía del hombre, lo da la propia naturaleza, no nos lo da el conocimiento científico, pues éste trata de interpretar a la naturaleza pero en el laboratorio, sacándola de su contexto. Un hecho no es lo mismo en un lugar que en otro.

Debemos recuperar el sentido universal de las cosas pues está dentro de nosotros, lo único que hay que hacer es recordarlo y entonces podrá ocurrir que: podamos ver las energías, dirigirlas...

Propondría que cada uno profundice en todo lo que le rodea. Se trata de poner de manifiesto el descubrimiento que ha hecho cada uno de la energía en el lugar concreto donde se encuentra. Describid como se mueve y como actua en nosotros la energía, dentro de ese TODO. Ver como actúan las energías que se encuentran ahí y que función tenemos dentro de ellas, puede ser un gran descubrimiento ver que parte de energía le corresponde a cada uno, descubrir de que forma se relaciona nuestra energía con las otras y que ese conjunto de energías se relacionan con el E cósmica en general.

Es un ejercicio simple, por la mañana en una habitación, descalzo de pies, con las manos abiertas, los ojos cerrados durante 5 minutos, «sientan» y luego sigan su vida cotidiana y por la noche igual. Verán como descubren cosas importantes, les será más fácil descubrir cual era su papel en la energía y descubrirán sus propias energías, las de su casa... y poco a poco empezarán a sentir que parte de la energía son ustedes en la E. cósmica general.

BREVE COMENTARIO
SOBRE LA RELACION PACIENTE-TERAPEUTA

En el interminable insomnio de la noche
se encuentran, a veces, los raros matices perdidos
al amanecer, también a veces, descubrimos el resplandor.
Si preguntamos por la clave, no la encontraremos;
si insistimos en la razón... perderemos
si por fin, acertamos en la huida, sin miedo,
quizás, tal vez, tengamos respuesta.
Mientras los finos tallos de bambú se definen,
el sol continua su marcha, sin importarle,
mientras el gallo canta, la luna desaparece,
tampoco parece importarle. Todo parece disperso,
cuando lo contemplamos con obsesión y bullicio
todo parece armonioso, conjuntado y exacto,
cuando lo hacemos con «Amor», sin razón,
y espera.

Sin duda, dentro de las diferentes formas de expresión de las relaciones interhumanas va a ser la relación paciente-terapeuta una de las más complejas porque en teoría debería presentarnos una contrastada dualidad: un individuo enfermo, el paciente, y un individuo sano, el terapeuta. Y es aquí, en el concepto de salud del terapeuta donde surge parte de la complejidad de esta relación, porque de un modo generalizado la idea que el terapeuta tiene sobre su salud es demasiado pobre, debido sin duda a una concepción poco exigente y con falta de universalidad de su salud que no ha tenido en cuenta entre otras cosas algo tan importante como es la transformación interior e integral del propio terapeuta, que sin duda le colocaría en una situación de total apertura que le permitiera una total impregnación del paciente. Con esta otra disposición (desgraciadamente poco frecuente en la moderna terapéutica) el terapeuta dentro de esta relación deberá ejercer un papel de elemento o instrumentos de liberación, y para ello deberá ser un individuo sano, y al decir sano, estoy hablando de un individuo en perfecto equilibrio con las energías que le envuelven y de las cuales forma parte, y estoy hablando de ese mismo individuo situado en un estado de total y perfecta ARMONIA, expresión o resultado de una emanación de la ALEGRIA INTERIOR. Esto, aparentemente muy sencillo resulta por otra parte tremendamente difícil y complicado si nos atenemos a observar con un mínimo de AUTOCRITICA nuestra conducta como terapeutas dentro de la relación tan claramente enfrentada y dual que exponíamos en el inicio de este apunte. Todo ello debe entregarnos a una lucha continua y permanente de purificación que nos situe en una posición más liberadora, que huya de los consejos y muestre al paciente «el camino que sus propios pasos deben recorrer».

Si entendemos al hombre, como un microcosmos dentro de un macrocosmos, deberemos situarnos en una disposición de poderle entender como un producto energético en expansión, y como tal con capacidad de transformación. Ahora bien, para expandirse necesitará estar en equilibrio con ese cosmos, también en expansión, y esto exigirá el esfuerzo del dinamismo cambiante que nos ofrece la transformación.

Si el terapeuta actual (que afortunadamente tiene una memoria genética milenaria) presenta dificultad para sentir como suya la lluvia, el frío, el agua, el viento... en definitiva, lo que tiene de celeste, difícilmente podrá transformarse de uno en otro y de otro en uno de una manera dinámica y permanente, resultándole imposible equilibrar al paciente, consiguiendo sólo «parches curativos» a los que el paciente actual está muy acostumbrado. Y lo peor del caso que estos resultados parcelares no siempre son producto de la ignorancia (ante la cual habría que detenerse y ESPERAR, ya que con frecuencia obedecen a una FALTA DE COMPROMISO (palabra que encierra muchos compromisos y que no encierra ninguno) y esto, ... sospecho que es muy serio para la salud del planeta.

Decía, que en estos términos era imposible equilibrar al paciente, era imposible conseguir su liberación, y es que esa liberación empieza para exigir al terapeuta que éste se transforme en individuo enfermo y si bien es cierto que esto no puede hacerse en óptimas condiciones desde la enfermedad del terapeuta, no es menos cierto que se puede conocer mejor la enfermedad si la hemos sufrido en «nuestros propias carnes» o si somos capaces de vivificarla y de sentirla como nuestra aún sin padecerla. Así, de esta manera, podremos disponer nuestra estructura de modo tal que se impregne plenamente y para siempre de las energías del paciente. Este parece ser el único camino que pueda ofrecernos la vivencia real de las sensaciones del propio paciente y por ende, ofrecernos la comprensión totalizadora del individuo enfermo, su verdadera IDENTIFICACION.

Esto, que parece fácil ES DIFICIL pero también es cierto que esto que parece muy difícil ES MUY FACIL; sí, es muy fácil, pero ocurre que es muy incómodo, es tremendamente incómodo comportarse con la falta de benevolencia del cielo y de la tierra, porque ello nos exige implicabilidad,... ritmo... dinamicidad constante... transformación interior... equilibrio... armonía... alegría interior.

Y ustedes me perdonen por la insistencia pero es muy fácil, y es que con un poco de voluntad certera y ALGO MAS nos habremos CREIDO DE VERDAD que somos un microcosmos dentro de este macrocosmos (por cierto cada vez más desconocido) que día a día se nos aleja y se nos pierde, pero que afortunadamente podemos acercar cada día un poco más cada vez que nuestras estructuras queden abiertas a las impregnaciones del exterior. Para ello, empecemos no sólo por abrir nuestros oídos al paciente, abrámosle nuestro corazón. Algo me dice que ahí está el verdadero sentido de la vida si es que quiero participar del compromiso, como ente activo de la expansión del universo.

Es evidente que desde la pasividad perdemos LA UNICA OPORTUNIDAD que se nos brinda desde «ARRIBA», y con ella, con la pasividad —no con la NO ACCION— estamos facilitando el deterioro idiotizado de nuestra existencia.

El cielo te contempla sin misericordía,
no seas ufano en tus pretensiones,
no pidas perdón a nadie, pídetelo a ti mismo.
No te eleves en protagonista, no lo eres
tu guardián eres tú... no el cielo
no esperes de la tierra nada que antes no hubieras prometido
cuando te liberes de tu soberbía,
y puedas contemplar a los demás de igual manera
tendrás la sabiduría. La de la armonía tediosa,
la de la calma del dragón, la del silencio sonriente
y en los oscuros días de invierno, el frío será el
cálido mensaje de las esencias.

CAMBIOS PSIQUICOS DURANTE EL PROCESO DE UNA ENFERMEDAD

Suele ocurrir que un paciente venga a consultarnos por un trastorno físico, por ejemplo: cefáleas, nosotros iniciamos un tratamiento integral, es decir, tenemos en cuenta todos los posibles factores; es bastante frecuente que al cabo de los 2-3 meses el paciente siga con sus cefáleas pero la calidad de vida haya mejorado sensiblemente.

¿Qué significa ésto?... significa que hemos actuado sobre energías, llamémosles etéreas, que actuan sobre el psiquismo general. Un proceso curativo debe pasar necesariamente por un cambio en la estructura global de la personalidad del sujeto, en la forma de vivir sus situaciones y su enfermedad. Por experiencia les diré que cuando traten a un paciente, desaparezcan sus síntomas, pero su psiquismo no hay sufrido ningún tipo de transformación, deben dudar del resultado obtenido. Cuando suceda al revés, es decir, que los síntomas psíquicos globales hayan cambiado, no se preocupen por el síntoma que tarde o temprano desaparecerá.

Cuando una persona enferma, lo primero que se afecta es su cuerpo etérico y luego su cuerpo físico, la acupuntura y en general los tratamientos de los sístemas de E, actuan sobre movimientos energéticos invisibles. Por eso muchas veces aparecen cambios que la persona no puede precisar en qué consisten con exactitud, pero que indudablemente los nota, es algo sustancial referente a su modo de enfrentarse y vivir la vida aunque el síntoma en concreto no haya desaparecido.

En una ocasión una paciente llegó a la consulta, se trataba de una bailarina muy famosa y llegó en condiciones muy deplorables, sin peinar, con los vestidos sucios, dolores violentos en espalda, cojera, etc. Comenzó el tratamiento y al cabo de 2-3 meses no había resultado positivo, siempre que se le preguntaba decía encontrarse muy mal, a los 6-7 meses, un día apareció muy bien peinada, arreglada y aseada, se le preguntó cómo se encontraba y ella insistia en que estaba mal; el marido no era de la misma opinión. Pasaron unas semanas y por fin dijo que había dormido algo mejor y que había decidido irse de vacaciones a la costa... Se tiene información de que se encuentra bien.

Algunos autores muy ancianos aconsejan siempre tratar el aspecto psíquico primero.

¿COMO ENFERMA EL CUERPO ETEREO?

Decíamos que la E del cielo descendía sobre la tierra, la engendraba y hacía posible la aparición del hombre. Entonces, esas Energías Yang van a constituir el cuerpo etéreo. Blabaski desarrolla bien este concepto. Esa E Yang celeste que otros llamarán alma, espíritu etc. (cada uno le pone el nombre que quiere), es como el soplo que da vitalidad a la estructura. Esa fuerza Yang que desciende y se materializa en el momento de la fecundación, es la fuerza que luego genera la capacidad de que se cree una estructura. Los abortos naturales de pocos meses, que además son muy frecuentes, que la mujer casi no se da cuenta, son una alteración en el desarrollo de esa E Yang celeste que por determinadas razones, no se pueden desarrollar en ese momento, al desaparecer esa E, la materia no puede continuar formándose con vida.

Si tenemos una persona muerta y otra viva vemos que éste tiene piel y éste otro también, uno tiene ojos y el otro también, etc. según ésto: son iguales, es la misma cosa; pero algún observador diría: no son exactamente iguales, pues uno se mueve y el otro no, pero también podemos coger al cadáver y hacerle que se mueva, el movimiento tampoco los diferencia pues; pero el observador nos diría que uno se mueve por sí mismo y al otro lo mueven. Entonces, hay algo dentro de la estructura que *anima* a uno y a otro no.

¿Por qué fracasan los transplantes? Una estructura muerta a una estructura viva, siempre producirá rechazo. La única forma de evitar que el organismo rechaze eso que le falta ánima, es destruyendo las propias defensas del individuo, ¡vaya solución! No se puede equiparar una estructura animada con otra inanimada. Esa parte que corresponde con el ánima, es lo que podríamos denominar cuerpo etéreo. No podemos hacer una separación entre lo que es la estructura física y el ánima que la mueve, por eso todos los intentos de las religiones, sobre todo, de separar cuerpo y espíritu, como cosas diferentes y tratar de decir que el cuerpo es una cosa mala a la que hay que mortificar, es como querer separar una vez hecho, el café con leche. Pero por eso que no se pueden separar, hay que ser conscientes de que llevan ritmos diferentes.

El descubrimiento interior lleva consigo el descubrimiento de nuestras propias estructuras. Cuando ciertas ideologías, religiones, etc. tratan de mortificar el cuerpo, separándolo del espíritu... es algo sin sentido. No mortifiquemos nuestro cuerpo, sino descubrámoslo en su propio desarrollo. Tampoco pasar al extremo opuesto, sino tratar de establecer una situación de equilibrio, lo cual no tiene nada que ver con el «Justo medio». La armonía, el equilibrio, está dotado de una oscilación de este TAO entre los extremos, entre la máxima espiritualidad y el darle gusto al cuerpo, pero entre una cosa y otra hay muchos estadios, todo, menos quedarse en el medio; el «Justo medio» no conoce el extremo, no conoce «El lunar», no sabe lo que se pierde y no conoce el movimiento.

Entre los extremos vamos pasando por miles de experiencias y los podemos desarrollar en un instante. El perfume se vende en frascos pequeños y el venemos también. El «Justo medio» es necesitar un papel para ir a tal sitio, otro para ir a otro sitio etc. cuando se dice: «queremos libertad», la libertad no se pide, sino, se coge; si la pedimos nos darán algo y esto significa que alguien la controla. Hay cosas que no hay que pedir permiso.

Uno de los objetivos fundamentales que tienen las actividades que persiguen la vivencia de la nada, es quitarle al sujeto todos los «abrigos» que le han ido poniendo, es quitarle el «Yo».

Hay que ir redescubriendo esa nada, esa energía original que se va a fundir y que va a dar lugar a la estructura del sujeto, es una forma muy universal de cómo descubrir un poco nuestra propia existencia.

Debemos investigar el comportamiento de nuestro paciente, qué tipo de actividad realiza y ver si oscila en el «justo medio», si eso es así, hacerle consciente su situación y pedirle que se mueva.

¿A qué se dedica Ud? ¿Qué hace en su tiempo libre? ¿Cómo es su sexualidad?... son preguntas que deben ser claves y que siempre debemos hacer a nuestro paciente. Debe ser así porque el TAO o es espíritu se mueve.

La sexualidad será la confluencia de las E psíquicas hereditarias, las E hereditarias de la energía y del cuerpo físico, todo confluye en ese momento mágico, si es que lo hacemos mágico. Se dan cita todos los factores y no tienen obligatoriamente que confluir en un coito físico. Un hombre y una mujer pueden dormir cálidamente y ser fantástico, depende de la dimensión que uno dé a la situación; en esa relación se sintetiza todo el movimiento del péndulo que sabe oscilar de un extremo a otro.

CONCEPTO DE LA TRADICION SOBRE LAS ENFERMEDADES MENTALES

La enfermedad psiquiátrica es algo que parece que está inmerso en toda forma de enfermar; otras veces parece que no está en ninguna parte.

Dice el Tao Te King:

> «*El Tao es grande porque se aleja.*
> *En su lejanía se expande*
> *y ello le hace retornar*».

Si nos fijamos atentamente en un enfermo sobre el origen de su enfermedad, vamos a encontrar SIEMPRE algún trastornos ligado a sus AFECTOS, amores, desamores, relaciones emocionales... Es una constante permanente.

En la medida que en nuestra cultura se ha ido desarrollando el concepto del hombre, de una manera muy diferente de como se conceptuaba en la antigua China, se ha ido dicotomizando lo físico de lo psíquico, hasta el punto de que en la actualidad podemos hablar de enfermedades mentales y enfermedades orgánicas, si bien se reconoce que hay un vínculo de unión, en ocasiones.

Para Occidente, la enfermedad mental es el fruto de una serie de perturbaciones orgánicas, casi siempre buscadas en el cerebro, que son capaces de generar una respuesta patológica ante el medio.

Se impone el redefinir lo que, antiguamente, se llamaba la locura, y que hoy, en Occidente, se ha identificado por síndromes y se habla de neurosis, de depresión, de psicosis maniacodepresiva, de síndrome paranoide, de estados ciclotímicos... En el fondo son palabras huecas... porque podemos comprobar cómo un paciente, en un momento determinado, aflora una depresión, se cataloga como depresión, se le trata como depresivo... y al año y medio nos hace un brote de esquizofrenia. ¿Era una esquizofrenia o una depresión o ninguna de las dos cosas? ¿O quizá no exista como tal la enfermedad mental, como tal concepto que se tiene en Occidente?

En MTC, el concepto de psiquismo va ligado a la actividad de los distintos órganos. No está ligado, como ocurre en Occidente, a la respuesta que da una persona ante su medio como consecuencia de su estado, de su educación, de su cultura y de su carga genética.

En MTC, las entidades viscerales I, PO, HUM, SHEN y ZHI, reside en cada uno de los órganos. El C, aparte de tener su entidad visceral, va a ser el canalizador del Espíritu.

Dice el Sowen:

«*El Espíritu reside en el Corazón*».

Si nos fijamos en el idiograma Xin, 心 podemos pensar un poco más allá de lo que es el simple símbolo.

El C como órgano tiene como función distribuir la sangre y facilitar el equilibrio hemodinámico. Pero ahora se trata del punto de vista de la residencia del Espíritu.

En la ideografía de Xin, vemos que hay una estructura que dispone de cuatro trazos. El trazo inferior es el receptáculo material al cual vendría a residir el Espíritu; sería la manifestación Yang del Espíritu el trazo superior izquierdo; el superior derecho la manifestación Inn; y el central el Espíritu.

Sin duda, una vez que el Espíritu ha residido en el C, el individuo se manifiesta de una forma Yang o de una forma Inn.

Por tanto, no hay que traducir el ideograma de una manera material, sino viendo su transfondo.

Fue el emperador Fu Shi el que creó el lenguaje ideográfico. El lenguaje ideográfico chino procede del cielo, sería un error interpretar cada ideograma como un aspecto material del organismo.

Si tomamos el ideograma Zhong 中 . Si nos fijamos en el Tao, esta línea vertical nos viene a indicar la REALIDAD INTIMA DEL HOMBRE EN SU RELACION CON EL CIELO Y CON LA TIERRA.

Algunos textos taoístas más antiguos que Fu Shi, nos decían que el hombre era una entidad que oscilaba entre el cielo y la tierra, por ello se representaba con esta línea vertical, que es lo mismo que ==

Si juntamos la línea vertical con la boca 口 , que es un aspecto material, nos a indicar el idiograma Zhong, Centro. Esto es que la línea vertical, que unía la celeste con lo terrestre, ha sufrido una transformación al juntarse con lo humano.

Volviendo a Xin... Si hacemos una catalogación por los cinco movimientos.

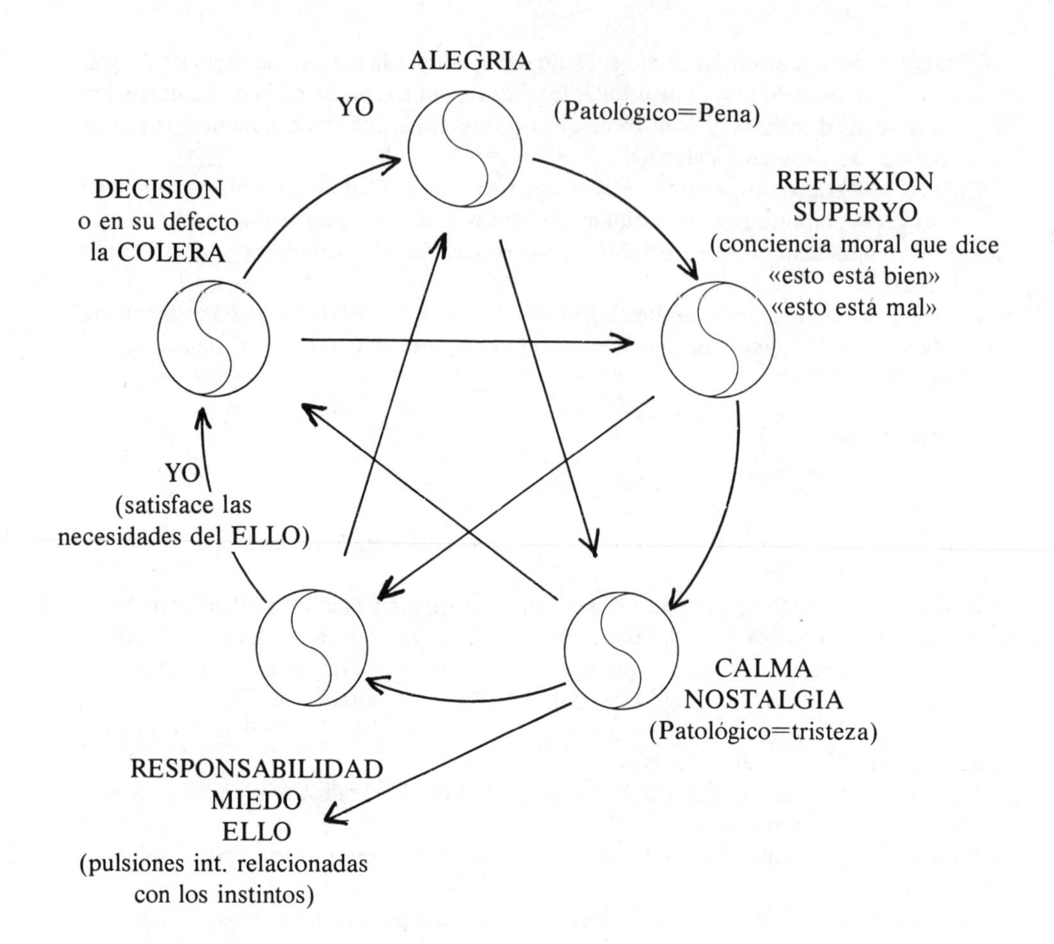

... vemos que cada una de las entidades psíquicas que se corresponde con cada movimiento, en la medida que están en equilibrio, producen el bienestar. Para que exista el equilibrio es necesario que cada una de estas entidades psíquicas se mute. Por ello está representado con la figura del Tao.

De esta forma, la alegría termina mutándose en reflexión.

ALEGRIA .... REFLEXION
REFLEXION .... CALMA, la nostalgia necesaria
CALMA .... RESPONSABILIDAD
RESPONSABILIDAD.... DECISION

Es curioso comprobar cómo, en estas constantes mutaciones, podemos encontrar también las estructuras psicoanalíticas vigentes en la actualidad en nuestro mundo occidental (ello, yo, superyo).

ELLO: pulsiones interiores de cada invididuo relacionadas con los instintos.

YO: el que satisface las necesidades del ello.

SUPERYO: conciencia moral resultante del aprendizaje que le dice lo que está bien o mal. El sujeto que tenga un superyo poderoso, estará en constante dicotomía y nunca hará lo que realmente sienta que deber hacer, porque su superyo mutila cualquier intento de conseguir la necesidad de los instintos. Aquel que tenga un superyo muy débil no tendrá un control sobre su propia actividad. En uno será la rigidez personificada, el hombre serio y constante que jamás comete un desliz, pero lo está deseando. El otro es el tipo que siempre anda haciendo carajadas a todo el mundo y que no establece ningún tipo de control ni equilibrio sobre su actividad.

Esto no significa que la salud mental de un individuo esté en el justo medio.

Confucio decía que había que establecer la ley del justo medio. Desde el punto de vista del psiquismo, parece como si el justo medio fuera un lugar estático en el que el sujeto alcanza su estado de vacío. Esto, así visto, no es cierto. El estado de equilibrio del sujeto estriba, en poder MOVERSE A LO LARGO DE LOS EXTREMOS.

El ejemplo más típico lo tenemos en los niños. Constantemente nos demuestran cómo oscilan entre un extremo y otro, tan pronto ríen como lloran, como de nuevo recuperan su alegría.

El individuo, a medida que alcanza su madurez (que es una palabra estúpida), aparece su rigidez.

Antiguamente era el consejo de ancianos el que decidía sobre la tribu, y no eran precisamente seres rígidos. Lo que albergaba en ellos era una gran conocimiento de la experiencia y de la transmisión oral, visual y simbólica permanente de la subsistencia de la tribu.

En nuestro entorno es al revés.

Según la ley del Tao EL EQUILIBRIO NO EXISTE. Todo está en constante cambio y mutación.

Esta tendencia a la rigidez que acompaña al individuo en la medida que desarrolla su aprendizaje, es la que va a hacer posible que el sujeto enferme. Y siempre se enferma primero en el espíritu.

Sowen, cap. XII:

«Cuando vayamos a tratar a un paciente, lo primero que habrá que tratar será el SER (como entidad psíquica o espiritual)».

Ese es el objetivo. Nunca quitar el dolor solamente.

El centro nunca es rígido. Zhong se refiere a la Tierra, que ocupa el lugar central que hace posible el paso y la mutación de un movimiento a otro.

¿Qué es lo normal? ¿Es mentira qué un esquizofrénico no oye voces que le dicen que haga esto o lo otro?

Todos sabemos que existen las llamadas «madres esquizofrenógenas», madres que, por su actitud, suplantan el ego y el superyo de su hijo y el con el tiempo, le conducen a una disociación de su personalidad y, finalmente, le abocan a una esquizofrenia.

En teoría, podríamos decir que la aparición de esta persona esquizofrénica, ha surgido para enseñarle a esa madre esquizofrenógena que debe de dejar de comportarse así, para pasar a ser una madre liberadora. Pero la mayoría de las veces esas madres no aceptan su protagonismo al desarrollar un sujeto ezquizofrénico. Son las madres hiperprotectoras, que llegan ante el psiquiatra y le dice al médico que a ver que pasa con su hijo, que era un sujeto brillante, una persona estupenda... que de repente se ha venido abajo... y es la primera que le repudia. Y, al final el chico se tira por una ventana y ella se queda muy orgullosa porque ha hecho todo lo que tenía que hacer por ese hijo. Y, la muy sinvergüenza, sigue siendo esquizofrenógena y es capaz de crear otro esquizofrénico. No ha aprendido nada.

La única posibilidad de reversibilidad del hijo sería que la madre cambiara.

También pueden existir padres esquizofrenógenos, pero menos. Porque no es función del Yang. La función que excinde la función del Yang es el Inn.

Si abolimos el concepto de enfermedad mental como una enfermedad aislada, estamos en disposición de comprender por qué cada movimiento se transmuta en otro y hace posible un cambio de personalidad.

Cuando un sujeto está en una alegría permanente, sabemos que puede pasar a un estado de reflexión o a un estado, ya patológico, de obsesión. Pues bien, en la evolución de cada una de estas entidades psíquicas se van a producir LOS BLOQUEOS DE ESTAS MUTACIONES, los estancamientos de estas energías y, en consecuencia, la aparición real de la PATOLOGIA.

Si lo contemplamos así, estaremos en condiciones de darnos cuenta de que no existen etiquetas diagnósticas.

Ninguna enfermedad mental aparece bruscamente. Todas empiezan lenta y progresivamente. Puede aparecer una gran eclosión de repente o un gran delirio de referencia o un gran delirio paranoide... pero si observamos bien, veremos que seis meses antes empezó a cambiar sus ritmos, su conducta, empezó a dejar de salir... El bloqueo se produjo, seguramente, a nivel de la madera que produciría un gran estallido al llegar al fuego, creando los dos emperadores.

Tenemos que ser cuidadosos al tratar a un mal llamado enfermo psíquico, porque si nos queremos remontar al origen de la enfermedad, tenemos que buscar en qué lugar de estas entidades empezó el problema.

Si el origen, por ejemplo está en el Metal, en la excesiva melancolía, en la tristeza, en la falta de calma, y la manifestación de la enfermedad se produce en el Fuego, no se tratará el Fuego sino el Metal.

O bien sigue el cielo KO, o bien sigue el ciclo CHENG.

El Nanking dice:

«Si sabemos remontarnos al origen, seremos capaces de establecer el perfecto equilibrio en el Ser».

Ahora estamos ceñidos a la enfermedad psíquica, pero estas mismas pautas nos valen para cualquier enfermedad.

W. Reich descubrió a través del análisis del carácter, que la energía mental estaba expandida por todo el organismo y que producía una actitud en el sujeto, en determinadas situaciones, que no era casual, sino producto de la actividad de esa energía que él llamó ORGON.

El pensamiento de Reich, cada vez se acerca más al concepto de energía del pensamiento tradicional oriental.

Esa actitud caracteriológica que adopta el sujeto no es producto de una casualidad. En ese sentido, descubrió que, en vez de hacer un psicoanálisis permanente, profundo e interminable, a través del toque de determinadas partes del organismo de las personas, se producían catarsis y la persona empezaba a llorar o a reirse...

Reich se dió cuenta de que todos los problemas relacionados con el carácter o el psiquismo, podían conducir a enfermedades orgánicas y, en concreto, al cáncer.

Con esto, vemos que en el transcurso y la mutación de estas entidades psíquicas, se puede producir, no sólo la alteración en cuanto a la caractereología del comportamiento, sino que también es el móvil generador de las mal llamadas enfermedades orgánicas, por ejemplo los tumores.

De ahí podemos desarrollar la idea del IMPACTO EMOCIONAL según el cual dice el Sowen:

«El impacto afectivo emocional bloquea la circulación de la energía».

Y, en la medida en que la bloquea, produce estancamiento; y en la medida que produce estancamiento se genera humedad, después aparece flema, gleras y, finalmente, el tumor.

Si somos capaces de generar la síntesis de proyección que ha hecho posible la aparición del tumor, estaremos en condiciones de disolverlo.

El desarrollo de acontecimientos que imposibilitan los cambios de mutación del psiquismo de un estado a otro, van a producir paulatinamente modificaciones, sobre todo, en los VASOS COLATERALES (tan poco conocidos).

Y, teniendo en cuenta, que el hombre es el resultado de la influencia de las energías del cielo sobre la tierra, no nos queda más remedio que ver toda enfermedad como un trastorno de esa energía del Espíritu.

Eso es lo que va a generar todo. Y más aún en la medida en que el sujeto idea una realidad y, luego, su comportamiento no guarda relación con ella. En esa medida, cada entidad psíquica se va bloqueando paulatinamente, y, en la medida que se bloquea, no se produce mutación. Así, o aparece una manifestación puramente ligada al psiquismo, o bien genera la enfermedad orgánica.

Siempre sorprende cómo la salud de los enfermos mentales es excelente, esto es debido a que su enfermedad radica en su Espíritu no en su materia

Tratar al { 1º SER, 2º ESPIRITU, 3º ALMA } ⟹ implica un COMPROMISO PERMANENTE

y un conocimiento de que el estado en que se encuentra el paciente, en ese momento, es producto de una dificultad en la mutación de alguno de sus movimientos.

Así tenemos que empezar por contemplar la actividad psíquica.

Tampoco debemos de olvidar que el producto de estas alteraciones de la mutación, está también motivado permanentemente por los designios celestes.

Si el hombre es una consecuencia de lo celeste, su actividad está siempre sometida a los designios celestes. El cielo permanentemente nos apoya, nos asesora... pero también, permanentemente, nos dirige.

Hoy día, por no ser «científicos» esos designios celestes el terapeuta no llega a establecer contacto con esta realidad. Y, si sólo se queda en los designios de la tierra y los designios del hombre, difícilmente podrá entender esta patología y, en muchos casos, le será imposible curarla. De hecho, hoy, no se cura ningún enfermo mental.

La medicina del poder o la medicina de lo establecido, genera una patología psíquica importante, pero como pertenece al poder establecido en ese momento... es «normal». Es normal que nos tomen el pelo... es normal que un enfermo vaya a un hospital y le peguen una hepatitis... es normal que en hospital de urgencias la gente coja neumonías por estar en un pasillo expuesta al viento...

No deben de olvidar cómo la patología psíquica de cada movimiento que establece el poder de un país, debe de ser permanentemente constrastada con la patología psíquica que tiene el sujeto en ese momento. No es lo mismo una depresión aquí que en Suecia. Por tanto, no olviden nunca SITUAR AL ENFERMO EN SU ENTORNO, sin valorarlo en exceso, porque existe la corriente que establece que toda enfermedad psíquica derivada de la inadaptación del sujeto al entorno. Eso es, hasta cierto punto cierto, si nos quedamos en un nivel bajo. Porque todos sabemos que, sujetos sometidos a un entorno completamente distinto, han desarrollado patologías iguales. Comprobado también en gemelos univitelinos educados en ambientes diferentes, y que habían terminado cometiendo delitos iguales.

El atribuir al entorno la causa de las patologías, es muy relativo. Tiene su valor, pero no hay que olvidar que la personalidad del sujeto, queda concretada en el niño, fundamentalmente, a los 8 años, y en la niña, fundamentalmente, a los 7 años. A partir de aquí no intenten cambiar a esos niños, porque aunque les hagan aprender inglés, si un niño es colérico lo seguirá siendo. Porque no depende del entorno cultural.

Hasta el 8 y el 7, es posible establecer ciertas influencias sobre el desarrollo psicológico del sujeto. HASTA LOS 7-8 AÑOS PODEMOS DESCUBRIR CUAL ES EL TAO HUMANO DE ESA PERSONA. El Tao humano es consecuencia del descenso del Tao celeste y el ascenso del Tao terrestre. Se debe intentar descubrir cual es el Tao de esa persona, su inclinación y su tendencia y, entonces, facilitar el desarrollo de ese Tao personal.

Por ejemplo, el niño pequeño que demuestra su afición por la música ¿Qué hacer? De vez en cuando le dejaremos algún instrumento cerca. El lo lleva todo dentro. No le hace falta profesor.

Cada niño lleva dentro un mensaje que debe desarrollar. Nosotros debemos ser espectadores respetuosos de ello y ofrecerle los elementos que necesita para desarrollarse. El los irá tomando automáticamente. Igual que ocurre con la alimentación, cuando la madre se empeña en meterle la papilla al niño, pero resulta que no quiere el verde, quiere el rojo, el blanco o el azul, o no quiere el dulce, quiere el salado. El coje aquello que necesita.

Si nos damos cuenta de todo eso y ponemos los instrumentos necesarios, estaremos en condiciones de encontrar el equilibrio personal de esa persona. Su equilibrio personal.

Si esos instrumentos no están a su alcance, ocurrirá que se labrará una personalidad patológica.

Si se le proporciona lo que necesita, va a hipertroficar, sin duda, alguno de estos movimientos, pero como le hemos facilitado el desarrollo de su propio Tao va a saber estar también en equilibrio con los otros. Porque la hipertrofia del suyo va a estar a costa del desarrollo de los otros. Por tanto va a obtener su propio equilibrio en su propia CREATIVIDAD.

Tener capacidad creativa es contemplar el fenómeno de la vida como algo cambiante y permanentemente diferente, y ahí no influye para nada la profesión, ni el estudio. Esa creatividad es la que hace posible que cada movimiento se trasmute en otro. Radica en el Centro, en la Tierra.

Si proporcionamos los instrumentos a nuestros pacientes, para que se planteen la posibilidad de ser creativos, podremos establecer el primer paso para el tratamiento del SER o del Espíritu, el desarrollo de la creatividad.

Cuando tenemos ante nosotros a un paciente con una excesiva calma, una excesiva nostalgia, una excesiva tristeza, sin llegar a ser deprimido... ¿qué actitud debe de tomar el terapeuta? Hay que generar cólera, hablarle con decisión. Son pacientes que siempre están igual. Con la decisión no es que vayamos a provocar en él que nos diga una mentira, pero va a saber valorar mejor su variación, y, sobre todo, le vamos a transmitir esa energía, esa actitud de la Madera que necesita y que él , en sí mismo, no es capaz de generar por su propia patología.

Supongamos que sea un sujeto que está todo el día saltando, hablando, siempre está bien, todo va fenomenal. Es un sujeto que está con el Yang, con la Madera, hipertonizado... tenemos que trasmitirle un poco de calma. No le decimos nada, le pinchamos y nos vamos, aunque él siga hablando. Hemos recuperado el ritmo del Metal, el equilibrio, la calma. Puede pasar que se dé cuenta que no le hemos dicho nada y se enfade y no vuelva... primer elemento curativo: no volverá, pero se curará, porque eso le ha entrado directo al Corazón.

SINDROMES MAS FRECUENTES

Se nos presentan en la consulta una serie de pacientes que, ya desde el punto de vista psiquiátrico, son difíciles de catalogar, por la razón de que hablábamos antes, que en un momento determinado presentan un diagnóstico y en otro momento otro.

Los síntomas que son más frecuentes son: Insomnio, Irritabilidad, Alucinaciones, Intranquilidad motora, Verborrea...

Si lo agrupamos por el concepto occidental, tendríamos los siguientes grupos:

PSICOSIS { con la esquizofrenia
psicosis maniacodepresiva }

NEUROSIS
DEPRESIONES { reactivas
endógenas }

HISTERIAS
PSICOPATIAS O SOCIOPATIAS

Todos estos cuadros, en un principio, pueden ser más o menos fáciles de determinar, pero no hay que olvidar que todos ellos se encuentran muy implicados. Por ejemplo, el paciente esquizofrénico no es frecuente que tienda a la depresión grave y al suicidio, pero los hay que sí se suicidan. El paciente esquizofrénico, habitualmente, no es un psicópata, pero algunos sí. El paciente depresivo no necesariamente tiende a las ideas de autodestrucción o suicidio.

Por eso hay que tener mucho cuidado a la hora de poner una etiqueta al paciente y, sobre todo, más aún cuando nos llega ya diagnosticado. Hay que revisar esos planteamientos e intentar trasladar los síntomas a los cincos movimientos y remontarse al origen.

No olviden nunca hacer mucho incapié en la historia desde el punto de vista de las ENERGIAS HEREDITARIAS, porque esto nos va a marcar la pauta de los puntos que vamos a elegir a la hora del tratamiento.

No olvidar nunca en los pacientes los llamados equivalentes depresivos.. El grupo de pacientes que más fácilmente despistan a la hora de encuadrarlos son los que presentan estos síntomas: Insomnio, cansancio, cabeza pesada, gastralgias sin causa reconocida, las cardialgias, cierta indiferencia al entorno, pérdida de apetito... Son síntomas de que se está gestando una enfermedad depresiva. Es inútil en estos pacientes buscar la causa orgánica que los desencadena. Son MECANISMOS DE ALARMA.

CLASIFICAR AL PACIENTE SEGUN EL INN-YANG:

—YANG: Irritable, Insomnio, Inestabilidad, apetito voraz, Hiperactividad...

—INN: Apático, habla poco, distraido, se desconecta del entorno, duerme mucho.

TRASLADAR A LOS CINCO MOVIMIENTOS:

Cada movimiento tiene su vector Inn y Yang: P-IG, E-B...

—Cuando el síndrome que hemos detectado es INN — Relacionar con los *órganos*, no con las vísceras. Ciclo KO.

—Cuando el síndrome es YANG — Relacionar con las *Vísceras*. Ciclo CHENG.

Ej.: Sujeto Inn: va a seguir el ciclo KO; su origen por ej. está en el P, va a seguir este ciclo: P - H - B - R - C - P.

Ej.: Sujeto Yang: va a seguir el ciclo Cheng y por ej. el origen está en E; va a seguir este ciclo: E - IG - V - VB - ID - TR - E.

Según este criterio lo vamos a tratar.

RITMO DE TRATAMIENTO Y PUNTOS PREFERENTES:

—ENF/INN - ciclo Ko - ritmo lento.

Si ha empezado en P, seguiremos este ciclo: P - H - B - R - C - MC.

Si ha empezado en MC: MC - P - H...

Se hacen dos sesiones (inn) y se descansan 6 o al revés.

El objetivo es equilibrar el ciclo Ko.

—ENF. YANG - ciclo Cheng - ritmo rápido.

Si ha empezado en M: M - Md - T - A - F - N

Se hacen 3 sesiones se descansan 9 días o al revés.

Nosotros hemos podido comprobar, en casos difíciles, que pacientes que evolucionaban negativamente, les hemos roto el ritmo de tratamiento y han comenzado a evolucionar positivamente. A lo mejor le veíamos unas tres veces seguidas y se lo hemos pasado a una vez al mes.

Este ritmo en el tratamiento lo da el estado pulsológico, pero esto exige una gran pericia y percepción, por eso ahora tenemos que fijarnos en la numerología y el ritmo que, teóricamente, puede llevar el Inn y el Yang, tal como hemos visto antes.

—7/8: También podemos aplicar el tratamiento el ritmo del hombre o de la mujer, independientemente de que sea Inn o Yang. Así el de la mujer es 7 y el del hombre 8 (una sesión cada siete o una sesión cada 8).

—C. Cheng = ciclo SOLAR = realizaremos pausas ritmadas cada 1. El ritmo del sol es diario, por eso el ritmo sería luz-oscuridad, un día de tratamiento, un día de descanso.

—C. KO = ciclo LUNAR = realizaremos pausas ritmadas cada 7.

Se puede combinar un método con otro, siguiendo siempre o bien el ritmo de hombre-mujer, o bien el ritmo de 2-6, 3-9, o bien el ritmo solar-lunar.

Tratamiento: En el tratamiento siempre tenemos que empezar por el origen.

CICLO KO.

AGUA (origen): 10 R – – – 8 C (F) – – – 8 P (M) – – – 1 H (Md) – – – 3 B (T) – – – 8 MC (F)

Esta podría ser una pauta, con independencia, en apariencia, de la sintomatología que presenta el enfermo. En relación con el origen. Y hay que servir este ritmo de punturas, con ese orden, poniendo en cada sesión cinco puntos.

Otra posibilidad: como el origen está en el Agua, la acción de cada uno de los puntos Agua, se transmite a todos los puntos Agua del organismo. Luego podemos punturar los puntos Agua:

10 R --- 3 C --- 5 P --- 8 H --- 9 B --- 3 MC

Si el origen fuera en el Metal haríamos lo mismo con los puntos Metal, empezando por el Pulmón, etc.

Otra tercera posibilidad:

Origen Agua. Mantenemos el 10 R, pero el vector que va a facilitar la mutación al Fuego es la Madera, entonces en el C elegimos el punto Md (9 C). Pasamos al Metal y el punto será el 10 P (F)... Es decir, en la elección de los puntos seguimos el ciclo Cheng, pero estamos en el ciclo Ko de los órganos.

10 R (A) --- 9 C (MD) --- 10 P (F) --- 3 H (T) --- 5 B (M) --- 3 MC (A)

La aplicación de un método u otro depende del paciente:

—Afecçiones psíquicas de larga evolución: primer método.

—Afecciones psíquicas de 1 año de evolución: segundo método.

—Afecciones agudas: tercer método, porque todavía nos puede permitir sacar la enfermedad del ciclo ko al ciclo cheng, y luego tratarla como si fuera un cheng, que es la que vamos a ver a continuación.

CICLO CHENG. (Yang).

(PREVENTIVO → YANG MING)

(CURATIVO → TAE YANG)

Aquí en los Yang tenemos una particularidad. Dice el Sowen:

«El cielo y la tierra son asimétricos».

No se contradice con la idea de macrocosmos-microcosmos. El Sowen va más allá. Gracias a esa asimetría es posible el movimiento. Por tanto, el tratamiento que hacemos con el Inn no puede ser igual que el tratamiento que hacemos con el Yang (primera razón).

Segunda razón: se habla a menudo de tres niveles de energía para los Yang y tres para los Inn. El Sowen, cap. XXII, nos dice:

«El Yang se abre al exterior por el Tae Yang y se cierra al interior por el Yang Ming. Tenemos que proteger el Inn a través de la apertura hacia el exterior del Tae Yang y de la apertura hacia el interior del Yang Ming».

Por tanto tenemos que prestar especial atención al E, IG, V e ID.

Cuando la enfermedad se presenta sintomatológicamente como Yang, lo primero que tenemos que hacer es evitar que profundice hacia el Inn. Esto se hace tratando el Yang Ming, DISPERSANDO.

¿De dónde procede esa plenitud del Yang?

En estos síndromes normalmente, no encontramos energía perversa externa, sino que ha habido una perturbación en la mutación de los movimientos y la hipertonía del Yang se ha hecho a expensas de la debilidad del Inn.

Tenemos que dispersar, pero de tal forma que no se pierda energía Yang. Hay que dispersar la energía de E-IG de tal forma que la hagamos esparcirse por los colaterales, que desaparezca de órganos y entrañas y favorezcamos la mutación de esa energía Yang en Inn. Transformando al enfermo de hiperactivo en calmo.

Por tanto, a la hora de dispersar, tenemos que tener la precaución de no extraer energía endógena, sino dispersarla dentro del organismo para favorecer la mutación. Podemos realizar 6 giros en sentido contrario a las agujas del reloj, pero al sacar la aguja tapamos el agujero. No se tapa cuando sabemos que hay energía perversa externa en el interior. Otra técnica que podemos aplicar en este caso es hacer vibrar la aguja.

DONDE ACTUAR:

Sabemos que hay exceso de Yang y queremos favorecer el paso del Yang al Inn.
¿Dónde hay energía Inn de las entrañas (cheng)?:

- Puntos YUAN
- Puntos AGUA

YUAN: depositarios de las posibilidades ancestrales que puede desarrollar un sujeto a lo largo de su vida. Pero no en todos es igual. Si atendemos al desarrollo filogenético de los canales, descubrimos que el primero que se forma es el Sanjiao, por eso el primer Yuan en importancia es el 4 TR.

Aquí se encuentran depositadas las manifestaciones actuales.

AGUA: aquí están depositadas las posibilidades más antiguas.

TIERRA: aquí se encuentra depositada la energía hereditaria permanente que hace posible la distribución del Agua y del Yuan.

YUAN: cuando en el origen de la enfermedad tenemos antecedentes fiables de que hay un origen hereditario, y de que hay un condicionamiento familiar, social, cultural... recurriremos a él.

AGUA: si el origen de la enfermedad no es claro en cuanto a situación actual, sino que puede deberse a mucho más antiguo.

Si hay duda se pueden combinar los dos, porque el objetivo es transformar el Yang en Inn dentro del mismo órgano.

Como en este caso vamos a trabajar en el Yang Ming, la clave será:

2 IG (A) 44 E (A) 4 IG (YUAN) 42 E ”	YANG MING - PREVENTIVO

TAE YANG. Tratamiento CURATIVO (en la manifestación).

El Tae Yang se abre al exterior.

Si hemos descubierto originalmente que la enfermedad, en sus manifestaciones es Yang, si queremos regular, amortiguar y establecer una homeostasis con el medio, debemos de recurrir a la puntura de V-ID.

VEJIGA	Puntos SHEN del canal V HUATOJIAJI (cuando hay una carga hereditaria)
I. DELGADO	6 ID: «Ayuda a los ancianos» 3 ID: punto de apertura del Yang en T.Mo

Antes poníamos cinco puntos, ahora ponemos tres.

Si además de hacer un tratamiento curativo queremos hacerlo preventivo, a estos tres puntos añadiremos dos puntos del Yang Ming.

P.: ¿Cómo debe ser el tratamiento psíquico en personas ya de cierta edad?

R.: La enfermedad en el anciano, sea cual sea, está acompañada de un psiquismo muy lábil, entonces encima del psiquismo que desarrolla la enfermedad, se suman las penas propias de muerte de la esposa... abandono e incomprensión de los hijos, etc.

Hay que retomar el SHEN. Dicen el Ling Shu:

«Cuando el Inn y el Yang se hacen insondables, estamos hablando del SHEN».

¿Qué puntos SHEN hay en el organismo?

23 R, 25 R, 7 C, 44 V, 24 TM, 11 TM y 8 RM.

Estos son los responsables globales del Shen del C. Todos pertenecen a la esfera del Agua menos el Shen Menn, 7 C. Y hay uno que especialmente representa el Tao humano: Shendao, 11 TM.

Estos son los puntos que permanentemente tendremos que utilizar en los problemas psíquicos del ancianos, aunque son válidos para todas las personas. Pero además, en el anciano, añadiremos dos puntos más:

6 ID y 7 TR («Ayuda a los ancianos» y «Reencuentro con los antepasados»).

Si vamos tratar específicamente a un anciano por los puntos SHEN, debemos de llevar un *ritmo*:

Fijos – – – – – – 6 ID - 7 TR

Luego los puntos Shen según el orden de aparición:

1º (más antiguo). 8 RM. Moxa con sal. 9 conos como dos granos de arroz.
2º 23 y 25 R. Puntura y moxa indirecta.
3º 44 V. Puntura y moxa indirecta.
4º 7 C. Puntura.
5º 11 TM. 9 conos de moxa directa como un grano de arroz.
6º 24 TM. Puntura oblicua hacia atrás.

Si el anciano consulta también por otra cosa, como un dolor de rodillas, primero se le trata su dolor de rodillas, luego se le quitan las agujas y se pinchan los puntos Shen, sin que haya interferencias de otros puntos.

Frecuencia de las sesiones:

—Fase aguda: 3 sesiones seguidas, descansar 5 días y volver a hacer otras 3, etc.

—Fase crónica con reagudizaciones: 2 sesiones semanales y descansar 7 u 8 días, dependiendo de si es un hombre o una mujer.

Esto es globalmente. Se harán las debidas correcciones según el pulso y el estado del paciente.

P.: ¿Qué diferencias hay entre pena y tristeza?

R.: Las penas del Alma radican en el Corazón. Si bien el sentimiento del C es la Alegría, cuando la alegría cesa aparece la pena y no es lo mismo que la tristeza.

Estoy triste por... Tengo una pena de...

Es muy diferente. La pena del Alma es algo activo, permanente, que está actuando en el C. La tristeza es algo que corresponde a algo que ha ocurrido, que ha pasado, y que nos ha dejado una huella; ya no actua, pertenece al mundo del pasado; cuando lo recordamos o viene, se hace un poco más presente.

Las penas se llevan dentro, están actuando de una manera permanente y se llevan en el C.

La tristeza es algo que surge, algo que ocurrió pero ya no está.

HISTORIA CLINICA

Varón de 55 años.

E.A.: DEPRESION desde hace 20 años. Nerviosismo que le hace tartamudear. Temblor mientras habla.

CAUSA: Responsabilidad de llevar a su familia y miedo de que le despidieran del trabajo.

TRATAMIENTO: Psiquiátrico.

CARACTER: Muy rencoroso. Irritable. Ganas de llorar. Intento suicidio. Reflexivo. Siempre busca algún problema.

A.M.: Lumbalgias de siempre.
Cólico nefrítico.
Nicturias.
Pérdida de audición.
Se le duermen las manos desde hace un par de años.
Esguinces y luxaciones (juega al fútbol).
Astigmatismo desde los 18 años.

A.F.: No estados depresivos. Alcoholismos por parte de tíos.

A.M.: A veces palpitaciones.
Pérdida de memoria (lagunas).
Pesadillas.

TEZ: Verde.

SABOR: Dulce (?).

Prefiere las bebidas frías y el Invierno.

Todo parece indicar que la deficiencia está en el Agua, verificada por esos dolores lumbares, pérdida de audición, dolores óseos más o menos claros, nicturias, cólico...

Esa deficiencia del Inn nutre deficientemente al Inn del H y entonces tiene escapes, casi permanentes de irritabilidad, rencor, obsesión y, consecuentemente, también aparecen estados de tristeza.

A lo largo del tiempo se han ido produciendo variaciones dentro de los cinco movimientos.

El problema está en el Agua. Hay un aumento del Yang del H y VB, por deficiencia de los R. El R no puede ejercer un control H y VB, por deficiencia de los R. El R no puede ejercer un control adecuado sobre el F, y el Shen se ve resentido a través de los síntomas de falta de energía... En consecuencia, también el hecho de que aparezca una excesiva reflexión, se debe a que el control que ejerce la Tierra sobre el Agua se hace más poderoso y el B se estanca.

Finalmente, la plenitud del F hace que haya un control excesivo sobre el M, generando la tristeza.

La manifestación más importante, y que le crea sus problemas es el escape del Yang de la Md.

Todos los movimientos se han visto afectados por el hecho de la cronicidad en la enfermedad.

Tenemos que ver qué puntos Shen se corresponden con el paciente. Por otra parte, el origen de la enfermedad está en el ZHI, la aparición del MIEDO a la responsabilidad que tenía que afrontar. Habrá que fortalecer los R (23 V) y actuar sobre su entidad visceral (52 V).

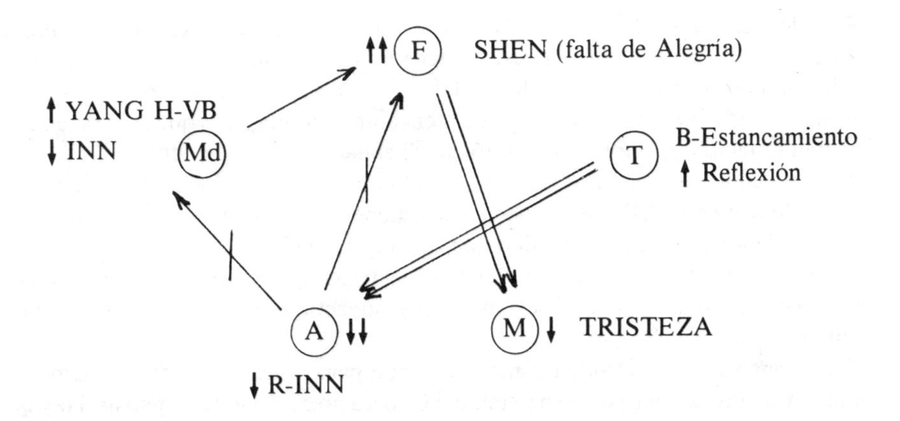

TRATAMIENTO

1º Tratamiento del Origen:

23 V, Shenshu.

52 V. Zhishu.

2º Regular la Md, que termina en mucho Yang arriba y la poderosa actividad de la VB. Hay que regular el paso del Agua a la Md. Sowen: «en todas las enfermedades ligadas con el psiquismo se debe de punturar 8 H».

8 H en tonificación.

Así hacemos que el A pase a Md y, en la medida que aumentamos el Inn del H, se controlará el Yang de la Md.

Este punto hay que explorarlo, si aparece un vaso prominente de color azulado, debemos de hacer una microsangría, porque indica que hay un estancamiento de sangre en el H, que favorece el bloqueo del Inn y el escape del Yang.

3º Puntos Shen: se puede seguir la pauta que decíamos anteriormente, pero vamos a dar a conocer otra posibilidad. En la medida que regulemos el Shen, el Espíritu del C, vamos a colaborar a establecer un equilibrio dinámico entre los vectores A-F.

Tenemos siete puntos shen entre los que hay que elegir el más conveniente.

Además tenemos que tener en cuenta que, dado el largo período de su enfermedad, y a pesar de eso le ha permitido realizar su vida laboral y familiar, tener cuidado a la hora de elegir los puntos en el sentido de que no podamos reactivar ningún síntoma, aunque en principio esa reacción sea curativa, pero debemos de ser lentos y cautos a la hora de obtener un resultado.

Debemos de buscar aquellos puntos que nos proporcionen una respuesta lo más inmediata posible.

8 RM: es el punto más ancestral. Retrotraería al paciente a los comienzos más antiguos de su psiquismo. En principio puede ser útil. Pero dado la larga evolución de la enfermedad y que no comienza en épocas infantiles, la acción del punto va a ser muy lenta.

24 TM: el TM se encarga de regular toda la energía Yang del organismo. Teniendo en cuenta que hay grandes escapes de Yang, es un punto a elegir, empleándolo con técnicas de dispersión endógena. Como además el 24 TM alberga energía ancestral, estaremos en condiciones de conectar el TM con el resto del organismo.

11 TM: «La ruta del Espíritu o del Tao». Puede ser un punto válido en cualquier circunstancia, pero en el caso de nuestro paciente, no debemos incidir en un camino en la orientación que él ha tenido a lo largo de su vida. La ruta que él se ha marcado la tiene muy asimilada. Entonces, no se trata de reencontrar su ruta, sino que su ruta, en cuanto a sus manifestaciones, sea más equilibrada. Shendao no procede aquí.

Serviría en todas aquellas distimias, o ciclotimias, o depresiones, en las que el sujeto no sabe lo que debe de hacer, no sabe como tiene que comportarse, etc. En este caso le ayuda a identificarse con el camino que tiene que seguir.

Nuestro paciente se siente identificado en su trabajo, aunque se siente incómodo en él en la medida en que su comportamiento y su actitud no le permiten mantener un equilibrio.

7 C: tiene su mayor utilidad como aplicación para obtener resultados rápido e inmediatos. Además es punto de dispersión del C, pero no se debe de dispersar. Hay que emplear la técnica de regularización con el movimiento Tierra.

Es un punto a elegir por la respuesta rápida que nos va a dar.

No hay riesgo de que al aplicar moxa en el F se produzca una hipertonía del F, porque es un punto de dispersión y se va a armonizar el Shen.

44 V: Shen del C. En principio puede ser un punto a elegir porque va a regular la actividad Yang del C, porque los puntos de la espalda van a regularizar la actividad Yang de los órganos y los Mo la Inn (aunque esto no es tan rígido), pero como ya hemos utilizado en V Shenshu y Zhishu, en principio no usaremos 44 V.

23 y 25 R: son dos puntos distintos, pero aquí no lo vamos a considerar. Aquí pueden ser de gran utilidad dado que la enfermedad comienza en el Agua.

La pauta que vamos a seguir será la siguiente:

a) 24 TM - 7C - 8H - 23V - 52V

b) 24 TM - 7C - 8H - 23V - 44 V

c) 24 TM - 7C - 8H - 23V - 23 y 25 R.

Así será un tratamiento dinámico.

Tanto el C como los R no debemos tocarlos demasiado, porque en el C está el Espíritu y en los R la Esencia. Deben ser manejados, sin brusquedad, con prudencia y sin pedirle demasiado. Por eso a veces hay que recurrir a intermediarios como el 8 H.

CONSIDERACIONES EN TORNO A LOS ESTADOS DEPRESIVOS

Desde el punto de vista de los 5 movimientos, la enfermedad depresiva se encuentra localizada entre el Agua y el Fuego. Cuando la enfermedad depresiva es crónica aparece una sintomatología en los demás movimientos. En teoría, también deberíamos de incluir al Metal.

En nuestro paciente, en principio, se produjo una disarmonía entre el A y el F a causa del A.

En el desarrollo de su enfermedad ha prevalecido el ciclo KO, la vía interna.

Si hubiera que hacer una clasificación Inn-Yang, a nuestro paciente, a pesar de padecer una enfermedad depresiva, le englobaríamos dentro del Yang, porque su mayor problema es la manifestación en el H. Es una persona nerviosa y tiende a la tensión, por otra parte, el color de su tez es verde. Hay otro signo importante, y es que, en determinadas ocasiones, tiende al tartamudeo. Dice el Sowen.

«La palabra es la expresión del Corazón».

Esto significa que el F y el Yang del H están alterados.

Como generalidades, podemos decir de la enfermedad depresiva, que actualmente hay de 250 a 300 millones de personas que la padecen. Evoluciona, no con brotes, pero si paulatinamente, siendo refractaria a los diferentes tratamientos.

Tenemos las enfermedades depresivas reactivas, en las que se conoce la causa evidente, y las endógenas (mal llamadas así, porque no encierra esta palabra la causa de la enfermedad) que se desencadenan sin aparente causa que lo justifique.

En el caso de nuestro paciente vemos que ha sido una deficiencia en la esfera de los R.

También, dentro de la depresión, tenemos que tener en cuenta que este desequilibrio del A-F, va a generar la perturbación de todos los demás movimientos.

Si quisiéramos hacer un tratamiento según el criterio anterior, lo haríamos siguiendo la línea del Yang; y en principio, actuaríamos sobre el Yang Ming y Tae Yang.

CONSIDERACIONES EN TORNO AL MC.

El desequilibrio inicial de la depresión oscila entre el Agua y el Fuego.

La función del MC es la de ser el ministro que regula información que procede del exterior, la analiza, la tabula, y se la pasa al Emperador. De igual forma, es el receptor de las decisiones del Emperador y facilita la respuesta hacia el exterior de las opiniones del C, junto con la VB.

Es un intermediario entre la respuesta del sujeto al medio exterior, y entre la información que recibe del exterior hacia el interior.

En nuestro paciente, el MC está perturbado, porque es una persona muy rencorosa. No es una posición de equilibrio, porque lo único que le proporciona a él son disgustos, no bienestar. También el hecho de que, como él dice, siempre cree que tiene la razón, indica una rigidez en las funciones del MC.

RENCOR
CREER TENER SIEMPRE RAZON } MC perturbado

Hay que actuar sobre el MC con objeto de que él, los acontecimientos del exterior, los analice con más flexibilidad, no los juzgue sistemáticamente y no busque alguna posibilidad de engancharse a algo (buscar siempre algún problema) porque ese es otro defecto del MC.

En todas las enfermedades psíquicas, como todas pasan por el vector Fuego, tenemos que tener en cuenta al MC.

En nuestro paciente vamos a actuar en el MC aprovechando sus aficiones deportivas, para que él colabore en su propio tratamiento, enseñándole un ejercicio de Qiqong que pretende hacer movimientos de energía a lo largo de los canales, en este caso el MC.

EJERCICIO: La mano izquierda sobre la derecha con las palmas hacia el 12 RM. Las piernas ligeramente flexionadas y abiertas. La mirada al frente. Asciende su energía hasta el centro del pecho, para, lo toca. Expande la mano izquierda y con el dorso de la mano derecha recorre el canal del MC. Vuelve a traer las manos al pecho, baja a la zona media y repite la operación. Se debe repetir 9 veces por la mañana y 9 por la noche.

HAY QUE BUSCAR LA FORMA EN QUE EL PACIENTE SEA PROTAGONISTA DE SU ENFERMEDAD. Esto es vital para que realmente se cure. En definitiva, siempre, el que se cura es el paciente. El médico es un mero instrumento que facilita los medios que aún no conoce el paciente para que se produzca el mecanismo curativo.

El médico se ha atribuido unas funciones sanadoras que no le son propias. Se ha convertido en un sanador usurpando las funciones propias de cada individuo para establecer su propia curación. Esto es un pecado serio, gravé y que impide, la mayoría de las veces, que el paciente tenga una recuperación completa. Siempre hay que buscar alguna forma de compromiso, por parte del paciente, para resolver su propio problema.

En cuanto a música, le diríamos que escuchase Canto Gregoriano o música de Bach. Si no le gusta la música clásica, pues no recomendamos nada. Si queremos facilitar el paso del Inn al Yang, a través de la Madera, recomendaríamos a Beethoven, sobre todo la 5ª Sinfonía o el concierto para Violín y Orquesta. Si quisiéramos equilibrar o dar una más adecuada respuesta en el C, recomendamos a Tchaickovski. Si queremos evitar el exceso de reflexión permanente que tiene le recomendamos Mozart (Concierto para Flauta y Arpa). Si queremos equilibrar el P. los clásicos italianos del Renacimianto, Mahler, Sibelius, Pau Casals, Rostropovich...

El color, el olor, el sabor y la música, fundamentalmente vamos a evacuar sobre la esfera de su Shen y secundariamente, sobre lo orgánico, sobre todo el sabor a través de la distribución del B.

ENFERMEDADES PSIQUICAS POR LOS CINCO MOVIMIENTOS

Todas las enfermedades psíquicas dependen del Espíritu del hombre (Fuego).

De la misma forma, los problemas genéticos pasan sistemáticamente por el Agua. Y las enfermedades adquiridas con posterioridad por la Tierra.

PSICOSIS MANIACODEPRESIVA

Oscila entre el eje de la Md, el F y el M.

No se incluye aquí el A porque en las PMD existe un ritmo de la enfermedad que oscila entre la depresión y la manía, y esta oscilación pertenece al movimiento Md.

Podríamos atribuir a la actividad maniaca a la Md y a la depresiva al M, y todo lo que hace posible que estos desequilibrios se produzcan al F.

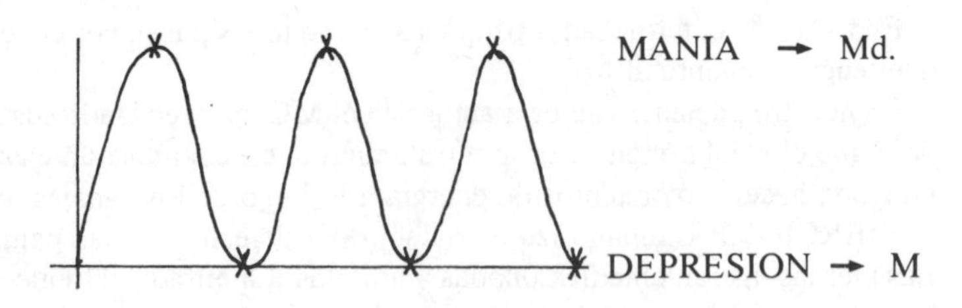

Vamos a dar una pauta general sobre el tratamiento de esta enfermedad, y después hay que añadir los puntos para cada paciente en particular, merced a su diagnóstico de lengua o historia personal, etc.

En principio hay que regular el ritmo de tristez-euforía y manía, que es una constante y lo va a marcar la Md. Así, hay que buscar un punto en la Md capaz de hacer una distribución correcta de la energía de los R.

3 H: por ser punto de tierra, va a facilitar una correcta distribución de la energía que nos viene del A, que va a transformarse luego en F.

El paso del Inn al Yang se hace a través de la Md, y del Yang al Inn por el M, pasando por la T. Para esto tenemos que aplicar en Taichong la siguiente manipulación:

Puntura profunda hasta alcanzar el Qi. Dispersión endógena y sin retirar la aguja pasando por los tres planos, volver a profundizar hasta la llegada del Qi y tonificar fuertemente Taichong. En principio, una vez enfundada la aguja hasta la llegada del Qi, hacemos ligeras vibraciones y rotaciones de dispersión y la sacamos por planos (tierra, hombre, cielo con 6 rotaciones), de nuevo profundizamos hasta el Qi y tonificamos desde el nivel cielo con 9 rotaciones, llegando a la tierra y vuelta al nivel hombre con 9 rotaciones, Tao Humano.

23 y 25 R: son capaces de romper el ritmo de esta enfermedad, así el F equilibra la actividad del M y la Md. Buscamos en el A el punto shen (es lo mismo que si empleamos para la depresión el punto A del F y el punto F del A). Moxar.

1 y 2 P, 13 V: Sowen: Son los puntos que básicamente se deben de emplear cuando aparecen las primeras manifestaciones de la enfermedad psíquica. El dolor a la palpación indica la pronta aparición de síntomas.

1 y 2 p con moxa indirecta y 13 V puntura y moxa.

En resumen:

3 H: ton. y disp.
23 R moxa
25 R moxa
1 y 2 P moxa
13 V punt. y moxa.

También se pueden englobar aquí los estados que cursan con ciclos de tristeza, depresión y euforia, sin llegar a ser un estado maniaco.

ESQUIZOFRENIA

Es la enfermedad más grave y que peores resultados da en medicina occidental.

Es un síndrome cuyo rasgo más característico es la escisión de la personalidad en el sujeto. Pierde la identidad con su propio Yo y aparece el sujeto dividido, disociado, y no sabe lo que está ocurriendo en él.

A nivel del Shen existen dos fuegos, El Fuego Imperial y el Fuego Ministerial. Sabemos que el Fuego Ministerial se encarga de la homeostasis entre el pueblo y el soberano. En el caso de la esquizofrenia, hay una competencia entre estos dos fuegos. Se convierten en dos emperadores. El MC ya no obedece las órdenes del C y le da los mensajes distorsionados. Una de las cosas que hace el esquizofrénico es distorsionar la realidad, ve la realidad y la interpreta de forma distinta; por ejemplo cuando dan las noticias por TV y el locutor hace un gesto cualquiera, el esquizofrénico piensa que ese gesto lo ha hecho por él. Toda la realidad la pasa por el filtro de su propio protagonismo. Todo lo que pasa a su alrededor es un efecto causal de está relacionado con él. Le abruma toda la información del exterior y no sabe cómo interpretarla.

Para entender un delirio esquizoide debemos ser irracionales, no racionales. Si nosotros descubrimos el por qué de un razonamiento esquizoide, le sabremos mostrar otra forma de verlo.

Siempre que tengan un paciente en una situación delirante, no se precipiten en los juicios en cuanto a que es algo inexistente, lo que pasa es que emplean otro lenguaje. No pensemos que es algo impenetrable. Sometámoslo al delirio del paciente y veamos cómo, efectivamente, el MC ha hecho un análisis de la realidad completamente distinto, siguiendo otros cauces mucho más amplificados, pero en virtud de su propia necesidad, y ha cogido la totalidad y la ha hecho girar a su alrededor; y absolutamente a todo lo que ocurra le busca la causalidad.

Hay que retrotraer al enfermo hasta la causa primera, y en el momento que le hemos reconstruido el delirio, está en condiciones de establecer una crítica sobre su delirio.

Hay muchos esquizoides que dicen ser algún personaje como Franco, Napoleón, o ser descendientes de la casa real, también hay que ver el ambiente social en que viven.

Por tanto cuando se encuentren ante un paciente esquizofrénico, trátenlo con mucho respeto y traten de reconstruir esa situación. Encontrarán que hay un camino muy lógico tras el delirio. Una vez que le hemos mostrado ese camino, lo que hemos hecho es disminuir la fuerza del MC y aumentar la del C.

Secundariamente oscila entre el eje MADERA-FUEGO.

La Md es el movimiento más inestable por:

1º Porque es el que facilita el paso del Inn al Yang y fácilmente, como el Inn tiende a la disminución, el Yang tiende a escaparse y crear violentamente Fuego.

2.º Porque la VB es una víscera y una entraña curiosa, por tanto tiene una doble función; a esto se le añade que recibe la esencia del órgano y lo almacena.

Esto es lo que hace que la Md sea tan inestable.

Esta inestabilidad del movimiento Md hace posible que la actividad de la VB en el esquizoide sea muy poderosa.

Sabemos que la VB está ligada a toda la zona del córtex, del cerebro nuevo, junto con la rama interna del H que termina en el Paehui, que es la que posibilita el drenaje Yang del H hacia la cabeza. En la esquizofrenia estas funciones están exhacerbadas, tanto el drenaje natural del Yang del H hacia el Tou Mo como la VB en su irrigación hacia la entraña curiosa cerebro. A esto se añade que, como el H forma con el MC el Tsiue Inn, este exceso del Yang del H va a nutrir más aún a la función patológica del nuevo Emperador que supone el MC.

Por tanto:

TSIUE INN ----	RESPONSABLE DE LA ESCISION DE LA RESPONSABILIDAD
TR - VB ----	ALUCIONACIONES
C (FUEGO) ----	YO DISOCIADO Y DELIRIO PERMANENTE, el emperador deja de reconocerse como tal y el resto del organismo también.

En base a esto, podemos establecer un tratamiento MC-C, o bien un tratamiento ligado a los meridianos unitarios.

TRATAMIENTO:

1º Por los meridianos unitarios:

A) CHAO YANG (TR-VB):

Hay que equilibrar estos dos vectores, porque el escape de la VB va a nutrir más el fuego del Sanjiao.

—Equilibrar el TR:

Disponemos de tres puntos:

17 RM: Mo de TR superior y punto de elección, con puntura y moxa directa.

25 E: Mo TR m.

6 RM: MO TR i.

—Regular la actividad de la VB:

En lo alto: *8 VB* (delirios). Puntura hacia atrás con sensación de hormigeo hacia nuca.

En lo bajo: *41 VB* punto de apertura de Tae Mai, favorece la libre circulación de todos los meridianos a través del Tae Mo. De esta forma quitamos fuerza al Yang de VB e H en su ascenso hacia arriba y evitaremos la confusión y el exceso de F en el Sanjiao Superior.

Puntura profunda y en dirección al 1 R.

B) TSIUE INN (MC-H):

Regular el escape del Yang del H: 8 H

4 MC: «Puerta del Límite», para que el MC recupere su función original.

Puntura: profunda hacia el Sanjiao, ligeramente oblicua hacia arriba (45%). Sensación de adormecimiento que va primero hacia la mano y luego hacia arriba.

En resumen, si tratamos la esquizofrenia por los meridianos unitarios será así:

17 RM - 8 VB - 41 VB - 8 H - 4 MC

2º Por el MC - C:

Corazón: Por la debilidad de este se ha hecho fuerte el MC. Hay que fortalecer al Emperador, debilitar al MC y recordarle sus auténticas funciones.

El fortalecimiento del C podemos hacerlo de diferentes maneras: siguiendo este ritmo.

a) Punto Agua: 3 C.
b) IU de C: 15 V.
c) TING: 9 C.
d) MO de C: 14 RM.
e) Movimientos de energía en el canal del C.

Maestro del Corazón:

1.º Debilitar su actividad:

7 MC, dispersión endógena.

17 RM, Mo de MC en disp. endógena, girándola 6 veces y tapando el agujero.

Dejaremos de punturarlos cuando el paciente empiece a recuperar el equilibrio que le permita una relación con el entorno satisfactoria.

2.º Recuperar la función primitiva del MC: recurrimos a la esencia: punto A = 3 MC.

3.º Movimientos de energía en el MC sobre el paciente.

Ninguno de los dos tratamientos es mejor que otro. Se pueden hacer separados o realizando distintas combinaciones.

En principio, salvando el tratamiento individualizado del paciente, convendría trabajar con el tratamiento de los meridianos unitarios.

Si el paciente está en proceso agudo es mejor utilizar el tratamiento del C-MC.

REPRESENTACION DEL TAO

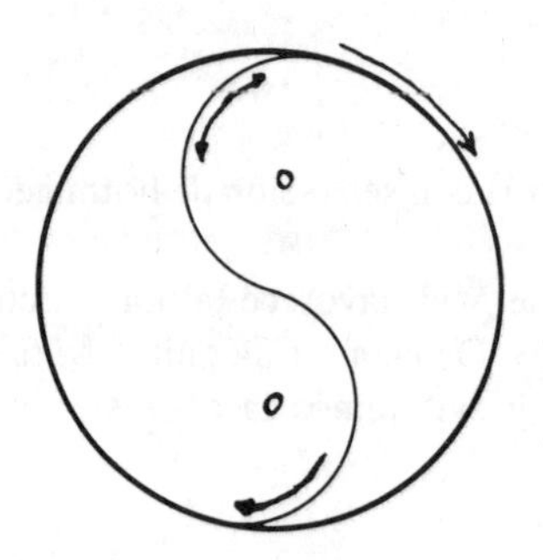

En el ideograma Zhong, la línea vertical quiere representar la relación que tuvo el hombre, la posibilidad de poder interrelacionarse entre el Cielo y la Tierra, de una manera permanente y estable. Tan pronto el Ente Espiritual se movía en los niveles del cielo como en los de la tierra.

Merced a una serie de vicisitudes que pertenecen a la alquimia interior taoista, esta línea se fue curvando.

La aparición de la línea curva, supone un concepto de materialización, de constitución de la forma. Son distintos estadios evolutivos de la humanidad.

La 1.ª manifestación, la línea vertical, da lugar a la aparición del Ente. Después hay una 2ª manifestación, en la que aparecen los Seres. Esta se empieza a plegar sobre sí misma, apareciendo la 3ª manifestación.

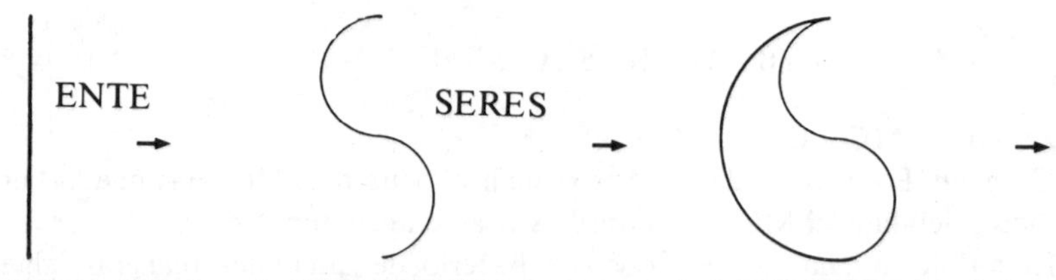

1ª MANIFESTACION DEL GRAN VACIO — 2ª MANIFESTACION — 3ª MANIFESTACION

De la 3ª surge la 4ª manifestación y la 5ª manifestación y de ésta surge la 6ª, que es donde se encuentra ahora la Humanidad.

Dice el Tao Te King: «El Tao que puede ser representado no es el verdadero Tao».

Por tanto, esto no es el verdadero Tao.

4ª MANIFESTACION — 5ª MANIFESTACION — 6ª MANIFESTACION

El verdadero Tao siempre está en constante cambio y actividad.

La Humanidad (y esto ya son niveles de esoterismo) va transcurriendo a nivel de ciclos y de ritmos muy distintos. Eran muy distintos los entes de la 1ª manifestación a los seres de la 2ª, 3ª, 4ª, 5ª y 6ª.

Retomando la imagen del Tao: primero baja la línea curva, se forma el INN y, después, el Yang desciende sobre la Tierra. El Espíritu del Yang no puede descender antes de que exista la estructura. Por eso en la medida que los entes se pliegan y van a dar lugar a algo, lo primero que se crea es la estructura, es entonces cuando accede el Espíritu. Ninguna mujer se podría quedar embarazada si no tuviera matriz. Por eso el hecho de pintar el Tao así no es una casualidad. 1º la manifestación, luego el Inn, luego el Yang, el Espíritu. Pero el Espíritu, una vez que desciende, necesita moverse, entonces aparece el pequeño Yang que mueve al Inn y luego el pequeño Inn que procura las actividades del Yang.

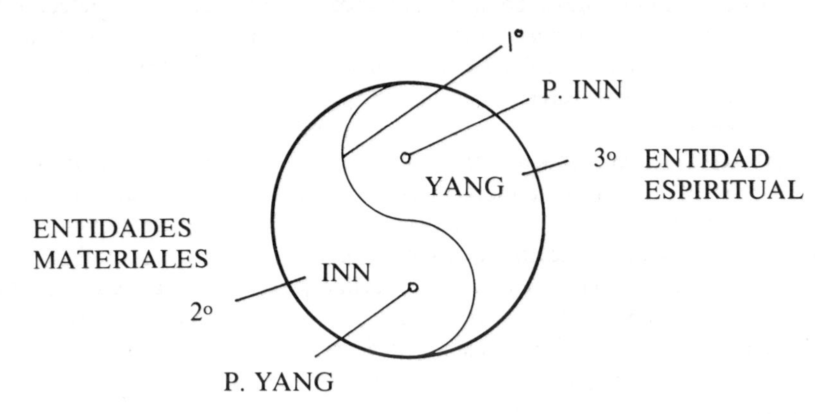

Hemos pasado por distintas estructuras en las que de una cultura de entes, hemos pasado a una cultura de seres, a una cultura de entidades materiales, después a una situación de entidades espirituales, a una situación de la estructura y a una situación de materialización de la entidad espiritual. El final es el dibujo anterior, que no es lo auténtico, como dice el Tao Te King. No es lo auténtico porque es una estructura cerrada.

Sin duda, ese Tao, va a cambiar para dar lugar a la 7ª manifestación (ya vendrá algún día). Se tendrá que abrir, porque ya no se puede cerrar más. Esta absolutamente cerrado, concentrado como toda la cultura de la Tierra.

A través del tiempo han transcurrido una serie de pasos y de ritmos que han costado miles de millones de años. Hablamos de años por situar en un contexto, pero realmente aquí se da la situación de intemporalidad. La temporalidad aparece desde el momento en que se forma el Inn. Por eso decimos que el tiempo no existe, pero sí en la medida que se crea la estructura, es decir, en la 3ª manifestación. Esto puede corresponder a la era de los atlantes, lemures, etc.

Pero hay que tener siempre presente al representar el Tao, que no es la representación auténtica. En la medida que lo sientan así, ese Tao se manifestará en Vds., de una manera espiritual, real. No se puede decir con palabras, pero si se puede sentir.

El ritmo en la aparición de la vida siempre ha sido constante, permanente. Si partimos de las ideas del gran estallido, a partir del Gran Vacío, este Gran Vacío que da lugar a la gran expansión, se corresponde con las ideas y teorías del Universo que conocemos ahora del Big-Bang. A medida que se hiperconcentra, llega un momento en que se expande, su expansión le lleva lejos y su lejanía le hace retornar. De nuevo la idea del Tao.

Si esto lo llevamos a terrenos más prácticos y lo aplicamos a un paciente, estaremos en condiciones de saber cuando una persona está en un acceso maníaco, está en una fase de expansión, y esa fase de expansión le va a hacer retornar, se va a hacer depresivo (psicosis maniaco depresiva). La expansión es la fase maniaca Yang y cuando llega al máximo el enfermo se repliega sobre sí mismo y entra en una profunda depresión. Es lo mismo que cuando una persona corre, corre, corre... hasta que cae exhausta, en la máxima quietud. Lo mismo que hacen casi todos los seres humanos cuando nacen, crecen, se reproducen y mueren físicamente, siguiendo la curva de Gauss.

Este concepto debe de situar al terapeuta como un observador minucioso de la realidad, y saber en qué momento debe de incidir sobre la expansión o sobre la contracción. Toda enfermedad tiene estos dos períodos, un ritmo. Dejado al individuo a un libre ritmo de su tiempo, la enfermedad seguirá una evolución inexorable... Tenemos que facilitar esos mecanismos de expansión y contracción, pero sin olvidar que una enfermedad, cuando está en período de expansión se va a expandir hagamos lo que hagamos.

Me explico. La energía esencial del organismo, una vez que ha sido perturbada, va a seguir un ritmo y un camino determinado, que vamos a llamar genéricamente expansión. Esta expansión se va a cumplir. El terapeuta se convierte entonces en un observador, que no va a hacer nada para evitar que se cumpla. Va a adoptar la actitud de Wu Wie, respetando el ritmo de la naturaleza, y no va a evitar que esto ocurra, porque si lo hace se volverá en contra. Y aparecerá en otro momento. Este no hacer nada implicará que nosotros potenciemos, activemos y mejoremos esta energía esencial, pero el fenómeno se va a producir. Si lo cortamos, pasa a ser una energía perversa latente.

Al no hacer nada el terapeuta, implica que debe de respetar y conocer los ritmos de la enfermedad. Así sabrá que en la expansión será un buen momento para dispersar y en la contracción podrá tonificar. Pero siempre procurando no interferir el proceso evolutivo natural de la enfermedad. Pero si conseguimos que sea más suave, mejor.

ENFERMEDADES MENTALES Y ACUPUNTURA

Hay que decir de entrada, que enfocar las enfermedades desde el punto de vista de la acupuntura supone replantear casi todo desde otra perspectiva, lo cual entraña una enorme dificultad para nuestra mentalidad.

ENFERMEDAD MENTAL Y OCCIDENTE

Datos recogidos por la Asociación americana de Psiquiatría:

—Del 15 al 22,5% de la población han sufrido algún trastorno mental, emocional o aditivo alguna droga.

—Un 1% desarrolla un cuadro-esquizofrénico.

—Un 15% ha padecido o padecerá alteraciones en el ánimo.

—Un 5% padece angustia generalizada.

—Un 5% de las mujeres padecen anorexia o bulimia nerviosa.

—Del 10 al 15% padecen alguna caracteriopatia severa.

Todo esto parece ser que le supone a la sociedad un gasto de 218 billones de dolares/ año. Y todo parece indicar que estos datos pueden ser válidos para Europa, ya que puede decirse que llevamos el mismo camino o al menos parecido.

La O.M.S. nos revela otro dato sobre la Depresión, afirmando que entre 180 y 220 millones de personas la padecen.

Podemos resumir por lo dicho que las cosas no marchan muy bien para el psiquismo, al menos actualmente.

Por todo lo anterior pretendemos plantear otra alternativa, máxime cuando el 10% de los enfermos mentales acuden al psiquiatra y el 90% acude a la medicina general donde de alguna manera nos encontramos nosotros.

Pero no debemos establecer criterios comparativos entre una medicina y otra porque perderíamos óptica a la hora de profundizar en el tema.

En occidente hay dos enfoques básicos de la enfermedad mental:

a) **Organicista**: La alteración orgánica (bioquímica, electrofisiológica, etc...) justificaria la alteración psíquica.

b) **Psicoanalítica**: El hombre desarrolla sus alteraciones en base a su relación con el medio. Es pues el medio el que altera el comportamiento del hombre, y hace que este de una respuesta patológica.

La M.T.C. ofrece la 3ª vía, pues utiliza el concepto organicista y del entorno para explicar el comportamiento psíquico del sujeto.

La resultante del comportamiento psíquico de una persona es la resultante de la actividad de sus órganos y vísceras. La elaboración hasta llegar a las últimas consecuencias (Quintaesencia de la Energía) que proporciona la Energía psíquica, es la que da como respuesta el que el sujeto tenga una determinada actitud ante el entorno y ante la vida, que este contento, triste, etc...

Hay pues de entrada una diferencia importante en cuanto a los conceptos que teniamos del comportamiento psíquico. Para nosotros la resultante de ese comportamiento residia en la actividad cerebral y ahora resulta que desde el punto de vista de la M.T.C. no es así.

El cerebro si es una parte, es una entraña curiosa que de alguna forma sintetiza las experiencias de los demás órganos y canaliza una respuesta pero no es el responsable de ella. El responsable de esa respuesta es: «la interacción de las energías de los cinco órganos y las seis entrañas». Por tanto, a la hora de valorar la enfermedad psíquica de un sujeto desde el punto de vista de la M.T.C., tenemos que fijarnos en el estado energético de los órganos y las entrañas. Dependiendo del estado de estos, tendrá manifestaciones de alegría, tristeza, miedo... Por tanto esta 3ª vía ofrece una alternativa distinta según la cual descubrimos un factor importante y es, que las llamadas enfermedades psicosomáticas o somatizaciones no serían lo que se nos explicó en la facultad, sino al revés; es decir, las somatizaciones serían el preámbulo de la alteración psíquica.

«No es que la alteración psíquica este dando una somatización. Sería al revés».

Asi por ejemplo, cuando un enfermo se nos queja de abombamiento abdominal, trastornos digestivos difusos, pesadez de piernas, cabeza cansada... en psiquiatría se catalogaría de un equivalente depresivo, que más tarde, al cabo de unos meses desembocaría en una depresión profunda. Para nosotros significaría probablemente una debilidad en el Bazo, un desequilibrio en el Yang y en el Inn del Hígado y una deficiencia de los Riñones. Si lo enfocamos así desde un primer momento, antes de que culmine en una enfermedad psíquica, probablemente resolvamos el problema. Aqui estriba la gran diferencia entre uno y otro planteamiento.

El quitar importancia a la somatización de un disturbio psíquico incipiente es perder un tiempo precioso, porque es esperar a que se agote esa manifestación (casi siempre física al principio) para que luego la energía que se va elaborando cada vez más y se convierta en psíquica, se eclosione en una enfermedad mental del tipo que sea (depresión, neurosis...)

Cuando nos enfrentamos al paciente psíquico, que ya no está en un momento óptimo para tratarle, tendremos que armonizar y regular el desequilibrio de sus órganos y entrañas, para que su psiquismo cambie. Sus sistemas energéticos estan ya muy perturbados y además los psicofarmacos también lo deterioran produciéndole problemas físicos, que le pueden perturbar aún más la enfermedad psíquica. Por esto es frecuente que el tratamiento por acupuntura sea largo.

¿Cómo se produce la E. Mental, dónde se encuentra, cómo se puede manipular... ?

El desarrollo de la M.T.C. en el campo de las enfermedades mentales ha sido muy pobre. Estos autores nos dicen que salvo algunos síntomas psíquicos (angustia, insomnio...), lo demás, (depresión, esquizofrenia, neurosis...) no se puede tratar. Sabemos que la tradición habla de una forma muy concreta de estas enfermedades psíquicas (esquizofrenia, neurosis) aunque llamadas de otra forma, pero que evidentemente la descripción estos signos está en concordancia con estas enfermedades. De hecho los mismos chinos, ignoran la tradicción en su mayoría, si bien esto esta condicionado por el sistema político-social de China.

ENERGIA MENTAL

Lo Mental. Cap.8 Ling Shu.

«La energía mental es una consecuencia de las asimilaciones que realiza nuestro ser biológico de las energías del cielo y de la tierra».

En definitiva nos dice que a través de la respiración y de la alimentación se forma nuestra energía mental.

Si vemos como se forman las energías yong, wei... tenemos que ver como nace esta energía mental.

La energía mental va a depender de la alimentación y de lo que viene de «arriba».

En M.T.C. existen ciertas jerarquizaciones (no en el sentido de mejor ni peor) y asi sabemos que:

—La E. Ancestral esta en el Agua, y en este sentido «el Agua» es el centro en torno al cual giran todos los demás movimientos, y para tratar trastornos de origen ancestral usaremos puntos, «agua».

—De la misma forma, si hablamos de la E. Adquirida —Yong o defensiva— la centraremos en el B. E. y alrededor se situarán los demás. El tratamiento será con puntos «tierra».

—Si hablamos de E. Mental y sus trastornos, el centro es el Fuego y todo lo demás gira en torno a él, su tratamiento será con puntos «fuego».

Luego hay 3 Centros:

1.—CENTRO ANCESTRAL ——AGUA

2.—CENTRO ADQUIRIDO ——TIERRA

3.—CENTRO MENTAL ———FUEGO.

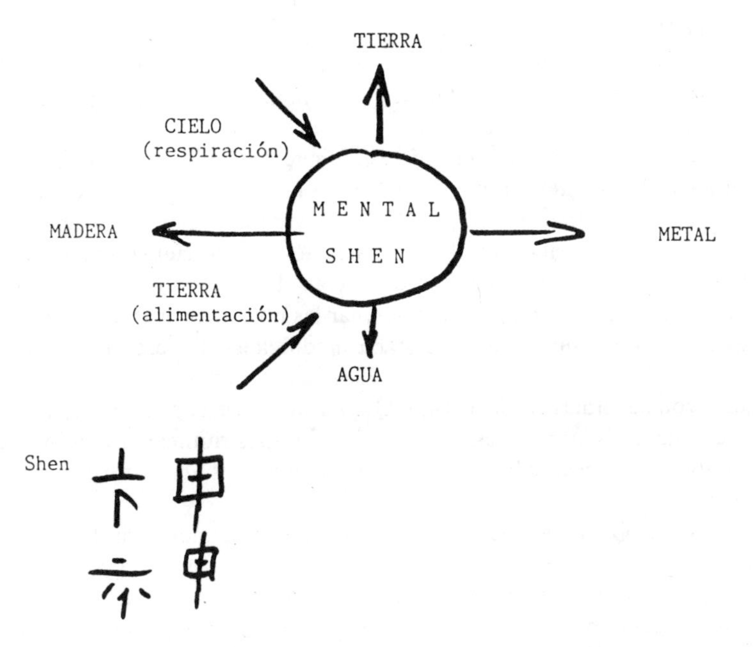

El organismo al sintetizar estas dos energías (cielo y tierra), lo primero que hace es sintetizar la E. Yong y la E. Oé, y las desarrolla en cada uno de los órganos y vísceras, de tal forma que nutren y protegen a estas.

En el proceso de estas dos energías hay un quantun de energía que constituye la E. Mental, de tal manera que la E. Mental sería esa Energía que proviniendo de la síntesis de la E. del cielo y de la Tierra se deposita en cada órgano. Es como dice el Sowen, es la energía más preciosa que existe en el organismo, en el sentido de la más sutil, frágil y volátil.

El shen global del organismo que radica en los 4 vectores del Fuego, se distribuye por todos los órganos y constituye el I- PRO- HUM- ZHI y SHEN. La E. Shen se manifiesta en cada órgano de una forma distinta.

¿COMO CIRCULA?

Sabemos como circula la E. Oé y sus ciclos (rápido y lento); y en cada momento también sabemos donde está.

También sabemos como circula la E. Yong.

El Sowen nos dice que la E. Mental está en todas partes, pero también nos lo dice de la E. Yong y Ancestral.

Por otro lado el Sowen nos dice, que se concentra en los puntos Ting, lugar de intercambio del Inn al Yang, y de ahí se expande por todo el organismo.

También sabemos que la E. de los M. Distintos va por los órganos, asciende y contacta con el C y de ahi sube al Cerebro.

Estos dos datos nos sirven para indagar en los posibles caminos que presumiblemente sigue la E. Mental, y suponemos que sean dos caminos fundamentalmente:

1. Superficial.
2. Profundo.

1. SUPERFICIAL.

Circula por todo el organismo a través de los M. T-M que transportan E. Defensiva y constituyen la «Coraza Mental». Ella va a determinar la actitud y la postura de una persona.

Esta sería la respuesta mental del organismo ante el medio.

La experiencia mental será la que determinará la actitud y postura de una persona. Esto ha sido redescubierto, primero por W. Reich y después por Lowel (bioenergética). Reich se sorprendía como al coger algunos pacientes y tocar ciertos grupos musculares, el paciente entraba en catarsis, lloraban o se reían. El empezó entonces a hablar de la «Coraza caracteriológica» y empezó a modificar las posturas como mecanismo terapéutico. Al tocar mucho a sus pacientes estaba modificando lógicamente estas E. Mentales.

Los chinos con las prácticas de Tai-Qi, Qiqong etc... pretenden en el fondo movilizar la E. Mental y las E. Superficiales. Por eso el Tai Qi, es rítimico, armonioso, consecutivo e imparable. Todo es una imitación de los movimientos «no regresivos», sino libres de los animales.

Asi pues el Tai-Qi sería una técnica excelente para movilizar la E. Mental en superficie.

El Qiqong, menos pues moviliza más las E. Profundas.

Con estos ejercicios, podemos sintonizar mejor con el medio, protegernos mejor y proyectar mejor nuestra propia situación al medio.

Este circuito superficial está relacionado con el medio externo-vida de relación.

2. PROFUNDO.

A través de los M. Distintos la E. de los órganos va al C. y el Cerebro. El C. sería la sede de lo Mental, del Shen general del organismo, la residencia de lo Metal. El Cerebro sería la sede de la elaboración y respuesta.

El hecho de que coincida esta E. en el C. nos habla a favor de que esa E. es fundamentalmente E. Mental, porque sino, no coincidiría en el C., sino en cualquier otro órgano.

Este circuito profundo esta relacionado con la vida psíquica interior, es decir estaría relacionado con los instintos, sentimientos y afectos.

RITMO.

1. CIRCUITO SUPERFICIAL.

Sería el ritmo de la circulación Oé:

- —Rápido: Cada 0 h. 28' 48" en cada meridiano, origina la respuesta psíquica inmediata.
- —Lento: Sigue el ritmo lunar, pero estaría también ligado al ritmo del sol, las estrellas...

En muchas culturas se ha hablado y se habla de los lunáticos. Hay un trabajo que ha demostrado estadísticamente el incremento del número de suicidios en la ciudad de Nueva York, en la fase de luna llena, y es fácil de entender ya que en la fase de luna llena, los aflujos de sangre y energía hacia arriba son mayores, y los cortocircuitos (frustraciones) serían mayores y explicarían este aumento de suicidios.

2. CIRCUITO PROFUNDO.

Sigue un ritmo marcado por el 8 en el hombre y el 7 en la mujer. Asi cada 8 años en el hombre y cada 7 años en la mujer ocurren cambios importantes a nivel psíquico.

¿Dónde actuar para regular estos dos circuitos?

1. E. Superficial.

Sobre los puntos Ting, lugar de intercambio de la E. Inny Yang y lugar de nacimiento de los T-M.

Aqui se puede desbloquear o desobstruir los estancamientos de la E. psíquica.

2. E. Profunda.

Como probablemente este circuito esta relacionado con los M. Distintos y estos parten de los *puntos HO, sería el lugar para actuar.*

Puntos Ho:

———Agua de los Inn. Relacionado con la E. Ancestral.

————Tierra de los Yang. Relacionado con la E. Nutricia.

¿COMO ACTUAR?

CIRCUITO SUPERFICIAL

En casi todos los textos se habla de locura Inn o en calma y de locura Yang o agitada.

Locura en calma.

Indica:

—Estancamiento del Inn.
—Deficit de Yang.

Tratamiento:

—Ting de los canales Yang.
45E. 67V. 44VB (pies) en Tonificación.
1IG. 1ID. 1TR. (manos) en Tonificación.
—Ting de canales Inn.
9MC. 9C. 11P. (manos) con Sangría.
1R. 1H. 1B. (pies) con Sangría.

Locura agitada.

Indica:

—Plenitud de Yang.
—Deficit de Inn.

Tratamiento:

—Ting de los órganos en Tonificación.
—Ting de las visceras en Dispersión.

No necesariamente hay que hacer las dos técnicas, si se hace una es suficiente; pues sabemos que el cielo y la tierra son asimétricos, cuando no estamos muy seguros se harán las dos cosas. El hacer las dos cosas nos da seguridad, pero nos resta eficacia. La actuación asimétrica requiere una mayor elaboración que conlleva un mayor conocimiento de la M.T.C. y sobre todo del pulso.

Veamos algunos ejemplos:

1. Pulso muy tensos, muy superficiales y muy amplios:
   Es peligroso tonificar, ocasionaria dolores de cabeza, hipertensión, o incluso un ictus... por la expansión brusca del Yang.

Habría que sangrar.

2. Pulsos pequeños, débiles, escondidos, diminutos:
   Peligroso sangrar.
   Habrá que tonificar.
3. Si el problema proviene del medio externo (stress)
   Habrá que usar los canales más Yang (V e ID), después... IG.
4. Si el problema proviene de él mismo, que no sabe adoptar una postura adecuada al medio:
   Habrá que usar canales más Inn sobre todo Yang Ming que es el último nivel del Yang (no olvidar que estamos en el circuito superficial) y asi evitamos que el Yang se profundice.

Existen tres niveles superficiales, Tae Yang, Chao Yang, y Yang Ming, y 3 niveles profundos, Tae Inn, Tsue Inny Chao Inn.

Asi ante un medio externo muy agresivo, hay que evitar que este dañe nuestra E. Mental más profunda y por eso se elige el Yang Ming, última barrera del Yang, para que nos defienda.

Asi pues, al actuar en el Yang Ming, tenemos por objeto preservar la E. mental superficial y evitar que profundice.

Igual ocurre con otros tipos de energía, que si queremos preservarla actuaremos en el Yang Ming y evitaremos afectaciones más profundas.

Asi pues tenemos para elegir 3 niveles Yang y tres niveles Inn:

—**Si queremos elegir los Inn**. Hay que empezar siempre por el Bazo, es decir por el Tae Inn, lugar del centro de la distribución. Puede luego que la patología del enfermo nos haga actuar en H. o R., peró de principio actuaremos en el Bazo.

—**Si queremos actuar en el Yang**. Tenemos que actuar en lo más superficial, 1º en el Tae Yang (V e ID), dejando fuera VB e IG, salvo que queramos actuar en el nivel intermedio.

TIEMPO Y MANIPULACION

—Si se hace sangría, poco tiempo.

Para realizar la sangría, congestionamos previamente con el dedo para facilitar la sangría, usamos si es posible la aguja triangular y si no la aguja normal, y dejamos que sangre el punto hasta que cambie de color la sangre. Sería primero roja espesa y oscura, y luego más clara, más fresca y rutilante. En ese momento tapamos el orificio y masajeamos.

—Si se hacen técnicas de Tonificación, se pueden hacer 2 cosas:

a) Tonificación rápida y brusca en el punto.
b) Tonificación suave y lenta con la aguja mantenida, siguiendo los puntos estacionales.

—Si hay un deficit de Yang muy marcado: Actuación brusca y rápida, quitando rápidamente la aguja. Se harán de 5 a 10 sesiones seguidas.

—Si el deficit de Yang no es muy marcado: Actuación lenta, dejando la aguja el tiempo que nos marque la estación o la lunación, o la pauta que hayamos elegido, y haciendo intervalos entre las sesiones, también según ritmo elegido.

Es muy importante conocer la historia del paciente, pues en aquellos casos en que no tengamos muy claro si es un paciente Yang o Inn, tendremos que analizar el ritmo del paciente, el ritmo en el que se encuentra el enfermo. Asi si va camino del Inn, habría que tonificar el Yang, y si va camino del Yang, habría que tonificar el Inn.

Ahora bien, a veces puede interesar provocar un agravamiento y si por ejemplo va camino del Inn, le tonificamos el Inn, porque sabemos que después de ese agravamiento vendrá una mejoría, es la ley del Tao. Pero indudablemente estas situaciones son difíciles de manejar, y en el caso de manejarlas, sería teniendo en cuenta dos hechos:

—el paciente deberá ser enterado de su agravamiento.

—el terapeuta deberá tener experiencia y además saber que el paciente soportará ese agravamiento «intencionado».

Indudablemente esta última opción aunque difícil, va más al origen del problema y por tanto es más rápida.

CIRCUITO PROFUNDO.

Actuaríamos fundamentalmente a nivel de los puntos HO; son los lugares de entrada y salida de la energía.

Actuaríamos en relación con la calidad de instintos, sentimientos y afectos. Y se actuará a niveles más profundos.

Se trata de modificar la respuesta global del sujeto ante el medio, para interrelacionarse con el medio.

Asi pues y para hacer todo esto, lo que haremos es modificar las cualidades de la E. Mental, a nivel de los puntos Ho, ¿qué cualidades?... lógicamente la E. Shen, y ¿qué shen?... los cinco, es decir, I, Pro, Zhi, Hum, y Shen.

Por tanto dependiendo del HO donde actuemos modificaremos la cualidad.

Por ejemplo, si una persona tiende a la tristeza, a la preocupación, en definitiva no desarrolla su shen del C. actuaremos en el 3C.

En el caso de miedo irracional, habría que fortalecer la cualidad Zhi, actuaríamos en el 10 R. también actuaríamos en este punto si se quiere fortalecer la voluntad.

Hum alterado, es decir una persona colérica, que se precipita en sus decisiones y se equivoca con frecuencia, tendríamos que actuar en el 8H.

Pro alterado, vida instintual débil, es decir no come cuando tiene hambre, no se enamora cuando tiene que enamorarse, actuaremos en el 5P.

I alterado, excesiva reflexión, sobre todo en aspectos negativos, o bien sujetos irreflexivos, que no establecen ninguna crítica en el proceso de su pensamiento, actuaríamos en el 9 B.

RESUMEN:

SHEN................ 3C
ZHI.................. 10R.
HUM................. 8H.
PRO.................. 5P.
I..................... 9B.

Esto nos permite actuar sobre el desarrollo psíquico interno del sujeto, pero decíamos que el eje central del psiquismo estaba en el C, en el Fuego, y se distribuía a los demás, y esto además es así porque en el organismo disponemos de una serie de puntos. Shen que nos van a garantizar el desarrollo global del psiquismo. Son 7 puntos:

8Rm. SHENQUE

23R. SHENFENG
25R. SHENTANG
11Tm. SHENTAO
24Tm. SHENTING
44V. SHENTANG
7C. SHENMEN

Algunos autores incluyen 1 ó 2 puntos más, pero no son puntos shen, pues no llevan el ideograma shen.

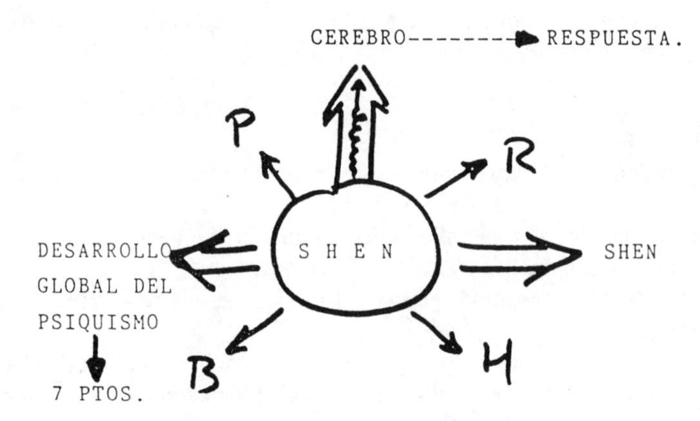

Esta serie de puntos tiene también su ritmo propio; es decir que la actividad de ellos es diferente:

Si nos fijamos en las cualidades y en los lugares en que se encuentran estos puntos vemos que hay un proceso de espiritualización y de mentalización que se va complejizando de un meridiano a otro, y que por orden coinciden con el orden en que han sido expuestos:

1.º 8Rm. pues ocupa el primer meridiano ancestral y es Inn, el más ancestral de los Inn y además ocupa el punto más ancestral del hombre, que es el ombligo, punto que nos recuerda nuestra interdependencia con la madre en otros tiempos, y además nos recuerda que la alimentación con la madre no solo era física sino que también era psíquica.

Es por esta razón por la que los chinos llegan a la conclusión de que el shen propio del niño no se manifiesta hasta que no nace, mientras tanto se manifiesta el shen de la madre, el shen del niño se manifiesta a través del de la madre. Luego al cortar el cordón, empieza a desarrollarse el propio shen del niño.

Serviría para hacer retrotraer al sujeto a experiencias anteriores, ya sea con masaje, con imposición de manos o con moxa.

Esta prohibida su puntura, aunque en neuralterapia, se ha visto que al inyectar determinadas sustancias se han obtenido buenos resultados.

La moxa se haría con sal, ajo y gengibre.

2.º 3R y 25R serían los siguientes puntos en cronología de antigüedad, pues el R. es de lo más antiguo como depositario de la E. Ancestral.

4.º 11Tm representa la ancestralidad Yang.

5.º 4Tm.
6.º 44V.
7.º 7C.

Entre estos dos últimos existen ciertas dudas, pues el 44 V por ser V y por tanto más externo, podría pensarse en que su respuesta fuera más rápida, pero también pertenece al Agua y es más profundo.

Por tanto el orden quedaría como se ha descrito.

El 7C. sería el encargado de dar una respuesta rápida al medio, asi ante una persona tensa, angustiada y nerviosa, usar el 7C, pues es el más rápido.

El orden que se ha establecido no debe ser rígido, sino flexible, y dependiendo donde se encuentre la E. Mental actuaremos en unos puntos o en otros, pues no podemos actuar en todos.

PREGUNTAS:

—¿Al utilizar el 8Rm, supondría una especie de explosión psicoanalítica y podría resultar peligroso?.

No necesariamente, si lo hemos previso e incluso hemos prevenido al paciente de que pueden aflorar a su mente una serie de pensamientos.

Existen algunas terapias en que pacientes se han quedado «colgados» con acufenos, alucinaciones, etc... en cuyo caso habrá que desobstruir el TM, sobre todo con 14, 15, 17, 24 y activar el Rm con el 6.

—¿Porqué el 44V está tan al final en el orden cronológico que se ha establecido?

Como hemos dicho el 44V se puede clasificar atendiendo a dos razones:

—Considerándolo punto Agua e iría detrás del 23 y 25R, ó

—Considerándolo punto del Tae Yang y entonces lo situaríamos como lo hemos hecho.

¿Cómo actuaríamos ante una Psicosis?.

Depende del tipo y del momento de la enfermedad.

Asi por ejemplo ante una Esquizofrenia Simple Juvenil: «Sujeto joven que empieza a no tener amigos, que no sale, que lee mucho, que es muy buen chico... MALA COSA».

Si tenemos la suerte de tratarle en ese momento en el cual él tiene todavía un pensamiento coherente, que intuye algún tipo de alucinación pero que todavía no la tiene muy clara, empieza a extrañarle su propio YO, empieza a disociarse, pero aún no ha habido disociación.

Si usamos el 8 Rm sería peligroso porque lo retrotraemos y podemos agravar sus síntomas, sería mejor usar el Shen más reciente para frenar el proceso en curso y usaríamos: 11TM, 24TM, 44V, y 7C (para frenar la avalancha que se nos viene encima).

Ante un sujeto con un proceso mucho más establecido, si sería conveniente utilizar el orden cronológico que hemos establecido, porque aquí la intervención no actuaría como detonador, sino como depurador, porque si bien es cierto que se puede presentar alguna crisis, no nos debe importar porque peor de lo que está no se va a poner. Con la «depuración» lo que conseguimos es indagar y descubrir ciertas cosas que hasta entonces fueron ocultas para nosotros y al verlas nos corroboran el hecho de que haya sido posible esa esquizofrenia. Lo que si puede ocurrir a lo largo del tratamiento es que de repente se muestre más agresivo contra la madre, indicaría que el sujeto se esta haciendo crítico, y empieza a establecer una crítica de su propia situación. En el momento en que en una psicosis de este tipo el sujeto comience a hacerse crítico, seguro que estamos en buen camino, todo será cuestión de tiempo.

Finalmente veamos otro ejemplo de una psicosis de muchos años de evolución, con muchos tratamientos farmacológicos, múltiples ingresos, e incluso electroshock, es decir el enfermo está mucho más deteriorado que el caso anterior, habría por ejemplo falta de memoria, falta de impulso sexual, falta de relación afectiva con el medio y cierta deficiencia de todas sus funciones.

En este caso se puede seguir el mismo ritmo que en el caso anterior, pero con moxa, para activar el Yang y recuperar todas las funciones psíquicas Yang, pues aqui el psiquismo está agonizando y la única posibilidad sería actuar con puntura y moxa de manera muy repetitiva para tratar de recuperar sus funciones.

Resumen:

—Esquizofrenia con poca evolución y sin tratamiento: Orden inverso de los puntos.

—Esquizofrenia más evolucionada y poco tratamiento con psicofármacos: Se actua según el orden establecido.

—Esquizofrenia de larga evolución y múltiples tratamientos: El orden establecido pero con moxa además de puntura.

TEXTOS ANTIGUOS

En el Sowen cap. 5, 9, 12, 21, y 24 se hacen diferentes comentarios acerca de la E. Psíquica, de una manera aislada, por ejemplo, «La alegría corresponde al C., la reflexión al B., la tristeza al P., la voluntad al R., la cólera al H.», y añade diciendo que estas cualidades o aptitudes psíquicas de cada órgano, son consecuencia de la actividad de la Energía y la trasformación que sufre en cada órgano y entraña. El texto nos sigue hablando de otros aspectos psíquicos hasta que llega un momento en que se ve que lo físico y lo psíquico no tiene separación en la M.T.C., en una misma cosa, asi la voluntad y los R. serían una misma entidad, por referirnos a un movimiento.

En la representación del Tao vemos la respuesta del organismo ante el medio, que abarca dos facetas:

—Faceta Yang. Psiquismo.

—Faceta Inn. Material o físico.

Para estas dos facetas son interdependientes, generacionales, opuestas y complementarias, y por todo esto podría decirse: «La manifestación de la E. Mental es una consecuencia de la actividad de los órganos». Es decir, sin el soporte físico o material, no es posible la aparición del psiquismo y viceversa.

Por tanto no podemos separar una cosa de la otra, pudiendo decir que un sujeto en la medida que es más materializado es menos espiritual, y en la medida que es menos materializado es más espiritual.

Esto anterior se puede ver en la representación del TAO:

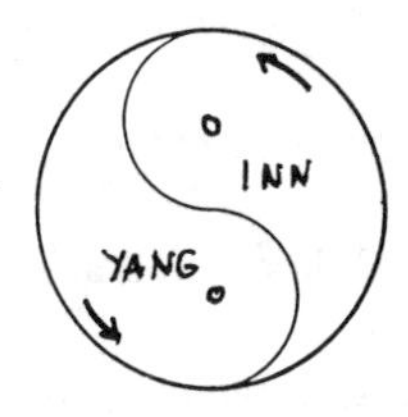

Asi Inn y Yang se transforman correlativamente en Yang e Inn cuando adquieren la máxima actividad.

Respuesta o Manifestación. «EL TAO ES LA MANIFESTACION».

CAPITULO 25 SOWEN

H.D. «¿Qué cuidados se deben tener cuando se quiere tratar con acupuntura?».

Q.B. «Lo 1.º que hay que tratar es el ser, lo 2.º lo físico, lo 3.º saber prescribir especies medicinales —incluso las tóxicas—, 4.º conocer bien la longitud de las agujas a emplear y 5.º conocer bier la Energía, la Sangre, los órganos y las entrañas».

H.D. «¿Qué quiere decir curar el Ser?».

Q.B. «Para curar el SER hay que seguir la ley del Cielo y de la Tierra».

El hombre esta asentado en la Tierra pero depende de la actividad de todo el Cosmos que le rodea, y esta idea está arraigada como en ningún otro pensamiento, en el pensamiento chino.

Las leyes del Cielo y de la Tierra serían las leyes que marcan la ritmología celeste y la ritmología terrestre. Por ejemplo, la ritmología terrestre podría estar representada por los movimientos de rotación de la Tierra sobre su eje, los movimientos de traslación y las inclinaciones sobre su propio eje; que nos determinarían el día, la noche, las estaciones y el año. También existirían unos ritmos celestes, que serían más complicados, pero al menos sabemos que a nivel de nuestro sistema planetario, existen una serie de planetas que se rigen por leyes semejantes a las nuestras y que se interaccionan con nosotros.

Estas leyes harían posible que en un momento determinado estemos ante las influencias de Plutón, Marte, etc... y estas «influencias astrales» no son producto del azar. En este sentido habrá que considerar a la Luna como primer elemento celeste que determinará nuestros ritmos de Sangre y de Energía.

Asi en Luna Creciente la S. y la E. aumenta hasta llegar a Luna Llena en que se logra la plenitud, y en Luna Decreciente hasta llegar a Luna Nueva, la S, y la E. se hacen decrecientes hasta llegar al vacío.

Luego habrá que considerar la posición de diferentes astros en relación a nosotros mismos.

La astrología en la antigua China se estudió con bastante profundidad, de ahi que se estableciera correlación de planetas con órganos:

Al B. le corresponde SATURNO.

Al P. le corresponde VENUS.

Al R. le corresponde MERCURIO.

Al H. le corresponde JUPITER.

Al C. le corresponde MARTE.

Si sabemos que a cada planeta le corresponde un órgano, podemos saber en cada momento cuando está más próximo a nosotros y por tanto cuando vamos a recibir más influencias.

Ritmología Terrestre:

—Día-Noche. Día: la Energía crece, pulsología más llena, más plena. Es un buen momento para dispersar pues hay mucha Energía.

Noche: la E. decrece, la pulsología es más débil, es un buen momento para tonificar.

Entendiendo el día desde las 12 de la madrugada hasta las 12 de mediodía, y la noche desde las 12 de mediodía hasta las 12 de la noche.

—Estaciones: Dependiendo de la estación en que estemos será buen momento o no para dispersar o tonificar tal órgano o entraña. Por ejemplo en Otoño, que la E. del P. es floreciente, es un buen momento para dispersar la E. del Metal, si es que hay que dispersarla. También en Otoño si el P., está sano, estará aún más exuberante, pero si está débil, por estar en su propia estación enfermará más y sería el mejor momento para dispersar E. Perversas como frío, viento, etc...

También es un buen momento para tonificar la E. de los R. pues todavía no ha llegado el invierno.

Ritmología Celeste:

—Luna. Fases Creciente y Plena, la E. y la S. estan en aumento, es buen momento para dispersar.

Fases Decreciente y Nueva, la E. y la S. estan en disminución, es un buen momento para Tonificar.

Esto no quiere decir que un sujeto no pueda tener mucha S. y poca E. en Luna llena, será debido a otras causas.

También la Luna Llena está en relación con la locura agitada.

Los lunáticos son locos agitados. En el caso de la Epilepsia se podría hablar de locura agitada aunque tiene connotaciones diferentes a las que nos estamos refiriendo en este momento.

La Luna Nueva correspondería a la Locura Calma.

¿Sería buen momento para actuar ante una Locura Agitada —epilepsia— en Luna Llena?...

Si, pero mejor actuar unos días antes de que esté llena del todo, porque es muy probable que en los días de Luna Llena sea cuando tenga más ataques.

¿Qué hacer en Luna Llena, si tenemos un paciente que hay que tonificar y que además tiene el pulso profundo y escondido y no podemos sangrar?

Vemos en el paciente que tiene poca E. y por estar en Luna Llena debería tener más, pero como tiene poca E. tonificamos, pues el efecto será muy pequeño y no pasará nada. Aunque lo mejor sería esperar a Luna Nueva.

Q.B. «Hay que regular las Energías siguiendo las 4 estaciones».

Es muy importante considerar el momento estacional en que nos encontramos. Aqui siempre surge la pregunta ¿qué hacer en los sitios que no hay estaciones?... En todos los sitios hay estaciones, lo que ocurre es que dependiendo del lugar serán más o menos manifiestas. Por ejemplo en los climas tropicales se notan poco los cambios, pero de igual modo habrá que respetar las leyes estacionales.

Esto implica conocer las Energías huesped y las E. invitadas.

En este sentido, el estudio de las predicciones de los Troncos y las Ramas, nos pueden ayudar a preveer patologías y adelantarnos a ellas.

Asi se puede establecer un punto estacional y un punto anual.

Hay que ser conscientes de qué Troncos y Ramas van a estar en predominio durante el año o durante una estación para poder actuar con más profundidad.

Q.B. «Saber discernir cual es el órgano atacado».

Identificamos Ser con cuerpo psíquico.

Globalmente el Shen está depositado en el C., pero está manifestado en el I, Hum, Zhi... que corresponden a B. H. R. etc...

El diagnóstico se hará por la anamnesis, pulso, lengua, color, etc...

El tratamiento se hará a través de los puntos Shen situados en la espalda a nivel del meridiano de V., según este afectada la alegría, la reflexión, etc...

Entonces a la hora de enfocar el Tratamiento hemos tenido que diagnosticar que órgano está alterado en concreto y fundamentalmente nos parcializaríamos en el empleo de los puntos Shen, como centro de la pirámide del psiquismo.

¿Porqué un enfermo crónico con deficit de Agua presenta una Locura Calma, cuando lo normal sería que el deficit de Agua, le originará un Fuego poderoso y diera lugar a una Locura Agitada?...

El no encontrar respuesta a esta pregunta supone enfocar la enfermedad desde un punto de vista estático, cuando en realidad hay que entenderla desde un punto de vista dinámico.

Lo que ocurre es que si disminuye el Inn, al principio, puede aumentar el Yang, pero con el tiempo y en el caso planteado en la pregunta, el déficit de Inn provoca un déficit de Yang. Solo si el déficit de Inn se produce de manera brusca podemos encontrar Locura agitada (por el escape brusco del Yang). Además decir que como la enfermedad está en el Inn la Locura debe de ser Inn.

La Locura Inn indica que hay síntomas Inn, y estos síntomas pueden ser de vacío o de plenitud, si bien la plenitud del Inn es difícil, sería más bien estancamiento del Inn.

Q.B. «Saber tomar los pulsos antes de punturar».

Con esto podremos discernir cual es el estado de la Energía del SER, y es que a través del pulso podemos determinar el estado de la E. Mental.

Soulié de Morant decía que el pulso del psiquismo se realiza en la 4ª barrera. Esto no se menciona en los textos antiguos.

Lo que hay que recordar es que barrera, pie y pulgar no solo nos indica el estado de la E. Física, sino también el estado de la E. Mental del órgano. Nos indica un «Todo».

A la hora de determinar el Psiquismo en el pulso habrá que determinar varias cosas:

1.º Determinar si el pulso es Inn o es Yang.

YANG: Superficial, Amplio, Lleno y Tendido.

Indica exuberancia de la E. Mental. El sujeto que enferma con este pulso puede desarrollar una Locura Agitada. Recordar que el pulso descrito es típico en los niños, los cuales precisamente si presentan algún tipo de Locura suele ser Agitada. También es frecuente en los maniacos, sobreexcitación de la Energía.

INN: Profundo, Pequeño, Corto y Escondido.

Indica disminución de la E. Mental. El sujeto que enferma con este pulso suele desarrollar una Locura Calma.

El pulso es Profundo, porque se encuentra en los niveles más bajos y tenemos que hacer la máxima presión para palparlo.

Pequeño: porque se nota como un grano de arroz sobre los dedos.

Corto: el latido no llega a abarcar todo nuestro pulpejo, sino que llega como una bolita y se va.

Escondido: hay que buscarle pegado casi debajo de la apófisis.

La cualidad filiforme no siempre se presenta.

2.º Determinar el estado de los 3 niveles.

PULGAR: Corresponde a las zonas más profundas, al TR inferior. Normalmente tiende a ser profundo duro y contraido. Se percibe el ZHI.

BARRERA: Corresponde a las zonas de intercambio del Inn y del Yang, y de un modo fisiológico siempre hay aquí más Energía, tanto en superficie como en profundidad. Corresponde al TR medio. Normalmente tiende a ser resbaladizo. Se percibe el I.

PULGAR: Corresponde a las zonas más superficiales, y al TR superior.

En las dos manos, pero más en la mano derecha, nos informa del estado global de la Energía, pero sobre todo de la E. Yong y también Oé, porque es donde se localiza la E. del TR superior, que corresponde al P. y al C., sobre todo al P.

Se percibe el PRO.

3.º Determinar la cualidad global del pulso.

Agua: Profundo y Duro.

Madera: Tenso y Superficial.

Fuego: Amplio y lleno.

Tierra: Resbaladizo.

Metal: Flotante.

El Shen del paciente generalmente es labil, por lo que la información sobre su enfermedad debe de ser cuidadosa y oportuna, así como el modo de interrogar para no dirigir sus respuestas.

La aplicación de los puntos Shen en las enfermedades orgánicas puede dar resultados favorables. Así por ejemplo un carcinoma pulmonar puede recibir como tratamiento de fondo el PRO bilateral (tenemos un caso actualmente al que se le aplican 3 agujas en el PRO) aunque se le trate con otros puntos para aliviar los síntomas tumorales.

La justificación de la elección, en este diagnóstico, de ptos. Shen viene en base a que un impacto emocional en un momento determinado puede provocar un estancamiento de S. y de E., y entorno a ese núcleo se va creando más flema y humedad y al final aparece una masa tumoral.

Q.B. «Hay que expulsar la E. Perversa de las entrañas antes que de los músculos o carnes».

Con esta medida evitamos que la E. P. profundice y dé síntomas más abundantes.

Q.B. «Hay 5 clases de plenitud que hay que dispersar inmediatamente y 5 clases de vacío en presencia de las cuales está prohibido punturar».

Se refiere fundamentalmente a situaciones agudas de vacío y de plenitud de los órganos. Es decir, si un órgano está en plenitud, estará en plenitud de E. P., y en vacío de E. Esencial, ante lo cual dispersaremos inmediatamente la E. P. Si por el contrario está en vacío de E. Esencial y cuando un enfermo está muy en vacío, si punturamos corremos el riesgo de perder energía, como normalmente ocurre en cualquier puntura, por lo que no punturaremos y adoptaremos otra actitud terapéutica: tisanas, moxas o bien, esperaremos.

Q.B. «Es necesario siempre punturar en tiempo útil y antes de que la enfermedad se revele».

Al hacer esto estamos haciendo prevención en M.T.C.

La puntura en tiempo útil implica dos formas de actuación:

a) Punturar cuando el sujeto necesite esa puntura, por ejemplo, esperar la Luna Nueva para obtener el máximo resultado.

b) Conseguir con una serie de rectificaciones obtener las condiciones requeridas para alcanzar el máximo de resultados. Por ejemplo, un paciente que llega en Otoño y necesitamos tonificar la Madera. Indudablemente no nos ha llegado en el mejor momento, el mejor momento sería el invierno, porque el invierno tonifica la Madera. Habrá que simular en el organismo las condiciones de hibernación para que el resultado sea el más adecuado.

Q.B. «Hay que concentrar bien toda la atención para observar la evolución de la enfermedad».

Siempre hay que concederse un tiempo de observación.

Como norma hay que actuar del siguiente modo.

Cuando un paciente después de un número de sesiones nos refiere una mejoría es conveniente repetir ese número de sesiones con los mismos puntos.

Después nos replantearemos cambiar los puntos Shen en otro ritmo, antes no. Esta forma de actuación está en relación con el hecho de que el paciente nos refiera una mejoría, aunque sería bueno combinarla con la situación del pulso, la lengua, etc...

Es bueno concentrar la atención en la evolución de la enfermedad porque debemos siempre establecer un criterio pronóstico ante cualquier enfermo:

—Para exigirnos una calidad en el tratamiento y establecer un control crítico de nuestra actividad.

—Para informar correctamente al enfermo.

Asi por ejemplo un sujeto con una enfermedad del viento, ocurrirá:

Mejorará ———————— en Verano.
Estable ———————— en Estio.
Curará definitivamente ———— en Otoño.

Esto implica que el tratamiento nos lo plantearemos para un año. Además esto implica que si no mejora en verano, debemos pensar de que probablemente nos hayamos equivocado.

Esto de todos modos no es asi de rígido, porque a veces el pronóstico de una enfermedad se altera por circunstancias nuevas que se añaden al cuadro.

En tal caso hay que hacer de nuevo una nueva valoración del estado del paciente, y si es preciso modificar el pronóstico.

La música es un buen instrumento para actuar sobre el Shen.

—El canto gregoriano, sirve para tratar las enfermedades del Agua.

—El Adagio de Albinoni, produce nostalgia, incluso llanto profuso.

—Maler, produce crispación.

—Mozart, es un comodín, sirve para casi todo, «es un armonizador de las buenas vibraciones».

A veces precisamos actuar de modo brusco. En la Antigua China un médico no quería visitar a su emperador porque sabía que su curación, le costaría la vida, al final fue presionado y tuvo que visitarle, al verle, el médico se burló del emperador, saltó descalzo por sus camas, etc... el emperador mejoró y ordenó que ejecutasen al médico. El médico sabía que la única terapia para el emperador era una impresión fuerte del Shen.

Q.B. «Hay que determinar como tonificar o como dispersar».

Q.B. «Punturas superficiales y profundas».

Cuando queramos actuar a nivel del Shen superficial, y profundas cuando queramos actuar a nivel del Shen profundo.

Decir en este sentido que al punturar los puntos HO, hay que punturarlos en profundidad, y en dirección hacia la corriente de E. del M. Distinto, formando más o menos un ángulo de 45°, generalmente el paciente tendrá la sensación de que la energía circula en profundidad. Si se hace en sentido opuesto dispersaríamos.

CAPITULO 22 SOWEN

Q.B. «Si la Energía Inn y Yang del Cielo y la Tierra se vuelven impuras, nuestro espíritu se transtonará».

Esto nos recuerda otro capítulo del Sowen que dice que el Cielo tiene su propia E. Inn y Yang al igual que la Tierra.

Esto ocurre porque nuestra alimentación, respiración, y la relación con los demás es incorrecta; y asi aparece la locura. Por eso cuando aparecen signos de locura punturamos los meridianos de P.B.V.IG...

Cuando aparecen los 1° síntomas el enfermo se presenta triste, con la cabeza baja, pesada y dolorosa.

Anteriormente el texto nos decía:

—La E. del P. corresponde a la E. del Cielo (respiración).

—La E. del B. corresponde a la E de la Tierra (alimentación).

—Tae Yang se abre al exterior.

—Yang Ming se abre al interior.

El primer signo es la tristeza, eso indica que el primer signo del Shen que es la alegría se ha perdido.

Todo lo psíquico ocurre fundamentalmente en el Yang, y en los órganos Inn que tienen relación con el Yang (alimentación-B. y respiración-P) es decir órganos Inn que estan abiertos al Yang.

Toda la globalidad de la patología psíquica, al menos al comienzo, está relacionada con el Yang.

Las manifestaciones psíquicas corresponden al Yang (etéreo, espiritual) y la materia, lo físico, lo concreto es Inn.

PRINCIPALES PUNTOS PARA EL TRATAMIENTO DE LA ENFERMEDAD MENTAL

1P. Palacio Central. Zhong-Fou.

Palacio: lugar de albergue de algo precioso.

Central: lugar preponderante.

—Es MO de P. y se reune con la E. del B. Asi completamos el Tae Inn en un solo punto.

—Punto de pasaje de la E. del TR.

—Según el cap. 22 del LING-SHU es un punto diagnóstico de las enfermedades psíquicas y por tanto servirá también para el tratamiento.

«Si presionamos sobre 1,2P. y 13V. el enfermo siente que la E. asciende hacia la cabeza, si presionamos más fuerte el enfermo siente inmediatamente mejora; esto es señal de que la alteración de la E. tiende a degenerar en locura».

La presión en estos puntos es pues un mecanismo diagnóstico de enfermedades psíquicas.

Puntura: Poco profunda y en tonificación. Se recomienda moxa indirecta tras la puntura. Se produce sensación de calor y a veces adormecimiento del hombro.

2P. Puerta de las Nubes. Iunn-Menn.

Puerta: Lugar de entrada de influencias.

Nubes: Manifestación celeste.

—Es un lugar de entrada de influencias celestes, por eso actuando sobre él podemos purificar tales influencias.

—Es un punto dispersante del calor perverso junto con 15IG. 11R. y 40V.

—El Da Tcheng lo recomienda para combatir la tristeza.

—Se explora igual que el 1P.

7IG. Calor Errante. Wen-Liu.

—Punto Xie o de Alarma.

—El Da Tcheng lo recomienda para combatir la risa incontrolada y la verborrea.

13E. Entrada Energética. Qihu.

—Es lugar de cruce de la energía de E.Ig.TR.VB. e ID.

—Se puntura superficial y con poca manipulación.

23E. Gran Bambú. Taiyi.

—Corresponde al 2.º Tronco Celeste.

34E. Cima de la Colina. Lian-Qiu.

—Punto Xie o Alarma.

—El Da Tcheng lo recomienda para el Temor.

40E. Gran Bloque. Fong-Long.

—Punto drenador por excelencia de la humedad. Controla la humedad arriba, pues tiende a la ascensión y a la trasformación en fuego y por tanto a la perturbación de la mente y a la impurificación de las E. Inn y Yang ocasionando la Tristeza.

—Punto LO, regula el sistema B.-E.

—Activa el TR medio: Regulariza la repartición de líquidos. Activa el metabolismo de Humedad-Flema. Calma el Shen.

—El Da Tcheng lo recomienda para Locuras Furiosas (dispersión) y para Locuras Calmas (tonificación).

Puntura: Con aguja larga, hasta contactar con el M. de Vejiga.

Dispersión:

a) Tras la llegada del QI, practicar 6 maniobras de movimiento de expulsión de la E.

b) Movilizar la aguja hasta que la E. ascienda y dejarla mucho tiempo.

c) Retirar la aguja en 3 planos, y en cada uno de ellos realizar 6 maniobras de expulsión de E. hacia afuera.

d) Retirar la aguja lentamente en inspiración, sin taponar el orificio.

Tonificación: Tras la llegada del Qi, movilizar la aguja hasta notar que la E. desciende hasta los dedos del pie, con sensación de hormigueo.

Retirar en 3 planos y en cada uno hacer 9 maniobras de tonificación retirando bruscamente y taponando el orificio.

42E. Asalto del Yang. Chongyang.

—Punto Yuan del canal del Estómago, relacionado con la E. Ancestral.

—Lo usamos porque presuponemos que la E. perturbada pertenece al Yang.

Puntura: Se dirige hacia arriba, reteniendo la E. ahí.

Se dirige hacia abajo y la puntura es profunda y oblicua, apareciendo la aguja cerca del 1R.

45E. Cambio de Impetuosidad o Pago Cruel. Lidui.

—Punto Ting. Eficaz en ciertos estados de tristeza. Se debe usar en ciertas esquizofrenias, en las cuales el trastorno energético radica en el estómago y la lengua sería seca y con saburra amarilla y pegajosa, que abarca la topografía de los 3 calentadores. En este caso se usaría junto con el 40 E.

13B. Lugar de las Entrañas. Fushe.

—Tiene conexiones con el INN-OE (ancestral).

—El Da Tcheng dice que la E. del Bazo del Abdomen sube y conecta con el Bazo (órgano) y con el H. (órgano) y de ahí salen:

—2 ramas que van al tórax y conectan con P. y C.

—1 rama secundaria que saliendo del H. se ramifica en la escápula.

—El Da Tcheng lo recomienda en los ataques de cólera, quizás por la relación H. B. y las conexiones descritas de ambos.

18B. Valle Celeste. Tianxi.

Tian o Tien se relaciona con lo celeste y celeste con yang-psiquismo. Seleccionado por su nombre (valle receptor de esta energía).

5ID. Valle del Yang. Yanggu.

—Punto Fuego, el Da Tcheng lo recomienda en la locura calma y agitada, en la calma se tonifica para subir el Yang y en la agitada se dispersa. También se recomienda para ciertos síntomas de esquizofrenia, como el autismo.

11ID. Príncipes Celestes. Tianzong. Seleccionado por su nombre.

17ID. Figura Celeste. Tianrong. Seleccionado por su nombre y por ser ventana del Cielo.

Enseguida que se puntura llega el Qi, porque es una zona con mucha E. y S.

7V. Comunicación con el Cielo. Se trata de poner en contacto la E. del Cielo con la de la Tierra.

En ancianos se utiliza en casos de síntomas psíquicos por arteriesclerosis.

10V. Columna Celeste. Naoshu. Seleccionado por su nombre y por ser ventana del cielo.

Dice el LING-SHU que rige la E. en general. Es un punto muy energético.

13V. Asentimiento del P. Fei-Shu.

14V. Asentimiento del Mc. Jueyinshu. En la esquizofrenia se forman 2 fuegos, sobre todo cuando hay escisión de la personalidad. El fuego ministerial normalmente es el encargado de relacionarse con el Emperador, pero surgirá un falso emperador, que no es más que el fuego ministerial que se elige él mismo como emperador.

15V. Asentimiento del C. Xinshu. Es el encargado de controlar el Fuego Imperial.

En general se podrían utilizar todos los Shu de órganos y de entrañas.

PUNTOS SHEN

Interrelacción de los 5 Movimientos y el Psicoanálisis.

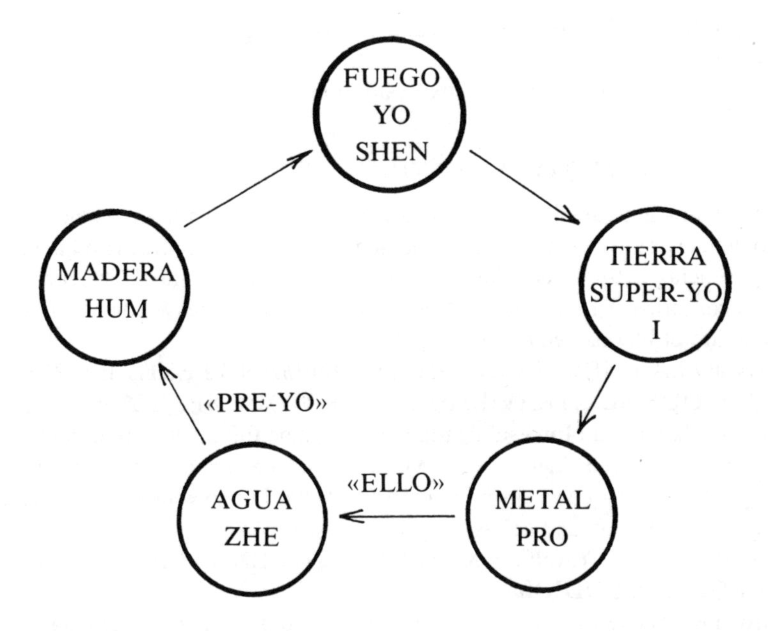

42V. Pohu. Controla el alma sensitiva del Pro. Está indicado en trastornos de la vida instintual, al cual hay que tratar de hacerle más espontáneo y más primitivo, porque nuestro Shen es primitivo.

En este caso se puntura con 5 agujas, una en el punto dirigido al Tm y las otras dirigidas al punto. Recordad que para la Neo-Pulmonar se ponían 3 agujas.

Al hablar de la vida instintual, del ello, diremos que el Pro, en este sentido canaliza el Shen general instintual a través de gestos, mímica, sonidos, gestos...

Hay que decir que el ello garantiza la respiración, y esta garantiza aún más que el Agua la supervivencia del ser, aunque es cierto que el ello también se correspondería con el Agua. El ello es el Metal camino del Agua.

44V. Shentang. Representa al Yo, el cual busca la forma de satisfacer al Ello.

47V. Hunmen. Según el LING SHU estaría indicado en los «dolores morales del C.».

Los dolores morales del C. son pesares que se originan como consecuencia de que el sujeto ha visto truncada su moralidad, su ética, que será diferente según la cultura, la época..., pero el punto permanece constante en el tiempo y en las circunstancias.

El daño moral se localiza en el PRE-YO, que es el mediador entre el Inn y el Yang, regula el paso entre el ello y el Yo.

49V. y 45V. En el I se ubica el Super-yo, que controla la reflexión, la capacidad de discernir. Es el controlador, el estratega y debemos procurar domesticarle, hacerle más flexible. Con esto además contribuiremos a que el B. distribuya mejor y envejeceremos más lentamente.

52V. Zhishi. Corresponde al Zhi.

Decía el texto: «Desde los primeros síntomas de locura se deben punturar V. IG. y P. hasta que el tinte se vuelva normal».

Hay que decir que el tinte del enfermo psíquico cambia, el tinte es la expresión de la E. Inn del Sujeto.

Recordar que por el color diagnosticamos el origen de la enfermedad, por el pulso la naturaleza.

Los ojos dependen del H. pero su expresión la controla el C.

CAP. 39 LINGSHU: LOS SUEÑOS.

Para los chinos antiguos los sueños estaban en relación con la actividad de los órganos. Esto demuestra lo que hablábamos de que la actividad psíquica residía en los órganos como esencia y a través de ellos ascendía al Corazón y de ahí al Cerebro y es lo que nos hace recordarlos. El texto nos habla de sueños universales y corresponde a lo que Jung denominó el Inconsciente Colectivo.

«CUANDO LA ENERGIA INN DE LOS ORGANOS ESTA EN PLENITUD, SE SUEÑA, QUE SE ATRAVIESA EL MAR Y QUE SE TIENE MIEDO».

Es decir que la plenitud Inn está ligada a la zona más Inn de nuestro organismo que es el Agua, y donde hay más Agua es en el Mar, por eso sueña con el mar, pero atravesar el mar siempre da miedo, que es el sentimiento del Agua. Luego vemos que existe una concomitancia entre la actividad del Agua y lo que se sueña.

«SI LA ENERGIA YANG EXTERIOR ESTA EN PLENITUD, SE SUEÑA CON FUEGO, INCENDIOS».

Por otro lado concuerda con el concepto del Inn y del Yang que hablábamos antes, es decir el Yang exterior indica plenitud de energía superficial, de lo externo, del fuego, luego sueña con incendios.

«SI EXISTE PLENITUD DE YANG Y DE INN SE SUEÑA CON BATALLAS».

Claro, chocan entre sí las dos plenitudes.

«SI ESTA EN PLENITUD LA PARTE SUPERIOR DEL CUERPO, SE SUEÑA CON VUELOS, SI ES LA PARTE INFERIOR SE SUEÑA QUE NOS CAEMOS.

SI EL H. ESTA EN PLENITUD SE SUEÑA CON SITUACIONES VIOLENTAS.

SI EL P. ESTA EN PLENITUD SE SUEÑA CON MIEDO, LLANTO Y SE VUELA.

SI EL C. ESTA EN PLENITUD SE SUEÑA CON COSAS DIVERTIDAS, SE RIE.

SI EL B. ESTA EN PLENITUD SE SUEÑA QUE ESTA ALEGRE, CANTA Y EL CUERPO PESADO.

SI EL R. ESTA EN PLENITUD SE SUEÑA QUE LA COLUMNA VERTEBRAL SE SEPARA DEL CUERPO».

«EN PRESENCIA DE ESTOS SINTOMAS ES SUFICIENTE DISPERSAR».

Los sueños están en relación con los aspectos psíquicos de cada órgano; además cada persona al soñar adornará más o menos el sueño que nos cuente. Se deben elegir los sueños que se repitan con más frecuencia.

¿La falta de sueños continuados indica algo?... cuando no hay sueños que se repiten indican equilibrio, porque soñar siempre se sueña, lo que pasa es que uno no se acuerda.

«Si el C. está en Vacío se sueña con fuego, montañas y humo.

Si el H. está en Vacío se sueña con bosques y selvas.

Si el B. está en Vacío se sueña con abismos en montañas y tormentas.

Si el R. está en Vacío se sueña con que se orina y se está sucio.

Si la V. está en Vacío se sueña con viajes.

Si el E. está en Vacío se sueña con buenas comidas.

Si el I.G. está en Vacío se sueña con cantos (Serviría también para el P.).

Si el I.D. está en Vacío se sueña con estar en una gran mansión.

Si la V.B. está en Vacío se sueña con estar batiéndose con alguien en un proceso judicial o en un suicidio».

«En presencia de todos estos síntomas hay que tonificar».

Supone el texto que no hay una plenitud de vísceras que altere el psiquismo. Esto está en relación con lo que decíamos ayer, de que las enfermedades superficiales no alteran el psiquismo; y sin embargo si se altera cuando se alteran el Inn (los órganos).

Al estar la víscera en vacío no hace su función de elaborar y eliminar y se altera el órgano correspondiente, alterándose también su psiquismo.

Existe también una interpretación de los sueños según el aflujo y reflujo de la Energía, y según el horario. Asi de 1-3 y de 3-5, es lógico que aparezcan sueños transcendentales, y está en relación con la Energía del P., pues es el maestro de la Energía y en definitiva de él depende nuestra vida y nuestro destino.

CAUSAS PSIQUICAS DE ENFERMAR

Sabemos que cada Movimiento tiene un especial psiquismo. Vamos a verlos en la normalidad y en patología:

Shen	Alegría	Alegría exagerada.
I.	Reflexión	Obsesión.
Pro.	Nostalgía y armonía	Tristeza.
Zhi	Responsabilidad	Miedo.
Hum	Decisión	Cólera.

En globalidad sabemos que:

—Lo que depende del psiquismo, dependerá del Shen.

—Lo que depende de lo físico, dependerá de la Tierra.

—Lo que depende de lo ancestral, dependerá del Agua.

Siguiendo con el psiquismo, cuando hay un desequilibrio entre la alegría y la responsabilidad, se manifestará en la tristeza. Esto significa que al desequilibrarse el Shen del Fuego, dará lugar a una alteración del Metal, que se manifestará en la Tristeza, aunque el origen es el desequilibrio entre el Shen y el Zhi.

Cuando se altera Inn-Yang, también puede aparecer cólera u obsesión; por eso cuesta trabajo distinguir cual es el origen de una depresión. Pero ¿cuál es el contrario de la alegría?... la Tristeza; luego el eje de manifestación es:

SHEN ———————— PRO

y el eje del origen es:

SHEN ———————— ZHI

Se ve bien en algunas personas que empiezan a perder responsabilidad con los años y como consecuencia se produce el desequilibrio del Shen y su expansión daña al Pro y los sujetos se vuelven tristes. Esto es frecuente ver en los jubilados que pierden cierta responsabilidad. En tribus africanas ocurre que cuando la persona es anciana, se le deja a su cargo una cabra para que la cuide, si sigue triste se le dan plantas para que las cuide, si sigue triste se le dan elementos para que construya una cabaña, si no da resultado le dan una chica joven, y si eso no da resultado, no tiene solucción.

Cuando un sujeto es colérico, perturba la relación Pro-Hum, y es frecuente que estas personas tras un acceso colérico, pidan perdón y se pongan a llorar, y se pongan tristes.

La excesiva reflexión que termina en obsesión, al final de nostalgia y tristeza; esto ocurre en la psicosis maniaco-depresiva: alteración Shen-I con alteración Shen-Pro.

Habrá que examinar en la depresión cual de los vectores está alterado, pero la mayoría de los casos es el eje Zhi-Shen. No olvidar, que todo lo que ocurre en el psiquismo alterado pasa a través del Shen (MC-C-ID, pero sobre todo MC y C.).

Si la enfermedad está muy relacionada con factores externos, es el MC el principal responsable, y en ese caso habrá que trabajar en él.

Pero existen casos de alteraciones psíquicas cuyo origen es la mala relación existente entre el emperador y los siervos; en ese caso habrá que tratar al emperador. Como este debe de ser intocable, debemos cuidar su identidad, podremos actuar a través del R: Chao Inn. También se puede actuar a través de su acoplado el ID o a nivel del TR.

Asi podemos hacer una clasificación:

—Gran componente externo: MC.

—Gran componente interno: ID-TR-R.

—Gran componente interior y profundo: C.

Como ejemplo práctico de un tratamiento del MC, por haber gran componente externo, se pueden recomendar ciertos tipos de ejercicios o movimientos:

Se le enseña al paciente que partiendo de su centro tome la energía y la ascienda al C. de manera que lo active; luego baja, la coge con la otra mano, la sube al C., la mueve y lo desbloquea. Es seguir el ritmo.

Este simple ejercicio alivia las tensiones cotidianas y podemos emplearlo nosotros mismos. Al principio la palma de la mano hasta llegar al C. y luego con el dorso se recorre el trayecto del MC a lo largo del brazo.

Si el problema es sobre todo interno, se recomienda otro ejercicio:

Levantar la pierna, tocar el 1R y ascender con la palma de la mano hasta el C. y de aqui con el dorso hasta terminar el canal del C. Procurar que el dedo que conduzca la energía sea el MC.

Si el problema es muy interno se usará solamente el C., concentramos nuestra energía en la mano, sacamos el dedo meñique y lo llevamos al IC. Luego se abren las dos manos.

Estos movimientos pertenecen a la Alquimia superior.

Si el enfermo no está en condiciones de hacer estos ejercicios, podemos nosotros mover su energía con las manos: el paciente de pie delante de nosotros con las palmas abiertas y nuestras manos una encima de otra (palma izquierda sobre dorso derecho) y al subir se separan las manos y con las palmas se sigue el trayecto del MC; asi contactamos el Inn con el INN.

Este ejercicio se puede hacer en todo enfermo psíquico; esta imposición y movimiento de energías requiere que el terapeuta esté bien, y que sepa que después del ejercicio quedará algo mermado. Estas técnicas del Alquimia superior son muy efectivas y suponen un nivel de tratamiento muy elevado; aunque aqui lo que estamos haciendo es poniendo ejemplos simples de canales, son la vía de otras técnicas más complicadas.

Tenemos que controlar muy bien la respiración como si lo hiciéramos a través del dedo medio de las manos y el aire entra y sale por las manos consiguiendo de esta manera dos cosas:

—desbloquear el MC

—trasmitir la intención y la energía que el terapeuta tiene.

Debería de ser un ejercicio casi obligado en las enfermedades crónicas. La E del MC hay que potenciarla si queremos combatir la enfermedad, por tanto el desbloquear y activar al MC es muy importante.

Si el enfermo esta muy débil, hacerlo 3 veces (3 pases) si está muy fuerte se hace 9 veces.

Para que el terapeuta se recupere debe de poner las palmas hacia el cielo y también mirar hacia él.

Pregunta: ¿Qué pasa cuando el esquizofrénico deja de fumar?

Debemos pensar dos cosas: que se esté curando o que esté planeando algo contra su propia existencia.

Si el sujeto adopta una actitud de excesiva perfección y nos muestra lo bien que se encuentra, pensar lo peor.

Si se autocritica, puede ser mejor. Esto es en términos generales.

Pregunta: ¿Qué explicación tiene que un sujeto que se jubila deja de fumar y aparece un picor generalizado, sin estar triste?

El tabaco amargo, es dar fuego, el fuego controla el metal y en exceso lo funde. Si disminuye el aporte de fuego al quitar el tabaco, entonces el dominio sobre el metal disminuye. El metal pertenece al P. y éste controla la piel. Si el dominio del fuego es menor sobre el metal, el P. se hace más poderoso, al ser más poderoso, la E. se hace más superficial y da lugar a que la piel sea más sensible y ante cualquier factor predisponente va a facilitar la aparición del picor.

La piel del bebé es sensible, pues su P es poderoso, lo defiende bien del medio externo pero es fácilmente atacable y reacciona fácilmente.

En el adulto la piel es más dura, tiene menos E. y reacciona poco.

Probablemente lo que le ocurrió a este señor fue esto, también ocurre con el tabaco que la persona debilita su propio fuego, al dejarlo, el propio fuego crece se trasforma en tierra, amenaza el apetito y algunos engordan.

Otra cosa es el que sustituye el cigarro por las «galletas».

¿Cómo se debilita el propio fuego tomando amargo?

Mi propio fuego es amargo, si viene amargo de fuera, ocupa mi amargo y debilita lo que tengo. El total de amargo está crecido pero las proporciones son distintas.

SABOR
AMARGO

Si aumenta el amargo externo, aumentará el total, pero proporcionalmente el, externo es mayor. Podríamos decir que hay una plenitud de fuego pero lo que ocurre es que hay plenitud de E.P fuego y debilidad de fuego esencial.

Ejemplo: el frío es igual, va a los R y notamos plenitud, pero es plenitud de E.P externa.

El calor, el sabor, el olor, las sensaciones afectivas, etc. que entran en nuestro organismo tienden a ocupar el lugar que les corresponde en el órgano.

Igual que ocurre con los sonidos, aunque en general todo lo que suponga sonido, nutre a los R. porque la audición está relacionada con los R, la visión con el H, el olor con el C, etc.

Nuestro organismo es como una *esponja* que tiene capacidad para recibir estímulos externos, pero si nos pasamos se daña.

En el caso de la esponja en el Agua, unos lugares tienen más agua que otros, igual ocurre en el sujeto que funciona mal y que sólo está pendiente de la música, los alimentos, los sentimientos, etc.

¿Qué sucede con los colores?

Para el hombre el mundo es de color, hay animales que sólo ven en blanco y negro, y algunos insectos sólo ven la radiación infrarroja, etc. Si un sujeto sólo ve en blanco y negro, altera la realidad, sólo oscila entre agua-metal, no es un nivel de equilibrio pero tiene sus ventajas, supone la creación del INN. Como ocurre aqui en Finlandia, se alterna la oscuridad y la nieve y esto hace conservar el Inn y hace que los nórdicos sean reservados, introvertidos, callados y su música también sea muy Inn como Sibelius.

Cada movimiento tiene un sonido. En la antigua China, se identificaban con el canto de un pájaro, así, tal pájaro estimula tal movimiento. Un amigo le regala a un enfermo un pájaro, para que su canto le ayude a curar, esto sería la música celeste, después con el desarrollo del ser humano se crea la música terrestre que es la que se manifiesta en los trances chamánicos y la música humana que es la que más se aproxima a la terrestre son las polisinfonías. El canto gregoriano es la que más se aproxima a la música celeste.

En cambio la música moderna está muy separada del hombre, del cielo y de la tierra porque ha perdido el equilibrio. Los impactos dan lugar a sensaciones confusas.

En las discotecas hay oscuridad, luz, y sonidos violentos y da lugar a la dispersión y a la confusión. La moda de los auriculares para escuchar música fuerte produce desequilibrio y sordera, ha sido demostrado en Japón.

En occidente se ha querido equiparar una nota musical a cada elemento y eso es un error pues a cada movimiento le corresponde el canto de un pájaro.

Clasificación de la música sinfónica:

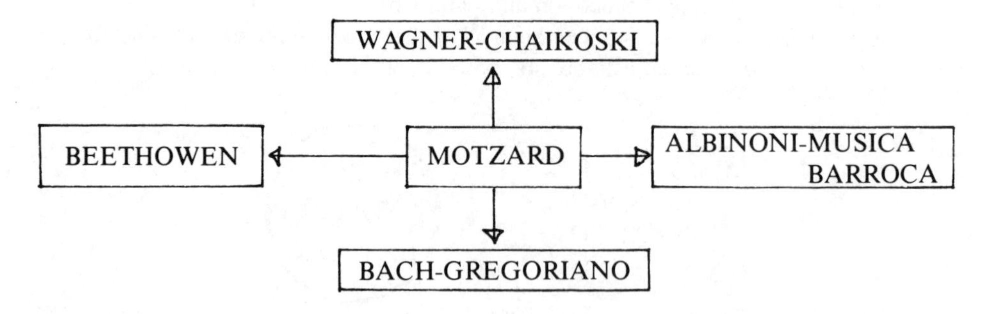

Beethoven tiene cosas también de AGUA y de FUEGO pero básicamente es la fuerza de la primavera.

Clasificación de la música oceanográfica:

OCEANIA

AMERICANA ASIATICA

AFRICANA EUROPEA

El origen del ritmo está en Africa, en el Inn, en el agua, en el tambor, para mover los instintos. Los racistas son unos envidiosos de no ser negros.

En la historia de la humanidad los elementos más estables en cuanto a música son el AGUA y la TIERRA.

Cuando oímos reproducciones musicales en radios etc, el impulso energético es totalmente distinto del real, se parece poco a la música que genera el hombre.

La música reproducida es un recuerdo de la realidad.

Debemos procurar que el sujeto que vaya a nutrir un órgano a través de la música sea a través de música original.

Pregunta ¿se imaginan a un chaman bailando con un casset?

ALMA Y ESPIRITU

El alma es semejante al soplo, pero es de carácter individual, cada persona tiene un alma que es consecuencia del KARMA, de las sucesivas reencarnaciones; pero es una cosa individual.

El espíritu en cambio, no es tan individual, pertenece a algo cósmico, es algo que pertenece a todos. Gracias a ese espíritu común nosotros nos podemos comunicar, intercambiar experiencias y afectos, sin él, no sería posible. El alma sería el elemento a purificar, a reencarnar, y el espíritu sería ese elemento cósmico que hace posible la «enclaustración» del alma.

El alma de hecho, no necesitaría un cuerpo para purificarse, pero debido a la rueda kármica y a la historia de la humanidad, tiene que reencarnarse.

Es a través del espíritu como se encarna el alma, por eso el espíritu es un vehículo universal y el alma es un vehículo individual.

Los dos son esencialmente volátiles, pero el alma es más material, y el espíritu es como el gran albergador de las almas.

Por eso en la religión católica hay una frase hablando del espíritu santo que es muy especial: «El verbo se hizo carne y habitó entre nosotros», es decir, de la verbalización de la idea del alma, surge esta y está con nosotros. El alma es quien vivifica la materia (pertenece más al orden de la materia); y el que hace que esas almas se intercomuniquen es el espíritu.

Entonces una persona que normalmente tiene un alma muy purificada, se acompaña de un espíritu bondadoso; otras veces no, el alma es más mezquina, más conflictiva, más terráquea y suele apartar al espíritu. Lo que pasa es que el espíritu se hace más grandioso en determinados momentos, el aura se hace muy grande a veces, y en cambio el alma es muy terrestre. Normalmente el aura tiene relación con el espíritu, tiene algo del alma, pero muy poco.

La labor fundamental en el camino de la persona es desarrollar las posibilidades de su alma a través de las posibilidades del espíritu, que es el Universo.

Todo el mundo tiene la posibilidad de desarrollar lo que quiera su alma para poder conseguir que no sea tan terráquea. Todos recibimos una «llamadita» y si no se responde a ella se va arrastrando en la vida la espiritualidad y se va perdiendo; se pierde la «elegancia de la vida», el sentido de la ilusión, el nerviosismo de lo impetuoso.

CASUISTICA Y EVOLUCION DE RESULTADOS

ESQUIZOFRENIA.

Considerada como la afección psiquiátrica más grave, es la que mejor resultados presenta. Llama la atención que la mayoría de los autores, refieren que en el terreno de la psicosis, la acupuntura posee escasos resultados. Los médicos Chinos, que en otro tiempo político negaban hasta la existencia de la enfermedad, por el régimen que les amparaba, ahora, que ya la admiten, publican dudosos resultados, ya que con frecuencia engloban el término NEURASTENIA, dentro del campo de la psicosis, o bien, presentan cuadros muy recortados de síntomas aislados, que también los incluyen dentro de las esquizofrenias.

Pensamos que esta falta de homogeneidad en los resultados puede obedecer a varios factores. En primer lugar al *inicio*, es decir, a partir con la idea de la dificultad de la enfermedad y su difícil solución... Esto coloca al terapeuta con una *intencionalidad muy baja.* En segundo lugar, la concepción de la enfermedad. La permanente y constante posición de SANO POR PARTE DEL TERAPEUTA, Y LA CONDICION DE DESQUICIADO POR PARTE DEL PACIENTE QUE NO POSEE EN *NINGUN MOMENTO UNA IDENTIDAD RESPETABLE*, IMPOSIBILITA CUALQUIER NIVEL DE COMUNICACION. Se debe de estar, al menos, un poco LOCO, si queremos adentrarnos en un nivel de contacto capaz de establecer una relación médico-paciente REAL. NO RECURRIR SISTEMATICAMENTE A LAS REFERENCIAS FAMILIARES, QUE DE UNA MANERA SISTEMATICA DISTORSIONAN LA REALIDAD, MUCHO MAS QUE EL ENFERMO, AL QUE LE EXIGEN UNAS PAUTAS DE CONDUCTA MAS ALLA DE LAS QUE ELLOS MISMOS PODRIAN REALIZAR. Las historias familiares son un referencial de escaso valor a la hora de valorar el estado real de la realidad del enfermo. Otro factor importante reside en la circunstancia de considerar los estados de psicosis como UNICAMENTE ENFERMEDAD MENTAL. Pensamos que los estados de esquizofrenia corresponden a DIFERENTES ESTADOS DE CONCIENCIA DE LA REALIDAD... Y EN ESTE SENTIDO, NO SON ENFERMEDAD. No se asusten... LOS PLANOS DE REALIDAD QUE SE MANEJAN EN LOS PACIENTES (personas) catalogadas como psicóticos, son estados REALES, a los que difícilmente acceden los llamados sanos... Esta premisa de NO ENFERMEDAD, PERO SI ESTADO DE CONSCIENCIA DIFERENTE, MODIFICA SUSTANCIALMENTE NUESTRA ACTITUD HACIA NUESTRA INTERVENCION. Si partimos de la base que se encuentra en un estado de CONSCIENCIA *DIFERENTE*, nuestras consideraciones deberán de ser completamente distintas... Nuestra actitud terapéutica?... deberá de intentar situar a la persona en otra realidad, la que consideramos NORMAL, pero sin intentos de que esta sea PERMANENTE, ni opcionarla como la auténticamente real... Sino que TAN SOLO IN-

TENTAREMOS QUE PUEDA OSCILAR EN LOS DOS NIVELES Y QUE LOS PUEDA DISTINGUIR CON CLARIDAD. Los intentos de fijarlos a un solo plano (que es el intento permanente de los psiquiatras, que cada vez parece que no entienden NADA... Necesitarían alguna que otra sesión de CHAMANISMO) son la garantía permanente de fracaso y son las ACTITUDES QUE CONDUCEN DE UNA MANERA INEXORABLE A LA PERSONA HACIA LA CRONICIDAD... NO PERMITIENDOLES VIVENCIAS QUE NO SEAN LAS EXCLUSIVAS DE LA CULTURA PREDOMINANTE... Estas consideraciones, son las que posiblemente hagan que nuestros resultados sean ostensiblemente diferentes a otros autores. La crisis profunda de identidad de HACIA DONDE SE MARCHA Y PORQUE... ES LA LACRA DEL PODER MEDICO, QUE SE EMPEÑA SISTEMATICAMENTE EN UNA NORMALIDAD QUE A ELLOS MISMOS NUNCA SATISFACE.

Presentamos cincuenta y dos casos de esquizofrenia (mantendremos la denominación) que acudieron a consulta, todos ellos, al menos con más de dos años de evolución... Todos diagnosticados por centros hospitalarios... Todos con medicación instaurada (neurolépticos)... Y todos con familiopatía arraigada. De ellos 22 eran mujeres y 30 hombres. Oscilaban entre los 18 y los 37 años. En todos los casos el deterioro REAL de su relación con el entorno estaba profundamente alterado. La dependencia-esclavitud, hacia algún miembro familiar, que la mayoría de los casos era la madre, era permanente.

La conciencia de NO ENFERMEDAD (COÑO!!!, POR ALGO LO SENTIRAN... REFLEXIONEN POR FAVOR...) era constante... No se han parado a pensar que en esta enfermedad?..., cosa que no ocurre en ninguna otra afección, el enfermo... INSISTE UNA Y OTRA VEZ... HASTA LA SACIEDAD, QUE NO ESTA ENFERMO... Una pensadita por favor!!! Curiosamente... Parece una trampa increible... Se identifica este signo como uno de los más evidentes de la enfermedad?... DESDE ESE MOMENTO SE LE ESTA NEGANDO LA *POSIBILIDAD DE SER*. ¿Porqué la actitud COMPRESIVA, HASTA EL RIDICULO... hacia los drogadictos?... ¿PORQUE LA MISMA O PARECIDA HACIA LOS ALCOHOLICOS?... Se COMPRENDE su problema... Y tampoco se le quiere dar la auténtica solución... PAÑOS CALIENTES DE *PATERNALISMOS FRUSTRADOS*... ¿y las llamadas SOCIOPATIAS?... Con que actitud generosa INSTITUCIONAL... DE DERECHOS... Y no de obligaciones, se comporta el poder médico... DE GUANTE BLANCO... CON ABOGADO... ¿Dónde se encuentra el abogado del esquizofrénico que defienda su derecho a vivir otro nivel de consciencia?... ¿porqué es delito SENTIR DE OTRA MANERA? (véase hospitales psiquiátricos)... Qué ocurre con los señores expertos de bioquímica de los grandes centros de investigación... Qué ocurre con los expertos psicoterapeutas, que en ningún momento pueden pensar que lo que ocurre esta OCURRIENDO?... Qué pasa con las eminencias de PALO ALTO (California)... Todo parece un empeño cruel de un despropósito... No obstante... La mal llamada antipsiquiatría, quiso, hacer (ya apenas se la escucha). ¿Se la ha englobado dentro de la patología? del mismo enfermo,... El panorama no puede ser más desolador...

Con las premisas anteriormente expuestas al inicio de este capítulo, comenzamos el tratamiento de estas personas... EL OBJETIVO FUNDAMENTAL: PODER SITUARLOS EN LA *REALIDAD PERMITIDA* SIN QUE PERDIERAN CONSCIENCIA DE LA REALIDAD QUE ESTABAN VIVIENDO. De todos los casos reseñados siete suspendieron el tratamiento por INDICACION FAMILIAR... tan solo se trataron tres meses... En este período de tiempo pudimos reducir la medicación aproximadamente a la mitad. ¿Se produjeron agudizaciones de la enfermedad? pero... el contacto con esta realidad er EVIDENTEMENTE SINTONIZADA... Los cuarenta y cinco casos restantes, que continuaron el tratamiento AL MENOS DE UN AÑO, con un máximo de tres y un seguimiento, en tres casos, de cinco, pudieron reincorporarse a las actividades que anteriormente realizaban. Establecieron una autocrítica de su situación y fueron capaces de distinguir los dos niveles de conciencia en que se estaban desarrollando. Esta situación la consideramos, con los prolegómenos anteriormente citados, como casos de curación... En todos los casos las medidas de psicoterapia de apoyo fueron prácticamente inexistentes. Tan solo manteníamos la coexistencia de nuestro compromiso de no establecer ningún sentido crítico peyorativo de su situación. Una mirada, algunas palabras y tratamiento energético. En silencio... ¿El diálogo solo se establecía a petición del paciente?, nunca por nuestra propia iniciativa. ¿Estas consideraciones nos parecen que fueron de gran importancia en la evolución de estos pacientes? De los siete pacientes que abandonaron el tratamiento, uno se suicido, en la búsqueda desesperada ante la incomprensión de su identidad de no poder sintonizar en los dos niveles. En los casos en que consideramos como resueltos, en treinta y cinco se suspendió la medicación en su totalidad. En los diez restantes, la medicación de mantenimiento la regularon los propios pacientes, según la situación en que se encontraban... Pero en ningún caso en dosis masivas... EN TODOS ESTOS CASOS RESUELTOS... No se ha presentado hasta ahora la necesidad de ningún ingreso hospitalario.

TERAPEUTICA APLICADA.
En todos los casos se aplicó exclusivamente la acupuntura. En ningún caso la moxibustión, tampoco masajes, ni movimientos de energía.

PUNTOS EMPLEADOS.
En el largo preámbulo de todas las afecciones psiquiátricas... Existen claros indicios de que la enfermedad se situa en el eje MADERA-FUEGO, y en el propio fuego... Pero, deberemos de añadir... como consecuencia de las premisas de esta patología los puntos DAO (TAO). Se trata de llevar a la práctica mediante la sintonización de estos puntos, de la auténtica realidad del poder alternante de estos dos estados de conciencia... SOLO EL TAO PUEDE SENTIRSE IDENTIFICADO CON ESTA REALIDAD. En estos puntos se situa la identidad de la POSIBILIDAD DE LA PERMANENTE MUTACION DE UN NIVEL A OTRO. Veamos la reseña de estos importantes puntos... tan poco empleados en este sentido... EN EL ALQUIMICO DE LAS OSCILACIONES DE LAS INFLUENCIAS DEL CIELO Y LA TIERRA...

LOS PUNTOS DAO (TAO) SON CUATRO

Weidao. 28VB. El Camino de la Unión. Por debajo y por delante de la espina iliaca anterosuperior. Si trazamos una línea horizontal desde el 4RM, se encuentra por debajo, a medio pouce. Inmediatamente por debajo del 27VB.

Se trata de un punto de reunión con el meridiano de TAEMO.

Este punto tiene como función fisiológica, por ser el Yang del TAEMO hacer circular el INN NUTRICIONAL. Esta función la realiza por medio del INN del TR inferior. Su activación genera los INN nutritivos del SANJIAO.

Si tenemos en cuenta que la ideografía WEI es la misma que la que se refiere al INN-YANG-WEI y pertenecer al TAEMO, estaremos en condiciones de efectuar una segunda lectura de este punto. Se trata de un punto ligado al meridiano ancestral celeste TAEMO y al YANGWEI, y... al meridiano ancestral terrestre INN WEI. Esta triple conexión idográfica, de WEI, con el significado de TADO (DAO) le convierte en un intermediador válido, *por medio del tres*, entre las influencias celestes y las terrestres. Entre los planos de conciencia celestes (dos) y el plano de conciencia del mundo de lo material aparente (uno).

Por pertenecer a la VB, ya es parte de una acción que se corresponde con el YANG de la madera. Una de las facciones responsables del desequilibrio de la madera en su paso hacia la consumación del fuego. Este desequilibrio en las variaciones de energía de la madera hacia el fuego (en el eje madera-fuego) son las responsables de gran parte de las disociaciones de la realidad (aparente) que presentan estas personas... Como podemos observar esta segunda lectura del punto, junto con la primera, configuran la posibilidad de situarse de una manera adecuada, sin dejar de sentir otras experiencias.

Tao (Dao) Dao. 13TM. Profundizar en le Camino (La Vía). La alegría del Dao (Camino).

Situado por debajo de la apófisis espinosa de la primera vertebra dorsal, se trata de un punto de reunión con el taeyang (V). Estamos ante un punto del canal de TM que por su nombre nos suguiere la función de recordar la permanente necesidad de conectarnos con la VIA del origen. Se trata de un punto que tiene como función al establecer una conexión permanente con lo celeste. No podemos olvidar, que dentro de la economía energética, el desarrollo de los acanales, es a través del TUMO como se expanden las energías hereditarias en su ascensión hasta la culminación cefálica.

La puntura se realiza en dirección ascendente, con manipulaciones, hasta conseguir el ascenso de la energía. Se manipulan en varias ocasiones durante la sesión.

Shendao. 11TM. Vía (Camino del Espíritu. Vía Divina). Situado por debajo de la apófisis espinosa de la quinta vertebra dorsal es un punto que recoge un vaso interno del bazo.

En este punto confluyen dos incidencias importantes. Por una parte se trata de un punto SHEN, es decir de un punto que tiene como función especial regular el psiquismo, y por otra parte, se trata de un punto DAO, ambas condiciones se complementan. La ruta para alcanzar la VIA es a través del ESPIRITU. Esta doble complementariedad le situa en una situación de MAXIMO DE YANG. Esta compleja simbiosis de actividad le transforma en el punto de origen y centro del eje de la VIA ESPIRITUAL. En todos los textos antiguos, sin esta explicación, se aplica para todas las afecciones ligadas con el espíritu.

Lingdao. 4C. Vía Sagrada. Vía Supranatural. Vía del Espíritu. Conducir. Guiar. Todas estas posibles traducciones en un punto del meridiano del corazón nos situan en el punto de la alquimia interior, ligado con la profunda.

Nos situan en la esfera de LA ARMONIA DEL ESPIRITU, y lo que es más, en la AUTENTICA SITUACION DE LA ENFERMEDAD. La técnica de la puntura es de vital importancia en el desarrollo de la actividad del punto. Se deberá de punturar en sentido oblicuo en dirección hacia el MC. Se manipula hasta conseguir la llegada del QI. Cuando este se ha producido, se manipula con los cinco dedos. Se la introduce lentamente siguiendo los tres niveles de energía CIELO-HOMBRE-TIERRA, para posteriormente, antes de la extracción, INTRODUCIR PROFUNDAMENTE, hasta conseguir una fuerte sensación. Se deberá de hacer con el paciente acostado, ya que puede producir reacciones vegetativas importantes. La retirada de la aguja es igualmente importante, se deberá de realizar siguiendo los tres planos anteriores, de tal manera que los dos primeros niveles HOMBRE-TIERRA, sean de manera *lenta* y el último, el de cielo sea de manera RAPIDA, tapando el orificio.

Hemos descrito los principales puntos relacionados con el DAO. Creemos que son importantes en el tratamiento de esta afección, ya que los resultados asi lo atestiguan... Pero sobre todo, deberemos de resaltar la importancia de la significación del nombre a la hora de aplicar las propiedades terapéuticas de los mismos.

REGULARIZACION DEL MC-C Y DEL H-VB.

Se trata de evitar las competencias del MC con el C en su desequilibrio que conduce a la formación de DOS EMPERADORES. Deberemos de restaurar las funciones de uno y otro con el fin de conseguir la armonía. Para ello deberemos de punturar el PUNTO AGUA DEL MC, con objeto de recordar la función ancestral del fuego.

El punto 3MC, se puntura de manera perpendicular hasta conseguir la llegada del QI. Se manipula a la manera del movimiento fuego, con ligeras manipulaciones en ambos sentidos. Restaurar la función del Emperador. Se trata de afianzar en la labor de ordenación de los MANDATOS DEL EMPERADOR. Para ello se puntura el punto TIERRA DEL CORAZON. **7C. Shenmen. La Puerta del Espíritu.** Se realiza en fuerte tonificación. Según la técnica desarrollada en la escuela NEIJING, la puntura se realiza partiendo de la energía del ID y se realiza una transfisión hacia el 7C y 7MC. La puntura no es dolorosa y se consigue una ARMONIA DE LA SANGRE Y DE LOS DOS FUEGOS. Se manipula la aguja siguiendo los criterios de la TIERRA, manipulándola con todos los dedos, como si estuviéramos ACARICIANDO LA AGUJA. El enfermo experimenta una sensación de movimientos de energía en toda la mano con irradiación hacia los dedos y hacia la cara interna del brazo. Se manipula dos veces durante la sesión.

La regularización de la actividad de la madera se deberá de realizar CALMANDO LA ASCENSION DE LA ENERGIA DEL VB y INNGINIZANDO LA ENERGIA DEL HIGADO, para ello disponemos del punto 41VB. Punto maestro del vaso TAEMO, con el fin de ordenar la ascensión y descenso de las energías celestes y terrestres. En el hígado, la función de INNGINIZAR la realizamos con el punto agua del hígado. **8H.** Se trata del punto agı del hígado. La función es la de nutrir la energía INN DEL HIGADO, de esta manera se evita la ascensión del YANG Y SE EQUILIBRA LA MADERA. La puntura se realiza de forma oblicua, en sentido ascendente de la energía. Si en la zona del punto encontramos la prominencia de una vaso, deberemos de sangrarlo, y en posteriores sesiones realizar la sola puntura. Se manipula de una sola vez, con la técnica del AGUA ES DECIR SIN APENAS MANIPULACION.

INTRODUCCION ENERGETICA AL ESTUDIO DE LA ESQUIZOFRENIA

ETIOLOGIA. FISIOPATOLOGIA ENERGETICA Y TRATAMIENTO POR ACUPUNTURA. A PROPOSITO DE UN CASO CLINICO

HISTORIA CLINICA ♂ 23 AÑOS

AM: A los trece años alteraciones digestivas y depresiones.
AF: Madre: hepatitis hace unos meses, trombosis.
Abuelo: trombosis.
Padre: padece de estómago y padeció TBC.
Abuela: cáncer de útero.
Abuelo: locura-esquizofrenia.
5 Hermanos: uno con alteraciones tiroideas.

ENFERMEDAD ACTUAL: Esquizofrenia.

A los 19 años se escapa de su casa con deseos de morir. Le tratan, después abandona el tratamiento.

—A los 20 años en el servicio militar, estuvo ingresado durante dos meses. Le inyectaron fármacos que le produjeron alucinaciones.

—Durante los últimos tres años ingresado en hospital psiquiátrico.

—Se inyectó droga en una ocasión.

—En tres ocasiones perdió el conocimiento con espuma por la boca, pies fríos y cabeza caliente.

AR: Expectoración, obstrucción nasal.
AC: Se le inflaman los pies y las manos (camina unos 20-30 Kms. diarios).
AD: Acidez, gastralgia, estreñimiento. Fases de anorexia y de hiperfagia.
AGU: Estado ingresado: tenesmo y enuresis.
SN: A veces, cefáleas, sinusitis. Actualmente oye el mar al acostarse.
Tez: Roja.
Lengua: Roja con saburra blanca.
Manos: Fuego.
Pulsos: Superficiales, rápidos, pequeños, tensos.
Le gusta: La primavera, rojo, ácido, dulce.
No le gusta: Frío, verde, salado.
Tratamiento actual: Leponex, Akineton, Diazepán, D.

ETIOLOGIA DE LA ESQUIZOFRENIA

1) Frecuentemente por antecedentes familiares (herencia). La energía ancestral está alterada.

2) Ambiente familiar esquizofrenógeno.

«Madres esquizofrenógenas». Enfermedad de la madre que se trasmite al hijo en medicina tradicional china. Es más raro el padre esquizofrenógeno, aunque en cualquier caso es cómplice al tolerar la situación.

La madre se convierte en «el superyo», del hijo, dirige todas sus acciones, estudios, decisiones, amigos... Con esto evita el desarrollo del Inn y éste se va concentrando.

Todo el Yang que exterioriza el niño no es en realidad «suyo», es el de la madre que es su impulsora. De esta forma poco a poco se va concentrando cada vez más el Inn hasta llegado el momento que estalla el YANG.

El niño odia a la madre, lo descubre en el momento en que se produce la explosión del Yang (cuando aparece la esquizofrenia), pero es totalmente dependiente de la madre, no sabe vivir sin ella. El no reconoce el Yang que ha nacido de él, sabe que es malo, pero no lo puede canalizar, solo reconoce el Yang materno y por eso no puede vivir sin la madre aunque la odie.

3) Drogas, Alucinógenos.. marihuana, hachís. Se ha comprobado la relación directa entre la inyección de estas drogas y la aparición de los brotes esquizoides. La LSD desencadena brotes esquizoides pero a distancia, por mecanismos de rebote, que pueden aparecer cualquier día en cualquier otro tiempo.

4) Energía perversa externa: Viento. (ha de ser un viento muy especial). A veces se puede desencadenar como por ejemplo con la «tramontana», viento que penetra a través de los puntos ventana del cielo y produce una locura transitoria de tipo esquizoide. Relación con el eje agua-madera-fuego. Se dispara el mecanismo del Yang.

5) El stress, demasiado trabajo, situaciones angustiosas... Desencadenan neurosis graves que se parecen a la esquizofrenia. Por sí mismo, el shen sólo se puede afectar directamente por una energía perversa muy fuerte, como puede ser una violación, una muerte repentina o violenta de una familiar, etc... Esto conduce a algunas personas a un autismo y bloqueo esquizoide.

6) La alimentación: Sobre todo una alimentación excesivamente salada o excesivamente amarga o agria. Esta causa produce esquizofrenia a largo plazo, casi nunca son juveniles, son tardías.

7) Hepatopatías. Las enfermedades que puedan producir plenitud de H, pueden ser potencializadoras de un cuadro esquizoide.

El hígado es el órgano más grande del organismo, es el doble de la masa (más pesado) que los demás órganos.

Así como el agua es el germen de la vida, el Hígado extrae ese germen, (hace posible la manifestación de la vida) y hace que se mueva, es el órgano que rige el movimiento.

En el hígado según los antiguos textos chinos se encuentra «el alma» porque representa la vida, la primera manifestación de la vida, la primavera, etc...

Ej: Enfermedad de Wilson (depósito de Cu en Hígado) cursa posteriormente con esquizofrenia.

Otros ejemplos: Hepatitis que cursan con un estado subdepresivo.

FISIOPATOLOGIA ENERGETICA.

Probablemente en este caso, la causa primordial sea la herencia (abuelo esquizofrénico).

Suponemos también que este paciente no ha estado bien diagnosticado, ni bien tratado ya que está muy deteriorado, quizás lo catalogaron como «depresivo», pues en estos casos juveniles de sintomatología aparentemente depresiva hay que hacer un test proyectivo de Rochart, para así desenmascarar algún posible rasgo esquizoide.

La esquizofrenia es una enfermedad en la cual, la personalidad del individuo se escinde, su «yo» se desplaza, se ve como dicotomizado (en la cuerda floja). Por ejemplo: es como cuando vas a hacer una cosa pero tienes una duda muy fuerte sobre hacerla o no, si por fin la haces, te queda sin embargo «esa duda» de la otra posibilidad.

Desde el punto de vista de la Medicina Tradicional China: Es como si hubiera dos Emperadores del «shen». De repente el fuego ministerial no sirve a su fuego imperial, a su Emperador y se transforma el también en Fuego Imperial, en otro Emperador. Entonces se pierdc la armonía son como dos Reyes luchando entre sí y se crean las angustias, temores, etc...

Esto ocurre porque:

Esquizofrenia eje madera-fuego

La madera H y VB.

Este movimiento regula el paso del Inn al Yang. Hace que este cambio no se produzca bruscamente, que lleve un ritmo una latencia.

En el momento en que esto no ocurre: no funciona el papel modulador y hay una transformación brusca de toda la energía Inn proveniente del Riñón a Yang. Por ello a la esquizofrenia hay que englobarla en la madera, pues aunque entre en el terreno del Yang por sus manifestaciones, su origen es Inn.

La VB forma pareja con TR.

El H. forma pareja con MC y aquí es donde surge el problema, pues la raiz Yang del H. se hace poderosa y no crea Inn y esto convierte al MC (fuego ministerial) en Emperador.

La Tierra.

Su papel está en relación:

Por una parte, por el factor alimenticio: Exceso de sabor: afectación del B Tierra.

Por otra parte: La tierra es el elemento interestacional (18 días entre invierno-primavera y primavera-verano).

Ya en el Neijing se habla de la locura producida por Yang-Ming: E-IG, y la explicación es la siguiente: Como la tierra ocupa ese lugar interestacional, es como un segundo modulador del paso Inn-Yang (el primero hemos visto que es la madera). La labor moduladora de la tierra sería de la siguiente manera:

Bruscamente el agua pasa al Fuego y hay un modulador central que es el H pero encontramos un pequeño modulador que es la tierra ya que:

agua madera madera fuego
tierra tierra

La tierra ocupa en la representación del TAO el papel del pequeño Yang y del pequeño Inn.

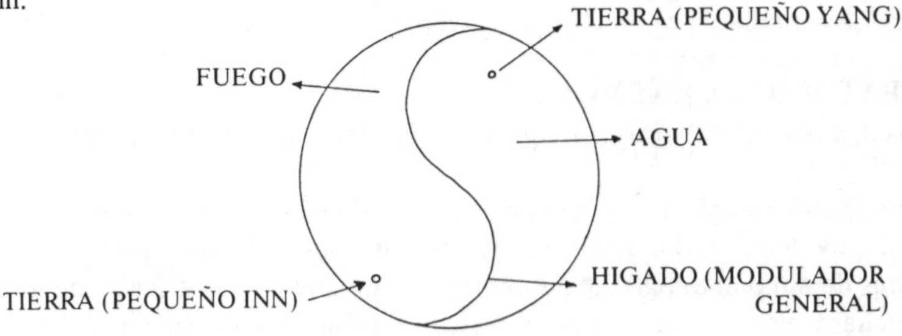

Al fracasar el H en su papel, se altera también la tierra en el pequeño Yang y el pequeño Inn.

El pequeño Inn crece y se hace muy grande y el pequeño Yang crece y se hace también muy grande.

El estómago es lo más Yang de la tierra y tiene una gran proyección. El E y el B E. tiene igual sangre que energía y en el momento en que se desequilibra da sintomatología (el esquizofrénico tiene trastornos digestivos).

El bazo es un órgano tan vital, por lo que distribuye las esencias, que es lo último en desfallecer o que puede desfallecer y entonces es que se afecta el E. La energía del E no se estanca arriba, la humedad se estanca, se convierte en Fuego, produce esquizofrenia y crea vacíos o plenitudes en E (polifagia o anorexia). Así: cuando tengo anorexia es que tiene plenitud en E y vacío arriba y al contrario.

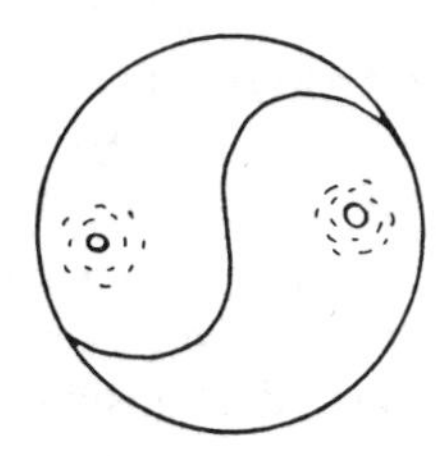

En resumen: Factores que crean la esquizofrenia:

Los riñones: (como lo ancestral y como la hiperconcentración del Inn que luego explosiona.

Hígado: Filtro modulador de la frecuencia del Inn al Yang y todo se canaliza por el Yang del H y VB y el Inn del hígado se hace muy pobre: crea la locura.

Afectación del MC (por Tsiue-Inn).

La Tierra B—E.

Se produce la alteración del propio «shen».

Pero el Fuego es la manifestación, por sí mismo no puede enfermar (a no ser debido a los casos excepcionales antes mencionados: violación...) El shen es la manifestación de estos disturbios.

TRATAMIENTO.

Por el desdoblamiento que se produce en esta enfermedad de la personalidad es como si produjeran dos ciclos de los cinco movimientos.

Es difícil saber en qué estado se encuentran el agua, la tierra el hígado y qué grado de perturbación tienen el E y MC.

TRATAMIENTO INICIAL.

El cómo comenzar el tratamiento es importante.

Lo primero que hay que canalizar: el fuego ministerial, por ser su desequilibrio, lo más reciente.

Para ello punturamos 4 MC Ximen, «Puerta del límite».

Regula el fuego ministerial.

(Tenemos que llamar al «límite» para que la persona vuelva a su «sitio»).

Pero el MC constituye con el H, el eje Tsiue-Inn. El siguiente punto a utilizar con urgencia sería:

6 H Zhongdu, «capital central» para regular el Yang del H. Su nombre también está en relación con el paso del Inn al Yang (H= centro Inn-Yang).

Con este tratamiento vamos a regular el fuego ministerial y el Yang del H.

Se punturan en tonificación para mover la sangre y la energía que están estancadas arriba a excepción de que el pulso del paciente fuera amplio, tendido, rápido y lleno, entonces en lugar de tonificar se dispersan los dos puntos ya que si no podríamos aumentar más el Yang del H.

También se utilizan los puntos Tsui o de urgencia en la iniciación del tratamiento para remitir de entrada los síntomas, como si se tratara de una enfermedad aguda y de esta forma, averiguar en qué punto nos encontramos realmemte de la enfermedad.

SEGUNDA PARTE DEL TRATAMIENTO.

Si todo va bien y va remitiendo la sintomatología:

Habrían que actuar sobre: C.B.E.R.

C: En el meridiano del corazón hay una serie de puntos que actuan directamente sobre el psiquismo y en sí mismo el meridiano también actua en este nivel.

Pero el punto agua del C. nos va a cumplir la misión de equilibrar el fuego excesivo del C:

3 C Shaanai «o alegría de vivir».

E: En el estómago se produce un estancamiento de la humedad-flema que se acumula arriba y fuego y el E no.

Hay por lo tanto que descender la energía del E con el punto Lo del E: 40 E (D) Fenglong.

B: Debemos de proteger el B para que se dañe el fuego, la energía y la sangre. Tienden a aumentar en los esquizofrénicos, entonces tenemos que actuar sobre la tierra que es la que distribuye la sangre y existe un punto: 10 B (D) Xuehai (mar de la sangre) punto regulador de la sangre hacia (el bazo tiende a). Es un punto que se emplea mucho en las anemias.

R: Tendremos que actuar en el agua igual que lo hemos hecho en el Fuego.

Ponemos el punto fuego: 2R en tonif. Rangu (para armonizar el fuego del agua, como ha habido una explosión del agua en el fuego hay que regular esto).

También se podría poner en lugar del punto fuego, el punto madera en el agua: 1 R Yong-quan con el fin de que el fuego del agua no se transforme en Fuego, si no que pase primero por la madera.

Al drenar el agua, prevenimos que no se den más brotes, pero sobre estos puntos, la duda esta en emplearlos dependiendo del momento en que se encuentra el enfermo.

Pauta ejemplo del tratamiento:

Un punto Tsir:

Primera semana: Un punto Tsir: 4 MC, 40 E. 3 C. 2 R.

Segunda semana: 6 H, 40E. 3 C, 10 B.

Tercera: 4 MC, 3 C. 10 B, 2 R.

Cuarta: 6 H, 40 E, 10 B, 2 R.

URGENCIA CLINICA

Estado Agudo de Confusión Mental.

Sabíamos que esta persona padecía ciertos trastornos de personalidad, que han desembocado en este acceso agudo confusional.

Cuando aparece un estado Confusional Mental, las energías estan profundamente perturbadas. Las E. Mentales son las Energías más sutiles del organismo, y cuando la persona se presenta confusa, indica que los órganos profundos estan muy alterados en su E. Mental.

Todos los trastornos psíquicos estan siempre englobados en el Movimiento Fuego, lo que denominamos el SHEN, igual que todos los trastornos adquiridos estan englobados en el Movimiento Tierra y los Congénitos dentro del Agua.

¿Qué ocurre a nivel del Fuego en los trastornos confusionales?

Cuando hablábamos del MC. decíamos que era el encargado de la relación exterior-interior del Fuego Imperial, si se pierde esa relación, aparecen 2 Fuegos que compiten entre si, y pasamos de una situación de relación a una situación de competencia, apareciendo el estado Confusional.

Pero hay más, el paso del Inn al Yang lo canaliza la Madera que es la 1ª manifestación del Yang, y aqui el Yang de la Madera está alterado, es por ello que el paciente adopta continuamente diferentes posturas y actitudes.

El C. florece en la lengua, es por ello que aparecen cambios en el tono de voz, en unos momentos habla bien y en otros no, los Fuegos compiten.

Habrá que tratar rápidamente de armonizar esos dos Fuegos y regular el Yang del Hígado, pues en los estados confusionales donde se crean como 2 personalidades y podrían ser equiparados con estados psicóticos, la enfermedad transcurre entre la Madera y el Fuego.

¿Hasta que punto el grupo en el que ella ha convivido estos días ha podido resultar desencadenante de su estado?... el grupo no es tenso, ni inductor, en todo caso facilitador de exteriorización de síntomas, se podría decir que el grupo le ha servido de catarsis. Cuando se lleva algo dentro es más fácil soltarlo en aquellos lugares relajados y donde uno se siente mejor.

TRATAMIENTO

Regularizar los 2 Fuegos para eliminar poco a poco su estado confusional. En M.T.C. todos los puntos tiene un nombre, y es un error enumerarlos, pues perdemos la información que facilita su nombre, que suele indicar la función de este.

Existe un punto que se llama XIMEN, «Puerta del Límite», y hace referencia al límite en que se encuentra el paciente, es el 4 MC.

Otro aspecto es regularizar el Yang del Hígado:

Fortificar el Agua del H. a través del 8 H. pues fortifica el Inn del H. y evita que el Yang se escape.

Dispersar el 3 H. (punto Tierra) y además es punto Yuan, y asi dispersamos el Fuego. También podemos tonificarlo en la misma puntura, pues tonificaríamos la Tierra de la Madera, y asi frenaríamos la Madera.

Por la noche se le punturó 4MC y se le inyectó 25 mg de Largactil, pues estaba muy agitada. Hubo una sumación de efectos y ha dormido 36 horas.

La paciente cree que toda su confusión no ha desaparecido del todo, pero ya responde a todas las preguntas con coherencia.

Se volverá a insistir en el 5MC 3H y 8H.

XX. PUNTOS ZHONG

XX. PUNTOS ZHONG

ALGUNAS REFLEXIONES SOBRE LOS PUNTOS ZHONG. SU SIGNIFICADO Y FUNCION

Todos los puntos del organismo tienen una fonética y un ideograma determinado, siendo el nombre del punto de gran importancia pues le da un significado determinado y le confiere unas cualidades muy definidas, de las que se pueden inferir sus aplicaciones terapéuticas. Así por ejemplo el primer punto del meridiano de pulmón lleva por nombre Zhong Fu: «Palacio Central», que nos indica o viene a significar: lugar donde se alberga algo precioso.

Nos vamos a referir a los puntos Zhong o puntos Centro, lugar en donde va a confluir algo y de donde va a salir algo, porque el Centro es el sitio al que confluyen todas las informaciones y de donde salen todas las informaciones.

Se le atribuye a un famoso estratega chino la frase: «Si conocemos y dominamos el centro, se conoce y domina todo el país».

En una rueda, si no existiera el centro donde confluyen todos los radios, no sería soportable la estructura y se doblaría siendo inservible, así el centro es el que soporta la información y manda su fuerza a la periferia para que la rueda cumpla su función.

El idiograma Zhong 中 puede descomponerse en 口 boca y 丨 cielo, dando la significación el trazo vertical de la relación directa de verticalidad con las influencias celestes, así el idiograma podría interpretarse como «cielo que pasa por la boca».

El trazo vertical, recuerda la relación primitiva que tenía el hombre con el cielo y la tierra... era el hombre en la antigüedad, una entidad que oscilaba entre el cielo y la tierra sin solución de continuidad. Era por lo tanto INMATERIAL. Por eso cuando esa entidad se materializa precisa la boca. Lo inmaterial de lo vertical, necesita la BOCA para hacerse concreto. La aparición de la alimentación terrestre por la boca, a través de los alimentos, significa o determina la existencia del hombre material.

La entidad espiritual que procede del cielo precisa por tanto de la boca para hacerse material, es por esto que ella junto con la alimentación o el alimento en sí, es un proceso de espiritualización. Visto así, lo anterior sería el soporte del espíritu y por lo tanto, la boca sirve al espíritu para hacerse presente.

Todo esto está implícito en el idiograma Zhong 中 Centro. Todos los puntos pues, que lleven 中 como parte de su nombre, están relacionados con el espíritu y la materia.

Otro concepto a destacar en el estudio de estos puntos es la idea de EQUILIBRIO que lleva implícito el estudio del idiograma Zhong. En el centro se conjuga lo espiritual con lo material, es el centro el que proporciona el equilibrio a la rueda, la estabilidad en su función y la posibilidad del mantenimiento de la estructura.

Las antiguas monedas chinas eran redondas con un centro cuadrado que estaba hueco , lo celeste es curvo y lo terrestre cuadrado, este símil con las monedas chinas con un agujero en el centro, viene a proponer un nuevo significado a Zhong... y es la idea de VACIO; 中 lleva en su esencia el Gran Vacío del Universo. El Centro en sí, está vacío, pues está a la vez en un lugar y en todos. Todos los centros se relacionan con algo, y existen en tanto y cuanto se relacionan con otros puntos de referencia, por tanto existen muchos centros... pero todos poseen la cualidad del VACIO, cualidad por otra parte que los hace operativos...

Resumiendo pues, los puntos Zhong poseen en su esencia las cualidades: equilibrio, interrelación entre lo celeste y lo material, y vacío, situando al individuo en su propio sitio, haciéndole descubrir su propia vacuidad.

Todo esto quiere decir que cada vez que se use un punto Zhong, se va a transportar la intención en los dedos o la aguja, del vacío, de lo espiritual y de lo material, del equilibrio, y todo esto se transmitirá al punto, transportando al paciente a un estado de vacuidad, que no es otra cosa que un fenómeno de liberación que hace que el hombre recupere su propio centro.

A continuación vamos a hacer una síntesis de los puntos que llevan el idiograma Zhong. Para su clasificación podríamos dividirlos en puntos CENTRO (que llevan el idiograma 中 en primera posición) y puntos CENTRO en segunda intención, en los que Zhong va siempre precedido de otro fonema:

PUNTOS CENTRO:

Zhong Fu........ 1 Pulmón (P)
Zhong Chong .... 9 Maestro Corazón (MC)
Zhong Du .... 32 Vesícula Biliar (VB)
6 Hígado (H)
Zhong Fen....... 4 H
Zhong Ji .... 3 Ren Mae (RM)
Zhong Liao ...... 33 Vejiga (V)
Zhong Glu Shu... 29 V
Zhong Shu....... 7 Tou Mo (TM)
Zhong Ting ...... 16 RM
Zhong Wan...... 12 RM
Zhong Zhu ...... 15 Riñón (R)
3 Triple recalentador (TR)

PUNTOS CENTRO DE SEGUNDA INTENCION:

Yu Zhong .... 26 R
Wei Zhong ...... 40 V
Ru Zhong .... 17 Estómago (E)

Ren Zhong....... 26 TM
Shan Zhong...... 17 RM

Zhong Fu 1 P. Palacio Central. Por la descomposición del idiograma:
中 Centro, entrada, llegada, materialización, individualización... LLEGADA DE LAS ENERGIAS CELESTES.

Palacio, lugar donde se guarda algo precioso, residencia del emperador... LUGAR DE LLEGADA DE LAS ENERGIAS CELESTES.

El pulmón es el órgano que marca la individualidad del hombre cuando nace.

Es el primer punto del meridiano de Pulmón y se localiza en el segundo espacio intercostal a dos traveses de dedo de la línea mamilar.

En este punto se recoge también el Inn de los alimentos por su comunicación con el Bazo en la relación Tae-Inn, conjugándose con las energías celestes provenientes de la respiración y el asentamiento de estas energías en el individuo.

Las aplicaciones de este punto por lo tanto, son muy variadas. Es fundamental en el tratamiento de estados depresivos y situaciones relacionadas con alteraciones del espíritu. Dice el Nei-Jing, que cuando a la exploración son dolorosos el 1 y 2 de pulmón, la enfermedad mental está cerca, por lo tanto este punto no debe ser olvidado en cualquier estado depresivo, por su valor diagnóstico, y de tratamiento.

También es útil en todas las patologías derivadas del estancamiento de Inn en la región torácica: disnea, tos, vómitos, asma bronquial, pérdida de apetito.

Por ser punto Mo de alarma, puede presentarse doloroso si está afectado el órgano.

Zhong Du. Capital Central o Centro de la Ciudad 6 Hi. Se localiza a 7 distancias superior al maleolo interno, en el borde posterior de la tibia.

Por ser punto Trsi del hígado: Refuerza la tonificación o la dispersión.

Como punto de alarma, actua sobre afecciones relacionadas con la sangre: dismenorreas, alteraciones sanguíneas, retención de loquios postparto.

Punto doloroso a la exploración o espontáneamente en procesos agudos. En estos casos se emplea por su rapidez de acción.

En casos crónicos se emplea como refuerzo de la tonificación o la dispersión.

A través de vasos secundarios es un punto de concentración de energía Inn de la parte inferior del cuerpo, permitiendo su manipulación el manejo de la sangre.

Otras indicaciones: trastornos hepáticos, dolores musculares, varices, prolapso uterino, hernias.

32 VB. Se localiza a dos distancias del 31 de VB. La situación del punto se encuentra donde termina el dedo medio del paciente, estando este con el brazo extendido por la cara lateral del muslo.

Es de gran utilidad en pacientes con dolores generalizados, pudiéndosele considerar como punto centro del dolor y estando regido por la Vesícula Biliar.

Otras indicaciones: dolor en piernas y rodillas, hemiplejia y atrofias musculares de miembros inferiores.

Zhong Chong 9 MC. Asalto Central. Es un punto Ting, madera, punto de tonificación. Se le puede considerar punto de reanimación en todo el organismo.

Inicia el movimiento del Maestro de Corazón.

Se localiza en el ángulo ungueal externo del dedo medio.

Sucintamente las indicaciones serían: dolor precordial, angustia, pérdida de conocimiento, tinnitus, rigidez, hinchazón y dolor de lengua y enfermedades febriles.

Zhong Fen 4 H. Límite del Centro. Es punto King, metal, y se localiza en el pliegue de flexión del pie, en el lado interno del músculo extensor propio del dedo gordo, a nivel de la prominencia del maleolo interno.

Por ser punto centro y metal, gira a su alrededor la actividad de la sangre por medio de la energía de la respiración que es en definitiva la que mueve la sangre.

Es útil, por tanto en todos los procesos en los que existe retención de sangre por el hígado, así pues, en dolores pelvianos, congestión de pene o vulva, ictericias, sobre todo de etiología hepática de color verde por ejemplo algunas hepatitis. Y también se puede punturar en casos de hernia, espermatorrea, retención urinaria y dolor abdominal.

Zhong Ji 3 Rm. Polo Central. Es un punto MO de vejiga y en él se pueden reunir la energía Inn de los tres meridianos Inn de las piernas.

Se localiza a 4 distancias por debajo del ombligo en la línea media.

Es de gran utilidad en todas las afecciones del aparato genital tanto femenimo como masculino.

En la mujer: menstruaciones irregulares, leucorrea, prolapso uterino, esterilidad, incontinencia de hemorragia postparto.

En el hombre: azoospermia y oligoastenospermia, espermatorrea, eneuresis, impotencia y hernia.

También puede utilizarse en alteraciones de vejiga tanto en retención como en incontinencia urinarias.

Zhong Liao 33 V. Hueso del Centro. Se localiza en el tercer agujero sacro.

Es un punto donde se reunen las energías del riñón y de hígado. Junto con los otros 7 puntos Liao, regulariza la energía de las regiones sacra y pelviana.

Sus indicaciones fundamentales son: lumbalgia con irradiación genital y dificultad para la rotación de la cadera y cualquier otra patología producida por ataque de Feng a los puntos Liao. La puntura se realiza oblicua hacia adentro hasta transmitir la sensación a la zona genital.

Zhong Gluo Shu 29 V. Centro de la Región Sacra. Es punto IU de la región sacra y rige la energía de esta zona, reforzando la energía de los riñones en esta región.

Se localiza a una distancia y media por fuera de la apófisis espinosa de la tercera vértebra sacra.

Por su acción sobre el TR inferior se utiliza en alteraciones de las funciones digestivas, dispersando el frio-humedad perverso.

Por su localización también es útil en algias coxofemorales, dolor y rigidez de la región lumbar.

Zhong Shu 7 TM. Zona del Centro. Se localiza por debajo de la apófisis espinosa de la décima vértebra dorsal.

Es un punto que solo viene reconocido como tal en el texto del «hombre de Bronce» «Tong Ren», y según este libro no debe ser punturado, ni moxado. Si se le puede tocar y masajear consiguiéndose la movilización de bloqueos y estancamientos de energía en tórax y abdomen.

Zhong Ting 16 RM. Gran Sala Central. Se encuentra en la unión del cuerpo del esternón con la apófisis xifoides. Puede ser considerado como punto de apoyo al 17 de RM que es punto Zhong de segunda intención (Shan Zhong). Junto controlan la energía del MC, C y P.

Las indicaciones brevemente serían, disfagia, hipo, plenitud torácica. Es un punto altamente efectivo en los carcinomas de esófago, punturándolo conjuntamente con el 17 de RM en fuerte estimulación manual y con aguja larga.

Zhong Wan 12 RM. En el Centro del Vientre. Se halla en el punto medio entre el ombligo y la apófisis xifoides.

Es punto MO de TR medio y estómago, también es un punto de recuperación del Yang y reune las 6 entrañas.

Indicaciones: dolor de estómago, distensión abdominal, borborigmos, vómito, diarrea y disentería, ictericia, debilidad de bazo y estómago.

Zhong Zhu 15 R. En el Centro del Confluente. Se localiza a una distancia hacia abajo y media hacia fuera del ombligo, a la altura del 7 de RM.

Es punto de reunión con el Chong-Mo.

Es de gran utilidad en transtornes de la región pelviana y alteraciones del aparato genital femenino y masculino: alteraciones en las menstruaciones y espermatorrea. También se utiliza en estreñimiento.

La puntura se realiza vertical o ligeramente oblicua hacia el centro.

Zhong Zu 3 TR. En el Centro de la Marea. Se localiza en la depresión próxima a la articulación metacarpofalángica de los dedos anular y meñique cuando la mano está cerrada con la palma hacia abajo.

Es punto de tonificación del meridiano, punto madera.

Su puntura es de gran importancia en sorderas, acúfenos y cefáleas y debe tenerse en cuenta siempre en fiebres intermitentes crónicas de origen desconocido.

Debe ser punturado siempre con la mano cerrada.

PUNTOS ZHONG DE SEGUNDA INTENCION

Yu Zhong 26 R. Centro Eventual. Se localiza en el primer espacio intercostal a dos distancias lateralmente a la línea media torácica.

Es un punto perteneciente al Chon MO, también se le denomina auxiliar central del tórax.

La puntura se realizará vertical y no muy profunda, siendo sus indicaciones muy semejantes a las del 16 y 17 de RM.

Wei Zhong 40 V. Confluencia del Centro. Se encuentra en el punto medio del pliegue transversal poplíteo, entre los tendones de los músculos bíceps femoral y semitendinoso.

Es punto MO de vejiga, y partida de los meridianos distintos de Riñón y Vejiga.

Controla la región lumbar, si existe estancamiento en esta zona se debe realizar sangría.

Forma parte de los puntos de dispersión de calor a nivel de los miembros (los otros puntos de dispersión de calor son: 2P 11 IG y 11 R).

Ru Zhong 17 E. En el Centro de la Mamila. Se localiza como su propio nombre indica en el centro de la mamila. Esta prohibida su puntura y moxa salvo en caso de absceso de seno.

Ren Zhong 26 TM. Hombre del Centro. Está a un tercio de la parte superior del surco nasolabial. Es un punto de reanimación. En el se reunen las energías de estómago, intestino grueso y Tu Mae.

Es un punto de reanimación del Inn y en casos de comas debe ser punturado perpendicular y ligeramente hacia arriba. También se usa en casos de ataques de frio-viento (parálisis faciales).

Shan Zhong 17 RM. En el Centro del Tórax. En la línea media torácica a nivel del cuarto espacio intercostal entre los pezones.

En este punto se reunen las energías de bazo, riñones, intestino delgado, triple recalentador y Ren Mae. También es punto MO del MC y del; TR superior.

Dice el Ling Shu: por medio de este punto la energía nutricia penetra al interior por el San Jiao.

Entre otras indicaciones se puede punturar para la falta de leche en la lactancia dirigiendo la aguja hacia la mama.

En casos de asmas crónicas y refractarias a otros tratamientos se puede utilizar la moxa directa con quemadura de unos dos centímetros de diámetro manteniendo abierta la herida, los resultados en estos casos son excelentes.

XXI. INTRODUCCION AL ESTUDIO DE LAS ENFERMEDADES DEL OIDO

En el mundo del silencio se mece la sinfonía de lo siempre escuchado...

Si dejas de escuchar lo que oyes sentirás el aullido de la hormiga en sus desesperados intentos por mover la miga de pan...

Si escuchas lo que tienes que oir... nada entenderás... Si escuchas lo que oyes... Estarás en sintonía con los ecos de llanto, con las sonrisas interminables y con las nostalgias de lo posible...

En ese oido misterioso que se expande en busca del sonido incesante de lo «vivo» encontramos la flecha penetrante de nuestra fuga...

Escucha, escucha, escucha... el chirriante roce de las antenas de las moscas...

XXI. INTRODUCCION AL ESTUDIO DE LAS ENFERMEDADES DEL OIDO

La patología del oido ocupa un importante papel en la patología general en los periodos de la infancia, fundamentalmente, en lo referente a afecciones aguadas, en la época juvenil o a las afecciones recidivantes, y en la patología crónica en las afecciones de la edad madura y vejez, que suelen culminar con las sorderas...

En la época infantil, las afecciones óticas debidas a infecciones es la pauta general... En muchos casos se trata de ciertas y claras predisposiciones familiares, en otros, se trata de debilidades generales que cursan con focalización en las zonas auditivas. En la mayoría de los casos son sucedáneas de tratamiento de base por medio de antibióticos... Los cuales en muchas ocasiones pueden desembocar en otras complicaciones, también de carácter ototóxico. No debemos de olvidar la importante patología que se desencadena por las aplicaciones IATROGENICAS. Aun por la estreptomicina. La ototoxicidad de una gran gama de antibióticos o antiinflamatorios, se encuentra continuamente referenciada en la mayoría de las publicaciones. No deberemos nunca de olvidar estas complicaciones cuando empleemos este tipo de fármacos.

Los agentes externos, principalmente el frio-vientò, suelen ser en multitud de ocasiones uno de los desencadenantes más frecuentes de las afecciones agudas. El comienzo suele ser brusco y en general el primer síntoma suele ser el *dolor*, que en la mayoría de los casos suele ser de carácter agudo y penetrante, que suele agudizarse, casi siempre con la palpación.

En todos los casos reseñados, la acupuntura tiene una incidencia eficaz en la mayoría de los casos. Veamos a continuación la apatología más frecuente que hemos tenido ocasión de seguir y los resultados que se han observado.

PATOLOGIA OTICA INFANTIL

OTITIS.

Presentamos quince casos de otitis agudas, de las cuales, diez eran adultos, y cinco eran niños. Todos ellos respondieron en las 48 horas siguientes al tratamiento. Se empleo la acupuntura y las moxas.

Se trata de una afección que responde a las influencias patógenas del viento-frio-humedad. Se trataron por los principios de los puntos locales y de distancia, siguiendo el criterio de los canales que preferentemente irrigan la zona. Se emplearon pues, VB-IG-ID-TR.

Como puntos locales se emplearon 19ID 21TR 2VB. Estos tres puntos alineados en la raiz de la oreja, son de vital importancia en el tratamiento de estas afecciones. En los casos agudos de los adultos se deberá de emplear una moxa del tamaño de un grano de arroz, en tres ocasiones, con lo que se conseguirá un alivio inmediato de dolor... Aplicado en el lado sano. Como puntos a distancia se emplearon el 4IG, con maniobras de tonificación, haciendo mover la energía en sentido ascendente del meridiano. El 3TR, punto de tonificación del TR, fue el siguiente punto empleado a distancia. Se puntura de manera perpendicular y se manipula hasta conseguir que la sensación se manifieste en el sentido de la corriente del meridiano. Finalmente la VB en el punto 44VB punto de tonificación, es el que mejores efectos nos proporciona, sobre todo cuando el paciente cursa con fiebre. Se puntura perpendicular hasta que la sensación se manifiesta en todo el pie.

El empleo de la M.T.V, en esta afección es de un resultado siempre constante como lo aseguran los resultados. Deberá de ser un arma a emplear en todas las patologías agudas de los oidos.

TEXTO: TAO TE KING. CAPITULO 60

«Treinta radios convergen en el cubo de una rueda y es su vacío (WU-YOU) del que depende la utilidad del carro.

Modelando el barro se hacen las vasijas y es de su vacío, del que depende la utilidad de las vasijas de barro.

Se oradan puertas y ventanas y es de su vacío del que depende la utilidad de las casas.

El ser (YOU) procura ganancia, el no ser (WU) procura utilidad».

La utilidad de una estructura depende de su vacío. Es del vacío que surge entre los radios, del que hay utilidad en la rueda. La utilidad de la vasija es la posibilidad de llenarla de algo, usamos el vacío de la vasija, algo que no existe, existe en la medida en que lo utilizamos.

Una casa no puede existir si no tiene puertas y ventanas; es el vacío que se procura gracias a éstas, el que dá la utilidad a la casa.

El concepto del SER y NO SER, que es en definitiva lo que quiere decir el mensaje, es semejante al espejo; si nos miramos a un espejo se producen dos imágenes, una imagen no tiene sentido y es nuestro cuerpo físico y la segunda imagen es la que tiene sentido y se ve en el espejo, parece una contradicción, pero no lo es, la que tiene sentido es la del espejo, porque es donde el sujeto puede ver, el sujeto asi mismo no puede ver ni sus labios, ni sus ojos, ni tiene consciencia de lo que tiene hasta que no se ve en el espejo, entonces las dos imágenes del SER y NO SER, nos dan la idea del Inn y del Yang, entonces una no tiene sentido sin la otra, nuestro cuerpo físico no tiene sentido si no hay alguien que nos diga como es. Esto está ligado con la moderna Física Atómica que nos habla de la materia y de la antimateria.

Uno no puede tener una imagen completa de él a no ser que exista alguien en el entorno; que le den un referencial, si esta en la «nada», no tiene referencial, pierde el sentido.

Dentro de una campana, o lugar que no haya ruido, donde no perciba la sensación de pisar, o haya permanentemente luz u oscuridad, y donde no exista el color, etc... un sujeto al poco tiempo enloquece, porque pierde la sensación de si mismo, pues falta la imagen del NO SER. La imagen de la utilidad. La imagen del NO SER, de la Utilidad, de la Anti-materia, tiene su representación de los agujeros negros cósmicos, y de hecho todas las partículas subatómicas, que se descubre el positrón y el anti-positrón, son mecanismos para explicar la existencia del otro.

De conceptos puramente filosóficos, podemos ir deduciendo la realidad cotidiana y práctica. Del Tao Te King deducimos, en razón del Taoismo, que al prácticar el Zen se llega a la comprensión del NO SER; alcanzar a vivenciar la imagen de nuestro cuerpo, como dice un proverbio Taoista, un buen viajero no debe saber ni a donde va, ni de donde viene, aquel que persigue algo, no lo encuentra; aquel que no busca nada lo encuentra todo, por eso es inútil afanarse en buscar cosas porque cuanto más las busquemos menos las encontramos, cuanto más busquemos la explicación de las cosas, menos las encontraremos. La razón de un jarrón, no es el jarrón sino la utilidad, el no ser del jarrón, lo de dentro, lo que no hay.

Esto tenemos que llevarlo a la M.T.C. y tenemos un ejemplo muy claro, para dispersar el Yang utilizaremos un punto Yang de dispersión, esto sería por ejemplo el SER, entonces podemos elegir el opuesto totalmente, que va a funcionar igual es decir elegimos el NO SER; si tenemos un individuo con Plenitud de Yang, dolor de cabeza, o Plenitud de Sangre y Energía, entonces, podemos dispersar esa Plenitud con el BAHUI (20 TM), que es el punto de máxima reunión de la Energía Yang, eso sería el SER. Pero ¿cuál sería el NO SER?... Hemos hablado de la Materia y de la Anti-materia, de lo Vacio y de lo Compacto, y ahora tenemos que trasladar estos conceptos a un tratamiento médico, de tal forma que hemos puesto un caso en que el SER lo hemos equiparado a una Plenitud de Yang, y dispersamos el Yang, luego el NO SER, sería la dispersión del Inn, es decir, lo que ocurre es que al dispersar el Inn, este tiende a ocupar los lugares del Yang, con lo que disminuye la Plenitud Yang.

A través de las enseñanzas del Tao Te King, nosotros podemos deducir que cada vez que nosotros nos planteemos un tratamiento concreto, debemos de ser conscientes de que existe el anti-tratamiento.

Si yo pienso en una rosa, eso sería la anti-rosa, claro el espejo sería mi pensamiento de la rosa, cierro los ojos y veo una rosa, pero... ¿la veo? No, la vivencio, ahí está la diferencia, el NO SER es la vivencia, y el SER es la corporeidad, esto es por poner ejemplos.

CASO CLINICO

Se trata de una niña de 3 años, que consulta por SORDERA.

Se dieron cuenta a los 8 meses, no se sabe si era sorda al nacer o fue un proceso morboso posterior. Solo dice algunas palabras al fijarse en los labios. Embarazo y parto buenos. Es muy tranquila. Cuando empezó a andar tenía problemas de equilibrio.

No tiene antecedentes familiares de sordera.

No ha padecido ningún tipo de enfermedad.

Al parecer la Sordera podemos etiquetar de Congénita, y por tanto la consideramos una enfermedad del Agua, pero en el amplio sentido de la palabra, porque como sabemos en el Agua tenemos depositado LO ANCESTRAL, y también es el Agua a través de la Energía de los riñones quien hace posible la aparición de la audicción.

Como es un problema Ancestral, puede estar producido por la Herencia Paterna o Materna, o también por factores patógenos durante el embarazo, aunque no lo sabemos, y que no serían atribuibles ni al padre ni a la madre, sino a factores del desarrollo embriológico.

Debemos poner un interrogante en los factores psíquicos de la madre o la forma que tiene de vivir la madre ciertas circunstancias, que si podría influir en la aparición de un trastorno de este tipo, porque el impacto emocional de la madre, aumenta el Shen y el Fuego de ella, entonces la actividad Yang de la madre, puede volverse contra el Inn de la madre y fundamentalmente contra la hiperconcentracción de Inn, que es el feto; esto alterará el Movimiento Agua y aparecerá la Sordera.

—H. PATERNA
—H. MATERNA
—FACTORES PSIQUICOS
—FACTORES EXTERNOS

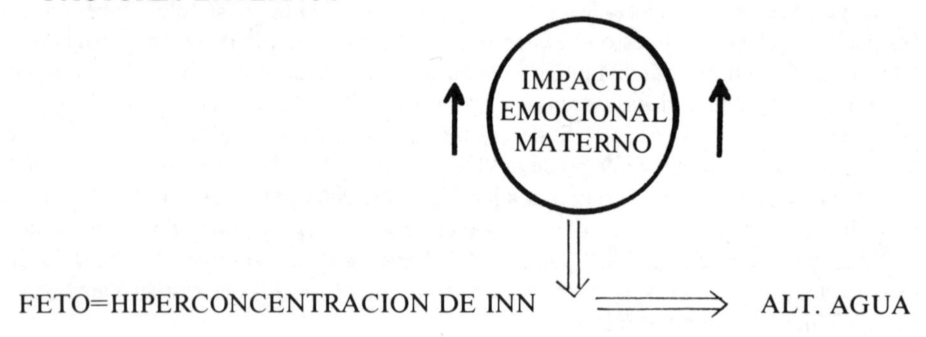

Debemos tener en cuenta que estas alteraciones congénitas no dañan directamente a la víscera o al órgano, sino que lo que se daña son las manifestaciones del Movimiento; la Audicción en el caso del Agua, la Visión en el caso de la Madera, la Piel en el caso del Metal, etc...

Sería interesante el hacer una Audiometría, el problema es la colaboración del niño. El método más sofisticado es el de «*potenciales evocados*», y no importa que el niño no colabore.

Se trata de introducir una señal cuantificada en la zona de la Corteza Cerebral que corresponda a la Audicción, y de manera que de una imagen, y con otro electrodo se manda otra señal en otro lugar de la C. Cerebral, si la vía es permeable, la imagen será la misma, si no es muy permeable la imagen será más pequeña.

Existen Sorderas de Percepción y de Recepción. En este caso casi seguro que es una Sordera de Percepción, el nervio auditivo está alterado, y la señal que llega a la C. Cerebral es una señal distorsionada, no identificable, no se puede identificar, la vía de conducción no es buena, es lo que probablemente padezca la niña.

En la Sordera de Recepción, la vía de conducción es buena pero la zona de recepción está alterada o no está desarrollada; la señal llega pero no se interpreta, la niña oye pero no distingue, lo mismo que si nosotros oimos japonés o chino, oir si que oimos, pero no entendemos nada.

Muchas veces la sordera son una mezcla de las dos: la vía no es correcta y el lugar de recepción tampoco.

TRATAMIENTO

Este tipo de sordera en un niño tan pequeño conlleva dos problemas; el niño no solo es sorda, sino que además es mudo, es decir el niño no habla porque no interpreta lo que escucha, o porque no escucha.

Esta es la imagen típica del SER y NO SER, si el niño no oye, no puede hablar; en cambio es distinto cuando la sordera aparece más tarde, cuando es mayor, que el niño puede seguir hablando, porque ya tiene la experiencia del lenguaje. El punto clave es «Puerta del Mutismo» 15 TM.

Como sabemos a partir de los Riñones se crean las tres raices fundamentales de la E. Ancestral: Rm, Tm y Tchong Mai.

El Rm se encarga sobre todo del Mar del Inn, el Tchong Mai se encarga de la distribución de la esencia de los Riñones a todos los meridianos, y se llama el Mar de los meridianos, y el Tm se encarga de la actividad Yang de la esencia de los Riñones; luego si la manifestación del Agua en su última intancia está abolida, está Innguinizada, tendremos que actuar sobre la raiz Yang de los R. para activarla, y no es raro que sea la zona Yang, porque es el lugar que podemos activar y llamar con más fuerza la E. del Riñón.

Porque también sabemos que quien nutre el Cerebro, y al decir Cerebro decimos todas las facultades del Cerebro, Audicción, Visión Tacto, etc... son los Riñones a través del Tm fundamentalmente, la actividad Yang del Cerebro. Entonces dentro de los Puntos del Tm el 15, Puerta del Mutismo; y como es un punto Puerta, podemos abrir o cerrar la Puerta de algo, entonces básicamente deberíamos emplear este punto. Durante mucho tiempo fue un punto prohibido, que a partir de la revolución cultural se experimentó y se llegó a la conclusión de que no debe ser un punto prohibido, eso si, debe ser cuidadosamente punturado, entonces ellos mismos se punturaban para comprobar las sensaciones que despertaba la puntura de este punto. De los miles de niños que se punturaron muchos de ellos, un porcentaje muy alto, recuperaron el habla y la audicción.

Otros puntos auxiliares, serían de los meridianos que irrigan la oreja, serían VB, TR, ID e IG.

De VB como tratamiento a distancia elegimos el 43 VB, tratamiento de lo Alto por lo Bajo; y como punto local el 2 VB.

De ID, como punto local 17 ID y a distancia 3 ID.

De TR, como punto local 21 TR y a distancia 2 TR.

De IG, como punto local 20 IG y a distancia 4 IG.

De TR podemos elegir también el 19TR y de ID el 2 ID.

Entonces podemos combinar el 15 Tm con un punto local y otro a distancia, y asi ir recorriendo todos los meridianos. Asi que todos los días ponemos tres puntos. Como mínimo dos días en semana. Elegimos el 4 IG para actuar sobre la E. Ancestral Gral. que favorezca la audicción a distancia, ya que es un punto Yuan; podemos actuar con moxa *menos en 15 Tm*.

Cuando el niño está bien educado, no identifica la aguja con dolor sino que ve la intencionalidad y no se queja, ni llora.

Tengo un caso de un niño con una Parálisis Cerebral muy importante, está siempre acostado, no puede sentarse, no coordina movimientos, ve poco, oye poco, come con mucha dificultad, no habla, grita, etc... o sea que la situación es lamentable, pues bien, obligatoriamente para ir a un colegio especial, tiene que pasar por la puerta de la consulta, y cuando pasa y ese día no le toca la sesión, protesta gritando, y a mi me consta que yo le haga daño al punturar, pues necesita fuerte estimulación.

Cuando se puntura el 15 TM, 1.º se produce sensación de calor en la cabeza, 2.º hormigueo en el cuello, 3º ruido en los oidos, mareo y sensación de alteración de la vista.

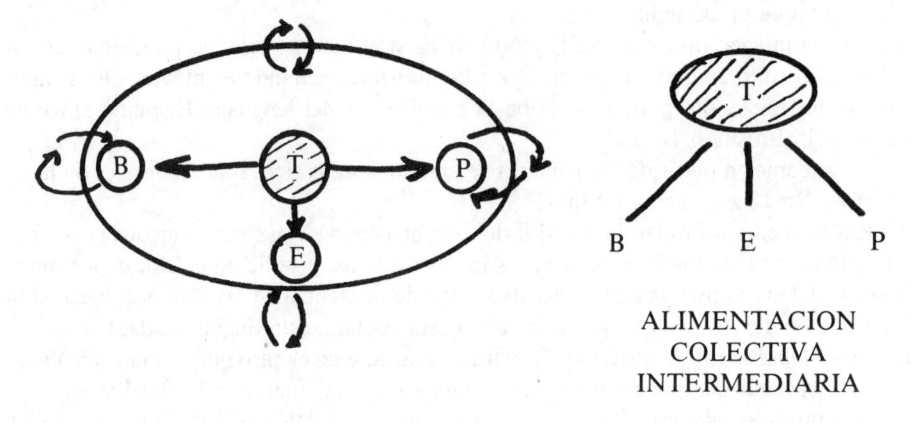

XXII. CAP. XII SOWEN

XXII. CAP. XII SOWEN

¿Y cual es el sentido exacto
de la actividad de los cinco movimientos
y sus correspondencias con los sabores?

H.D. «*Cuando se examina a un enfermo es importante tener en cuenta su constitución física con las estaciones. ¿Quiere usted explicarme ésto?*

H.B. *Los cinco reinos son el Metal, el Agua, la Madera y el Fuego, y la Tierra; con esta noción bien comprendida se puede preveer en el enfermo la curación o la muerte, si la enfermedad es curable o no y también según ésto se puede preveer el momento en que la enfermedad se agravará o se curará.*

—*El H. corresponde a la primavera, para tratarlo es necesario actuar en los canales de VB e H. Los síntomas de las perturbaciones del H. son fundamentalmente contracturas y espasmos musculares; para aliviarlos habrá que dar especies medicinales de sabor dulce.*

(Es frecuente confundir la carne con los músculos. Los músculos están en relación con la actividad).

—*El C. corresponde al verano, para tratarlo habrá que punturar los canales de ID. y de C., los síntomas de perturbación del C. son fatiga y astenia.*

Para remontar su Energía que se ha dispersado habrá que prescribir medicinas de sabor picante.

—*El B. corresponde al fin del verano, para tratarlo punturar los canales de E. y de B. El B. surge por exceso de Humedad, para recalentarlo habrá que prescribir especies medicinales de sabor salado.*

—*El P. corresponde al Otoño, para tratarlo punturar canales de IG. y de P. Cuando los P. son atacados el enfermo tiene la sensación de que asalta a la parte superior del cuerpo, para hacer que descienda hay que prescribir especies medicinales de sabor agrio.*

—*Los R. corresponden al invierno, para tratarlos habrá que punturar los canales de V. y de R. Los R. sufren el exceso de sequedad, para darles la humedad que requieren habrá que darles especies medicinales de sabor amargo*».

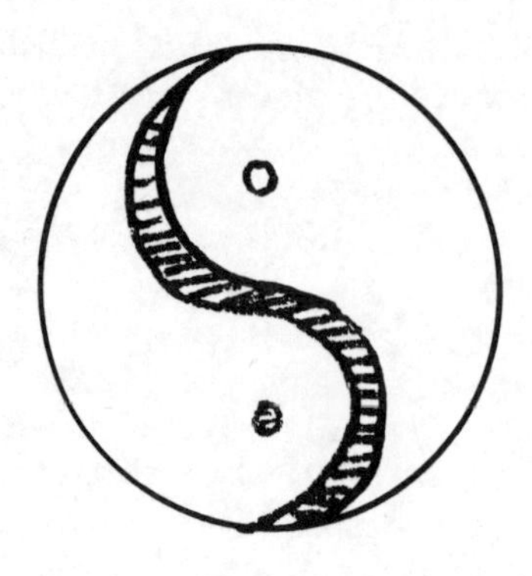

Se prescribe el sabor en el sentido opuesto al de dominancia.
¿Porqué? ... Es siempre la comprensión del dinamismo del Inn y del Yang.

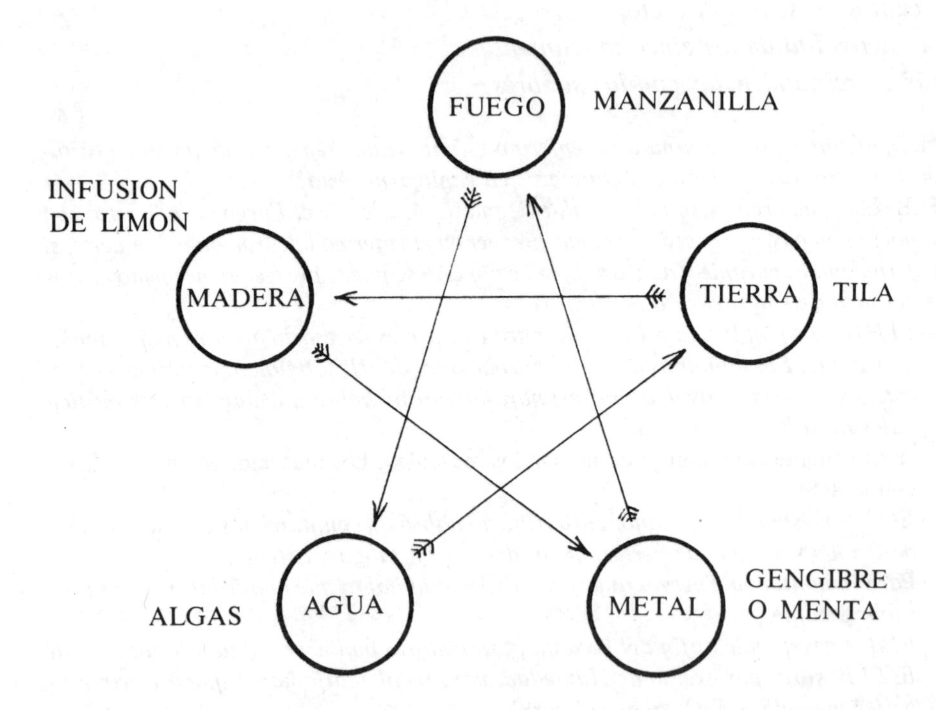

Si administramos a un elemento alterado, tanto en vacío como en plenitud, el sabor opuesto de forma momentánea, ese ocupa el lugar que normalmente tiene el elemento en sí; entonces lo único que hace es rechazar, uno ocupa el lugar del otro, entonces el remedio que le queda al 1º es mutar, independientemente que esté en vacío o en plenitud, porque en los ejemplos que hemos visto hay casos de vacío y de plenitud.

Por eso en sí el texto no habla de Tonificación o de Dispersión. Sólo habla de dar tal o cual sabor.

Ante cualquier afección que vayamos a tratar con una planta medicinal, debemos aprovechar no sólo las propiedades cuantitativas, sino también las propiedades cualitativas, que las podemos modificar añadiendo a la infusión un determinado sabor.

Ejemplo, si tenemos que dar estigmas de maiz en infusión para aumentar la diuresis, debemos añadir el sabor apropiado, en este caso sería el sabor amargo. Así a cada infusión se le puede asociar el aspecto cualitativo de los cinco reinos. Se utiliza tanto en afecciones agudas como crónicas.

El efecto del Sabor es acumulativo y lento.

XXIII. ¿CUAL ES EL SENTIDO EXACTO DE LA INTERMEDIACION DE LA AGUJA DE ACUPUNTURA?

Y cuando tenemos una aguja en la mano...
¿Qué es lo que ocurre y qué puede ocurrir...?

Y como puestas por el cielo, o por la tierra, se escalonan... de arriba abajo o de abajo arriba... y en el silencio, gota a gota. Ritmo a ritmo... generan los cambios... Inexorablemente. Y unas y otras se escuchan... y unas y otras se ignoran... pero permanecen con la fuerza del huracán, en el empeño de estar, permanentemente en equilibrio...

XXIII. ¿CUAL ES EL SENTIDO EXACTO DE LA INTERMEDIACION DE LA AGUJA DE ACUPUNTURA?

Entre las danzas interminables del destello de los millones de estrellas, planetas kuasasr, novas, supernovas... Y todas las posibilidades de energía que se generan en el cosmos exige una *INTERRELACION DE COGNOSCIMIENTO* que hace posible los equilibrios, las transformaciones, las atracciones y repulsiones, las vibraciones de la misma batuta ETERNA. Es como una comba de tensión perfecta en la que todos los astros se encuentran saltando en un juego interminable de inagotable belleza. Nuestro planeta tierra también esta alli, es uno más que vibra en los compases de las sinfonías planetarias, como las del maestro Holts, donde, precisamente falta la tierra. Nuestro ritmo terráqueo se encuentra acompasado por las influencias de los millones y millones de músicos celestiales que vierten sus influencias sobre nosotros. SIN DUDA, NO ESTAMOS SOLOS. Las vibraciones de las diferentes energías... ¿magnéticas...? ¿electromagnéticas?... ¿IGNEAS?... ¿importa el nombre? Lo que si conocemos y sentimos en cada una de nuestras células cósmicas, es que *EXISTE*, tan real y hermoso como y atardecer en China, tan fragante y joven como los ciruelos en flor, tan duro y sutil como el invierno polar, tan sabroso y cálido como el mediodía del Caribe, tan fogoso y mítico como un toro en la lidia, tan cadente, fetal y místico como una danza, en la eterna Africa... Tan... Suspiro... Creo que es suficiente. Todos sentimos las presencias de esas batallas de violines, chelos, flautas y arpas que nos inundan y que nos llegan de todos los lugares, como si fueramos su único punto de encuentro... Y gracias a toda esa increible fantasia de RITMO COLOR ARMONIA, puede nuestro planeta seguir en la inmensa comba del cosmos, SIN CAERSE... PERO *CALLENDONOS*. ¡De repente, desde hace miles de años, claro!, todas estas fuerzas que deberían de arrullarnos, cuidarnos y ser SIEMPRE SONRIENTES, ...Dejamos de reconocerlas, dejamos de comprender el significado de SU MELODIA. ¡Pero! ¿qué ha ocurrido? Y se pregunta el humano. ¿Quién ha sido el maldito que nos dejó sin director de orquesta? ¿Realmente existe ese maldito... O Somos todos los MALDITOS DEL PLANETA LOS QUE HEMOS DEJADO DE ESCUCHAR EL LENGUAJE DE LAS ESTRELLAS, QUE SON LAS QUE NOS HACEN ETERNOS? ¿De dónde procede el *cruel fatalismo de la necesidad de la muerte*?

¿Por qué no; transformación o mutación... Sin ese trago amargo?... ¿Dónde se descompuso la CAPTACION DE ESA MELODIA COSMICA QUE *NOS LLEGA*; PERO QUE NO QUEREMOS ESCUCHAR?

Desde hace miles de millones de años, las interrelaciones directas con las influencias del cielo han sido interrumpidas. Tan solo se puede sentir una tenue madeja de hilos de seda que aún contactan con nuestra frágil realidad. Nuestros perdidos equilibrios deben de recuperarse por la intermediación de las energías cósmicas. En esta intermediación se encuentra un instrumento: *La aguja de acupuntura*. Si nos detenemos en la observación de las acciones del sentido de la implantación de la aguja comprobaremos TRES fenómenos importantes.

1. La manipulación de las energías del hombre. La penetración en el medio interno de nuestra cerrada estructura, supone una toma de contacto con las energías internas.

2. El contacto con las energías del cielo. En este sentido, se ponen en contacto las energías del hombre con las del cielo. La aguja actua como ANTENA de recepción *de señales*. Representa el paso de *las trascendencias del cielo hacia el hombre*. Se trata de un contacto directo, de homeostasis MACROCOSMOS MICROCOSMO.

3. *Las interrelaciones que se establecen con las intencionalidades del terapeuta.* A estas intencionalidades se deben de añadir las manipulaciones que sobre la energía del hombre establece el terapeuta con el objeto de ordenar las energías internas del hombre. Sin duda, la intermediación del hombre sobre el hombre se nos muestra *IMPRESCINDIBLE* en el momento en que queremos establecer la homeostasis del hombre con el *medio-hombre-cosmos.* Pero aún existen más detalles importantes.

LA ORIENTACION DE LA AGUJA.

No la orientación en el sentido de las corrientes de energía del organismo, sino la orientación según las situaciones de nuestro planeta en relación con el sol y las estrellas. En el SOWEN se establece que desde lo inmaterial de la orientación se desarrollan los aspectos más concretos de cada movimiento, asi el Este engendra el viento... el ácido... la madera... el hígado... Esta situación de *INFLUENCIAS CREACIONALES* deben de ser utilizadas a la hora de situar la aguja después de las manipulaciones internas y de los resultados de dispersión-tonificación-drenación, etc, etc. Este aspecto terapéutico nos situa en las posibilidades de actuación sobre las influencias QUE RECIBE LA TIERRA COMO PLANETA, como ser vivo INDEPENDIENTE en nuestra galaxia. Si conocemos las diferentes ordenaciones de los diferentes movimientos en relación con los cinco puntos cardinales, estaremos en condiciones de ORIENTAR NUESTRAS AGUJAS HACIA ESAS INFLUENCIAS, Y DE ESTE MODO, POTENCIAR TODOS LOS FACTORES QUE SE DERIVAN DE ELLO.

Pongamos un ejemplo para mejor comprensión. Si después de una puntura, y realizadas las maniobras sobre las energías endógenas, queremos que el organismo DESARROLLE *LAS CUALIDADES-INFLUENCIAS DEL ESTE MADERA, ORIENTAREMOS LA AGUJA HACIA EL ESTE.* Esta será una posibilidad, pero también, podemos orientar TODAS LAS PUNTURAS QUE *REALICEMOS SOBRE HIGADO VB HACIA EL ESTE*, de esta manera, estaremos en sintonía con el movimiento y órgano que estamos tratando. Es casi igual que quisieramos *SINTONIZAR UNA EMISORA*. Una vez localizado el dial, la emisión llega hasta nosotros con entera nitidez... Y también... Nos impregna con sus influencias... Creo que sin duda, estamos ante

NUEVAS APLICACIONES TERAPEUTICAS DEL SENTIDO DE LA ORIENTACION. Si nuestro trabajo terapéutico es la suma de todas las interacciones en las que se encuentran los seres vivos estaremos en condiciones de obtener TODOS los beneficios de los que es capaz de soportar una persona. Nos situamos en la esfera de lo imposible, de lo más difícil todavía. Estaremos en las fronteras de unir los finos hilos de seda que nos unían con los Dioses. No podemos ni debemos conformarnos con menos. Nuestro destino en este infinito mar de estrellas en este silencio de negros amaneceres, en este estruendo de cientos de estrellas, de chirriar de miles de vidas esparcidas en cientos de millones de galaxias. Es poder vagar con la ETERNA SONRISA DEL NOMADA, en los lugares donde no existe MAÑANA, AYER... DONDE SOLO SE ENCUENTRA EL *YA!!* LA EXPANSION SIN LIMITES CON LA CONSCIENCIA DE LA CONTRACCION ABSOLUTA, Y LA CONSUMACION EN EL FUEGO IGNEO.

XXIV. ¿ORIENTACION DEL PACIENTE Y DE LAS AGUJAS EN EL MOMENTO DEL TRATAMIENTO EN RELACION AL COSMOS?

XXIV. ¿ORIENTACION DEL PACIENTE Y DE LAS AGUJAS EN EL MOMENTO DEL TRATAMIENTO EN RELACION AL COSMOS?

El hombre situado en la Tierra está sometido a una serie de movimientos, de fuerzas, ya sea en un sentido o en otro, dentro del Cosmos. Pero en definitiva se dirige hacia un lado o hacia otro, pero los movimientos tenían a veces suficiente fuerza como para que elementos extraños se quedaran atrapados. El hombre está sometido a influencias energéticas que se desarrollan a raiz del movimiento y de la posición que ocupan los astros en su referencia. Todo el Cosmos no es ni más ni menos que el Gran Tao.

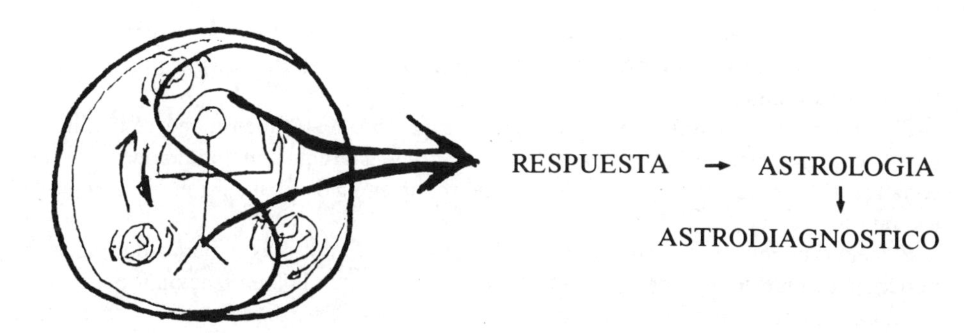

Valoramos las posibilidades de un sujeto, según la posición de los astros en el momento de su nacimiento. Cuando un paciente va a la consulta, existe una interferencia entre las influencias del Cielo y de la Tierra, esta interferencia la hace el terapeuta, que actúa como intermediario para poner en orden las influencias del Cielo y de la Tierra para conseguir la Salud. Tiene que orientar al paciente, ponerle en el lugar que le corresponde. *La enfermedad en el amplio sentido de la palabra es una mala orientación.*

Entre otras cosas el terapeuta emplea una aguja, y ésta actua como una antena de recepción, aparte que de mueva la E. Yong, Oé etc..., ésta pone al paciente más en contacto con el Cielo. Si nosotros traemos ahora un receptor, para poder verlo con nitidez, necesitamos una antena bien orientada.

Una forma mecanicista de interpretar la inclinación de la aguja, es ver la mejor forma de incidir sobre la Energía. La orientación de la aguja tiene que ver con la orientación en que está situado el paciente. Según la orientación de la aguja tomará las influencias del Norte, Este, etc...

Dice el Sowen: «El este crea el verde, el verde engendra el agrio, el agrio engendra el músculo, etc...» es decir, de lo inmaterial de la orientación se crea la estructura. Esto tiene relación con el electromagnetismo.

Si a un paciente le ponemos el Zusanli en dirección Este, recibirá las influencias de la Madera, aparte de las cualidades del Zusanli.

ZHEN JIU DA TCHENG.
LIBRO 3 ENUNCIADO 45.
TITULO: GRAN RECOPILACION DE POEMAS DE ACUPUNTURA.

TEXTO: «LA APLICACION CORRECTA DE LA ACUPUNTURA EXIGE UN CONOCIMIENTO PERFECTO DE LOS PUNTOS Y MERIDIANOS».

No solo hay que conformarse en saber por donde van los canales y donde estan los puntos, pues esto no es tener un conocimiento perfecto a ellos.

LOS PUNTOS DE ACUPUNTURA.

Es una zona especial de la piel que facilita el intercambio del hombre con el medio. Cada uno tiene una función específica en ese intercambio, y esta la dice el propio punto a través de su nombre.

Si conocemos el significado real del punto en cuanto a su función energética, habremos hecho una buena interpretación de su nombre y estaremos en condiciones de poder canalizar nuestra intencionalidad. Tomaremos conciencia de lo que estamos haciendo en ese punto.

Debemos conocer más o menos su localización, y decimos más o menos porque la experiencia de muestra que ha veces tocamos donde nos situa la localización topográfica y no notamos nada especial, y en cambio si notamos ese algo especial más arriba o más abajo... y sucede asi porque aunque la estructura de la persona es la misma, siempre ocurren pequeñas diferencias, debidas a la edad, constitución, etc...

Lo importante es delimitar bien la zona donde está el punto y buscar en los alrededores hasta percibir esa sensación especial.

Una exacta localización conlleva una máxima eficacia si actuamos correctamente en la manipulación de dicho punto.

¿Qué métodos debemos utilizar en el punto?... Será el indicado en cada caso, unas veces haremos masaje, otras sangría, aguja, imposición de manos, etc...

Conocer la profundidad donde se encuentra la E. del punto.

Lo que aflora en la piel es la manifestación del punto situado por debajo. Lo que nosotros percibimos en la piel es la E. que aflora de la profundidad.

Al introducir la aguja podemos hacerlo a varios niveles, pero es imprescindible notar la llegada del QI; al principio la nota antes el paciente, pero con el tiempo debemos notarla nosotros antes, y una vez que hayamos notado el QI será el momento de manipular la aguja.

¿Qué sucede exactamente en el punto de acupuntura, para ser ahi donde hay que punturar y no en otro sitio?... Hay que acostumbrarse a mirar el cielo por la noche, ya que la vida empieza en el Inn, y hay que mirar antes de que empiece la manifestación, es decir el día. Al mirar observaremos una serie de estrellas, unas más rojas, otras amarillas, unas más grandes que otras, etc... Dice el Sowen: «El hombre es una consecuencia de las influencias del Cielo y de la Tierra». Imaginemos por un instante que todo nuestro cuerpo no tiene ningún punto de acupuntura y que la Bóveda Celeste se derrama a modo de vestido que cayera sobre nuestro cuerpo y nos impregnara de tal modo que la localización caprichosa de los puntos sería un reflejo exacto del mundo estelar.

Asi por ejemplo al mirar para arriba está la estrella Polar (Agua-Norte-Origen) que correspondería la 20 Tm y a partir de ese punto se podría estudiar la correspondencia de los demás puntos.

La visión del cielo es diferente en unos lugares del planeta y en otros. La manifestación del cielo comienza por la noche. Asi en el Hemisferio Sur hay puntos diferentemente activos que en el Hemisferio Norte.

La influencia del planeta en cuanto a trasmisión de energía se supone corresponde al órgano y la manifestación del fenómeno global la marca el punto.

¿De la misma manera qué las estrellas ganan o pierden actividad con el tiempo, ocurre en los puntos de acupuntura? Efectivamente, asi ocurre.

¿Qué extrapolación podríamos hacer de las estrellas fugaces? Representarían canales secundarios de Energía.

LOS CANALES DE ENERGIA O MERIDIANOS

El canal se formaría por la concretización de la energía de los puntos pues a veces el punto está activo y el canal se encuentra en vacío energético.

Hay que pensar que la teoría de los canales y colaterales está muy sustentada en la idea de que la actividad del punto es la que va a determinar el canal y viceversa. Esto se parece a la idea que hemos planteado con las estrellas en el sentido de que la actividad energética o pulsátil se trasmite en una dirección.

La sensación de propagación del canal, solo se consigue después de activar o estimular el punto; luego probablemente el canal sea una consecuencia de la actividad de esa concentración de energía, y no que éste el canal y luego se cree el punto, es decir 1.º sería el punto y luego el canal.

«LOS METODOS DE TONIFICACION Y DISPERSION, REENCUENTRO Y PERSECUCION»

Reencuentro: Consiste en capturar la energía en contra del sentido del canal. Puede ser una técnica dispersante.

Persecución: Consiste en capturar la energía en el sentido de la corriente del canal. Puede ser una técnica tonificante.

En ambas técnicas actuaríamos más sobre el canal que sobre el punto y en general se usa aguja larga.

Se usaría en tratamiento de Linfangitis, Adenitis del cuello o Adenitis Tuberculosa, con aguja muy larga que cogiera todo el canal de TR, hasta el hombre.

También en secuelas de parálisis infantiles, en la que se emplea aguja muy larga a lo largo de VB y de Estómago. Estas técnicas se usan en parálisis por ictus, parálisis desmielinizantes, etc...

¿Cómo se haría el tratamiento del dolor producido por una incisión quirúrgica? ...Si por ejemplo debemos producir una incisión sobre el canal del E., actuaríamos sobre este canal y sobre el canal del Pulmón, por regir la piel.

¿Cuál es la diferencia entre las técnicas de dispersión y tonificación y las de reencuentro y persecución?... En las primeras actuaremos sobre un punto fundamentalmente, en las segundas actuaremos sobre el canal. Luego además la técnica de persecución es tonificante y la de reencuentro es dispersante si se manipulan como tal, si no son simplemente reencuentro y persecución.

¿Cuándo se tonifica un punto estamos tonificando el canal?...

No exactamente, lo que sucede es que se puede aplicar una técnica de tonificación en un punto en una actividad de reencuentro. Por ejemplo mandando energía desde un punto situado por debajo del 36 E. a este punto.

¿En qué consiste la transfisión?.

En estimular con una aguja 2 o más puntos. Con esta técnica se activan diferentes niveles de los puntos ocasionando un efecto multiplicador, ahorrando punturas y las consiguientes perdidas energéticas.

La Energía no está en la piel sino fuera de esta, la radiación energética a lo largo del canal puede tener aproximadamente 2-3 mm, y no existe aparato que pueda medirla, por tanto hay que acostumbrarse a verla.

¿Dónde se desarrolla la potencialidad del color?... Todas las energías tienen su origen en el agua, pero después el agua va depositando esas energías en diferentes lugares, asi el dolor queda depositado en lo ancestral, en los Vasos Maravillosos. Para actuar sobre el verde lo haríamos en el 41 VB, en el rojo, en 5 TR o 6 MC, en el amarillo, 4B, etc...

¿Porqué se ponen los ojos entrabiertos cuando queremos «ver» realmente?... Como las energías de todos los órganos y entrañas confluyen en los ojos, si los abrimos excesivamente la E. se dispersa y si los tenemos entreabiertos la E. se concentra. Hay que mirar entreviendo y no viendo que es como mejor se ve, pues no se trata de mirar la estructura sino la supra estructura.

«EL METODO DE TONIFICACION CONSISTE EN ORIENTAR LA AGUJA HACIA EL SUR Y EL DE DISPERSION EN ORIENTAR HACIA EL NORTE».

La cabeza de la aguja es como una antena, asi pues habrá que orientar la cabeza de la aguja hacia el sur, que es más Yang, si lo que queremos ver es tonificar, y al revés. Cuando situamos la aguja perpendicular estamos recibiendo las influencias del cielo, es decir del centro (armonía, equilibrio). También sabemos que dependiendo de donde la orientemos vamos a recibir las influencias del este, oeste, etc...

«El aroma de la imagen no se pierde
si tu corazón esta abierto.
Si cierras los ojos te penetrará profundamente
y el aroma quedará atrapado para siempre».

«Si miras y sientes el cielo,
te invadirá.
Si tocas y coges la tierra
anidará en tí».

XXV. SOBRE LAS CUALIDADES DEL TERAPEUTA

Y a manera de mentalización...:
¿Cuáles son las cualidades que deben de adornar a un terapeuta tradicional?...
Admitamos las sugerencias de Laotse en el Taotejing...

XXV. SOBRE LAS CUALIDADES DEL TERAPEUTA

LAO TSE. Cap. LIX.

El terapeuta debe de ser *cauteloso* como quien en invierno atraviesa un rio, *prudente* como si tuviera peligros por todos sitios, *indiferente* como si fuera un extraño, *débil* como el hielo que empieza a fundirse, *puro* como un trozo de madera que se empieza a tallar, *adaptable* como el agua y *vacío* como el valle.

Todo el texto del Tao Te King incluye el Principio de Totalidad; lo que se ha hecho es coger las propiedades universales que deben adornar el comportamiento de un sujeto y apropiarlas al terapeuta. Esto no se puede quedar en una cosa etérica o teórica, sino que debe llevar a un cambio profundo del terapeuta.

Al enfrentarse a un enfermo, la 1ª actitud del terapeuta debe de ser la *cautela*; somo si atravesáramos un río helado. *La precipitación ante el paciente conduce casi siempre al fracaso terapéutico.*

El siguiente aspecto, la *prudencia* implica que la cosa más fácil se puede complicar y el caso más complicado se puede tornar fácil. Es necesaria esta producencia porque desconocemos muchos de los mecanismos que rigen a esa estructura enferma.

La indiferencia ante la enfermedad no implica frialdad ante ella. Se decía antes «como un extraño, extranjero», esta actitud implica que debemos observar los fenómenos sin apasionamiento, y aunque todos pierdan la cabeza alrededor, uno no la pierde. El extraño cuando llega a un lugar se percata de todos los detalles, en cambio el que vive cotidianamente en el mismo sitio, no se da cuenta del canto de los pájaros, del color de las estrellas, de la esencia de la casa... pasan desapercibidos. Por eso hay que ser indiferente.

La actitud de debilidad como hielo que empieza a fundirse frente al paciente, no indica una falta de fuerza, sino un plegarse, un amoldarse a la forma de enfermar del paciente. Lo débil vence a lo fuerte; este plegamiento ante el paciente es una actitud de reconocimiento de una estructura que está enferma. De esta forma la aparente debilidad se transforma en poder, pero no de fuerza, sino de conocimiento en tanto en cuanto el terapeuta se intertransforma en el paciente, como cuando el hielo se funde.

La otra actitud *es la pureza.* Cuando el Tao Te King se refiere a pureza no tiene nada que ver con el concepto occidental (Falta de pecado), es algo mucho más amplio, el concepto de culpa que se vive en occidente es algo esclavizante. El concepto aqui descrito es como un trozo de madera que se prepara para ser tallado. Esta actitud ante el paciente consiste en quitar todo el polvo que uno tenga detrás, de otras experiencias, que vayan a condicionar la forma de ver a ese paciente en ese momento. Que ninguna experiencia anterior condicione el presente. Esa pureza del terapeuta implica siempre la sensación de novedad y sobre todo que a partir de ese momento el terapeuta se transforma en madera y se deja tallar por las influencias del paciente. Habitualmente en el entorno cultural de todo el planeta, la persona condiciona cada actividad al análisis del pasado, es como un árbol que ya ha sido tallado una vez y que permanece asi durante el resto del tiempo. Esto es posible en una herida, en un corte, pero en el cuerpo espiritual, en el cuerpo energético, esto no es posible... si dejamos que nuestro cuerpo etérico se perturbe hasta el punto de que sea tallado por una experiencia, nos impedirá vivir otras.

La pureza del terapeuta ante el enfermo consiste en fabricar una cultura propia en cada instante que viva el enfermo.

Adaptable como el agua ¿Cómo adaptarnos a la situación del paciente, a la realidad de la enfermedad? ¿Cómo adaptar al paciente a su realidad, al momento histórico que vive por su enfermedad? ¿Cómo adaptar su enfermedad a los ritmos y acontecimientos que vive su historia, su pais, su planeta? ¿Cómo adaptar o dar sentido a esa forma de enfermar en relación con los movimientos de todas las energías? ¿Cómo adaptar al paciente a que es una parte importante imprescindible de esa energía que se mueve indefectiblemetne hacia algún lugar?

Si vemos el agua, ella es adaptable a todas las estructuras, es de todas las formas. Esto indica que el terapeuta debe de adaptarse a la situación del paciente, respetando el camino propio que este lleva, no interfiriendo en él y si ayudarle a que encuentre su propia vía. Para ello el terapeuta debe de olvidar el dar cualquier juicio de valor que pueda calificar al paciente; si lo hace lo codifica, ya no se adapta a la forma del paciente sino que está imponiendo su forma. Por tanto, la adaptación que hace el agua a cada estructura nunca puede implicar prohibiciones, debe implicar evidencias. Si el terapeuta quiere adaptarse a la situación del paciente, eso implica usar como lema «prohibido prohibir».

Si el terapeuta quiere adaptarse al ritmo y al movimiento del agua del paciente, implica aplicar este lema, sin olvidar mostrarle el ritmo y la forma de su propia agua; tenemos que adaptarnos a su sufrimiento, a sus sentimientos, a su manera de vivir los hechos cotidianos, a su tono de voz, a su dulzura o a su aspereza. En definitiva, aparte de actuar nosotros como agua, nos estamos trasformando en agua para reconocer el otro agua. Por tanto en esa situación no podemos prohibir, el fumar, el beber, etc...; esto no es una forma de hacer una terapéutica. En todo caso tenemos que enseñarle porque fuma, porque bebe, porque enferma. Si nos convertimos en prohibidores, nos convertimos en colonialistas y usurpamos el movimiento de su propia agua.

Como en nosotros está el macrocosmos, en nosotros están todas las posibilidades de la naturaleza, somos viento, calor, madera, etc. pero lo importante es que además de ser cosas podemos trasformarnos cuando queramos, igual que sabemos estar quietos, sabemos movernos con dulzura.

Pero de todos los fenómenos que de alguna forma conocemos porque están más cerca de nosotros, es el agua la que adopta cualquier tipo de forma. Luego, es fundamental trasformarse en agua. En esta trasformación se produce el fenómeno de la comprensión, pero no sólo en el sentido de entender, sino en el sentido de aprehender, de hacer nuestra la experiencia del enfermo. Cuando el paciente nos elije, no es una casualidad, sino que es un proceso de energía que tenía que ocurrir; lo cual no implica nigún determinismo. En esa medida en que nos eligen, debemos aprehender esa realidad, y ésto *significa ser* «esclerosis en placa», «depresión» o «parálisis». Pero el agua, como todos sabemos, es trasparente, entonces las vivencias que nos proporciona nuestra impregnación del paciente no son vivencias estáticas sino que se mueven con el ritmo de nuestra propia agua. Por tanto si queremos aprehender esa realidad deberemos ser trasparentes. *El terapeuta tradicional debe perder su «territorio», le ha sido usurpado, cogido por las demás personas, cuanto más le usurpan más crea, cuanto menos se preocupe de mantener su territorio, más territorio tendrá.*

Vacío como el valle. ¿Cómo transformar este concepto en nuestra relación con el paciente? Cuando Lao Tse dice que el valle está *vacío nos habla de un lugar que puede ser llenado por cualquier cosa.* Si está lleno no podemos llenarlo. El valle está vacío, rodeado de montañas, pero en el valle surge todo, es el lugar donde se concentran todas las experiencias. Entonces, la actitud ante el enfermo debe ser de vacío, es la actitud del valle que espera ser fecundado. Es en los valles donde se dan las mejores cosechas, donde tenemos los mejores climas, es el lugar donde la naturaleza es más generosa. El terapeuta no puede tener un valle lleno, porque si no, no puede germinar, no puede sentir las influencias del paciente. El valle del terapeuta debe estar en constante cambio: siembras, surcos etc, él no tiene nada suyo, su valle vacío alcanzará su auténtica dimensión en la medida en que es capaz de ser fecundado por las influencias del paciente.

Todas estas cualidades que nos ha sugerido el Tao Tejing pueden resultar difíciles, incomprensibles y a veces inaceptables. Desde luego, si nos parecen inaceptables será producto de la soberbia.

Esto, lo que sugiere es universalidad y ésta coloca al terapeuta en una situación de estabilidad y de armonía con su hábitat.

Si nos paramos a pensar estas 7 cualidades, son producto nuestro, las tenemos todos dentro, tanto sólo tenemos que recordarlas; y es tan fuerte esta evidencia que una vez que se recuerda, se precipita con toda normalidad.

Ese descubrimiento que debe de hacer el terapeuta tradicional, de que todo lo que emana de él, procede de la experiencia de la totalidad, es fundamental para entender esto. Por tanto, la actitud que el terapeuta adopta ante el medio que le rodea, aunque pueda resultar importante, no debe serlo asi para el propio terapeuta. Hay que entender que en el caso de que no se desarrollen al máximo estas cualidades ha sido a consecuencia de la cultura, una cultura que en general se ha encargado de la explotación del hombre, por lo que ha sido una cultura alienadora, represiva, que no deja surgir estas potencialidades universales que tenemos cada uno. Esa cultura ha destruido y ridiculizado los mitos, ha destruido los sueños, ha transformado las leyendas en imaginaciones, ha negado cualquier posibilidad real que no sea la que percibamos por nuestros sentidos; por tanto nos ha privado de otros niveles de conciencia. Estamos en un momento en que todo *lo que no sea tocable*, mediable, y pesable, es falso, por tanto no pueden surgir con claridad, con dulzura, estas fuerzas de las que nos habla Lao Tse.

Si vivenciamos esta realidad de la historia de la cultura, espontáneamente iran surgiendo estas potencialidades del Agua, de la trasparencia, de la prudencia, del vacío, e iremos adquiriendo otros niveles de consciencia.

Dice el Tao Te King: «*El que conoce lo externo es un erudito, el que se conoce a si mismo es un sabio, el que conquista a los demás es poderoso, el que se conquista a si mismo es invencible*».

Luego, hay diferentes niveles de conocimientos; si el terapeuta conoce todas las situaciones que crean una enfermedad, es un erudito, pero eso al enfermo no le cura. En cambio, si damos un salto en los nivel de energía, colocaremos al paciente ante la realidad de que se conozca a si mismo, sobre todo a que interprete porque he llegado a estar enfermo. *La historia secreta de toda enfermedad la posee el propio paciente*; si queremos realmente contribuir a su liberación, debemos de ayudarle a que realice ese viaje, preguntando, mirando, sugiriendo. En definitiva, estamos colaborando a que el paciente se trasforme en un sabio, que deje de ser un erudito.

El paciente normalmente viene a nosotros en forma de erudito: «Doctor, tengo una neumonía, toso mucho, etc...» en todo caso debemos preguntarnos ¿Porqué tiene usted la neumonía? ¿Qué alteración de energía ha producido usted para tener Neumonía? Si nosotros actuamos como eruditos, prescribimos penicilina y se acabó. En cambio deberemos investigar porqué tiene esos síntomas, buscando la razón por la cual duerme en el suelo y expuesto al frio, o porque está debil y come poco...

«Nadie enferma por mecanismos externos, éstos penetran porque no estamos suficientemente fuertes».

Actualmente se admite que el conocimiento de los métodos sanitarios es lo mejor para prevenir las enfermedades, ni las vacunas ni los antibióticos, sino el conocimiento de los mecanismos de trasmisión.

El cólera y la viruela han desaparecido prácticamente de nuestro planeta no por las vacunas sino por la mejor alimentación y por las medidas higiénicas, ésto lo dicen los investigadores de medicina preventiva norteamericana.

El estudio retrospectivo de la aparición de epidemias en Europa nos muestra que cuando empiezan a descender los índices de epidemia, no es cuando aparecen los medicamentos y las vacunas, luego, la incidencia de vacunas y medicamentos ha sido mínima; lo cual no quiere decir que no vacunemos a nuestros hijos.

El conocimiento de sí mismo que supone el que el sujeto sea un sabio, inevitablemente, por la ley del macro y microcosmos, lleva el conocimiento del entorno y sobre todo implica de qué forma se interrelaciona y con qué ritmo, con el entorno; y todo eso lo descubre dentro de sí. ¿Y qué es para nosotros este lenguaje que dice descubrirnos a nosotros significa ser sabios? Pues implica el conocimiento de todos los mecanismos psicológicos, afectivos, de relación de todas las entidades psíquicas y de todos los comportamientos. Por eso dice el Nei Jing: «Aquél hombre que tiene su psiquismo en equilibrio y en armonía, no podrá ser atacado por ninguna enfermedad».

El texto seguía diciendo: «El que conquista a los demás es poderoso» ...cuando el terapeuta ataca a una enfermedad, lo hace casi siempre al agente causal de esa enfermedad, es una actitud poderosa... ¿Pero qué pasa después de destruir a esas «pobres bacterias»? ...Descubrimos en los pasos anteriores de Lao Tse que el problema no estaba en la bacteria, sino en el sujeto que estaba débil y por eso entraba la bacteria. Continua diciendo: «El que se conquista a sí mismo es invencible» ...como decíamos, el conocimiento de sí mismo implica una serie de condiciones, la conquista de sí mismo implica el conocer cómo son esos ritmos internos, cómo se interrelacionan y en qué momento están en cada situación, entonces el sujeto es invencible.

Actualmente estamos planeando un viaje a la India. Ir a la India supone un cambio de mentalidad, y es muy frecuente enfermar; ¿porqué? ¿las bacterias son peores? No... el Ganges, es un rio donde diariamente se arrojan cadáveres y se bañan miles de enfermos, pues bien, resulta que sus aguas tiene propiedades bacteriostáticas. Un científico inglés mofándose dijo: «Es que no hay bacteria que pueda vivir en ese agua».

Si tenemos un conocimiento de nosotros mismos podemos preparar un poco ese impacto emocional que supone la India; hacer una intromisión, estar en armonía interna a través de comer y respirar de una determinada forma, movilizar determinadas energías... etc... asi estaremos muy bien en la India, será una experiencia increible, porque además, podremos conquistar aún más nuestros más íntimos mecanismos para realmente ser invencibles en el sentido de vivir armoniosamente con los ritmos de energía.

Cuando salimos a la calle y hace frío, nos abrigamos; si viene una amistad a casa, preparamos el ambiente con unas velas, mantel y música etc... es decir, nos preparamos para ello; de esta forma estamos haciendo fuerte nuestro interior. Convertir en un acontecimiento cada acto cotidiano.

No podemos sentarnos a la mesa a comer con los rulos, las zapatillas y la bata. Los mismos animales, se limpian, se lamen, hacen sus ritos, para estar en mejores condiciones. No podemos esperar 10 días al año para meditar, tenemos que hacerlo de manera cotidiana, o ayunar 5 días al año; eso no sirve para nada. La persona no se purifica en 5 días ni en 10, necesitamos desgraciadamente un largo tiempo, pues hemos sido impregnados por energías hereditarias ya contaminadas, y porque estamos constantemente contaminados por los sistemas educacionales. Luego no podemos esperar a encontrarnos a nosotros mismos en un fin de semana.

Luego la preparación del terapeuta debe de ser constante y permanente, no acaba ni con 2 ni con 8 años.

INDICE

Colección Medicinas Blandas

SERIE ACUPUNTURA

TERAPIA ACUPUNTURAL CON EL MARTILLO DE 7 PUNTAS.
Hospital Kuan An Men de Pekín. 4ª ed.
AURICULOTERAPIA PRÁCTICA.
Medicine and Health. Traducción y adaptación del Dr. Carlos Rubio Sáez. 4ª ed.
FORMULARIO TERAPÉUTICO DE ACUPUNTURA (*TCHEU TCHENG TSOUNG YAO).*
Yang Kikeau. Revisado, aumentado y adaptado al castellano por Juan R. Villaverde. 3ª ed.
LOCALIZACIÓN MANUAL DE LOS PUNTOS DE ACUPUNTURA.
Yang Jiasan. Traducción de Zhang Jun y Zheng Jing. 3ª ed.
TRATADO DE LASERTERAPIA.
Carlos Lasvi. 2ª ed.
VADEMÉCUM DE AURICULOTERAPIA.
Sección de Enseñanza del Instituto Hispánico de Acupuntura. 2ª ed.
UTILIZACIÓN TERAPÉUTICA DE LA VENTOSA.
Ren Huanchao. Traducción: Zheng Xingshan. 2ª ed.
TRATADO COMPLETO DE DIGITOPUNTURA CLÍNICA.
Ma Xiutang. Traducción: Zheng Xingshan.
TRATAMIENTO DE LAS ENFERMEDADES MENTALES POR ACUPUNTURA Y MOXIBUSTIÓN.
Ye Chenggu.
TRATAMIENTO DE LA DIABETES CON MASAJE TERAPÉUTICO CHINO Y ACUPUNTURA.
Qiu Xingjun.
TRATADO DE MOXIBUSTIÓN.
Xingshan Zeng y Mingde Yang.
MEDICINA TRADICIONAL CHINA.
José Luis Padilla Corral. 2ª ed.
LA ACUPUNTURA EN LA SENDA DE LA SALUD. 4.140 CASOS CLÍNICOS.
José Luis Padilla Corral. 2ª ed.
FISIOPATOLOGÍA Y TRATAMIENTO EN MEDICINA TRADICIONAL CHINA.
José Luis Padilla Corral.
TRATADO CLÁSICO DE ACUPUNTURA Y MOXIBUSTIÓN *(ZHEN JIN JIA YI JING).*
Haungfu Mi. Edición de José Luis Padilla Corral.
DIETOTERAPIA ENERGÉTICA SEGÚN LOS CINCO ELEMENTOS DE LA MEDICINA TRADICIONAL CHINA.
Patricia Guerín. 2ª ed.
CURSO DE ACUPUNTURA.
José Luis Padilla Corral.